Remedios caseros curativos

Más de 1.000 maneras
asombrosas de sanar la artritis,
la presión sanguínea alta,
el asma, las várices
y ¡mucho, mucho más!

Joan Wilen y Lydia Wilen

Bottom Line
Books

Remedios caseros curativos—¡Más de 1.000 maneras asombrosas de sanar la artritis, la presión sanguínea alta, el asma, las várices y ¡mucho, mucho más!
por Joan Wilen y Lydia Wilen

Título del original en inglés: *Bottom Line's Healing Remedies*

Adaptación y traducción © 2009 Boardroom Inc.

Traducción publicada por convenio con las autoras.

Los remedios en este libro se adaptaron de:

Chicken Soup & Other Folk Remedies © 1984, 2000 por Joan Wilen y Lydia Wilen

More Chicken Soup & Other Folk Remedies © 1986, 2000 por Joan Wilen y Lydia Wilen

El Editor, los Licenciatarios del editor y las Autoras han tenido el cuidado razonable para asegurarse de que la información contenida en la Adaptación sea completa y correcta. Sin embargo, ni el Editor ni los Licenciatarios del editor ni las Autoras se dedican a proporcionar consejos o servicios profesionales y, por consiguiente, los mismos expresamente niegan toda declaración o garantía en lo que respecta a que sea completa, correcta o apropiada cualquier información, idea, opinión, procedimiento o sugerencia contenida en la Adaptación. Ni el Editor ni los Licenciatarios del editor ni las Autoras serán responsables ni estarán sujetos a responsabilidad por ninguna obligación, pérdida, lesión o daño que se suponga que surja de cualquier información, idea, opinión, procedimiento o sugerencia contenida en la Adaptación.

ISBN 0–88723–530–1

10   9   8   7   6   5   4   3   2

Traducción y diagramación de interiores: Daniel A. González y asociados

Bottom Line Books® es una marca registrada de Boardroom® Inc.
281 Tresser Blvd., Stamford, CT 06901

Bottom Line Books® publica la opinión de autoridades expertas en muchos campos. El uso de este libro no sustituye servicios profesionales de salud, legales, contables u otros. Consulte a profesionales competentes para obtener respuestas a sus preguntas específicas.

Las ofertas, precios, tasas, direcciones, números de teléfono y sitios en Internet que aparezcan en este libro son correctos en el momento de la publicación, pero con frecuencia pueden cambiar.

Impreso en Estados Unidos de América

Contenido

Reconocimientos x

Unas palabras de las autoras xi

Introducción xii

Remedios caseros curativos de la A a la Z (bueno, solo hasta la V)

Alergias y fiebre del heno 3
    Alivio para las alergias 3
    Alivio para la fiebre del heno 4

Anemia 5
    Fortificadores de la sangre 5

Artritis.. 6
    Saber es poder! 6
    Remedios naturales 6
    Tratamientos tópicos que calman
        el dolor...................................... 8

Asma 13
    Sabiduría global 13
    Remedios naturales 14

Ateroesclerosis... 16
    Remedios naturales 17
    Remedios para el colesterol elevado .. 17

Bebidas alcohólicas y sus problemas............ 21
    Remedios alimentarios 21
    Cómo recobrar la sobriedad 21
    Ayuda para la resaca........................... 22
    Prevención de la intoxicación 24

Cabello: sus problemas y cómo curarlos 26

Cómo detener la caída del pelo
    y promover su crecimiento.......... 26
    Remedios naturales 28
    Remedios para el cabello rebelde....... 29
    Revitalizadores del cabello 30
    Eliminadores del cabello verde.......... 31
    Colorante "natural" para el cabello ... 31
    Fijadores 33
    Consejos útiles para el cabello 33

Cigarrillo 34
    Deje de fumar... en serio................... 34
    Técnicas naturales para ayudarlo
        a abandonar el hábito de fumar... 35

Congelación... 38

El corazón: infartos y otros problemas 39
    Ataque al corazón.............................. 39
    Palpitaciones del corazón.................. 40
    Ayudantes del corazón 40

Depresión y estrés.. 43
    Soluciones básicas............................. 43
    Alimentos curativos 43
    Otros estimulantes del ánimo........... 44
    Alimentos que calman el estrés 45
    Tics nerviosos 46

Desfase horario ("jet lag").......................... 46
    Remedios naturales 46

Desmayos 47
    Remedios naturales 48

Diabetes 48

Controles alimentarios 48
Diarrea 49
Alimentos curativos 49
Diarrea crónica................................. 51
Disentería... 52
Dientes, encías y las dolencias bucales 52
Problemas de los dientes................... 52
Cómo prepararse para un
tratamiento dental...................... 55
Extracción de muelas 55
Problemas de las encías................... 55
Prevención de las caries 57
Halitosis (mal aliento)..................... 58
Aftas.. 60
Dolor de cabeza 61
Remedios naturales 61
Migrañas 64
Prevención del dolor de cabeza...
más o menos................................ 66
Dolor de espalda 67
Posiciones curativas 67
Remedios naturales 68
Ciática.. 68
Enfisema.. 70
Esguinces y torceduras............................ 70
El tratamiento de los esguinces 70
Remedios naturales 71
Estreñimiento 72
Remedios naturales 72
Exceso de peso... 75
Consejos para controlar el peso........ 75
Antiguas hierbas adelgazantes 76
Otros remedios adelgazantes 78
Meriendas saludables 80
Lento, pero seguro 81
Eliminador de celulitis..................... 82
Acelere su metabolismo.................... 83
Los desafíos de los días festivos 84
Cómo determinar su perfil
de peso/salud............................. 85
Fatiga 87
Remedios naturales 87
Propulsores de energía 88
Gota 90

El mejor remedio............................. 90
Otros Remedios............................... 90
Hemorroides.. 91
Remedios naturales 91
Prevención de las hemorroides......... 92
Herpes.. 92
Remedio alimentario 93
Herpes labial y llagas en la boca....... 93
Culebrilla (Herpes zóster) 94
Hipertensión.. 95
Si tiene la presión arterial alta... 96
Si tiene la presión arterial baja... 97
Hipo 98
Remedios naturales 99
Indigestión... 101
Remedios naturales 101
Para prevenir la indigestión............ 104
Gases y flatulencia 104
Acidez estomacal............................ 106
Prevención de la acidez estomacal... 107
Retortijones de estómago 108
Manos y uñas: problemas y soluciones 109
Manos ásperas 109
Manos sudorosas 110
¡Los últimos remedios para las uñas!... 110
Memoria: problemas comunes 111
Remedios naturales 112
Mordeduras y picaduras de animales......... 114
Mordeduras de animales.................. 114
Picaduras de insectos 114
Otras picaduras 115
Picaduras de mosquitos................... 115
Mordeduras de serpiente 116
Picaduras de arañas......................... 117
Picaduras de garrapata 117
Spray de mofeta.............................. 118
Moretones y decoloración de la piel........... 118
Moretones 118
Manchas marrones 119
Ojeras... 120
Ojos morados 120
Músculos doloridos 121
Calambres....................................... 121
Tensión en el cuello....................... 121

Cuello rígido 122
Traumatismo cervical 122
Calambres en las piernas 123
Náuseas y vómitos 125
Remedios naturales 125
Mareos causados por movimiento ... 126
Mareos de mar 128
Neuralgia 128
Remedios naturales 128
Oídos: dolor, infección y otros problemas .. 129
Dolor de oídos 129
Remedios naturales 129
Infección de oídos 130
Presión en los oídos 131
Otros problemas de oídos 132
Tinitus (tintineo en los oídos) 132
Pérdida de la audición 133
Ojos rojos y otros problemas de los ojos 134
Ojos rojos 134
Cataratas 135
Conjuntivitis 136
Ojos secos 137
Irritantes de los ojos 138
Ojos inflamados 139
Ojos hinchados 140
Vista cansada 141
Glaucoma 142
Visión nocturna 142
Orzuelos 142
Ceguera por la nieve 143
Fortalecedores de ojos 144
Limpiadores de anteojos 145
Los mejores lavados caseros 145
Olor corporal 147
Remedios alimentarios 147
Piel: acné, manchas y otros problemas 149
Acné 149
Cicatrices de acné 151
Puntos negros 151
Piel muerta y poros agrandados 151
Heridas y llagas 152
Furúnculos 153
Rodillas y codos resecos 154
Pecas 155
Cortaduras y raspaduras 155
Cicatrices 155
Astillas 156
Estrías 156
Arrugas 156
Pies y piernas y sus dolencias 158
Pies doloridos 159
Clavos y callos 159
Pies fríos 161
Pie de atleta 162
Uñas encarnadas 162
"Dedos de paloma" 163
Talones agrietados 163
Pies sudorosos 163
Dedos entumecidos (dormidos) 163
Várices (venas varicosas) 164
Remedios naturales 164
Flebitis 165
Remedios naturales 166
Tobillos débiles 166
Quemaduras 167
Quemaduras de primer grado 167
Quemaduras de segundo grado 168
Quemaduras con ácidos
y sustancias químicas 168
Quemaduras menores 168
Quemaduras de sol 169
Cómo aliviar las quemaduras 169
Ojos y párpados quemados por el sol ... 170
Resfriados y gripe 172
Remedio caliente para el resfriado ... 172
Otros remedios alimentarios 174
Evite la gripe 178
Aliviadores de la fiebre 180
Dolor de garganta 180
Ronquera y laringitis 182
Estreptococos en la garganta 183
Amigdalitis 184
Sangrados por la nariz 185
Remedios naturales 185
Cómo prevenir el sangrado nasal 186

Sarpullidos y picazón en la piel................ 186

    Eccema.............................. 186

    Psoriasis 187

    Prurito y urticaria 187

    Picazón en los genitales 189

    Picazón rectal.......................... 189

    Sarpullido por el calor.................... 190

    Irritación al afeitarse 190

    Tiña.................................... 190

    Seborrea 191

    Hiedra venenosa.......................... 191

Sexualidad 193

    Remedios naturales 193

    Afrodisíacos 196

Síndrome del túnel carpiano (CTS) 198

    Dormir con el CTS 199

    Ejercicios para evitar el CTS............ 199

    Hierbas para el CTS...................... 200

Sinusitis 202

    Remedios naturales 202

    Dolores de cabeza

        causados por sinusitis............... 202

El sistema urinario: problemas comunes.... 202

    Remedios naturales 203

    Mojar la cama y orinar de noche..... 204

    Incontinencia 205

    Problemas de los riñones................ 206

El sueño y sus problemas 207

    Insomnio................................ 207

    Pesadillas 212

    Sonambulismo........................... 212

    Ronquidos y apnea del sueño 212

Tensión y ansiedad......................... 214

    Remedios naturales 214

    Miedo escénico.......................... 216

Tos 217

    Remedios naturales 217

    Tipos de tos............................. 220

Úlceras 222

    Remedios alimentarios 222

Verrugas 224

    Remedios naturales 224

    Verrugas plantares 225

Vesícula biliar irritada.................... 226

    Remedios naturales 226

Remedios curativos para niños 229

    La seguridad debe ser la prioridad .. 229

    Acné.................................... 230

    Trastorno de déficit de atención

        e hiperactividad.................. 230

    Mojar la cama............................ 230

    Varicela 231

    Irritantes de los ojos 231

    Resfriados y gripe...................... 231

    Tos 232

    Crup.................................... 232

    Diarrea 233

    Fiebre 233

    Objetos en la nariz 233

    Piojos 234

    Indigestión, cólicos y gases 234

    Niños sin apetito....................... 236

    Sarpullidos 236

    Astillas 236

    La dentición 237

    Amigdalitis 237

Remedios curativos para el hombre.. 241

    Agrandamiento de la próstata.......... 241

    Impotencia (disfunción eréctil) 243

Remedios curativos para la mujer 249

    Control de la vejiga..................... 249

    Cistitis 250

    Falta de deseo sexual 251

    Vaginitis (infección vaginal)........... 251

    Menstruación 252

    Embarazo 254

    Menopausia.............................. 256

**Remedios para lograr
una belleza natural**.................... 261

    El cuidado de la piel 261

    Cuidado básico de la piel 261

    Tratamiento facial sabroso............. 262

    Prepare su propia máscara de belleza... 262

    Esta fórmula casera revitaliza la piel ... 262

    Tonificante para la piel.................. 263

El cuidado de la piel grasosa 263
El cuidado de la piel seca 264
El cuidado de la piel mixta............. 264
Pasta exfoliante 265
Prepare un exfoliante casero
    para el cuerpo......................... 265
Cómo lucir maravillosa 266
Mejore su crema nocturna.............. 266
Relaja la cara como por
    arte de magia......................... 266
Cómo prevenir la papada 266
Las secadoras más rápidas 266
Evite los labios agrietados 266
Depilación de cejas placentera 266
Cómo cuidarse las uñas................. 266
La lima de la caja de fósforos 266
Base para el esmalte 267
Protección para la manicura........... 267
Consejos útiles 267
Para quitar la pintura de la piel...... 267
Para quitar las tiritas sin dolor 267
Espejo, espejito limpio 267
Perfume estimulante..................... 267

Super remedios........................... 271
Beso de la vida 271
Ejercite los pulmones 271
Bostece por completo 271
Las confesiones son buenas…
    para el sistema inmune............. 272
La siesta es productiva 272
Practique la medicina preventiva:
    ¡Ríase! 272
Llore a lágrima viva..................... 273
Vigile el consumo de calcio 273
Ordénese a sanar 273
Abrazos para todos....................... 274

Guía de preparación.......................... 277
Cebada ("barley") 277
Leche de coco 277
Lavado de ojos 278
Jugo de ajo 278
Té de jengibre ("ginger")................ 278
Baño de hierbas.......................... 278

Té de hierbas................................. 279
Cebollas 279
Pomas (bolsas aromáticas) 279
Papas... 280
Cataplasmas 280
"Sauerkraut" (chucrut) 281

Seis Superalimentos maravillosos 285
Cómo elegimos los Seis
    Superalimentos......................... 285
Aproveche estos alimentos
    curativos................................. 286
1. Polen de abeja 286
2. Semillas de lino ("flaxseed") 291
3. Ajo 295
4. Jengibre.................................. 300
5. Nueces 304
6. Yogur...................................... 311

Hechos y consejos asombrosos 319
Con actitud positiva,
    se vive más tiempo 319
El auge de la luna llena 319
Que descanse, pero ¡no en la cama!... 319
Honorarios médicos 320
La fiebre: ¿amiga o enemiga?........... 320
Cómo refrescar la habitación
    de un enfermo 320
Cómo leer la receta médica 320
Cómo tomar las pastillas…
    ¡en serio! 321
Con los cinco sentidos 321
Gotero de emergencia.................... 321
Botella de agua caliente y
    compresa de hielo caseras.......... 322
Lo bueno del pescado con limón? ... 322
La buena salud, al estilo italiano 322
Conserve las vitaminas usando
    el microondas 322
Elija las verduras verde oscuro 322
Cuidado con los alimentos
    con moho 323
Cómo guardar las hierbas y especias.... 323
Cómo eliminar los pesticidas
    de las frutas y verduras............. 323

Sustitutos para salar y endulzar....... 323

Cómo cocinar con cebollas sin
llorar... bueno, casi, casi.......... 323

Cómo eliminar de las manos
el olor a ajo y a cebolla 324

Guárdelas en las medias................. 324

Repelentes naturales de insectos 324

Purificadores naturales de aire 324

Cómo eliminar el olor de
los frascos de alimentos............. 325

Elimine el olor a gasolina con sal.... 325

Peluches sobre hielo....................... 325

Empiece a la izquierda 326

Siéntese en el baño........................ 326

Fuentes.. 329

Productos herbarios y más 329

Gemas, productos "New Age"
y regalos.................................... 330

Vitaminas, suplementos
nutricionales y más 330

Alimentos naturales y más 331

Productos de abeja y más 331

Alimentos y productos
para mascotas 331

Productos relacionados con la salud... 332

Productos de viaje relacionados
con la salud y más..................... 332

Aparatos para la salud al por mayor
y al por menor 332

Aromaterapia, esencias florales
y más... 332

Servicios... 332

Recursos de salud................................. 337

Organizaciones, Asociaciones
y Boletines informativos............ 338

Recursos sólo en Internet.............. 347

Índice de recetas 351

Índice.. 353

Dedicatoria

Remedios caseros curativos
está dedicado al recuerdo cariñoso de nuestros padres,
Lillian y Jack Wilen.

■

Reconocimientos

Agradecemos mucho a todas las personas que ofrecieron su cariñoso apoyo, buenos deseos y, por supuesto, sus maravillosos remedios.

◆ Nuestro *sincero agradecimiento* al doctor Ray C. Wunderlich, Jr., MD, PhD, quien revisó todos los remedios de este libro, teniendo en cuenta el bienestar del lector. Muchas de las secciones indicadas como "Nota", "Advertencia" y "Atención" que se encuentran en estas páginas reflejan el dedicado examen de nuestro querido médico. Nos sentimos bendecidas por conocer a este sanador, maestro y la única otra persona en nuestro huso horario que se encuentra despierta si llamamos para hacer una pregunta a las 2:00 de la madrugada.

◆ *Un agradecimiento muy especial* a Marty Edelston, fundador, editor y genio residente de Boardroom Inc. y a su división Bottom Line Books, por ser tan especial.

Estamos muy contentas de ser autoras de Boardroom y nos sentimos afortunadas de trabajar con el gran equipo de Marty en Boardroom, incluyendo al incomparable Brian Kurtz, nuestros magníficos editores, Karen Daly y Amy Linkov, y las muchas personas asociadas a Boardroom cuya pericia e interés hicieron posible este libro. Dejaremos aquí registrados sus nombres, y les damos nuestros más sinceros agradecimientos a cada uno de ellos por su muy valiosa contribución.

Marjory Abrams
Tom Dillon
Polly Stewart Fritch
Carolyn Gangi
Dan González
Sandy Krolick
John Niccolls
Rich O'Brien, MD
Paula Parker
Kathi Ramsdell
Ken Sevey
Rebecca Shannonhouse
Jennifer Souder
Carmen Suárez
Melissa Virrill
Alexandra White
Michele Wolk
Phillis Womble

Y al brillante Arthur P. Johnson por ejercer su magia. Si hay alguien a quien involuntariamente hemos olvidado… pues, ¡también le agradecemos! ■

Unas palabras de las autoras

Los seres humanos han consultado a sanadores por miles de años. Ya se trate de un curandero, un chamán, un naturópata, un médico o algún otro tipo de experto en la salud, parece que en cuanto más cambia el mundo, más permanece lo mismo. *Puede considerarse esta cronología...*

	"Doctor, me duele la garganta."
2000 AC	"Sírvase, coma esta raíz."
1000 AC	"Comer esa raíz es de infieles. Diga esta oración."
1850 AD	"Esa oración es una superstición. Beba esta poción."
1940 AD	"Esa poción es aceite de serpientes. Trague esta píldora."
1980 AD	"Esa píldora es artificial e ineficaz. Tome este antibiótico."
2000 AD	"Ese antibiótico es artificial, tiene efectos secundarios y usted ha desarrollado inmunidad al mismo. ¡Coma esta raíz!"

Y así hemos vuelto a nuestras raíces. Al vivir en una gran ciudad, nosotras compramos nuestras raíces en tiendas de hierbas y de alimentos naturales. En realidad, eso no es lo único que conseguimos ahí. También nos beneficiamos de la tecnología moderna, y compramos vitaminas y suplementos que se elaboran en forma comercial. Usted se dará cuenta que, junto a los remedios tradicionales clásicos que se incluyen en este libro, ¡hemos añadido remedios nuevos que quizá hagan que usted vaya seguido a la tienda de alimentos naturales!

En este milenio, hemos notado que tenemos muchas opciones cuando se trata del cuidado de la salud. No debería ser un asunto de *medicina tradicional versus medicina alopática. La medicina integral* combina las prácticas tradicionales con los tratamientos alternativos. Aprenda sobre sus opciones y, con la supervisión de su profesional de la salud, aproveche lo mejor de ambas.

—Joan y Lydia ■

Introducción

Nuestra experiencia con remedios naturales comenzó cuando éramos niñas en Brooklyn, Nueva York. Todos los inviernos, mamá tejía a crochet pequeñas bolsas con cordel, papá se aseguraba de que estuvieran llenas de alcanfor, y luego insistía en que las usáramos alrededor de nuestro cuello. No era una declaración de moda que se le ocurría a papá, sino que él creía que esto evitaría que nos resfriáramos. Por supuesto que apestábamos tanto a alcanfor que ninguna de nuestras amigas se nos acercaba. Y, como resultado, no nos contagiábamos sus resfriados. Así que papá tenía razón.

Ese alcanfor fue nuestra introducción a los remedios naturales… junto con miel y limón para un dolor de garganta, agua azucarada para el hipo, rábano picante para despejar los senos nasales, ajo para un montón de cosas… y sopa de pollo para todo lo demás.

Mamá hacía la mejor sopa de pollo del mundo… cuando no estaba tejiendo a crochet pequeñas bolsas con cordel para el alcanfor. De hecho, su receta de sopa se encuentra en este libro (*vea* la página 172). También hemos incluido la receta de sopa de pollo muy eficaz de un médico (*vea* la página 173). ¿Qué eficacia tiene? Tiene tanta eficacia que la dosis consiste en tomar sólo dos cucharadas por vez.

Cuando comenzamos nuestras investigaciones para este libro, visitamos a todos nuestros parientes y amigos para pedirles sus remedios caseros. Escuchamos maravillosas historias sobre curas antiguas extraordinarias, pero la época en que vivimos es muy diferente, y el mundo ha cambiado de manera drástica. Por ejemplo, ¿quién hubiera imaginado que el aceite de coco extra virgen podría usarse para el tratamiento de la diabetes? (Para más detalles, *vea* la página 49.) Y queríamos que los remedios del libro fueran seguros y eficaces, pero prácticos.

Sí, ¡PRÁCTICOS! Todas las frutas, verduras, hierbas, vitaminas, minerales y líquidos –todos los ingredientes que mencionamos en este libro– pueden hallarse en Internet, la tienda de alimentos naturales, el supermercado o la verdulería local, eso es, si ya no están en su hogar.

La mayoría de los remedios de este libro requiere sólo unos pocos ingredientes, y algunos requieren nada más que su concentración o el estímulo de un punto de acupresión. Nuestras instrucciones son específicas y fáciles de seguir. Sin embargo, si no se indica una cantidad o medida exacta, es que entonces no la pudimos verificar, pero pensamos que el remedio era lo suficientemente eficaz como para incluirlo.

Bien, hemos cubierto los aspectos prácticos de este libro… ahora cubriremos los de EFICACIA: ¿estos remedios dan resultado? ¡Sí! Por supuesto, nos damos cuenta de que no todo remedio será eficaz para toda persona. Pero estos remedios son fáciles de usar, económicos y no tienen efectos secundarios. En otras palabras, a pesar de que quizá no siempre sean de ayuda, ciertamente no serían dañinos. *Lo que nos trae a un punto muy importante…*

Varios médicos apreciados han examinado cada remedio de este libro y los han considerado SEGUROS. Pero usted debe hacer lo suyo por su propio bienestar: por favor consulte a un profesional de la salud en quien confíe antes de probar algún tratamiento de autoayuda, incluidos los remedios en este libro.

Además, si está embarazada o amamanta, si tiene alergias o es sensible a alimentos, o si padece alguna enfermedad grave o crónica, le rogamos –por favor– que hable con su médico, enfermera o partera, dentista, naturópata u otro especialista de la salud antes de probar cualquiera de estos remedios. Y tenga en cuenta que la mayoría de estos remedios NO son para niños. Consulte "Remedios curativos para niños" (*vea la página 229*) para obtener sugerencias de curaciones apropiadas para los pequeños.

Preste atención a las secciones tituladas "Nota", "Advertencia" y "Atención". Enfatizan el hecho de que nuestras sugerencias de remedios caseros no han sido aprobadas científicamente y no deberían reemplazar la evaluación y el tratamiento médico profesional. Algunos remedios pueden ser peligrosos para personas que estén tomando medicamentos o que padecen enfermedades o afecciones específicas.

La atención médica tradicional, eficaz y comprobada, está disponible para casi todas las afecciones que mencionamos en este libro. Usted debería consultar a un médico por ciertas enfermedades o síntomas persistentes. Estos remedios naturales deben usarse para complementar, pero nunca para sustituir, la atención médica profesional.

Algo más… asegúrese de leer la sección "Seis Superalimentos maravillosos" en la página 285. Estos alimentos extraordinarios tienen el poder de ayudar a proteger, mejorar, salvar y prolongar la vida de las personas.

Para hallar los modos más benéficos y sabrosos de comer estos alimentos, hicimos muchos experimentos e investigaciones. Empapamos, restregamos, rallamos, picamos, cortamos, condimentamos, licuamos, hervimos, batimos, espolvoreamos, pelamos, cocimos, horneamos, asamos, tostamos y probamos… y llegamos a sugerencias sencillas para incorporar esos alimentos a su dieta diaria. (Sin embargo, no hemos preparado personalmente en nuestra cocina todas las recetas que se incluyen en este libro. Seleccionamos las que creímos que eran sencillas, saludables y deliciosas. Esperamos que las disfrute.)

Tenga en cuenta que no tenemos instrucción médica formal y que no estamos prescribiendo tratamientos. Somos escritoras que estamos informando sobre lo que ha funcionado para muchas generaciones de personas que han compartido sus remedios con nosotras. Para su seguridad, consulte a su médico antes de probar cualquier tratamiento de autoayuda o remedio natural.

Gracias por leer nuestro libro, y ¡todos nuestros mejores deseos para su buena salud!

Las hermanas Wilen

Joan y Lydia ■

Remedios caseros curativos de la *A* a la *Z*

(bueno, solo hasta la *V*)

Remedios

ALERGIAS Y FIEBRE DEL HENO

Si le pican los ojos, la nariz le gotea y tiene dolor de garganta, quizá tenga alergias estacionales. Este tipo de alergia ocurre cuando el organismo reacciona exageradamente al polen de los árboles o de la mala hierba y, a veces, al polvo y al moho de las viviendas. La fiebre del heno ("hay fever") es una variedad de este tipo de alergia.

Además, existen reacciones alérgicas, como el asma, la conjuntivitis, la urticaria, el eccema, la dermatitis y la sinusitis; así como alergias a los alimentos, al látex, a las picaduras de insectos y a los medicamentos. (¡Nos da picazón leer esta lista!)

¡Hay casi tantos tipos distintos de alergias como personas que las tienen! Por lo tanto si tiene alergias, debería consultar a su médico antes de probar cualquier remedio. Evidentemente, las alergias tienen que ser tratadas individualmente. Sin embargo descubrimos varios remedios que pueden ayudar a las personas que sufren de alergias estacionales o fiebre del heno.

Alivio para las alergias

▶ Se afirma que las bananas (plátanos) contienen sustancias químicas que repelen las alergias –claro, a menos que usted sea alérgico a las bananas. Si no lo es, coma una banana diaria.

▶ Se afirma que el berro ("watercress"), el cual contiene muchas vitaminas, es antialérgeno. Agréguelo a las ensaladas, sándwiches y salsas. Es muy potente, así que coma pequeñas porciones por vez.

Prevención de las alergias

▶ Nos han dicho que la raíz de regaliz ("licorice") –la hierba, no el caramelo– ayuda a fortalecer la inmunidad contra los alérgenos. Añada tres onzas (85 g) de raíz de regaliz picada (se puede comprar en las tiendas de alimentos naturales) a un cuarto de galón (un litro) de agua. Deje hervir 10 minutos en una olla esmaltada ("enamel") o de vidrio, luego cuele y embotelle.

¡Ojo con sus antojos!

Conocimos una mujer que tenía una alergia severa –y potencialmente mortal– a las almendras. Resulta que su madre había comido mucho mazapán durante su embarazo; el mazapán está hecho de almendras. Un especialista en alergias le dijo luego a la mujer, que es común que un niño/a sea alérgico/a a un alimento que la madre tenía ansias de comer y comió mucho durante el embarazo.

Dosis: Tome una cucharada antes de cada comida, un día sí y un día no, hasta que haya tomado el agua de raíz de regaliz por seis días. Para entonces, esperamos que su resistencia a las alergias haya mejorado.

ATENCIÓN: No tome raíz de regaliz si tiene la presión arterial alta o problemas renales, ya que puede causar insuficiencia renal.

Alivio para la fiebre del heno

▶ Varios estudios han demostrado que los bioflavonoides –las sustancias provenientes de las plantas que contribuyen a mantener la salud celular– ayudan al cuerpo a utilizar la vitamina C más eficazmente.

Después del desayuno y la cena, tome una tableta de ácido pantoténico (50 mg) y una tableta de vitamina C (500 mg) junto con un bioflavonoide –una toronja ("grapefruit"), una naranja, unas fresas (frutillas, "strawberries"), uvas o ciruelas secas ("prunes"). Si no quiere la fruta entera, tome una cucharadita de ralladura de cáscara de naranja o de limón endulzada con un poco de miel. Se afirma que este remedio ha brindado alivio a muchas personas que padecen de fiebre del heno.

Prevención de la fiebre del heno

▶ El ejército de Estados Unidos investigó los efectos del panal de abejas ("honeycomb") como sustancia antialérgena y desensibilizante para la fiebre del heno. Los resultados fueron muy alentadores, especialmente en aquellas personas que masticaron el panal.

Empiece este régimen un par de meses antes de la temporada de fiebre del heno. Para cuando la estación empiece, el panal puede haberle ayudado a aumentar su inmunidad al polen de la zona donde vive y trabaja. (También puede masticar un pedazo de panal pequeño al comienzo de un ataque de fiebre del heno).

Es importante encontrar un colmenero ("beekeeper") en su zona y comprar los panales allí. Para prevenir la alergia, mastique un cuadrado de panal de una pulgada (2 cm), dos veces al día. La miel es deliciosa, y el panal se convierte en una bola de cera. Mastique la cera unos 10 ó 15 minutos, luego escúpala.

Si no tiene acceso a un colmenero local, busque el panal en las tiendas de alimentos naturales de su barrio. Ojalá el panal de abejas sea de su zona.

ATENCIÓN: Las personas que son alérgicas a las picaduras de abejas o a la miel deben consultar a un médico antes de masticar panal de abeja.

▶ Tres meses antes de la temporada de fiebre del heno, beba una taza de té de semillas de fenogreco ("fenugreek seed") todos los días. Puede comprarlo en las tiendas de alimentos naturales. Este remedio data del antiguo Egipto y aún es usado por los montañeses armenios que beben una taza de té de fenogreco antes de cada comida para limpiar y estimular sus sentidos del olfato y del gusto.

ANEMIA

La sangre es una sustancia extremadamente compleja; consiste en una variedad de elementos líquidos y sólidos, incluidos los glóbulos rojos, los glóbulos blancos y las plaquetas.

El adulto típico tiene entre cinco y seis litros de sangre circulando por todo el cuerpo a través de los vasos sanguíneos.

La anemia es una afección en la que la sangre carece de hierro, lo cual disminuye su capacidad de transportar oxígeno. Esto puede hacer que una persona se sienta débil y apática.

Para combatir la anemia es importante aumentar el consumo de alimentos ricos en hierro (como la carne de res o la espinaca) y suplementos de vitaminas B y minerales como el cobre.

Para ayudar a la circulación y a la purificación de la sangre, y a eliminar la anemia causada por la deficiencia de hierro, le ofrecemos algunas sugerencias. Pero ante todo, le sugerimos que se someta a los exámenes de sangre adecuados. Y siempre consulte a su médico antes de iniciar un programa de autoayuda.

▶ El jugo de uvas (sin azúcar ni conservantes agregados) es una maravillosa fuente de hierro. Tome un vaso de ocho onzas (235 ml) a diario.

▶ Coma con frecuencia ensaladas de espinaca cruda. Asegúrese de lavar a fondo la espinaca para disminuir el riesgo de enfermedades transmitidas a través de los alimentos. Agregue cualquiera de estos ingredientes a su ensalada de espinaca: berro ("watercress"), rábanos ("radishes"), colinabo ("kohlrabi"), ajo, cebollín ("chives"), puerro ("leek"), y cebolla. Todos tienen un alto contenido de hierro.

▶ Todas las mañanas después del desayuno y todas las noches después de la cena, coma dos albaricoques (damascos, "apricots") deshidratados (secos).

▶ Coma pasas de uva ("raisins") como merienda o refrigerio.

✎ **NOTA:** En caso de una grave deficiencia de hierro, quizá necesite más hierro del que es posible obtener de uno o de todos estos remedios. Le sugerimos que busque ayuda de un profesional de la salud.

Fortificadores de la sangre

▶ Se afirma que el "sauerkraut" (chucrut, col agria) crudo (no el enlatado) es excelente para fortificar la sangre. También ayuda a rejuvenecer el cuerpo de otras maneras. Coma entre dos y cuatro cucharadas diarias, justo después de una comida. (Puede comprar "sauerkraut" crudo en las tiendas de alimentos naturales, o *vea* la "Guía de preparación" en la página 281 y aprenda a preparar "sauerkraut" casero).

▶ **¡Consulte a su asesor médico antes de seguir este régimen de un día!** Combine dos cucharadas de limón, una cucharada de miel y una taza de agua tibia.

Dosis: Cada dos horas, desde la mañana hasta dos horas antes de acostarse, tome dos cucharadas de la mezcla. No ingiera ningún otro alimento durante todo el día, solo la mezcla de limón, miel y agua.

▶ Se afirma que la pulpa cruda (no la enlatada o cocida) de la calabaza "pumpkin" y los calabacines ("squash") tienen propiedades purificadoras. Agréguelos a las ensaladas.

► Cuando están en temporada, comer un melocotón (durazno, "peach") al día ayuda a expulsar las toxinas.

► Se afirma que el ajo ayuda a diluir y fortificar la sangre. Coma ajo crudo y/o tome un suplemento de ajo diario.

ATENCIÓN: No consuma ajo ni tome suplementos de ajo si tiene úlceras o un problema hemorrágico, o si está tomando anticoagulantes.

► Beba jugo de zanahoria recién exprimido una vez al día si tiene un extractor de jugo, o coma zanahorias crudas. Las zanahorias contienen calcio, potasio, fósforo y vitaminas A, B_1, B_2 y C.

ARTRITIS

Un especialista en la materia considera que *la artritis* es un término general que incluye *el reumatismo* (inflamación o dolor en los músculos, las articulaciones o en el tejido fibroso), *la bursitis* (inflamación de las articulaciones de los hombros, codos o las rodillas) y *la gota* (inflamación articular causada por exceso de ácido úrico en la sangre). Otro especialista cree que la artritis es una forma de reumatismo. Y un tercero afirma que el reumatismo no es una enfermedad, sino un término para varias enfermedades, incluida la artritis.

Independientemente del nombre, todos los expertos coinciden en dos cosas —que todas estas afecciones provocan dolor… y que causan inflamación del tejido conectivo de una o más articulaciones.

Según los U.S. Centers for Disease Control and Prevention (Centros para el control y la pre-vención de enfermedades) en Atlanta, la artritis es la primera causa de invalidez en Estados Unidos. Alrededor de 66 millones de estadouni-denses se ven afectados por la artritis —la cual tiene más de 100 formas distintas.

¡Saber es poder!

Busque libros sobre artritis (hay muchos) en la biblioteca de su zona o en Internet. También puede comunicarse con la Arthritis Foundation en Atlanta (*vea* los "Recursos de salud" en la página 343), para solicitar más información. Averigüe cuáles son los tratamientos sin medi-camentos y las dietas de bajo contenido ácido.

Estos vegetales son dolorosos

Las plantas clasificadas como solanáceas —las más comunes son las papas blancas, las beren-jenas ("eggplants"), los pimientos ("peppers") verdes y los tomates— pueden contribuir al dolor en algunos pacientes artríticos.

Considere someterse a exámenes profe-sionales con un nutricionista o un alergólogo para determinar su sensibilidad a las solaná-ceas. Trabaje con un profesional de la salud para evaluar su condición y ayudarlo a encontrar métodos de tratamiento seguros y sensatos.

Remedios naturales

Estos son algunos remedios que se afirma han sido exitosos para muchos pacientes de artritis —mejor dicho, *ex-pacientes* de artritis.

NOTA: Estos remedios no son sustitutos del tratamiento médico profesional. Consulte a su médico antes de probar cualquier reme-dio natural.

¡Qué chévere las cerezas!

▶ Se afirma que las cerezas son eficaces porque, al parecer, ayudan a prevenir la cristalización del ácido úrico y a disminuir los niveles de ácido úrico en la sangre. También se afirma que las cerezas ayudan a que los bultos artríticos en los nudillos desaparezcan.

Coma cualquier tipo –dulces o agrias, frescas o enlatadas, congeladas, negras, "Royal Anne" o "Bing". ¡Y beba jugo de cereza! Puede conseguirlo sin azúcar ni conservantes agregados, y también como concentrado en las tiendas de alimentos naturales.

Una fuente sugiere comer cerezas y beber el jugo a lo largo del día durante cuatro días, luego parar por cuatro días y repetir la operación. Otra fuente sugiere comer hasta una docena de cerezas al día, más un vaso de jugo de cereza. Busque el equilibrio adecuado usando su propio juicio. Y preste atención a su cuerpo. Se dará cuenta pronto si las cerezas lo hacen sentir mejor.

☞ **ADVERTENCIA:** Comer cerezas en exceso puede causar diarrea en algunas personas.

¡Viva las verduras!

▶ Coma una porción de judías verdes (ejotes, "string beans") frescas a diario, o prepare jugo de judías verdes y beba un vaso diario.

Las judías verdes contienen las vitaminas A, B_1, B_2 y C y supuestamente ayudan a aliviar el exceso de ácido, el cual contribuye a la artritis. (*Vea* la receta abajo).

■ Receta ■

Ensalada de papaya con judías verdes

1 taza de col (repollo, "cabbage") verde, cortada en cubitos

2 tazas de papaya verde, rallada

½ libra (225 g) de judías verdes (ejotes, "string beans"), cortadas en tiritas finas (a la juliana)

3 dientes de ajo, picados finamente

3 chiles (ajíes, "chile peppers") rojos picantes secos, picados

1 cda. de azúcar granulada

3 cdas. de salsa de soja ("soy sauce")

3 cdas. de jugo de lima (limón verde, "lime")

3 tomates pequeños, cortados en cuñas

5 cdas. de maní (cacahuates, "peanuts"), tostado y triturado

4 cdas. de hojas de cilantro ("coriander"), picadas

Ponga la col en un plato para servir grande y distribuya la papaya y las judías en capas. En un bol pequeño, mezcle, revolviendo, el ajo, los chiles, la azúcar, la salsa de soja y el jugo de lima.

Justo antes de servir, vierta este aderezo sobre la ensalada y decore con los tomates, el maní y el cilantro. Rinde 4 porciones.

Fuente: www.recipegoldmine.com

▶ Remoje una taza colmada de perejil ("parsley") lavado en un cuarto de galón (un litro) de agua hirviendo. Después de 15 minutos, cuele el jugo y refrigérelo.

Dosis: Beba ½ taza de jugo de perejil antes del desayuno, ½ taza antes de la cena y ½ taza cuando el dolor sea particularmente fuerte.

▶ El apio ("celery") contiene muchas sales nutritivas y sulfuro orgánico. Hoy en día algunos herbarios creen que el apio tiene el poder de ayudar a neutralizar el ácido úrico y el exceso de otros ácidos en el cuerpo. Coma apio fresco a diario (asegúrese de lavarlo bien). Las hojas de la parte superior de los tallos del apio también se pueden comer.

Si tanta fibra le causa trastornos a su sistema digestivo, ponga las partes superiores y las partes duras del tallo en una cacerola que no sea de aluminio. Cubra con agua y haga hervir a fuego lento hasta que rompa el hervor. Entonces caliente a fuego lento entre 10 y 15 minutos. Cuele y vierta en un jarro.

Dosis: Beba 8 onzas (235 ml) tres veces al día, media hora antes de cada comida.

Puede variar su consumo de apio bebiendo té de semilla de apio y/o jugo de tallos de apio, o haga lo que hacen los rumanos y cocine el apio en leche. Al planificar su día, tenga en cuenta que el apio es un diurético.

Remedio marino

▶ De acuerdo con los resultados publicados en el *Journal of the American Medical Association* (*www.jama.ama-assn.org*), basados en experimentos realizados por un equipo de estudio del Centro Médico Brusch, en Cambridge, Massachusetts, el aceite de hígado de bacalao ("cod-liver oil") en leche ayudó a disminuir los niveles de colesterol, mejorar

la composición química y la constitución de la sangre, aumentar la energía, corregir problemas de estómago y de azúcar en la sangre, y reducir la presión sanguínea y la inflamación de los tejidos.

Mezcle una cucharada de aceite de hígado de bacalao (la emulsión noruega de aceite de hígado de bacalao –"emulsified"– no sabe mucho a pescado) en 6 onzas (175 ml) de leche.

Dosis: Tómela con el estómago vacío media hora antes del desayuno y media hora antes de la cena.

> ✎ **NOTA:** El aceite de hígado de bacalao es una fuente de vitaminas A y D. Si está tomando suplementos de estas vitaminas, revise cuidadosamente la dosis. La dosis diaria recomendada de vitamina A es de 10.000 unidades internacionales (IU por sus siglas en inglés), la de vitamina D es de 400 IU. *No exceda esas cantidades.*

Se afirma que aplicar aceite de hígado de bacalao externamente ayuda a mitigar los sonidos al mover las articulaciones.

▶ El reconocido psíquico Edgar Cayce dijo en una de sus lecturas: "Quienes se froten una vez por semana con aceite de maní (cacahuates, 'peanuts') nunca sufrirán de artritis".

Tratamientos tópicos que calman el dolor

▶ El ajo se ha usado para calmar rápidamente el dolor causado por la artritis. Frote las zonas doloridas con un diente de ajo recién picado. Tome también suplementos de ajo –uno después del desayuno y otro después de la cena.

▶ Ralle tres cucharadas de rábano picante ("horseradish") y mézclelo en ½ taza de leche hervida. Vierta la mezcla en un pedazo de estopilla (gasa, "cheesecloth") y aplíquelo en la zona dolorida. Cuando la cataplasma se enfríe, quizá ya sienta alivio.

Alivio temporal –solo para mujeres

Los dolores artríticos a menudo desaparecen durante el embarazo. Esto se debe probablemente a cambios hormonales, pero cuando los investigadores encuentren la razón exacta, quizá descubran también la cura permanente para la artritis.

Cargue una papa

▶ Aunque sea sensible a las solanáceas, puede usar remedios externos con papas, los cuales han sido usados por siglos. Lleve una papa cruda en el bolsillo –en serio, esto no es un chiste. Cuando se marchite, después de un día o dos, reemplácela por una papa fresca. Supuestamente alivia la inflamación que puede estar causando problemas y dolor.

▶ Para tratar las zonas afectadas de una manera más directa, pique papas sin pelar hasta tener dos tazas y luego ponga las papas en una olla que no sea de aluminio con cinco tazas de agua. Hierva a fuego bajo hasta que quede la mitad del agua. Mientras el agua esté caliente, pero no hirviendo, sumerja un paño limpio en el agua de papas, escúrralo y póngalo sobre las partes doloridas del cuerpo. Repita el procedimiento hasta que ya no aguante o hasta que el dolor disminuya.

Véalo todo de color de rosas

▶ Cuando tenga punzadas en las articulaciones de todo el cuerpo, tome un baño de pétalos de rosas. Saque los pétalos de tres o cuatro rosas que estén a punto de marchitarse y arrójelas en el agua del baño. Debe dejarlo viendo todo color de rosas.

Mientras más amargo mejor

El vinagre de sidra de manzana ("apple cider vinegar") ha sido utilizado de varias maneras para ayudar a quienes sufren de artritis. Pruebe cual de los siguientes remedios sabe mejor y le resulta más conveniente. Tenga paciencia –deje pasar al menos tres semanas para ver si le da buenos resultados.

▶ Todas las mañanas y todas las noches, tome una cucharadita de miel mezclada con una cucharadita de vinagre de sidra de manzana.

O, antes de cada comida (tres veces al día), tome un vaso de agua que tenga dos cucharaditas de vinagre de sidra de manzana.

O, entre el almuerzo y la cena, tome una mezcla de 2 onzas (60 ml) de vinagre de sidra de manzana con 6 onzas (175 ml) de agua. Bébala lentamente.

Frote la herida con sal

▶ Prepare una cataplasma (*vea* la "Guía de preparación" en la página 280) con sal gruesa "kosher" precalentada en una sartén. Póngala en la zona dolorida. Para que la sal se mantenga tibia, coloque una botella de agua caliente encima. (Es posible que este antiguo remedio casero elimine también el dolor con la sal común aunque no sea "kosher").

Puede poner a prueba más de un remedio a la vez. Preste atención a su cuerpo y pronto sabrá cuál lo hace sentir mejor.

¡Qué pasas!

Joe Graedon, MS, farmacéutico y profesor adjunto asociado de la Universidad de Carolina del Norte en Chapel Hill, es conocido como el "farmacéutico de la gente". Está afiliado al Research Triangle Institute (*www. rti.org*), donde sometieron a prueba el contenido alcohólico de "El asombroso remedio de las pasas remojadas en ginebra" (*vea* la receta a la derecha).

El resultado: Quedaba menos de una gota de alcohol en nueve pasas. Así que cuando las personas que comen pasas no sienten dolor, no es porque están borrachas, sino porque el remedio funciona.

Sin embargo, consulte a su profesional de la salud para asegurarse de que las pasas remojadas en ginebra no interfieran con otros medicamentos que esté tomando, o sean un problema para cualquier trastorno de salud que pueda tener, particularmente en afecciones relacionadas con sobredosis de hierro.

ADVERTENCIA: No les dé las pasas remojadas en ginebra a niños o mujeres embarazadas o que estén amamantando.

Hemos mostrado este remedio en la televisión nacional de Estados Unidos y la respuesta ha sido increíble. Una mujer nos escribió que tenía inmovilidad y dolor constante en el cuello.

Su médico finalmente le dijo: "Tendrá que aprender a vivir con el dolor". Aunque esto era inaceptable, ella no sabía qué más hacer. Entonces nos vio en televisión hablando de este asombroso remedio de pasas de uva. Recibimos su carta dos semanas después de haber comenzado "El asombroso remedio de las pasas remojadas en ginebra". La mujer no tenía dolor y había recuperado totalmente la movilidad. Además, les había dicho a todos sus amigos que pusieran a remojar las pasas en ginebra.

■ Receta ■

El asombroso remedio de las pasas remojadas en ginebra

> 1 libra (450 g) de pasas de uva blanca ("golden raisins")
>
> Ginebra ("gin"), aprox. 1 pinta (½ litro)
>
> Bol grande de vidrio (puede ser de Pyrex, pero no de cristal)
>
> Frasco de vidrio con tapa

Distribuya las pasas de uva uniformemente en el fondo del bol de vidrio y vierta suficiente ginebra sobre las pasas para que queden completamente cubiertas. Deje reposar hasta que la ginebra sea absorbida por las pasas. Tardará unos cinco o siete días, dependiendo de la humedad de su zona. (Puede cubrir el bol con una toalla de papel para evitar el polvo y los insectos). Para asegurar que todas las pasas absorban ginebra, revuelva la mezcla de vez en cuando con una cuchara, de manera que la capa inferior de las pasas quede por encima.

En cuanto la ginebra se absorba, transfiera las pasas al frasco, tape y mantenga cerrado. No refrigere. Todos los días, consuma nueve pasas –ni una más ni una menos. La mayoría de las personas las consumen con el desayuno.

Esta es solo una de las decenas y decenas de historias que hemos recibido sobre la eficacia de este remedio. Algunas personas obtienen resultados impresionantes después de comer las pasas por menos de una semana, mientras que a otras les lleva uno o dos meses. Hay personas a quienes el remedio no les da resultados. Pero no es caro, es fácil de hacer y delicioso, así que vale la pena intentarlo. Sea consistente –coma las pasas todos los días. Espere un milagro… ¡pero tenga paciencia!

Las uvas también son buenas

▶ Se afirma que el jugo de uva blanca absorbe el ácido del organismo. Beba un vaso por la mañana y otro antes de la cena.

Acampe dentro de la casa

▶ Si se levanta con rigidez causada por la artritis, intente dormir en un saco de dormir ("sleeping bag"). Puede dormir en su cama, pero dentro del saco cerrado. Es mucho más eficaz que una manta eléctrica porque su calor corporal está distribuido uniformemente y se conserva mejor. En la mañana sentirá menos dolor y le será más fácil seguir adelante.

▶ Se sabe que el té de barbas de maíz (las hebras bajo las hojas del maíz, "corn silk" en inglés) ha eliminado el ácido del organismo y aminorado el dolor. Remoje un manojo de las barbas en una taza de agua caliente por 10 minutos.

Si no es temporada de maíz, puede comprar extracto de barbas de maíz en una tienda de alimentos naturales. Añada entre 10 y 15 gotas a una taza de agua y beba. También puede preparar un té de barbas de maíz secas. Puede comprar las barbas secas en las tiendas que venden hierbas y especias secas (*vea* "Fuentes" a partir de la página 329).

Alivio herbario

▶ Todas estas hierbas son conocidas como calmantes del dolor –salvia ("sage"), romero ("rosemary"), ortiga ("nettles") y albahaca ("basil"). Use una, dos, tres o cuatro de ellas para preparar un té de hierbas (*vea* la "Guía de preparación" en la página 279). Beba dos tazas al día, rotando las hierbas hasta que encuentre la que le haga sentir mejor.

La cura del café

▶ El abuelo de un amigo nuestro eliminó una dolencia artrítica (y vivió hasta los 90 años) después de usar un remedio de Puerto Rico que le dio una mujer. Exprima el jugo de una lima (limón verde, "lime") grande en una taza de café negro y bébalo caliente antes de nada por la mañana.

Aunque no seamos partidarias de beber café, ¿quiénes somos nosotras para discutir esta cura que dio buenos resultados?

▶ Un remedio antiguo de los indígenas norteamericanos es una mezcla de raíz de yuca triturada y agua. La saponina de la yuca, un esteroide derivado de la planta de la yuca, es un precursor de la cortisona. Los efectos secundarios de la cortisona son demasiado numerosos y desagradables para mencionarlos. Los efectos positivos de la yuca, según un estudio doble ciego realizado en una clínica de artritis en el sur de California, incluyeron el alivio de los dolores de cabeza y de afecciones gastrointestinales.

En ese estudio, el 60% de los pacientes que tomaron tabletas de yuca mostraron una mejoría notable de sus dolencias artríticas. Aunque no funciona para todo el mundo, beneficia a suficientes personas como para que valga la pena probarlo.

Arena al rescate

Para la mayoría de las personas, este remedio no es práctico –para muchos es imposible. Entonces, ¿por qué dedicarle tanto espacio? Los resultados de los que nos han informado han sido tan extraordinarios que creemos que si solo una persona que lee esto, puede hacerlo y encuentra alivio para su dolorosa y debilitante afección, habrá valido la pena el espacio en esta página.

Desde el primer grupo de instrucciones se dará cuenta por qué es considerado como un "último" recurso.

Lleve a su jardín un par de camionadas de arena del mar. (¿Qué le dijimos?) Busque un lugar protegido, lejos del viento. Cave un hoyo de unos 12 pies x 12 pies (4 metros por 4 metros) y 3 pies (1 metro) de profundidad. Vierta la arena dentro.

Claro, necesitará ayuda para preparar esto. También necesitará ayuda para cumplir el tratamiento. Ah, y el tratamiento debe llevarse a cabo en los días calurosos de verano.

Póngase un traje de baño, acuéstese boca abajo con la cabeza de lado (para que pueda respirar, claro está), y pida que le cubran todo el cuerpo con arena, excepto la cabeza. Pídale a su asistente que le ponga protector solar en la cara. Quédese en esa posición por 15 minutos. Luego acuéstese boca arriba y pida que le cubran todo el cuerpo con arena, excepto la cabeza y la cara. Quédese así por 15 minutos.

Luego salga de la arena, cúbrase rápidamente con una bata de franela o de lana. Dése una ducha caliente, séquese bien, acuéstese en la cama unas tres o cuatro horas y relájese. Durante todo el proceso, asegúrese de que no esté expuesto al viento o a corrientes de aire frío.

Según un dicho asiático, "El reumatismo solo se elimina del cuerpo a través del sudor".

Durante las próximas dos o tres horas en la cama, quizá tenga que cambiarse de ropa interior varias veces por la abundante transpiración. Esto es bueno. Asegúrese de hidratarse tomando mucha agua.

Un baño de arena al día es suficiente. Para muchas personas, una semana de tratamiento ha sido suficiente para ayudarlas a curar la dolencia completamente.

> ✎ **NOTA:** El baño de arena debe ser de arena seca y debe hacerse en su patio, en un lugar protegido del viento. La playa es muy húmeda, con mucha brisa y, generalmente, está muy lejos de casa.

▶ Si no tiene úlceras, tome ⅛ cucharadita de pimienta de cayena ("cayenne pepper") diluida en un vaso de agua o de jugo de frutas (jugo de cereza sin azúcar ni conservantes es lo mejor). Si la pimienta es demasiado fuerte para usted, compre cápsulas de tamaño Nº 1 y llénelas con cayena, o puede comprar las cápsulas de cayena ya listas en una tienda de alimentos naturales. Tome dos al día.

Masajes y jugos curativos

▶ Combine ½ cucharadita de aceite de eucalipto ("eucalyptus"), que se puede comprar en las tiendas de alimentos naturales, y una cucharada de aceite de oliva puro y dése un masaje con esta mezcla en las zonas doloridas.

▶ Quizá quiera alternar la mezcla para masajes anterior con esta –ralle jengibre ("ginger") fresco, luego extraiga el jugo a través de un pedazo de estopilla (gasa, "cheesecloth"). Mezcle el jugo de jengibre con una cantidad igual de aceite de ajonjolí ("sesame oil"). Dése un masaje en las zonas doloridas. El jengibre puede ser bastante fuerte. Si el ardor lo hace sentir incómodo, reduzca el jengibre añadiendo más aceite de ajonjolí a la mezcla.

▶ El gel de áloe vera se está usando ahora para muchas dolencias, incluida la artritis. Puede aplicar el gel externamente en la articulación dolorida o puede beberlo –una cucharada en la mañana antes de desayunar y una cucharada antes de la cena.

▶ Los jugos de vegetales son maravillosos para todos. Pueden ser particularmente beneficiosos para los artríticos. Use jugo de zanahoria recién exprimido para endulzar el jugo de apio ("celery") o el jugo de col rizada ("kale"). (Compre un extractor de jugo o vaya a una tienda de jugos cercana).

ASMA

Durante un ataque de asma los tubos bronquiales se estrechan y segregan un exceso de mucosidad, lo cual dificulta la respiración. Es una enfermedad grave que con frecuencia puede ser mortal.

En ciertas personas el asma puede ser causada por ejercicio, alergias, problemas emocionales o una posible combinación de todos estos factores. (*Vea* también la sección "Alergias y fiebre del heno" en la página 3).

El renombrado médico inglés del siglo XIX, Peter Latham, afirmó: "No se puede estar seguro del éxito de un remedio, si aún no se conoce la naturaleza de la enfermedad". Esto se aplica al asma.

Sabiduría global

En todo el mundo abundan las leyendas tradicionales sobre curiosos remedios para el asma. Aunque no recomendamos remedios poco ortodoxos, algunos pueden haber dado buenos resultados en los tiempos anteriores a la medicina moderna. Manténgase del lado seguro y consulte a su médico antes de probar cualquiera de ellos. Es mejor que el asma sea tratada por un profesional de la salud.

▶ Un remedio tradicional europeo y australiano recomienda hacer una bola con un puñado de telas de araña y tragarla.

▶ En las llanuras de Texas afirman que es bueno dormir sobre la lana sin limpiar de las ovejas recién esquiladas ya que, según la leyenda, la lana absorbe el asma.

▶ Otro antiguo remedio casero tejano recomienda al asmático conseguir un perro chihuahua (los perritos mexicanos sin pelo). La teoría es que el asma se transmite del paciente al perro, pero que los perros no sufren de asma.

▶ Según la tradición popular de Kentucky, llevar en el cuello un collar de cuentas de ámbar puede curar el asma. Con lo que cuesta un collar de ámbar en la actualidad, sería más económico comprar un chihuahua, pasarle el asma y comprarle al perrito un collar de cuentas de ámbar.

Estos remedios tradicionales y legendarios son un buen tema de conversación, pero en medio de un ataque de asma ¿quién puede hablar?

ATENCIÓN: Estos remedios no son sustitutos del tratamiento médico profesional.

Remedios naturales

▶ Nos enteramos de un hombre que pudo eliminar las inmensas dosis de cortisona que tomaba al seguir una terapia de ajo. Comenzó con un diente por día, picado finamente en dos o tres onzas (60 ó 90 ml) de jugo de naranja. Lo tragaba sin masticar los pedacitos de ajo. De esa manera evitaba el aliento a ajo.

A medida que aumentaba la cantidad de dientes de ajo que comía al día, su médico disminuía la cantidad de cortisona que le recetaba. Después de varios meses, ingería entre seis y diez dientes de ajo por día, había eliminado la cortisona y el asma ya no le molestaba.

▶ A la primera señal de respiración agitada de asma, use su inhalador para respirar una o dos veces. Luego empape dos tiras de paño blanco con vinagre blanco y póngaselas alrededor de las muñecas, no muy apretadas. Para algunas personas esto evita que se desarrolle un ataque fuerte.

▶ Por lo general, los productos lácteos no son buenos para los asmáticos, ya que producen mucosidad. Sin embargo hemos oído que el queso "cheddar" puede ser una excepción. Contiene *tiramina*, un ingrediente que parece ayudar a abrir los pasajes respiratorios.

Alivio dulce

Corte en rodajas un tallo de una onza (30 g) de raíz de regaliz ("licorice", la hierba, no el caramelo) y deje remojar en un cuarto de galón (un litro) de agua recién hervida durante 24 horas. Cuele y embotelle. A la primera señal de pesadez en el pecho, tome una taza del agua de regaliz.

ATENCIÓN: La raíz de regaliz puede causar insuficiencia renal en personas con problemas renales o presión arterial alta.

NOTA (¿o tal vez deberíamos decir **ADVERTENCIA**?): En Francia, las mujeres usan agua de regaliz para tener más vitalidad sexual.

▶ Estábamos en un programa de radio cuando una mujer llamó y compartió su remedio para el asma: té de corteza de cerezo ("wild cherry-bark tea"). Ella compra las bolsitas de té en una tienda de alimentos naturales (si los tés están ordenados alfabéticamente, búsquelo por la letra "w" –"wild cherry-bark tea") y toma una taza antes de cada comida y otra antes de acostarse. La mujer nos jura que esto ha cambiado su vida. No ha tenido un ataque de asma desde que empezó a tomarlo hace cinco años.

▶ Este remedio requiere un extractor de jugos o una tienda de jugos cercana. Beba cantidades iguales de jugo de endibia ("endive"), apio ("celery") y zanahoria. Un vaso de este jugo por día hace maravillas para algunos asmáticos.

▶ Pele tres huevos. Tueste las cáscaras por dos horas a 400°F (200°C). Las cáscaras se pondrán marrón claro (y olerán a huevo podrido). Pulverícelas y mézclelas en una taza de melaza sin sulfurar ("unsulfured molasses"). Tome una cucharadita antes de cada comida. Puede prevenir que el asma haga de las suyas.

Ver para creer

▶ La visualización de imágenes es una potente herramienta que usted puede usar para ayudarse a curarse a sí mismo. El doctor Gerald

N. Epstein, MD, profesor clínico asociado de psiquiatría en el Centro Médico Mount Sinai y director del American Institute for Mental Imagery (ambos en Nueva York), sugiere que visualice lo siguiente para detener un ataque de asma. Hágalo al comienzo del ataque durante tres o cinco minutos.

Siéntese en una silla cómoda y cierre los ojos. Inhale y exhale tres veces e imagine que está en un bosque de pinos. Póngase de pie al lado de un árbol de pino y respire su aromática fragancia. Cuando exhale el aire, sienta la exhalación viajando hacia abajo por todo su cuerpo y saliendo por las plantas de los pies. Imagine cómo sale la respiración en forma de humo gris y cómo se entierra profundamente. Luego abra los ojos y respire tranquilamente.

NOTA: Aprenda y practique esta visualización cuando se sienta bien, así sabrá exactamente qué hacer en el momento que sienta venir un ataque de asma.

▶ El doctor Ray C. Wunderlich, Jr., MD, PhD, director del Centro Wunderlich de medicina nutricional en St. Petersburg, Florida, recomienda magnesio para ayudar a eliminar los espasmos bronquiales. Busque una dosis de magnesio que usted tolere (si le da diarrea, reduzca la dosis) y úsela para aliviar el asma. No exceda una dosis total de 400 mg de magnesio elemental por día, a menos que se lo prescriba un médico.

▶ Coma entre tres y seis albaricoques (damascos, "apricots") al día. Pueden ayudar a que las afecciones pulmonares y bronquiales se curen.

▶ El tupinambo (aguaturma, pataca, "Jerusalem artichoke") —llamado también en inglés "sunchokes" porque pertenecen a la familia de los girasoles— puede ser beneficioso para nutrir los pulmones de los asmáticos, si se come diariamente (*vea* la receta en la página siguiente).

▶ Coloque cuatro tazas de semillas de girasol ("sunflower seeds") sin cáscara en dos cuartos de galón (dos litros) de agua y déjelo hervir hasta que se reduzca a un litro de agua. Escurra los pedacitos de semillas de girasol, añada una pinta (½ litro) de miel y ponga a hervir hasta que tenga la consistencia de almíbar.

Dosis: Tome una cucharadita media hora después de cada comida.

▶ Parecido al almíbar de semillas de girasol, pero aún más potente, es el almíbar de ajo. Separe y pele los dientes de tres cabezas de ajo. Hierva a fuego lento en una cacerola que no sea de aluminio con dos tazas de agua. Cuando los ajos estén blandos y quede una taza de agua en la olla, sáquelos y póngalos en un frasco. Luego añada una taza de vinagre de sidra de manzana ("apple cider vinegar") y ¼ taza de miel al agua que queda en la cacerola, hierva la mezcla hasta que tenga la consistencia de almíbar. Vierta el almíbar sobre los ajos en el frasco. Cubra el frasco y déjelo estar toda la noche.

Dosis: Consuma uno o dos dientes de ajo con una cucharadita de almíbar cada mañana con el estómago vacío.

ADVERTENCIA: Bebés, diabéticos y las personas alérgicas a la miel no deben consumir miel.

No tenga en vano el consejo del anciano

▶ Un pariente nos dijo que, al principio de un ataque de asma, en la antigua Europa se inhalaba el vapor que salía al hervir papas sin pelar cortadas en trozos. De hecho, inhalar vapor puede ser beneficioso con las papas o sin ellas.

Tenga cuidado: El vapor es potente y puede quemar la piel.

▶ Mezcle una cucharadita de rábano picante ("horseradish") rallado y una cucharadita de miel, y tómelo todas las noches antes de acostarse.

■ Receta ■

Tupinambo dulce encurtido ("pickled")

½ taza de vinagre de sidra de
     manzana ("apple cider vinegar")
½ taza de agua
3 cdas. de jugo de caña evaporado
     ("evaporated cane juice"),
     disponible en tiendas de
     alimentos naturales
¼ cdta. de sal
1½ taza de tupinambo (aguaturma,
     "Jerusalem artichoke") cortado
     en tajadas –½ libra (225 g)
1 zanahoria grande, cortada
     en tajadas finas
1 tallo grande de apio ("celery"),
     cortado en tajadas

En un bol mediano revuelva los primeros cuatro ingredientes para combinar los sabores. Agregue las verduras, revuelva bien y cubra con papel plástico ("plastic wrap"). Refrigere y deje marinar varias horas o toda la noche. Rinde aprox. 4 tazas.

Fuente: www.vegparadise.com

▶ Corte dos cebollas crudas en rebanadas y póngalas en un frasco. Vierta dos tazas de miel sobre las cebollas. Cierre el frasco y déjelo estar toda la noche. A la mañana siguiente estará listo para tomar el almíbar de "miel y cebolla".

Dosis: Tome una cucharadita media hora después de cada comida y otra antes de acostarse.

▶ Compre concentrado de jugo de arándanos agrios ("cranberry juice"), que se vende en las tiendas de alimentos naturales, o el jugo (no concentrado) que se vende en la mayoría de los supermercados. Lea los ingredientes de la etiqueta y compruebe que no tenga ni azúcar ni conservantes agregados. O, puede preparar su propio jugo con 1 libra (450 g) de arándanos agrios y medio litro de agua. Hierva hasta que los arándanos estén muy blandos. Luego, vierta la mezcla en un frasco y refrigere.

Dosis: Beba dos cucharadas media hora antes de cada comida y apenas comience un ataque de asma. Tenga también su inhalador a mano.

ATEROESCLEROSIS

La ateroesclerosis es el bloqueo de las arterias causado por depósitos de sustancias grasosas, colesterol, calcio y otros elementos. Esta acumulación se llama placa ("plaque"), y se desarrolla durante muchos años debido a una dieta inadecuada, una vida sedentaria y al fumar. Es importante cooperar con su médico en el tratamiento de esta enfermedad. Consúltelo antes de probar cualquier remedio natural.

Si está desarrollando ateroesclerosis, haga algo para proteger sus arterias de los efectos negativos de una dieta inadecuada, la falta de ejercicios y los malos hábitos (como el cigarrillo). *Estos remedios pueden ayudar...*

Remedios naturales

▶ Se sabe que comer algunos dientes de ajo al día ha ayudado a limpiar las arterias. Al parecer limpia el organismo, y reúne y expulsa los residuos tóxicos.

Pique finamente dos dientes de ajo, póngalos en medio vaso de jugo de naranja o de agua y beba. No es necesario masticar los pedacitos de ajo. De esta manera evitará el aliento a ajo.

Junto con una dieta saludable, el ajo también puede ayudar a disminuir los niveles de colesterol en la sangre. No es una sorpresa que este bello bulbo tenga un club de fanáticos denominado apropiadamente en inglés "Lovers of the Stinking Rose", o sea "los amantes de la rosa apestosa".

Vea "Seis Superalimentos maravillosos" en la página 285 para obtener mayor información.

▶ La rutina ("rutin") es uno de los elementos de los bioflavonoides (las sustancias derivadas de las plantas que ayudan a mantener la salud celular), los cuales son necesarios para la absorción adecuada de la vitamina C. Se afirma que tomar 500 mg de rutina a diario, con al menos la misma cantidad de vitamina C, aumenta la fortaleza de los vasos capilares y las paredes de las arterias, ayuda a prevenir las hemorragias y en el tratamiento de la ateroesclerosis.

▶ Según la leyenda tradicional francesa, comer pan de centeno ("rye") hecho con levadura ("baker's yeast") supuestamente previene que las arterias se bloqueen.

▶ Se ha informado que algunos rusos comen papas maduras crudas en todas las comidas para prevenir la ateroesclerosis.

▶ Beber una mezcla de sidra de manzana ("apple cider") hervida con ajo una vez al día es un remedio tradicional eslavo. Este remedio tal vez no prevenga la ateroesclerosis, pero ciertamente sabe como si debiera prevenirla.

Remedios para el colesterol elevado

El gobierno de Estados Unidos ha cambiado recientemente las directrices de lo que es considerado un nivel peligroso de colesterol. Los niveles anteriores eran de un máximo de 100 miligramos por decilitro (mg/dL) de colesterol de lipoproteína de baja densidad LDL (el "malo"). La nueva recomendación es mantener el nivel de LDL por debajo de 70 mg/dL.

Estas directrices son para personas que corren gran riesgo y que padecen enfermedad del corazón, diabetes, tensión (presión) arterial alta y que fuman cigarrillos. Pero incluso las personas con un riesgo moderadamente alto (por ejemplo, quienes ya han sufrido un ataque al corazón) deberían mantener sus niveles de colesterol LDL por debajo de los 100 mg/dL.

Los únicos alimentos que contienen colesterol son los productos animales –carnes, aves, pescados, lácteos. Si se le diagnostica colesterol alto, comience inmediatamente una dieta beneficiosa para el corazón reduciendo o eliminando los productos animales. Hay alimentos que pueden ayudarle a bajar su LDL y a aumentar su colesterol HDL (el bueno).

NOTA: Consulte a su médico sobre cualquier cambio que haga en su dieta.

Se ha realizado una gran variedad de estudios sobre el colesterol durante distintos lapsos de tiempo con un gran número de sujetos. Algunos de los resultados son impresionantes y vale la pena probar todos los alimentos que bajan el colesterol.

Lo primero –y lo más importante– es poner en marcha la dieta beneficiosa para el corazón, e incorporar los alimentos que se ha demostrado pueden ayudar. *Según los estudios…*

- Comer medio aguacate ("avocado") cada día puede disminuir el colesterol entre un 8% y un 42%. Aunque los aguacates contienen mucha grasa, esta es grasa monoinsaturada, la cual beneficia al organismo. Además, el aguacate contiene 13 minerales esenciales, incluidos hierro, cobre y magnesio. También contiene potasio ¡y sabe bien!

- Comer dos manzanas grandes al día puede disminuir los niveles de colesterol en un 16%. Las manzanas contienen muchos flavonoides y pectina, la cual puede formar una película en el estómago que evita que las grasas de los alimentos sean absorbidas totalmente.

- Comer dos zanahorias crudas al día disminuyó los niveles de colesterol en un 11%.

- Las personas que consumieron ¾ taza de fenogreco ("fenugreek") por día durante 20 días, disminuyeron sus niveles del colesterol "malo" LDL en un 33%, mientras que su colesterol "bueno" HDL se mantuvo igual. En lugar de comer cucharadas de semillas de fenogreco molidas, compre cápsulas (580 mg) en una tienda de alimentos naturales. Tome una o dos con cada comida.

- Comer cuatro dientes de ajo al día puede disminuir su colesterol total en un 7% (aunque el ajo fresco es mejor, los suplementos de ajo también son buenos).

- Los hombres y mujeres que empezaron con niveles bajos de vitamina C y luego tomaron 1.000 mg de vitamina C todos los días por ocho meses incrementaron en un 7% sus niveles de colesterol "bueno" HDL.

- La fruta kiwi contiene todo lo que se necesita para ayudar a mantener bajo el colesterol –magnesio, potasio y fibra. Puede ser una merienda (refrigerio) de media tarde que además de satisfacerle, aumenta su energía.

- Los ácidos grasos omega-3 tienen la capacidad de descomponer el colesterol del recubrimiento de los vasos sanguíneos y también sirven como disolvente de las grasas saturadas de los alimentos. Como resultado, se disminuye el colesterol en el cuerpo y en la sangre, y se reducen las posibilidades futuras de complicaciones debidas al colesterol elevado v a la enfermedad del corazón.

■ **Receta** ■

Cereal de avena ("oatmeal") con banana y pecanas

3 tazas de leche descremada
      ("fat-free milk")

3 cdas. de azúcar morena empaquetada
      ("packed brown sugar")

¾ cdta. de canela ("cinnamon")

¼ cdta. de sal (opcional)

¼ cdta. de nuez moscada ("nutmeg")
      molida

2 tazas de avena arrollada tradicional
      ("old-fashioned oats") o de cocción
      rápida ("quick-cooking"), sin cocer

2 bananas (plátanos) maduras, hechas
      puré (aprox. 1 taza)

2 ó 3 cdas. de pecanas ("pecans")
      tostadas* y picadas

Yogur descremado ("nonfat yogurt")
      con sabor a vainilla (opcional)

Banana cortada en tajadas (opcional)

Pecanas cortados en mitades (opcional)

En una cacerola mediana caliente la leche, la azúcar morena, las especias y la sal hasta que hierva (vigile cuidadosamente); agregue la avena, revolviendo. Vuelva a hervir, y reduzca el fuego a mediano. Cocine, revolviendo de vez en cuando, cinco minutos si usa avena arrollada, o un minuto si usa la de cocción rápida, hasta que la mayor parte del líquido sea absorbido.

Retire del fuego. Agregue, revolviendo, el puré de bananas y las pecanas. Ponga la avena por cucharadas en cuatro tazones para cereal. Si desea, sirva con el yogur, las tajadas de banana y las mitades de pecanas por encima. Rinde 4 porciones.

* Para tostar pecanas, distribuya uniformemente en un molde para hornear poco profundo. Hornee a 350°F (175°C) entre cinco y siete minutos, o hasta que estén doradas. Como alternativa, puede distribuir las pecanas en un plato apto para microondas. Cocine en el microondas a nivel alto (HIGH) por un minuto, luego revuelva. Siga cocinando, 30 segundos a la vez, hasta que las pecanas estén fragantes y doradas.

Fuente: www.recipegoldmine.com

Los ácidos omega-3 son grasas poliinsaturadas saludables que se encuentran en muchos alimentos, incluidos el salmón, la caballa ("mackerel") y otros pescados grasos. El aceite de linaza ("flaxseed oil") es el método más barato y beneficioso para aumentar su consumo de aceites omega-3 (*vea* "Seis Superalimentos maravillosos" en la página 291 para obtener más información sobre el aceite de linaza y las semillas de lino).

▶ El doctor Ray C. Wunderlich, Jr., MD, PhD, director del Centro Wunderlich de medicina nutricional en St. Petersburg, Florida, recomienda el aceite de semillas de uva ("grape seed oil", que se puede comprar en las tiendas de alimentos naturales) para elevar el colesterol "bueno" HDL. Siga las indicaciones de la etiqueta.

▶ Los resultados impresionantes de algunos estudios han demostrado la eficacia de la lecitina ("lecithin") para disminuir los niveles de LDL y elevar los de HDL.

Dosis: Tome una o dos cucharadas de gránulos de lecitina al día (se puede comprar en las tiendas de alimentos naturales).

▶ El *American Journal of Clinical Nutrition* (*www.ajcn.org*) menciona que la zanahoria cruda no solo mejora la digestión debido a su alto contenido de fibra, sino que también puede ayudar a disminuir el colesterol. Los participantes del estudio que comieron dos zanahorias en el desayuno por tres semanas disminuyeron su nivel de colesterol en suero en un 11%.

Se recomienda lavar bien las zanahorias en lugar de pelarlas. La piel contiene las vitaminas B_1 (tiamina), B_2 (riboflavina) y B_3 (niacina). Si puede conseguir zanahorias cultivadas orgánicamente sin conservantes, mejor aún.

▶ Al parecer, pequeñas cantidades de cromo son vitales para la buena salud. La deficiencia de cromo puede estar relacionada con la enfermedad de las arterias coronarias. Tome una o dos cucharadas de levadura de cerveza ("brewer's yeast") diariamente (lea la lista de ingredientes y escoja la levadura de cerveza con el mayor contenido de cromo) o consuma un puñado de semillas de girasol ("sunflower seeds") crudas.

Se afirma que el cromo, al igual que la lecitina, disminuye el nivel de colesterol malo LDL y eleva el nivel de colesterol bueno HDL. Antes de hacer esto, consulte a su médico.

▶ Los resultados de un estudio realizado en la Universidad Rutgers en New Brunswick, Nueva Jersey, demostró que la avena ("oats") puede disminuir los niveles de colesterol en la sangre. Puede obtener estos beneficios si come harina de avena ("oatmeal") o cualquier otra forma de avena de dos a tres veces por semana. (*Vea* la receta en la página anterior.)

▶ Según el doctor James W. Anderson, MD, profesor de medicina y nutrición clínica en la facultad de medicina de la Universidad de Kentucky en Lexington: "Incluir una taza de frijoles o habichuelas en su dieta diaria ayuda a estabilizar el azúcar en la sangre y a bajar el colesterol." Este beneficio se puede atribuir a los frijoles secos, como las habichuelas pintas o las habas blancas, pero no a las judías verdes.

▶ El doctor Scott Grundy, MD, profesor de nutrición humana del Centro de Ciencias de la Salud de la Universidad de Texas en Dallas, afirma que las investigaciones demuestran que los ácidos grasos monoinsaturados que se encuentran en los aceites de oliva y de maní ("peanut"), son más eficaces para disminuir los niveles del colesterol que bloquea las arterias que las grasas poliinsaturadas, como el aceite de maíz ("corn") y el de girasol ("sunflower").

BEBIDAS ALCOHÓLICAS Y SUS PROBLEMAS

Beber alcohol en exceso puede hacer que usted se vea arrugado y demacrado, puede dañar órganos vitales y, en general, puede arruinarle la vida.

Para el bebedor con problemas, recomendamos fuertemente la principal organización de autoayuda para combatir el alcoholismo –Alcohólicos Anónimos. Con su sede principal en la ciudad de Nueva York, la organización es un grupo de ayuda para personas con problemas de bebida. Para obtener más información en inglés, visite *www.aa.org* o revise las Páginas blancas de la guía telefónica para buscar la oficina más cercana.

Esta sección brinda remedios naturales para los bebedores sociales que, en alguna ocasión, se pasan de tragos.

Remedios alimentarios

▶ Antes de beber un trago, ponga nuez moscada ("nutmeg") en un vaso de leche y bébalo lentamente. Puede ayudar a absorber y neutralizar los efectos de las bebidas alcohólicas.

▶ El filósofo y maestro griego Aristóteles (384-322 AC) le aconsejaba a sus seguidores que comieran un pedazo grande de col (repollo, "cabbage") antes de beber. Se afirma que la ensalada de col "coleslaw" –que se prepara con col y vinagre– es incluso más eficaz para prevenir la intoxicación.

▶ La mejor manera de no beber en exceso es ¡no beber! Una manera de evitar las bebidas alcohólicas es, cuando esté sobrio, observar a una persona borracha. Casi nunca es una escena agradable.

Cómo recobrar la sobriedad

Las siguientes sugerencias son para las personas que han bebido mucho alcohol –es decir, estos remedios pueden ayudarlos a estar más alerta y ser más comunicativos.

Sin embargo, no confíe ni dependa de los reflejos de estas personas, especialmente al conducir un auto. Por lo general, debe pasar una hora por cada 20 miligramos de alcohol consumido para volver a estar sobrio… en otras palabras, espere una hora después de cada botella de cerveza, vaso de vino o trago de licor.

▶ Si la persona que ha bebido imagina que la habitación está girando, acuéstela en una cama y póngale un pie en el piso para detener la sensación.

▶ La miel contiene fructosa, la cual ayuda a la descomposición química del alcohol. Empiece dándole a la persona ebria una o dos cucharaditas de miel. Luego siga con una cucharadita de miel cada media hora durante las dos o tres horas siguientes.

ADVERTENCIA: No les dé miel a diabéticos o a las personas alérgicas a la miel.

▶ Para ayudar a que una persona intoxicada recobre la sobriedad, trate de darle pepino ("cucumber") –todo lo que pueda comer. La enzima *erepsin*, que contiene el pepino puede disminuir el efecto del alcohol.

▶ Trate de desemborrachar a alguien que esté mareado masajeándole la punta de la nariz.

⚡ ATENCIÓN: El estímulo de la punta de la nariz puede causar vómitos, por lo tanto no debe pararse delante de la persona que está tratando de desemborrachar.

▶ Este es un método siberiano para que una persona ebria recobre la sobriedad. Acueste a la persona boca arriba. Ponga las palmas de sus manos sobre las orejas de la persona. Luego, frote enérgicamente ambas orejas con un movimiento circular. En unos minutos, la persona debería empezar a recuperarse.

Aunque la persona pueda estar mucho más sobria que antes de que le frotara las orejas, no debe confiar en que pueda conducir un auto.

Ayuda para la resaca

En términos simples, una resaca es un efecto físico desagradable –dolor de cabeza o náuseas, por ejemplo– causado por beber demasiado alcohol. Las resacas pueden convertir una noche divertida en una mañana detestable.

▶ Las resacas también pueden ser causadas por una alergia o una sensibilidad a lo que se ha bebido. Siguiendo la teoría homeopática (lo parecido combate lo parecido), vierta una gota de la bebida alcohólica en un vaso de agua. Tome tres tragos. Si los síntomas de la resaca no desaparecen en cinco minutos, tome el resto del vaso de agua. Si aún no se siente mejor en unos minutos, entonces su resaca no es causada por una alergia.

▶ A la mañana siguiente, tome ⅛ cucharadita de pimienta de cayena ("cayenne pepper") disuelta en un vaso de agua.

▶ Se afirma que el aceite de prímula nocturna ("evening primrose") –que se puede comprar en forma de gel suave en las tiendas de alimentos naturales– ayuda a reponer los aminoácidos y los ácidos gammalinoléicos que se pierden cuando se beben bebidas alcohólicas. Tome 1.000 miligramos con mucha agua o jugo de naranja antes de acostarse. ¿Muy tarde para este remedio? Bueno, entonces tómelo cuando se despierte y esté desesperado por tomar algo que lo ayude a sentirse como un ser humano otra vez.

▶ Según los chinos, una taza de té de jengibre ("ginger") –*vea* la "Guía de preparación" en la página 278– ayudará a aliviar el malestar estomacal causado por una resaca. Para aliviar el dolor en los ojos, los oídos, la boca, la nariz y el cerebro causado por la resaca, dé un masaje a la zona carnosa de la mano entre los dedos pulgar e índice de ambas manos. Para el dolor de cabeza punzante causado por la resaca, déle un masaje a cada pulgar, justo debajo de los nudillos.

Una solución dulce como la miel

▶ Consuma una cucharada de miel cada minuto durante cinco minutos. Repita el proceso media hora más tarde.

► Frote cada axila con un ¼ limón. Esto puede aliviar el malestar de la resaca.

► Si insiste en beber, quizá le interese saber que un equipo de investigación de Inglaterra recomienda a los bebedores que tomen bebidas claras –ginebra, vodka, ron blanco– para disminuir las probabilidades de la sensación de la "mañana siguiente". El vino tinto y el whisky parecen tener más elementos que promueven la resaca.

Desayuno para la mañana siguiente

► Bananas (plátanos) y leche es el desayuno preferido de muchas personas con resaca. Esto puede ser efectivo, ya que el alcohol elimina el magnesio del organismo, y las bananas y la leche lo reponen.

Quizá le convenga añadir jugo de tomate, zanahoria, apio ("celery") y/o remolacha (betabel, "beet") para reponer las vitaminas B y C y algunos microminerales ("trace minerals") que el alcohol también pudo haber eliminado.

El búho sabe mucho

► El famoso naturalista romano Plinio el Viejo (que vivió entre los años 23 y 79 AD, y escribió una enciclopedia exhaustiva titulada *Historia Natural*) recomendaba comer huevos de búho.

Aunque los huevos de búho pueden ser difíciles de conseguir, todos los huevos son una fuente de *cisteína*, que ayuda al cuerpo a fabricar *glutatión*, un antioxidante que se agota cuando está presente el alcohol. Así que una tortilla puede ser un desayuno que ayude a quitar la resaca.

Plinio pudo haber aliviado los síntomas de muchas personas con resaca con estos huevos. Miren quién resultó ser el búho viejo y sabio después de todo.

► ¿Tiene una resaca? ¿Tiene ganas de arrancarse el pelo? Buena idea, pero no vaya tan lejos. Hálese el pelo por mechones hasta que le duela un poco (no hace falta que se los arranque).

Según una notable reflexóloga, halar el cabello es un estimulante para todo el cuerpo y puede ayudar a disminuir los síntomas de la resaca.

► Si la resaca le ha dado un dolor de cabeza palpitante, consuma un caqui ("persimmon") crudo para aliviarlo. De ahora en adelante, si insiste en beber, hágalo durante la temporada de caquis.

► A veces se les aconseja a las personas con resacas que duerman. Este es un consejo acertado, ya que un factor que contribuye a la resaca es la falta de sueño REM (por las siglas en inglés de "rapid eye movement" –movimiento rápido de los ojos) que aparentemente el alcohol suprime. Así que, ¡vaya a dormir la mona!

► Un remedio chino para la resaca recomienda comer 10 fresas y beber un vaso de jugo de mandarina recién exprimido. Mmm –delicioso, bébalo aún si no tiene resaca.

▶ Los gitanos húngaros recomiendan tomar un bol de sopa de pollo con arroz. ¿Qué podría tener de malo?

Otro remedio con sopa de pollo

▶ La cisteína es un aminoácido que ayuda al organismo a producir glutatión, un antioxidante que se agota cuando debe combatir los efectos del alcohol. Según un estudio realizado en la Universidad de California en San Diego (UCSD), el pollo contiene cisteína. Por lo tanto, la sopa de pollo puede ayudar a reponer el suministro de cisteína que el cuerpo necesita, aliviando a la vez los síntomas de la resaca.

▶ Se afirma que beber un vaso de jugo de "sauerkraut" (chucrut, col agria) es eficaz. Si se le hace difícil beber el jugo puro, añádale un poco de jugo de tomate. O consuma mucha col (repollo, "cabbage") cruda. Se sabe que esto ha hecho maravillas.

¡Arriba la B!

▶ Entre las vitaminas del complejo B, se encuentran la B_1 (tiamina), la B_2 (riboflavina), la nicotinamida y la piroxina. Estas ayudan en la metabolización de los carbohidratos, el funcionamiento de los nervios, el proceso de oxidación de las células y la dilatación de los vasos sanguíneos, todo lo cual es útil para aliviar la resaca. ¿Impresionado?

Si ha bebido en exceso y piensa que amanecerá con una resaca, tome un suplemento con las vitaminas del complejo B, con dos o tres vasos de agua antes de acostarse. Si se queda dormido antes de acordarse de tomar el suplemento de vitaminas B, tómelo en cuanto se despierte.

▶ Algunos de ustedes no estarán contentos hasta que encuentren un remedio alcohólico para la resaca. Aquí hay uno que, según nos contaron, viene de un practicante de vudú en Nueva Orleans.

En una licuadora, vierta una onza (30 ml) de Pernod, una onza (30 ml) de crema blanca de cacao y tres onzas (90 ml) de leche, más tres cubitos de hielo. Licúe, bébalo y ¡buena suerte!

Cómo disminuir las ansias de beber

▶ Una bebida ácida puede disminuir y eliminar las ansias de beber. Añada el jugo de un limón a un vaso de jugo de tomate. Puede ponerle un par de cubitos de hielo si lo desea. Revuelva bien. Beba a sorbos como haría con una bebida alcohólica.

▶ El suplemento glutamina es útil para disminuir las ansias de beber alcohol. Tome 500 mg, tres veces por día.

Prevención de la intoxicación

A continuación informamos acerca de los remedios que supuestamente previenen que una persona se emborrache, pero le pedimos que por favor sea responsable cuando bebe. Si bebe, no confíe ni ponga a prueba sus reflejos –especialmente al conducir un coche– no importa cuan sobrio parezca sentirse, o cuales remedios preventivos haya tomado. Y las mujeres embarazadas o que estén amamantando no deben consumir alcohol.

▶ Los indígenas norteamericanos recomiendan comer almendras ("almonds") crudas (no tostadas) antes de beber. Cómalas con el estómago vacío.

▶ Los curanderos de África occidental sugieren comer mantequilla de maní ("peanut butter") antes de beber.

▶ Los gemólogo terapeutas hablan del poder de la amatista. En griego *amatista* se dice "ametusios" y significa "remedio contra la ebriedad". Por favor, no crea que si lleva una amatista y bebe, no se va a emborrachar. Esto significa que llevar una amatista debe darle la fortaleza

para negarse a beber y, por lo tanto, prevenir la intoxicación.

Señoras y señoritas, ¡atención!

Las mujeres que beben justo *antes* de menstruar –cuando su nivel de estrógenos es bajo– se emborrachan más fácilmente, dándoles, por lo general, más náuseas y resacas más fuertes que en cualquier otro momento del ciclo.

CABELLO: SUS PROBLEMAS Y CÓMO CURARLOS

Según un proverbio francés: "El pelo de un tonto nunca se pone blanco". Los rusos dicen: "Nunca hubo un santo con el pelo rojo". Según los alemanes de Pensilvania: "Arranque una cana y siete vendrán a su funeral".

Las mayores preocupaciones por el cabello se deben al tener demasiado o al tener muy poco. Si tiene mucho cabello, sobre todo en lugares no deseados, puede eliminarlo permanentemente por medio de la electrólisis. Es cara y dolorosa, pero el costo y el dolor valen la pena a cambio de una mejor imagen de sí mismo.

La causa del poco cabello, sobre todo en los hombres, es por lo general una calvicie hereditaria (*alopecia*). Si ninguno de los tratamientos de restauración de cabello disponibles, como la cirugía cosmética (implantes y trasplantes) o los medicamentos, es para usted, entonces quizá debería probar un remedio natural.

Hay personas que afirman que, gracias a estos remedios, se ha detenido la caída del cabello y también han recuperado el cabello que habían perdido. Así que puede valer la pena probarlos. Después de todo, ¿qué puede perder, que ya no esté perdiendo?

Cómo detener la caída del pelo y promover su crecimiento

Durante una vida promedio, el cabello de la cabeza de una persona crece unos 25 pies, o más de 7½ metros.

Cada persona pierde unos cien pelos del cuero cabelludo por día. Por lo general, los pelos vuelven a crecer, pero cuando no crecen, el peinado cambia de "partido" o "sin partir" a "ya ha partido".

El 90% de los casos de calvicie puede atribuirse a factores hereditarios. ¿Se puede hacer algo para prevenirlo o superarlo? Las personas que nos dieron estos remedios afirman: "¡Sí, se puede!"

▶ Una hora antes de acostarse, corte un diente de ajo por la mitad y frótelo sobre los lugares sin pelo. Una hora después, masajee el cuero cabelludo con aceite de oliva, póngase una gorra y acuéstese. A la mañana siguiente, lávese el cabello con champú.

Repita el procedimiento durante unas semanas y, con suerte, el cabello habrá dejado de caer y notará el crecimiento de pelos nuevos.

Cabello fabuloso

El cabello humano es casi imposible de destruir. Además de su vulnerabilidad al fuego, no puede ser destruido por agua, cambios de clima, u otras fuerzas de la naturaleza. Si piensa en todas las maneras en que abusamos de nuestro cabello –con decoloraciones, tintes, bandas elásticas de goma, permanentes, espumas, atomizadores y gomina– puede darse cuenta de lo resistente que es a toda clase de sustancias químicas corrosivas. Con razón siempre está tapando los fregaderos y desagües.

Aunque el cabello no puede ser destruido por el abuso, sí puede verse sin vida, y volverse difícil de controlar y poco sano.

Una manera de saber si el cabello está sano o no, es por su elasticidad. Una hebra de pelo de un adulto debe poder estirarse un 25% de su largo sin romperse. Si es menos elástico que eso, entonces no está sano.

Pulidor de uñas
(¡no le estamos tomando el pelo!)

▶ Tres veces al día, cinco minutos por vez, dé brillo a sus uñas con sus propias uñas. ¿Ah, y eso qué quiere decir? Bueno, frote las uñas de la mano derecha con las uñas de la mano izquierda. Se dice que no sólo detiene la caída del cabello, sino que también ayuda a estimular el crecimiento de pelos y a prevenir las canas.

▶ Prepare su propio elixir para hacer crecer pelos, combinando ¼ taza de jugo de cebolla con una cucharada de miel. Frote el cuero cabelludo con esta mezcla todos los días. Nos contaron de un hombre que tenía una botella con este tónico para el pelo. Un día, sacó el corcho de la botella con sus dientes. Al día siguiente, tenía un bigote que tuvo que recortar. *Bueno, ahora en serio…*

Restaurador ruso para el cabello

▶ Un ruso que emigró a Estados Unidos nos habló de un remedio similar. Nos dijo que muchos barberos de la antigua Unión Soviética recomendaban esto a sus clientes.

Mezcle 1 cucharada de miel con 1½ onza (45 ml, un "jigger") de vodka y el jugo de una cebolla mediana. Frote la mezcla en el cuero cabelludo todas las noches, cúbrase la cabeza, duerma, despierte y lávese el cabello.

Ábrete sésamo: aceites al rescate

▶ Un remedio asiático para detener la caída excesiva de pelo es el aceite de ajonjolí (aceite de sésamo, "sesame oil"). Frótelo sobre el cuero cabelludo todas las noches. Cúbrase la cabeza con una gorra o envuélvala con una toallita de cocina. Por la mañana, lave el cabello con un

champú de hierbas (se puede comprar en la mayoría de las tiendas que venden champú). Haga el enjuague final con una cucharada de vinagre de sidra de manzana ("apple cider vinegar") en un cuarto de galón (un litro) de agua tibia.

▶ Otra versión de este tratamiento nocturno diario requiere cantidades iguales de aceite de oliva y aceite de romero ("rosemary"). Combine ambos en una botella y agite vigorosamente. Después frote el cuero cabelludo con la mezcla, cúbrase la cabeza, duerma, y por la mañana lave y enjuague el cabello.

▶ Una versión requiere aceite de ajo. Pinche un par de cápsulas de ajo ("garlic pearles"), extraiga todo el aceite y frótelo sobre el cuero cabelludo. Luego siga la rutina de cubrir la cabeza durante la noche y, por la mañana, lavar y enjuagar el cabello.

▶ Mezcle 1½ onza (45 ml, un "jigger") de vodka con ½ cucharadita de pimienta de cayena ("cayenne pepper") y frote la mezcla sobre el cuero cabelludo. Estimula el suministro de sangre, el cual alimenta el cabello.

▶ Y aún otro remedio con masajes… frote el cuero cabelludo con la mitad de una cebolla cruda. Se sabe que es un estimulante eficaz. Cubra la cabeza por la noche, y lave y enjuague el cabello por la mañana.

Si estos remedios no le dan resultado, recuerde que la calvicie tiene algo de bueno –previene la caspa.

Remedios naturales

Caspa

▶ Si usted es moreno, lávese el cabello con una mezcla de una taza de jugo de remolacha (betabel, "beet") y dos tazas de agua, más una cucharadita de sal. Éste es un remedio árabe, y la mayoría de los árabes tiene el pelo oscuro. Las remolachas contienen un tinte, y es por eso que no se recomiendan a las personas que quieran conservar el cabello claro. Para estar seguro, haga una prueba con un poco de pelo.

▶ Exprima el jugo de un limón grande y aplique la mitad del jugo en el cabello. Mezcle la otra mitad con dos tazas de agua. Lávese el cabello con un champú suave, y después enjuáguelo con agua. Enjuáguelo de nuevo con la mezcla de limón y agua. Repita estos pasos cada dos días hasta que la caspa desaparezca.

▶ Frote el cuero cabelludo con cuatro cucharadas de aceite de maíz (elote, "corn") tibio. Cubra el cabello con una toalla húmeda y tibia, y déjela durante una media hora. Lávese el cabello con champú y enjuáguelo. Repita este tratamiento una vez por semana.

Bueno como para comer

▶ Ralle un trozo de jengibre ("ginger") y exprímalo a través de una estopilla (gasa, "cheesecloth") para extraer el jugo. Después, mezcle el jugo de jengibre con una cantidad igual de aceite de ajonjolí ("sesame oil"). Frote la mezcla de jengibre y ajonjolí por todo el cuero cabelludo, cubra la cabeza con

---

Una postura para ponerle los pelos de punta

No haga este ejercicio si tiene la presión arterial baja o alta. ¡No haga este ejercicio sin el consentimiento de su médico si ya ha pasado la juventud!

Si sabe cómo hacerlo correctamente, párese de cabeza. Si no, arrodíllese en el piso y coloque las manos a unos dos pies (60 cm) de las rodillas. Luego, levante las nalgas (el trasero) con cuidado, de manera que las piernas queden rectas y la cabeza esté entre los brazos extendidos.

Quédese en esta posición por un minuto todos los días. Después de una semana, aumente gradualmente el tiempo hasta llegar a los cinco minutos diarios. La teoría es que así se lleva oxígeno a los folículos pilosos (del pelo), lo cual rejuvenecerá el cuero cabelludo y estimulará el crecimiento del pelo.

---

una gorra o envuélvala con una toallita de cocina, y duerma con ella puesta.

Por la mañana, lávese el cabello con un champú de hierbas (se puede comprar en la mayoría de las tiendas que venden champú). El enjuague final debe hacerlo con una cucharada de vinagre de sidra de manzana ("apple cider vinegar") diluida en un cuarto de galón (un litro) de agua tibia. Repita este tratamiento tres o cuatro veces por semana hasta que la caspa u otros problemas del cuero cabelludo desaparezcan.

▶ Prepare té de cebollín ("chives") agregando una cucharada de cebollín fresco a una taza de agua recién hervida. Tape y deje remojar 20 minutos. Cuele y –asegúrese de que se haya enfriado– enjuáguese el cabello con esta agua inmediatamente después de lavarlo.

Cabello seco

► Lávese el cabello y séquelo con una toalla. Después distribuya uniformemente una cucharada de mayonesa por todo el cabello (use más si su cabello es largo). Mantenga la mayonesa una hora, lávese el cabello con un champú suave y enjuague. La teoría es que el flujo de aceite de las glándulas sebáceas se estimula con los ácidos grasos naturales de la mayonesa, los cuales ayudan a nutrir el pelo.

Cabello opaco con permanente

► Después de lavarse el cabello, enjuáguelo con una combinación de una taza de vinagre de sidra de manzana ("apple cider vinegar") y dos tazas de agua. Su cabello se reanimará y brillará. Este tratamiento es especialmente eficaz para el cabello con permanente, pero puede ser usado con cualquier cabello que parezca carente de vida.

Cabello crespo y seco

► Después de lavarse el cabello, enjuáguelo con una cucharada de aceite de germen de trigo ("wheat germ"), seguido por una mezcla de ½ taza de vinagre de sidra de manzana ("apple cider vinegar") y dos tazas de agua. Esto domará los rizos.

Remedios para el cabello rebelde

Si su autoestima está muy baja y se siente incapaz, sin confianza o poco sociable, puede ser debido a que su cabello se ha puesto rebelde y parece un desastre.

Los resultados de un estudio realizado en la Universidad Yale en New Haven, Connecticut, confirmaron el efecto negativo que tiene en la psique el cabello mal arreglado.

Lo que resulta fascinante del estudio es que los hombres resultaron ser más propensos a sentirse menos inteligentes y menos capaces que las mujeres, cuando el cabello estaba desarreglado, mal cortado, mal peinado, o simplemente lucía como un desastre.

Estos son los remedios naturales que le ayudarán a mantener el cabello sano y bien arreglado y a mejorar su autoestima...

Un enjuague para cabello oscuro más brillante

► En un bol de vidrio o de cerámica, vierta ocho tazas de agua recién hervida y agregue tres cucharadas de cualquiera de estas hierbas: perejil ("parsley"), romero ("rosemary") o salvia ("sage") –todas se venden en las tiendas de alimentos naturales. Deje remojar hasta que se enfríe. Cuele el agua en un colador muy fino o una muselina ("muslin"). Después de lavarse el cabello, frote el cuero cabelludo con el agua de la hierba mientras se enjuaga con ella.

Un enjuague para cabello claro más brillante

► En un bol de vidrio o de cerámica, vierta ocho tazas de agua recién hervida y agregue tres cucharadas de cualquiera de estas hierbas: manzanilla ("chamomile"), caléndula o milenrama (aquilea, "yarrow") –puede comprarlas en las tiendas de alimentos naturales. Deje remojar hasta que se enfríe. Cuele el agua en un colador muy fino o una muselina ("muslin"). Después de lavarse el cabello, frote el cuero cabelludo con el agua de la hierba mientras se enjuaga con ella.

Lavado del cabello en seco

▶ Cuando su casa tenga problemas de plomería, su ciudad afronte una escasez de agua, o simplemente no tenga ganas de lavarse el cabello, puede limpiarlo en seco usando harina de maíz ("cornmeal") o maicena (fécula de maíz, "cornstarch"). Espolvoree un poco sobre el cabello. Después ponga un pedazo de estopilla (gasa, "cheesecloth") o una pantimedia ("pantyhose") en las cerdas de un cepillo para el cabello y cepíllese el cabello. La harina de maíz (o la maicena) quitará el polvo de su cabello, y la tela absorberá la grasa.

Lústrese el cabello con un pañuelo de seda, usándolo como lo haría con un pañito para dar brillo a los zapatos. Después de hacer esto unos minutos, si su pelo no luce limpio y brillante, ate el pañuelo alrededor de la cabeza y nadie notará la diferencia.

Extraiga la grasa con sal gruesa

▶ Se sabe que la sal gruesa o "kosher" es un champú seco eficaz. Ponga una cucharada de sal gruesa o "kosher" en papel de aluminio ("aluminum foil") y caliéntela en el horno durante cinco minutos. Usando los dedos, frótela sobre el cuero cabelludo y por todo el cabello.

En cuanto sienta que la sal ha absorbido la grasa y desalojado el polvo, con paciencia cepille el pelo para quitar la sal. Lave bien el cepillo o use un cepillo limpio y cepille el cabello de nuevo para asegurarse de que haya quitado toda la sal.

✎ **NOTA:** No use sal común para un lavado en seco. El cabello quedará sucio y también parecerá como si tuviera caspa.

Revitalizadores del cabello

▶ Este era el tratamiento favorito para el cabello de nuestra mamá (bueno, para decir la verdad, fue el único tratamiento de cabello que usaba). Entibie ligeramente ½ taza de aceite de oliva. Si prefiere, también puede agregar unas gotas de extracto de vainilla (u otro extracto) para darle más fragancia. Mamá lo ponía en una botellita con gotero y lo dejaba en agua muy caliente por unos minutos. Luego, usando el gotero, vertía el aceite tibio en el cabello y lo frotaba sobre el cuero cabelludo. Cuando todo el cabello esté aceitoso, lávelo con champú para quitar el aceite.

▶ Según la especialista en reflexología Mildred Carter: "Para dar energía a las raíces del pelo, agarre un manojo de pelo y hálelo suavemente". Haga esto por toda la cabeza. También se dice que esto ayuda a la resaca, la indigestión y otros males.

"Para estimular aún más estos puntos de reflexología de la cabeza, cierre las manos y forme puños relajados. Con un movimiento suave de la muñeca, golpee suavemente toda la cabeza. Esto estimulará el pelo, como así también el cerebro, la vejiga y otros órganos".

La Srta. Carter cree que golpeando suavemente los puntos reflexivos de la cabeza con un cepillo de alambre, puede darle un estímulo eléctrico aún mayor al pelo, así como a otras partes del cuerpo.

Eliminadores del cabello verde

▶ ¿Le molesta cuando sale de la piscina y su pelo rubio tiene un tinte verdoso? La próxima vez, empape una esponja limpia en vino tinto y aplique al cabello con toques suaves. Las sustancias químicas de una piscina con cloro serán neutralizadas por el ácido tánico del vino.

▶ Mantenga una botella de jugo de limón y una caja de bicarbonato de soda ("baking soda") cerca de la piscina. Después de nadar, y antes de ducharse, mezcle ½ taza del bicarbonato de soda en una taza de jugo de limón. Mójese el pelo, y luego enjuáguelo con esta mezcla burbujeante para que el color verde desaparezca (bueno, ¡quizá no sea verdad que las rubias se divierten *más* que las morenas!).

▶ Disuelva seis aspirinas en ½ litro de agua tibia, frote la mezcla en el pelo húmedo y el verde no se verá. Enjuague bien con agua.

Colorante "natural" para el cabello

Los tintes de hierbas o vegetales tardan más en dar resultados, ya que el color debe acumularse. Considérelo de esta manera –si logra eliminar las canas gradualmente, nadie se dará cuenta que usted había tenido canas.

Para las morenas hermosas

Conocemos dos fórmulas para oscurecer el pelo que usan salvia ("sage") seca, la cual da vida al pelo y previene la caspa.

▶ Prepare un té oscuro de salvia agregando cuatro cucharadas de salvia seca a dos tazas de agua recién hervida; deje remojar dos horas. Cuele. Este té oscuro oscurecerá las canas –pero para obtener un color de cabello aun más fuerte, agregue dos tazas de ron de laurel (ron de malagueta, "bay rum") y dos cucharadas de glicerina ("glycerine", que se vende en las farmacias). Embotelle la mezcla y no se olvide de etiquetarla.

Todas las noches, aplique esta poción al cabello, empezando por las raíces hasta llegar a las puntas. Detenga las aplicaciones cuando su cabello adquiera el color deseado.

▶ Si no bebe alcohol y no quiere usar el remedio con ron, combine dos cucharadas de salvia ("sage") seca con dos cucharadas de té negro y haga hervir a fuego lento en un cuarto de galón (un litro) de agua durante 20 minutos. Deje remojar cuatro horas, luego cuele y embotelle la mezcla. Frótela en el cabello diariamente, hasta que su pelo tenga el color deseado. Cuando necesite un retoque, mezcle un lote nuevo de té.

▶ Se sabe que tomar té de semillas de ajonjolí ("sesame seeds") ha oscurecido el pelo. Triture dos cucharaditas de semillas de ajonjolí y hágalas hervir en una taza de agua. Cocine a fuego lento durante 20 minutos. En cuanto se enfríe lo suficiente, beba la poción, con las semillas y todo. Beba dos o tres tazas diarias, y verifique en el espejo si se oscurece el cabello.

▶ Reanime el color del cabello justo después de lavarlo, virtiendo una taza de café exprés ("espresso") frío sobre el cabello. Déjelo por cinco minutos y enjuague.

Para las rubias bellas

▶ La manzanilla ("chamomile") seca puede ayudar a agregar reflejos dorados a un cabello rubio soso. Agregue cuatro cucharadas de manzanilla seca a dos tazas de agua recién hervida y deje en remojo dos horas. Cuele y use la mezcla como enjuague. Tenga una palangana (cubeta, cuenco) preparada para poder guardar la manzanilla y usarla de nuevo en las próximas dos o tres lavadas.

NOTA: Como con la mayoría de los enjuagues de hierbas, usted no debe esperar resultados impresionantes de la noche a la mañana –y es posible que nunca los logre. No importa cuan fuerte prepare el té de manzanilla, jamás cubrirá las raíces oscuras.

Ah, y esto nos recuerda algo que nos hemos preguntado desde hace tiempo: ¿En Suecia, hay mujeres de cabello oscuro con raíces rubias?

▶ Exprima el jugo de dos limones, cuele y dilúyalo en una taza de agua tibia. Péinese el cabello con el jugo. Tenga mucho cuidado de que el jugo no toque la piel. ¿Por qué? Porque debe sentarse al sol durante 15 minutos para darle a su pelo el brillo de un día de verano. Y si su piel está mojada con jugo de limón, puede causarle una quemadura y mancharle la piel.

Después del baño de sol, enjuague bien su pelo con agua tibia, o mejor aún, con té de manzanilla ("chamomile").

NOTA: A propósito, asegúrese de que su piel esté adecuadamente protegida del sol con un protector solar con un factor de protección solar (SPF por sus siglas en inglés) de por lo menos 15 (mayor es mejor).

Para las pelirrojas radiantes

▶ Añada brillo a su pelo rojo justo después de lavarlo, vertiendo sobre todo el cabello una taza de té fuerte de "Red Zinger" (lo puede comprar en las tiendas de alimentos naturales y en muchos supermercados). Déjelo estar durante cinco minutos y enjuague.

▶ Extraiga el jugo de una remolacha (betabel, "beet") cruda (con un extractor de jugo) y agregue tres veces más agua que la cantidad de jugo obtenida. Use esto como un enjuague después de lavarse el cabello con champú.

NOTA: Ya que hay muchos tonos de rojo, le sugerimos que haga una prueba con el jugo de remolacha sobre una muestra de pelo para ver cómo reacciona con su color específico.

¡Cana, cana –vete mañana!

▶ Muchos terapeutas que usan vitaminas han observado, sin duda alguna, que tomar a diario un suplemento con las vitaminas del complejo B puede contribuir a restaurar el color original del cabello en un periodo de dos meses o más.

▶ En un vaso con agua, mezcle dos cucharadas de cada ingrediente: vinagre de sidra de manzana ("apple cider vinegar"), miel sin procesar y sin calentar, y melaza negra ("blackstrap molasses"). Beba la mezcla a primera hora de la mañana. Debería ayudarle a librarse de las canas, y también debería darle mucha más energía de la que tienen las personas sin canas.

ADVERTENCIA: No les dé miel a diabéticos o a las personas alérgicas a la miel.

► Según los chinos, para prevenir las canas, debe frotar el cuero cabelludo con una mezcla de jugo de raíz de jengibre ("gingerroot") recién exprimido y clavos de olor ("cloves") molidos.

Fijadores

Si quiere que su pelo mantenga los rizos, a veces es mejor usar un fijador…

► No desperdicie la cerveza que ha quedado sin burbujas. En cambio, sumerja el peine en ella, péinese el cabello y obtendrá un fijador maravilloso. A propósito, el olor a cerveza suele desaparecer rápidamente.

► Una amiga nuestra es modelo profesional y conoce muchos trucos del oficio. Su fijador favorito para el pelo es el jugo de limón recién exprimido. El pelo tarda más en secarse con el jugo, pero el fijado queda por mucho más tiempo. Si no tiene limones frescos, ella usa el jugo de limón en botella, el cual también le da buenos resultados.

► Si la cerveza o el limón no es su preferencia, pruebe la leche. Disuelva cuatro cucharadas de leche desnatada (descremada, "skim milk") en polvo en una taza de agua tibia. Use la mezcla como haría con cualquier fijador comercial. Pero, al contrario de la mayoría de los productos comerciales, la leche ayuda a nutrir el cuero cabelludo y el cabello.

Consejos útiles para el cabello

No deje que las canas se pongan amarillas

► Agregue un par de cucharaditas de blanqueador azul ("laundry bluing") a un cuarto de galón (un litro) de agua tibia y úselo como enjuague final después de lavarse el cabello con champú, para impedir que las canas se pongan amarillas.

Lo que nunca jamás debe hacer No. 1: Ligas de goma

► Siempre nos han dicho que no debemos llevar ligas de goma (bandas, "rubber bands") en el cabello. Hace poco descubrimos una explicación para esto –la goma aísla el pelo y detiene el flujo normal de electricidad estática, lo cual reduce la elasticidad y hace que el cabello se quiebre más fácilmente.

Lo que nunca jamás debe hacer No. 2: Peinar el pelo húmedo

► Al peinar el pelo húmedo, éste se estira y como resultado pierde la elasticidad y se quiebra más fácilmente.

El sacachicle para el cabello

► Para quitar chicle del cabello, ponga un poco de mantequilla de maní ("peanut butter") en la zona afectada, y frote el chicle con la mantequilla de maní entre sus dedos hasta que el chicle salga. Use un peine para terminar el tratamiento, después ponga a ese niño descuidado (¡Ah, perdón! ¿es usted?) bajo el grifo para lavarle bien el cabello.

Cómo eliminar el olor fuerte de la permanente

► El olor característico de la permanente suele perdurar. ¡Jugo de tomate al rescate! Empape el pelo seco con jugo de tomate. Cubra el cabello y el cuero cabelludo con una bolsa plástica y déjelo por 10 minutos. Enjuague bien el cabello, después lávelo y enjuáguelo de nuevo.

Cómo quitar el fijador de cabello

▶ Cuando se esté lavando el cabello con champú, frote el cabello enjabonado con una cucharada de bicarbonato de soda ("baking soda"). Después enjuague bien. El bicarbonato de soda debería quitar todo el fijador de pelo acumulado.

Rulos improvisados

▶ Si tiene el pelo largo y quiere experimentar con unos rulos (ruleros, "hair rollers") grandes, pruebe usando las latas de jugo congelado (sin el jugo, por supuesto). Ábralas por ambos extremos. Tenga cuidado de no cortarse con los bordes abiertos.

Cómo eliminar la electricidad del pelo

▶ Cuando la electricidad estática haga que su pelo quede temporariamente inmanejable, quizá pueda eliminarla con un aerosol (spray) para estática que se usa para los discos de vinilo (¡esto es si usted todavía tiene discos de vinilo!).

O, frote una hoja de suavizador de ropa ("fabric softener") en el cabello y también en su peine o cepillo.

CIGARRILLO

El hábito de fumar puede causar, contribuir a, o empeorar dolores de espalda, bronquitis, cataratas, enfisema, problemas de encías, resacas, infertilidad, osteoporosis, flebitis, problemas del sueño (incluida la apnea del sueño), dolores de garganta, tinitus, úlceras, várices, endometriosis, acidez estomacal, diverticulosis… y –créanos– eso es solo una muestra.

El cigarrillo se ha relacionado con todas las enfermedades graves. Pasaremos por alto las estadísticas de la American Cancer Society (*www.cancer.org*), la American Heart Association (*www.americanheart.org*) y la American Lung Association (*www.lungusa.org*), del número aproximado de estadounidenses que mueren cada año por fumar –antes de llegar a la edad de la jubilación.

Nada de lo que se dice sobre enfermedades y muertes prematuras parece motivar a los fumadores –especialmente a los adolescentes y adultos jóvenes– a dejar de fumar. James A. Duke, PhD, un botánico que formó parte del servicio de investigación agrícola del Departamento de Agricultura de Estados Unidos, en Beltsville, Maryland, ofrece una manera de alertarlos. Les recuerda a los fumadores jóvenes que el hábito afecta a los hombres en el pene y a las mujeres en el rostro.

"Fumar daña los vasos sanguíneos que abastecen el pene, así que los hombres que fuman corren un mayor riesgo de ser impotentes. Fumar también daña los vasos capilares en la cara de las mujeres, y es por eso que las mujeres (y los hombres) que fuman desarrollan arrugas años antes que los no fumadores".

¿Listo para dejar de fumar? Esperemos que las siguientes sugerencias se lo hagan mucho más fácil.

Deje de fumar... en serio

Nos oponemos al cigarrillo –de hecho, Lydia pertenece a una organización que promueve los derechos de los no fumadores. Nos alegramos al descubrir una nueva razón para no fumar –una enfermedad llamada "espalda del fumador".

Según un estudio realizado en la Universidad de Vermont en Burlington, el dolor de espalda es más común y más frecuente entre los fumadores. Los investigadores especulan que el efecto de la nicotina en los niveles de monóxido de carbono en la sangre hace que el fumador tosa. Esto ejerce una tremenda presión en la espalda.

¡Así es! Esta es otra buena razón para ¡DEJAR DE FUMAR!

Técnicas naturales para ayudarlo a abandonar el hábito de fumar

▶ Haga una lista de todas las razones por las cuales quiere dejar de fumar. Puede dividir la lista en "razones a corto plazo", tal como desear que a la gente le guste besarlo, y "razones a largo plazo", tal como querer llevar a su hija del brazo el día de su boda. Tenga la lista a mano y léala cada vez que desee fumar.

▶ Un profesor de medicina del comportamiento sugiere que cuando desee fumar, agarre un bolígrafo en lugar de un cigarrillo y escríbale una carta a sus seres queridos explicándoles por qué fumar es más importante que ellos.

Cuénteles cómo escogió morir joven y lo mucho que va a extrañar compartir con ellos su felicidad. Pídales disculpas por necesitar que alguien lo atienda cuando usted ya no sea capaz de cuidarse a si mismo.

¿Entiende lo que le queremos decir? Estas cartas, que ojalá queden *sin terminar*, pueden darle la fortaleza para no fumar un cigarrillo cada vez que lo desee, hasta que ya no sienta las terribles ansias de fumar.

▶ El difunto químico galardonado con el premio Nobel, Linus Pauling, PhD, suge-

ría comer una naranja siempre que tuviera ganas de fumar. Un grupo de investigación en Gran Bretaña realizó un experimento con fumadores y naranjas. Los resultados fueron impresionantes.

Al final de la tercera semana, los fumadores que consumieron naranjas fumaron un 79% menos cigarrillos de lo que hubieran fumado normalmente, y el 20% dejó el hábito completamente. Parece que comer frutas cítricas produce un placer similar al de fumar cigarrillos.

A propósito, cuando coma un pedazo de naranja en vez de fumar un cigarrillo, chupe el jugo primero y luego coma la pulpa.

■ Receta ■

Bolitas de albaricoque

1 paquete de 8 onzas (225 g) de albaricoques (damascos, "apricots") secos

1½ taza de coco rallado ("flaked coconut")

2 cdas. de azúcar en polvo ("confectioners' sugar")

2 cdtas. de jugo de naranja

Azúcar (opcional)

Muela los albaricoques con la cuchilla mediana de un procesador de alimentos.

En un bol pequeño combine con las manos los albaricoques, el coco, la azúcar en polvo y el jugo. Forme bolitas de ½ pulgada (1 cm) con la masa. Recúbralas con azúcar. Guarde en un envase bien cerrado.

Rinde 30 bolitas.

Fuente: www.recipegoldmine.com

▶ A muchos fumadores no les gusta fumar después de tomar una bebida cítrica. Si está de acuerdo ¡muy bien! Lleve siempre una botella pequeña de jugo cítrico y cuando tenga gana de encender un cigarrillo, tome un trago de jugo. Y ya que cada cigarrillo priva al organismo de entre 25 y 100 mg de vitamina C, el jugo ayudará a recuperarla, mientras lo aleja del cigarrillo.

Té de trébol rojo

▶ Para ayudarlo a eliminar la nicotina del organismo y a prevenir la formación de tumores, tome ½ cucharadita de tintura de trébol rojo ("red clover tincture", que puede comprar en las tiendas de alimentos naturales) tres veces al día. Tomar una taza de té de trébol rojo una o dos veces al día también puede ayudar.

▶ Para ayudarlo a desintoxicar el hígado, beba dos tazas de té de semillas de cardo mariano (cardo lechero, "milk thistle") antes de cada comida. Si le preocupa engordar después de dejar de fumar, estas seis tazas de té diarias antes de las comidas pueden ayudarlo a disminuir la cantidad de comida que consume.

▶ El té de mejorana ("marjoram", que puede conseguir en las tiendas de alimentos naturales) le seca la garganta, de manera que fumar no le parecerá tan placentero. La mejorana es dulce por naturaleza, así que no tiene que agregarle nada. Beba una taza de té a la hora que normalmente fumaría su primer cigarrillo del día. Luego beba ½ taza… cada vez que tenga ansias incontrolables de fumar.

▶ Según algunos herbarios chinos, el té de corteza de magnolia es eficaz para controlar el deseo de fumar un cigarrillo. Quizá le convenga alternar entre el té de corteza de magnolia y el de mejorana.

▶ Si quiere dejar de fumar, o al menos reducir la cantidad de cigarrillos que fuma, después de fumar un cigarrillo o cigarro, elimine el sabor de nicotina en la boca chupando un clavo de olor ("clove") pequeño. Después de una o dos horas, reemplace el clavo con otro. Sin el sabor persistente de la nicotina en la boca, sus ansias de fumar deberían reducirse muchísimo.

El secreto del conejo Bugs

▶ James A. Duke, PhD, un botánico que formó parte del servicio de investigación agrícola del Departamento de Agricultura de Estados Unidos, en Beltsville, Maryland, fumaba tres paquetes de cigarrillos grandes sin filtro al día –hasta que dejó de fumar de repente. Eso fue hace casi tres décadas.

Según el Dr. Duke, las zanahorias lo ayudaron a dejar el vicio. En lugar de fumar un cigarrillo, masticaba zanahorias crudas. "Si los cigarrillos son palitos cancerígenos" —afirma el Dr. Duke— "las zanahorias son palitos anticancerígenos".

Explica que los carotenoides, las sustancias químicas relacionadas con la vitamina A, abundan en las zanahorias. Los carotenoides ayudan a prevenir el cáncer, especialmente si provienen de la zanahoria u otros alimentos integrales en comparación con los que provienen de cápsulas. Las zanahorias también ayudan a disminuir los niveles de colesterol.

Compre zanahorias pequeñas y cómalas a lo largo del día.

▶ Los albaricoques (damascos, "apricots") son ricos en minerales como betacaroteno, potasio, boro, hierro y sílice. Todos estos ayudan a prevenir el cáncer, y también son buenos para la salud del corazón, para estimular la producción de estrógeno en las mujeres posmenopáusicas, para prevenir la fatiga y las infecciones, y para mantener la piel, el cabello y las uñas saludables. Los albaricoques son especialmente útiles para minimizar el posible daño a largo plazo causado por la nicotina.

Comience comiendo unos cuantos albaricoques secos todos los días y siga comiéndolos incluso cuando deje de fumar. (*Vea* la receta en la página 35). Compre albaricoques secos sin sulfuro ("unsulfured, dried apricots"). Los conservantes con sulfuro (sulfitos) pueden producir reacciones alérgicas, especialmente en los asmáticos; y la acumulación de sulfitos a largo plazo puede causar problemas de salud.

▶ Además de las zanahorias y los albaricoques, las semillas de girasol crudas ("raw sunflower seeds") son otra magnífica merienda (refrigerio).

El tabaco libera azúcar (glucógeno) almacenada en el hígado y estimula el cerebro. Las semillas de girasol proporcionan ese mismo estímulo mental.

El tabaco también tiene un efecto sedante que suele tranquilizar a la persona. Las semillas de girasol calman los nervios porque contienen aceites tranquilizantes y vitaminas del complejo B que contribuyen en la nutrición del sistema nervioso. (Quizá sea por eso que los jugadores de béisbol las comen con frecuencia durante los partidos).

El tabaco aumenta la producción de hormonas en las glándulas adrenales, lo cual disminuye la reacción alérgica de los fumadores. Las semillas de girasol tienen el mismo efecto.

Tenga en cuenta que las semillas contienen mucha grasa, así que no exagere. Considere comprar semillas de girasol con cáscara. El proceso de quitarle la cáscara hará que usted las coma más lentamente.

El terrible periodo de la abstinencia

▶ Durante el peor periodo, las tan temidas primeras dos semanas de abstinencia, haga ejercicios –camine, nade, juegue a los bolos, o al tenis de mesa, limpie la casa, arregle el jardín, juegue con un yo-yo. Manténgase en movimiento. Lo hará sentirse mejor y lo ayudará a evitar el aumento de peso.

Por cierto, aumentar entre 5 y 10 libras (entre 2 y 5 kilos) al dejar de fumar puede valer la pena si se consideran los riesgos para la salud de seguir fumando. Pero si sigue estas sugerencias y consume los "Seis Superalimentos maravillosos" (*vea* la página 285), quizá pueda dejar de fumar sin engordar.

- ◆ *Sea amable consigo mismo y no se torture con tentaciones.* No frecuente bares u otros lugares donde la gente fuma, fuma y fuma. Vaya a lugares donde esté prohibido fumar –cines, museos, bibliotecas, templos religiosos, cursos de educación para adultos, etc.

- ◆ *Saque la cuenta de cuánto dinero ahorrará cada año si deja de fumar.* Decida exactamente lo que quiere hacer con todo ese dinero –un regalo especial para usted o para sus seres queridos– y separe ese dinero cada vez que no compre un paquete de cigarrillos como lo hubiera hecho normalmente.

Cuando haya dejado de fumar...

Un investigador de la dependencia a la nicotina informó que la nicotina hace que los fumadores procesen la cafeína dos veces y media más rápidamente que los no fumadores.

Así que una vez que deje de fumar y la nicotina haya salido de su organismo, solo necesitará alrededor de un tercio de la cantidad de café para obtener el mismo estímulo que obtenía al beber café cuando fumaba.

Lo mismo pasa con las bebidas alcohólicas. Tenga en cuenta que se emborrachará más fácilmente sin nicotina en el cuerpo.

¡Imagine la cantidad de dinero adicional que ahorrará en café y alcohol!

Cómo refrescar el ambiente

▶ Si hay fumadores de cigarrillos en su casa y no quiere pedirles que no fumen, distribuya platillos de vinagre por toda la habitación en lugares discretos. El vinagre absorbe el olor del humo del tabaco.

▶ Encender velas brinda un ambiente cálido a una habitación, a la vez que absorbe el humo de cigarrillo. Las velas aromatizadas emiten un aroma placentero que puede encubrir el hedor a tabaco.

CONGELACIÓN

La congelación ocurre cuando la piel de las extremidades de una persona (normalmente las manos, los pies y la nariz) se ha expuesto demasiado tiempo a temperaturas muy frías. Si la piel está fría, pálida o adormecida, puede estar congelada.

La magnitud de la congelación varía ampliamente, dependiendo de cuánto tiempo una persona ha estado expuesta al frío, la intensidad del mismo, la humedad y los vientos… el tipo y la cantidad de ropa que lleva puesta… la resistencia natural de la persona al frío… y el estado general de salud. El congelamiento leve de la piel se conoce en inglés como "frostnip".

ATENCIÓN: Las personas con problemas de circulación, enfermedades vasculares, diabetes y otras dolencias en las cuales el flujo de sangre está comprometido, deben hacer todo lo posible para evitar la congelación. ¡Así que abríguese y manténgase seco!

El gran problema con la congelación es que es difícil saber que la padece hasta que ya está en camino de ser grave.

En algunos centros de esquí, una patrulla revisa de vez en cuando la nariz y las mejillas de los esquiadores. Gracias a estas evaluaciones, muchas víctimas de congelación leve son enviadas bajo techo a descongelarse.

ATENCIÓN: Las víctimas de congelación grave deben ser tratadas por un médico y/o internadas inmediatamente.

Asegúrese de colocar a la persona que padece congelación en un cuarto caliente mientras espera la ayuda médica. Si la persona está consciente, déle una bebida caliente. ¡No le dé bebidas alcohólicas! Pueden empeorar la afección.

Las partes heladas del cuerpo deben calentarse inmediatamente. Tenga cuidado, al tocar la piel, de no romper las ampollas causadas por la congelación. Cubra las zonas congeladas con una manta o frazada. Llame al número telefónico de emergencias 911 y busque tratamiento médico lo antes posible.

Para los casos de congelación leve ("frostnip"), vale la pena probar los siguientes remedios…

► Vaya bajo techo a calentarse, después remoje una cucharadita de salvia ("sage") en una taza de agua caliente durante cinco minutos y bébala. El té de salvia ayudará a mejorar la circulación.

► Caliente un poco de aceite de oliva y aplíquelo con toques suaves sobre la piel helada o aplíquelo con una brocha de pastelería ("pastry brush").

► Si tiene una planta de áloe vera o un recipiente de gel de áloe, aplíquelo con toques suaves sobre el sitio congelado.

► Hierva unas papas y hágalas puré. Agregue sal y aplique la mezcla a las zonas congeladas.

EL CORAZÓN: INFARTOS Y OTROS PROBLEMAS

El corazón es un músculo hueco de cuatro cámaras que funciona como una bomba de doble acción y que se localiza en el pecho, entre los pulmones. Este músculo tan trabajador es del tamaño de un puño y bombea la sangre a través de los vasos sanguíneos, distribuyéndola por todo el cuerpo a razón de unos 4.000 galones (15.000 litros) por día.

El corazón es muy complejo –y una enfermedad del corazón es tan seria– que estas son las mejores sugerencias que podemos ofrecer…

◆ Si usted piensa que está teniendo un ataque al corazón (infarto cardiaco),

llame al 911 para pedir ayuda médica ¡INMEDIATAMENTE!

◆ Si tiene un historial de enfermedad del corazón, siga una dieta que favorezca la salud del corazón.

◆ Para aprender a ayudar a otras personas, tome un curso de resucitación cardiopulmonar (CPR por sus siglas en inglés) en la sede más cercana de la American Heart Association o de la Cruz Roja.

◆ ¡No fume!

Ataque al corazón

Si a usted o a alguien que está con usted le parece que está teniendo un ataque al corazón, llame al 911 inmediatamente para pedir ayuda médica. Los síntomas pueden no parecer serios al principio, pero no se demore.

► Abra su puerta y mientras espera que llegue la ayuda, apriete la punta del dedo meñique de la mano izquierda. ¡Apriételo FUERTE! Siga apretándolo. Se afirma que esta técnica de acupresión ha salvado vidas.

► Si la persona que sufre el ataque no toma anticoagulantes y no es alérgica a la aspirina, haga que mastique una pastilla de aspirina (325 mg) o cuatro pastillas de aspirina para niños ("baby aspirin").

✎ **NOTA:** Cuando consiga asistencia médica, asegúrese de informar a la persona que lo atiende sobre cualquier medicamento o suplementos naturales que usted haya tomado.

► Se afirma que una taza de té de menta piperita ("peppermint") por día ayuda a prevenir un ataque al corazón.

ATENCIÓN: Tenga en cuenta que la menta piperita es una hierba poderosa que puede minar o bloquear el efecto de la medicina homeopática.

Palpitaciones del corazón

Muchas personas sanas tienen palpitaciones del corazón *(arritmia)*. A usted le puede parecer que su corazón se saltó un latido o que late muy rápido o muy fuerte. El corazón funciona por impulsos eléctricos que no siempre son perfectos. Asegúrese de ver a su médico para que le haga una evaluación y un diagnóstico.

ADVERTENCIA: Busque asistencia médica si las palpitaciones persisten o están acompañadas por vértigo, dolor de pecho o desmayos.

▶ Si le han dado un certificado de buena salud, pero experimenta un pequeño ataque de palpitaciones (¿y quién no las ha tenido alguna vez?), piense de manera holística para encontrar la causa. ¿Habrá sido el glutamato monosódico (MSG por sus siglas en inglés) de la comida china del almuerzo? ¿La cafeína del chocolate que comió de glotón? ¿El estrés en el trabajo? ¿El cigarrillo? ¿Azúcar? Dedúzcalo para aprender lo que no debe hacer la próxima vez.

▶ Este es un sedante natural para calmar las palpitaciones. Deje remojar dos bolsitas de té de manzanilla ("chamomile") en dos tazas de agua recién hervida. Cocine al vapor unas hojas de col (repollo, "cabbage") cortadas en tiras. Entonces, en un bol de sopa, mezcle las hojas cocidas al vapor con el té de manzanilla. Esta sopa-té no sabe bien, pero puede ayudar a superar esos saltos del corazón.

▶ Si tiene palpitaciones del corazón de vez en cuando, tome té de menta piperita ("peppermint"). Tome una taza todos los días. Parece tener un efecto tranquilizante, ya que es un té de hierba que no contiene cafeína.

Ayudantes del corazón

▶ Según los resultados de un estudio, los directores de orquesta viven un promedio de 7½ años más que una persona promedio.

Para fortalecer el corazón, afinar su sistema circulatorio y divertirse, haga los movimientos para dirigir una orquesta sinfónica. Hágalo durante al menos 10 minutos por día, ó 20 minutos tres días por semana. Dirija la música que lo inspira. Si no tiene una batuta, use una regla o un palito para comer comida oriental. Imagine que cada día de ejercicios es una actuación con público. Entréguese física y emocionalmente a este ejercicio.

NOTA: Si tiene un historial de problemas del corazón, consulte a su médico antes de empezar a dirigir.

La miel fortalecedora

▶ Muchos nutricionistas recomiendan dos cucharaditas de miel sin procesar al día, en un vaso de agua o directamente de la cuchara, como el mejor tónico para fortalecer el corazón, así como para la restauración física en general.

ADVERTENCIA: Bebés, diabéticos y las personas alérgicas a la miel no deben consumir miel.

▶ Pues, ¿usted no quiere ir al gimnasio? No es necesario. El mejor ejercicio, y la manera ideal de estimular el organismo, es simplemente dar una caminata –una caminata a paso rápido– todos los días. Pero consulte a su médico antes de empezar un nuevo programa de ejercicios.

Una caminata a paso rápido significa caminar una milla cada 20 minutos (3 millas ó 5 kilómetros por hora). Esto es más lento que correr o hacer jogging, pero generalmente es más rápido que un paseo.

▶ El boletín *New England Journal of Medicine* (*http://content.nejm.org*) recientemente informó los resultados de un estudio a largo plazo realizado con 72.000 mujeres de 40 a 65 años de edad. El riesgo de un infarto se redujo en un 30% a un 40% en las mujeres que hicieron por lo menos tres horas de caminata a paso rápido a la semana. Las mujeres que dieron caminatas a paso rápido durante cinco horas o más a la semana, redujeron su riesgo de un infarto en más del 40%.

Además de caminar, las que hicieron ejercicios vigorosos durante 90 minutos por semana redujeron su riesgo casi a la mitad. Cuidar el jardín y hacer las labores domésticas son considerados ejercicios vigorosos. Así que es posible tener una casa limpia, un jardín bonito y un corazón sano.

ATENCIÓN: El bróculi y las hojas de nabos ("turnip greens") son ricos en vitamina K, la vitamina que estimula la coagulación. Si está tomando un medicamento anticoagulante recetado por su médico, tenga en cuenta que estas verduras pueden contrarrestar los efectos del medicamento.

▶ Este remedio se recomienda para las personas que tienen un historial de enfermedad del corazón –antes de acostarse, dése un baño de pies de 10 minutos. Camine en la bañera (tina) con agua a la altura de la pantorrilla y tan caliente

como pueda resistir sin quemarse. A medida que pasen los minutos y el agua se enfríe, agregue más agua caliente. Después de 10 minutos, salga de la bañera y séquese los pies bien, preferentemente con una toalla áspera.

Una vez que sus pies estén secos, déles un masaje por un minuto, manipulando los dedos del pie y también el pie entero. Este baño y masaje de pies pueden ayudar a la circulación, eliminar la congestión alrededor del corazón y llevarlo a conciliar una noche tranquila de sueño.

▶ Recientemente leímos una lista de los supuestos beneficios de las bayas del espino blanco ("hawthorn berries"). Investigamos la hierba y, como resultado, ahora tomamos suplementos de espino blanco diariamente.

Los beneficios: Normaliza la presión arterial al regular la acción del corazón... mejora los defectos de la válvula del corazón... ayuda a las personas muy estresadas... fortalece el músculo debilitado del corazón... y previene la ateroesclerosis.

NOTA: Consulte la dosis con su profesional de la salud, ya que depende de su tamaño y el estado de salud de su corazón.

▶ Los ácidos grasos omega-3 afectan muchos factores relacionados con la enfermedad cardiovascular. Ayudan a disminuir los niveles de colesterol "malo" LDL y de triglicéridos, inhiben la agrupación excesiva de plaquetas, disminuyen los niveles de fibrinógenos y bajan la presión arterial sistólica y diastólica de individuos con presión arterial elevada.

Los ácidos grasos omega-3 se encuentran en varios alimentos, como el salmón, la caballa ("mackerel") y otros peces grasos. El aceite de linaza ("flaxseed oil") ofrece la manera más rentable y beneficiosa de aumentar el consumo de aceites omega-3 en la dieta (vea "Seis Superalimentos maravillosos" en la página 291 para más detalles sobre el aceite de linaza y las semillas de lino).

▶ Para tener un corazón más saludable, coma germen de trigo ("wheat germ") todos los días. También podría agregar un suplemento de vitamina E. Se dice que ayuda a reducir el endurecimiento de las arterias. Consulte a su médico la cantidad adecuada para usted.

▶ Tome un suplemento de ajo todos los días para proteger y fortalecer el corazón y ayudar a diluir la sangre. También, use ajo al cocinar y cómalo crudo en las ensaladas.

Un poco de vino es bueno para el corazón

▶ El consumo moderado de vino tinto, como informa el respetado boletín médico británico *The Lancet* (*www.thelancet.com*), está relacionado directamente con las tasas más bajas de enfermedad del corazón.

▶ Según los "vino terapeutas", unos pocos sorbos diarios de champán ayudan a fortalecer el corazón. El tartrato de potasio contenido en el champán supuestamente tiene un efecto positivo en el ritmo cardiaco.

✎ **NOTA:** Por favor tenga en cuenta –*¡todo con moderación, sobre todo el alcohol!*

▶ Nos han dicho que dar un masaje a las almohadillas de la base de los últimos dos dedos de la mano izquierda, o dar un masaje al pie izquierdo bajo el tercer, cuarto y quinto dedo, puede aliviar el dolor del corazón en cuestión de segundos.

Rosas rojas para el amor

▶ Si alguien quiere darle un obsequio comestible, en lugar de dulces, sugiérale rosas rojas. Se dice que ayudan a fortalecer el corazón así como otros órganos del organismo, además del efecto positivo que tienen sobre la relación entre dos personas.

Quite la parte blanca amarga de la base de los pétalos de rosa y coma el resto de los pétalos crudos, o prepare un té de pétalos de rosa para beber. Asegúrese de que las rosas hayan crecido orgánicamente y no hayan sido rociadas con sustancias químicas.

▶ Coma cebollas una vez al día. Según los científicos rusos, las cebollas son beneficiosas para todos los tipos de enfermedades del corazón.

▶ Todas las mañanas, antes del desayuno, tome el jugo de medio limón en una taza de agua tibia. Se informa que sirve en todos los tipos de funciones del organismo, incluso el flujo sanguíneo y la regularidad del vientre.

Anime la circulación sanguínea

▶ Una vez al día, mezcle ⅛ cucharadita de pimienta de cayena ("cayenne pepper") en una taza de agua y bébala. No es fácil de beber, pero puede ser beneficiosa para el sistema circulatorio, ya que la pimienta de cayena tiene la fama de ser el estimulante herbario más puro.

▶ La medicina japonesa recomienda los baños de pies con jengibre ("ginger") para mejorar la circulación. Agregue una taza de jengibre fresco picado finamente a una palangana (cubeta, cuenco) con dos litros de agua tibia, o divida el agua y el jengibre en dos cajas de zapatos plásticas. Remoje sus pies en el agua hasta que se pongan colorados como una rosa. Después séquelos bien y tome nota del aumento en su energía.

D EPRESIÓN Y ESTRÉS

odos pasamos por periodos de depresión y estrés. Puede ser por el tiempo –ya sabe, los cambios de estación. O para las mujeres, quizá sea "ese tiempo del mes". Claro que las exigencias del trabajo contribuyen, como también lo hacen las relaciones tensas o los problemas en casa. Además, los aditivos en los alimentos y efectos secundarios de los medicamentos pueden provocar un desequilibrio químico que le puede causar depresión y estrés.

ATENCIÓN: Para casos de depresión profunda, estrés extremo y fatiga crónica, le sugerimos que busque asistencia profesional para determinar la causa y recomendarle un tratamiento.

Cualquiera que sea la razón, válida o no, cuando está pasando un mal momento y llega al punto en el que exclama: "¡Estoy cansado y harto de estar cansado y harto!", entonces está en camino a la recuperación.

Soluciones básicas

Si está realmente listo a ayudarse, quizá pueda empezar reduciendo el consumo de azúcar. El exceso de azúcar puede contribuir a la depresión, ansiedad nerviosa y periodos de alta energía seguidos por fatiga extrema.

Los productos con cafeína (el café, el té que no sea de hierbas, las gaseosas de cola, el chocolate y algunos medicamentos), el cigarrillo y las bebidas alcohólicas pueden contribuir también a la ansiedad nerviosa, la depresión y

los altibajos de energía. Le están arruinando la vida, así que elimínelos.

Siga una dieta sensata que incluya granos enteros, verduras cocidas al vapor, carne magra, pescado y ajo crudo en grandes ensaladas con cebollas y mucho apio ("celery"). Consuma semillas de girasol ("sunflower seeds"), pasas de uva ("raisins"), "sauerkraut" (chucrut, col agria), pasta integral y frijoles (alubias, habas, habichuelas). ¿Qué puede tener de malo?

Entretanto, estas son otras recomendaciones que pueden ayudar a aliviar la ansiedad...

Alimentos curativos

▶ Coma pizza con mucho orégano. Si no tiene orégano, olvide la pizza. Aún mejor, olvide la pizza y coma solamente el orégano. El orégano puede aliviar esa sensación de depresión y tristeza.

▶ Si tiene un extractor de jugos, prepare medio vaso de jugo de berro ("watercress") y medio vaso de jugo de espinaca. Agregue unas zanahorias para endulzar. Luego ¡al centro, adentro y arriba ese ánimo!

▶ Consuma dos bananas (plátanos) maduras al día para ahuyentar la depresión. Las bananas contienen *serotonina* y *norepinefrina*, sustancias químicas que se cree previenen la depresión. (*Vea* la receta en la página siguiente).

43

■ **Receta** ■

Frituras de banana africana

6 bananas (plátanos) maduras

1 taza de harina común

¼ taza de azúcar granulada

¼ taza de agua

1 cdta. de nuez moscada ("nutmeg")

Haga puré de las bananas con un tenedor o con una licuadora. Agregue la harina.

Mezcle el agua y la azúcar para hacer un almíbar ("syrup"). Agregue el almíbar y la nuez moscada a la mezcla de bananas y harina (de ser necesario añada más agua, para lograr la consistencia de mezcla para panqueques). Mezcle bien. Fría como lo haría con panqueques en una sartén para freír aceitada hasta que estén doradas.

Rinde 24 panqueques pequeños.

Fuente: www.recipegoldmine.com

Otros estimulantes del ánimo

▶ Mientras prepara un baño tibio, prepare una taza de té de manzanilla ("chamomile"). Agregue al baño la bolsita de té usada más una nueva. Si usa manzanilla suelta, envuelva las florecitas en estopilla (gasa, "cheesecloth") antes de ponerlas en la bañera (tina), para evitar tener que limpiar el desastre. Cuando el baño esté listo, tome lápiz y papel, la taza de té y relájese en la bañera. Haga una lista con doce deseos mientras bebe su té. Tenga cuidado… las cosas que desea pueden convertirse en realidad.

▶ Para aliviar un corazón triste, beba té de azafrán ("saffron"), de tomillo ("thyme") o de ambos juntos, endulzado con miel. (Se dice que originalmente en inglés se le decía "wild time" –momentos descontrolados– al tomillo por sus propiedades afrodisíacas).

▶ Oler aceites de esencias cítricas cada hora mientras esté despierto puede ayudarle a eliminar el abatimiento. Puede comprar aceite de limón o de naranja en las tiendas de alimentos naturales. No beba los aceites de esencias. Si tiene alguna fruta cítrica en su cocina, puede hacerle cortes a la cáscara de la fruta con una cuchilla para cortar cartón ("cardboard cutter") y apretarla para dejar escurrir los aceites volátiles. Luego aspire el aroma cada hora.

▶ Anímese vistiéndose de colores rosados y escarlatas. La familia de colores anaranjados también levantan el ánimo.

▶ Hacer el amor puede ayudar a las personas a superar los sentimientos de depresión –a menos, claro, que no tenga a nadie con quien hacer el amor y sea eso lo que lo tiene deprimido.

▶ Si está levemente deprimido, simplemente cambie su fisiología y sus emociones la seguirán. En otras palabras, haga las cosas que haría si estuviera feliz –y se sentirá feliz. ¡Sonría! ¡ríase! ¡salte! ¡cante! ¡baile! ¡vístase bien!

Si cree que esto le dará buenos resultados, así será.

Si no está dispuesto a seguir esta sugerencia, entonces no está dispuesto a deshacerse de la depresión. No tiene nada de malo quedarse en el abatimiento por un periodo breve… siempre que entienda que esa es su elección.

Alimentos que calman el estrés

▶ Parece que los jugos calman los nervios. A lo largo del día, beba jugos de manzana, piña, ciruelas secas ("prunes"), uvas o cerezas ("cherries"). Asegúrese de que el jugo no tenga azúcar ni conservantes agregados y bébalo a temperatura ambiente, no frío.

▶ Pique finamente una cebolla grande y añada una cucharada de miel. Coma la mitad de la mezcla con el almuerzo y la otra mitad con la cena. Las cebollas contienen *prostaglandinas*, que se ha informado que alivian el estrés.

> ☞ **ADVERTENCIA:** Bebés, diabéticos y las personas alérgicas a la miel no deben consumir miel.

Las fresas de la felicidad

▶ Si es temporada de fresas ("strawberries"), coma unas pocas como postre después de cada comida (sin crema ni azúcar). Es posible que *sienta* una diferencia (no estará tan nervioso), y que *vea* una diferencia (sus dientes se verán más blancos).

▶ Alivie la tensión y la presión del día con acupresión al agarrarse firmemente los tobillos. Usando los dedos pulgar y medio, ponga un dedo justo debajo de la parte interior del hueso del tobillo, y el otro en la hendidura directamente debajo de la parte exterior del hueso. Mantenga una presión estable en el sitio mientras cuenta del 100 al uno, lentamente. (El proceso completo debe durar uno o dos minutos).

▶ El té de menta piperita ("peppermint") tiene la maravillosa capacidad de relajar el organismo y aliviar el mal humor. Tómelo tibio y fuerte.

A todo color... para sentirse mejor

▶ Si está ansioso, tenso y, en general, con los nervios destrozados, trate de rodearse de colores calmantes. El verde puede tener un efecto de armonía, ya que es el color de la naturaleza. Los colores terrosos deberían hacerle sentir mejor. Vístase con colores azules apagados y grises claros. Los colores ayudan más de lo que pensamos.

▶ El té de salvia ("sage") puede ayudar a calmar los nervios. Remoje una bolsita de té de salvia, o una cucharadita de salvia, en una taza de agua tibia por cinco minutos. Cuele y beba tres tazas al día.

   Bono: El té de salvia también ayuda a agudizar la memoria y el poder cerebral.

▶ Hay una razón por la cual la sal de Higuera ("Epsom salt"), un antiguo remedio natural, es todavía popular –¡da resultados! Vierta dos tazas de sal de Higuera en un baño de agua tibia. Reserve media hora para relajarse totalmente en la bañera (tina) –sin interrupciones– 30 minutos de descanso sin estrés.

El apio sedante

▶ Según las tradiciones populares europeas, el apio ("celery") ayuda a olvidar los problemas del corazón roto y también alivia los nervios. Es posible que sea gracias a la *ftalida* del apio, que se conoce por sus propiedades sedantes.

Tics nerviosos

▶ De vez en cuando a Joan le da un tic nervioso alrededor del ojo. Siente como si estuviera guiñándole el ojo a todo el mundo. Lo que le quita el tic mágicamente es la vitamina B_6.

 ATENCIÓN: Asegúrese de preguntarle a su médico naturista (naturopático) cuál es la dosis adecuada para usted.

Un tic nervioso también puede ser la manera que el cuerpo tiene de avisarle que necesita más calcio o magnesio –o ambos. Un buen suplemento puede ayudarle a obtener los 1.500 mg de calcio y 750 mg de magnesio que necesita diariamente.

DESFASE HORARIO ("JET LAG")

Cuando se viaja en avión, por lo general hace falta un día de recuperación por cada zona horaria que se atraviesa. Por ejemplo de Nueva York a California hay tres zonas horarias, por lo tanto habitualmente serían tres días de desfase horario. De hecho, del punto de vista del desfase, es mejor ir del este al oeste y ganar unas cuantas horas que ir del oeste al este, cuando se pierden unas horas.

Para poder dormir bien la primera noche en su lugar de destino, parece que es mejor hacer planes para llegar a la tarde.

La Royal Air Force School of Aviation Medicine de Inglaterra (King's College, Londres) sugiere que cuando vuele hacia el este, viaje temprano en el día y cuando vuele hacia el oeste, viaje tarde.

Seguramente ya sabe que el alcohol es uno de los deshidratantes más poderosos que existen. Y debe saber que el solo hecho de estar en un avión deshidrata. ¿Pero sabía que la deshidratación empeora el desfase horario?

Conclusión: No tome ninguna bebida alcohólica mientras esté en vuelo. Trate de beber mucha agua y jugos –todo lo que pueda. Si tiene que ir muchas veces al baño, así sea, no importa. Caminar por los pasillos le ayudará a refrescarse y prepararse para su nueva zona horaria.

Remedios naturales

▶ Un par de días antes de viajar, tome tintura de ginkgo y espino blanco ("ginkgo-hawthorn tincture") que puede comprar en las tiendas de alimentos naturales. Siga la dosis de la etiqueta.

▶ Se ha informado que tomar entre ½ y 1 mg de melatonina ("melatonin") justo antes de abordar el avión ha evitado el desfase horario. Si sabe que realmente sufre de desfase horario, pregúntele a su médico si puede tomar melatonina antes de su próximo vuelo. Pero tenga cuidado –algunos estudios en animales sugieren que las personas con la presión arterial alta o enfermedades cardiovasculares no deben tomar melatonina. Como siempre, consulte a su médico antes de tomar melatonina.

Imagínelo y será verdad

▶ Tan pronto como aborde el avión, finja que es la hora que de hecho es en su lugar de destino. Es decir, si aborda el avión a las siete de la tarde en Nueva York, y su destino es Londres, donde es la una de la madrugada, cierre la persianita o póngase lentes oscuros y trate de dormir.

La dieta para evitar el desfase horario

Esta dieta fue desarrollada por el laboratorio nacional del Departamento de Energía estadounidense en Argonne, Illinois, para ayudar a que el reloj interno de los viajeros por avión se ajuste rápidamente a las nuevas zonas horarias. Empiece el programa tres días antes del viaje.

Día 1: Consuma un desayuno y un almuerzo con alto contenido de proteínas y una cena con alto contenido de carbohidratos (nada de carne). No beba café excepto entre las tres y las cinco de la tarde.

Día 2: Consuma alimentos ligeros –ensaladas, sopas ligeras, frutas y jugos. Tome café solo entre las tres y las cinco de la tarde.

Día 3: Igual al día 1.

Día 4: Salida. Si le es indispensable tomar una bebida con cafeína (como un café o una gaseosa) puede beber un vaso a la mañana si viaja hacia el oeste, o entre las seis y las once de la noche si viaja hacia el este. Coma fruta o beba jugo hasta su primera comida. Para determinar la hora de la primera comida, calcule cuándo será la hora del desayuno en su lugar de destino.

Si el vuelo es largo, duerma hasta la hora normal de desayuno en su lugar de destino, *pero no hasta más tarde* (esto es muy importante). Despiértese y consuma un desayuno fuerte con muchas proteínas. Manténgase despierto y activo. Continúe las comidas del día según las horas habituales de comer en su lugar de destino. Así estará sincronizado cuando llegue.

Para obtener mayor información sobre esta dieta, visite *www.antijetlagdiet.com* (en inglés).

Si aborda un avión tarde esa noche y ya es de día en su lugar de destino, haga el esfuerzo para quedarse despierto durante el vuelo. Imaginando que ya está en la nueva zona horaria al principio del viaje, debería ayudarle a acostumbrarse más rápido.

▶ William F. Buckley, el famoso intelectual conservador y fundador de la revista *National Review*, obtuvo este remedio de un viajero que era amigo de un médico británico especializado en desfase horario. La teoría es que el desfase horario es causado por transpiración interna, la cual causa una deficiencia de sal en el organismo.

Según Buckley, el médico recomendaba verter una cucharadita colmada de sal en una taza de café y beberla tan pronto se subiera al avión. Cinco horas más tarde, beba otra taza de café con sal y experimentará un milagro. El café salado le sabrá a manjar de dioses. Es su cuerpo agradeciéndole por haberle dado la sal que tanto necesitaba.

✎ **NOTA:** Este remedio salado no se recomienda a las personas que estén cuidando su consumo de sal o de cafeína.

DESMAYOS

Cuando se sienta débil y mareado, como si estuviera a punto de desmayarse, acuéstese. Si es posible, acuéstese con los pies y el torso elevados de modo que la cabeza esté más baja que el corazón. Este es el secreto para prevenir un desmayo –mantener la cabeza a un nivel más bajo que el corazón para que la sangre viaje rápido al cerebro.

Remedios naturales

▶ En la India, en lugar de oler sales aromáticas para recuperar el sentido, las personas aspiran un par de veces el aroma de una cebolla cortada por la mitad.

▶ Si está en un cuarto muy caluroso y siente que se va a desmayar, deje correr agua fría del grifo por la parte interior de sus muñecas. Si tiene cubitos de hielo, frótelos en las muñecas. El alivio es casi inmediato.

▶ Una amiga nuestra es paramédica. Cuando uno de sus pacientes está a punto de desmayarse, ella pellizca el filtro del paciente –la zona carnosa entre el labio superior y nariz. Eso puede ayudar a prevenir el desmayo.

▶ Si es propenso a desmayarse –quizá, por los vapores– tenga pimienta a mano. Huela un grano o dos y estornude. El estornudo estimula los vasos sanguíneos del cerebro y puede ayudar a evitar el desmayo. Es bueno recordar que muy pocas casas tienen sales aromáticas, pero casi todas tienen pimienta negra.

▶ Examine sus hábitos alimentarios. ¿Está comiendo a las horas habituales de comer? ¿Está comiendo alimentos sanos, con una cantidad suficiente de proteínas, y sin exceso de dulces y alimentos procesados? A veces un nivel bajo de azúcar en la sangre o una dieta deficiente pueden causar que una persona se desmaye.

⚡ **ATENCIÓN:** Si usted se desmaya y no sabe por qué, consulte a un médico. Desmayarse puede ser síntoma de una dolencia que necesite asistencia médica.

DIABETES

En términos simples, la diabetes es una enfermedad en la que el páncreas no produce la cantidad adecuada de insulina para quemar las cantidades de azúcar y almidones que el organismo toma de los alimentos.

Si usted orina constantemente y tiene sed todo el tiempo, es posible que tenga esta enfermedad. La falta de insulina también puede disminuir el azúcar en la sangre, haciéndolo sentir cansado, débil y/o mareado. Asegúrese de consultar a su médico si tiene alguno de estos síntomas.

Controles alimentarios

Gracias a las modernas tecnologías de laboratorio, los diabéticos pueden realizar los exámenes de azúcar en la sangre y en la orina en la comodidad de su hogar. Aunque sea más fácil controlarse, recuerde que *la diabetes es una enfermedad grave. No comience ningún plan de tratamiento sin supervisión médica.*

Muchos casos de diabetes pueden ser completamente controlados –controlados, pero no curados– con una dieta sensata. Al seguir una dieta baja en calorías, alta en carbohidratos con mucha fibra y hacer ejercicios (caminar a paso normal por media hora después de cada comida), muchos diabéticos disminuyen o eliminan la necesidad del medicamento y se sienten mejor que nunca. Es muy importante darle suficiente énfasis a la necesidad de perder peso bajo control médico, especialmente para los obesos.

Tómele el gusto a los tupinambos

Se dice que comer a diario tupinambos (patacas, aguaturmas; en inglés se llaman "Jerusalem artichokes", aunque ni son de Jerusalén, ni son alcachofas) ha ayudado a estimular la producción de insulina.

Este tubérculo contiene inulina y levulina, carbohidratos que no se convierten en azúcar en el cuerpo. Los tupinambos tienen una textura similar a la de la papa, pero un sabor más dulce. Son ideales para ayudarlo a mantenerse en un régimen de perder peso, ya que satisfacen las ansias de comer algo dulce y contienen pocas calorías y muchas vitaminas y minerales. Cómalos crudos como refrigerio o en ensaladas, hervidos en sopas o cocidos en guisos. (*Vea* la receta de la página 16).

Algunas fruterías y verdulerías venden tupinambos. Es fácil de cultivar y si tiene suficiente espacio, vale la pena hacerlo. Consulte en un vivero para que lo ayuden a empezar.

El asombroso secreto de Joan para el azúcar en la sangre

▶Uno de nuestros remedios más importantes requiere un solo ingrediente. Al ser diabética, Joan tiene que mantener bajos los niveles de azúcar en la sangre. Cuando come algo que hace que suba el nivel de azúcar (incluso su medicamento para la diabetes), bebe una o dos cucharadas de ese ingrediente especial –aceite de coco orgánico extra virgen– y en menos de una hora el azúcar en la sangre baja de forma impresionante.

Plato combinado

▶Junto con una dieta bien equilibrada y sin azúcar, la combinación de ajo, berro ("watercress") y perejil ("parsley"), consumida a diario, puede ayudar a que algunos diabéticos controlen los niveles de azúcar en la sangre.

DIARREA

La diarrea es una dolencia común que puede ser causada por comer demasiado; por una infección bacterial, viral o parasítica; por intoxicación alimentaria leve, ansiedad emocional o fatiga extrema.

Incluso un ataque simple y rápido de diarrea le quita potasio, magnesio y sodio al organismo, dejando a la persona cansada, deprimida y deshidratada. Es importante seguir tomando líquidos claros durante, y después de, un brote de diarrea para evitar el agotamiento y la deshidratación.

⚡ **ATENCIÓN:** Si la diarrea persiste, puede ser síntoma de una enfermedad más grave. Busque atención médica profesional. La diarrea con sangre puede ser causada por infección y requiere tratamiento inmediato.

Alimentos curativos

Beba leche

▶Un remedio de las islas del Caribe para la diarrea consiste en diluir una pizca de pimienta de Jamaica ("allspice") en una taza de agua o leche tibia. Un antiguo remedio alemán de Pensilvania consiste en diluir dos pizcas de canela ("cinnamon") en una taza de leche tibia. Un remedio brasileño consiste en diluir dos pizcas de canela y una pizca de clavo de olor ("cloves") en polvo en una taza de leche tibia.

▶ También hay un remedio galés que requiere una taza de leche hervida y un atizador de chimenea ("fireplace poker") a fuego vivo.

Cuidadosamente coloque el atizador caliente en una taza de leche. Déjelo ahí por 30 segundos. Se piensa que el atizador carga la leche con hierro, el cual es un tratamiento homeopático para la diarrea. Tenga mucho cuidado y beba la leche cargada de hierro lentamente –¡tal vez esté caliente!

▶ Se sabe que la combinación de la canela ("cinnamon") y la pimienta de cayena ("cayenne pepper") es muy eficaz para mejorar los problemas intestinales rápidamente. De hecho, es posible que se tarde más en preparar el té que lo que el té tarda en actuar.

Haga hervir dos tazas de agua, luego añada ¼ cucharadita de canela y ⅛ cucharadita de pimienta de cayena. Cocine a fuego lento 20 minutos. Tan pronto la mezcla esté suficientemente fría, beba ¼ taza cada media hora.

Un carbón distinto

Una sustancia adsorbente (así es, *adsorbente* con la letra *d*) atrae cosas a su superficie en lugar de absorberlas en su interior. El carbón activado ("activated charcoal") es el adsorbente más poderoso que se conoce.

Las cápsulas o las tabletas de carbón pueden ayudar a detener ciertos tipos de diarrea rápidamente al adsorber las toxinas que pueden causar el problema. Siga las indicaciones en el envase.

✎ **NOTA:** Siga sin falta las advertencias y las precauciones –el carbón puede interferir con los antibióticos. El carbón activado no es para uso diario, ya que adsorbe las vitaminas y minerales que usted necesita para estar sano.

▶ Añada una cucharadita de jengibre ("ginger") en polvo a una taza de agua recién hervida. Para controlar la diarrea, beba tres tazas de la mezcla a lo largo del día.

▶ Ralle una cebolla y exprímala a través de en una estopilla (gasa, "cheesecloth") hasta extraer dos cucharadas (una onza ó 30 ml) de jugo de cebolla. Beba el jugo de cebolla cada hora, junto con una taza de té de menta piperita ("peppermint").

El fantástico té de frambuesas

▶ El té de hojas de frambuesas ("raspberries") es un remedio tradicional popular para niños y adultos. Combine una onza (30 g) de hojas secas de frambuesas con dos tazas de agua (un trozo de rama de canela ["cinnamon stick"] es opcional), y cocine a fuego lento en una cacerola esmaltada ("enamel") o de vidrio por 25 minutos. Cuele, deje enfriar y beba a lo largo del día.

La cura de cebada de Hipócrates

▶ Según Hipócrates, el médico griego y padre de la medicina, todo el mundo debería tomar agua de cebada ("barley") para mantener la buena salud. Uno de los beneficios es su eficacia en el tratamiento de la diarrea.

Hierva dos onzas (55 g) de cebada perlada ("pearled barley") en seis tazas de agua hasta que el agua esté reducida a la mitad –tres tazas. Cuele. De ser necesario, añada miel y limón a gusto. Beba el agua de cebada a lo largo del día, y también debería comer la cebada.

Remedios de moras

▶ Desde los tiempos bíblicos, las zarzamoras ("blackberries") se han usado para curar la diarrea y la disentería. Así es que el remedio de las bayas, en una forma u otra, ha pasado de generación en generación. No se sorprenda si su vecino el cantinero le recomienda brandy de zarzamora.

Dosis: Beba un trago de dos cucharadas cada cuatro horas.

 **ATENCIÓN:** Las mujeres embarazadas o que estén amamantando no deben consumir alcohol.

▶ El jugo o el vino de zarzamora también dará buenos resultados.

Dosis: Beba seis onzas (175 ml) de jugo de zarzamora cada cuatro horas –o dos onzas (60 ml o cuatro cucharadas) de vino de zarzamora cada cuatro horas.

La gran manzana

▶ Raspe una manzana pelada con una cuchara (preferentemente no metálica) y coma la ralladura. De hecho, no coma nada más que manzana rallada hasta que el malestar mejore mucho.

▶ Hierva ½ taza de arroz blanco en seis tazas de agua por media hora. Cuele y conserve el agua, luego endulce con miel a gusto.

Dosis: Beba una taza del agua de arroz una hora sí y otra no. No beba ningún otro líquido hasta que el malestar desaparezca.

Comer arroz cocido con una pizca de canela ("cinnamon") también ayuda a controlar el problema.

Un remedio pelado

▶ Las bananas (plátanos) pueden ayudar a estimular el crecimiento de las bacterias beneficiosas en el intestino y reemplazar parte del potasio perdido.

Dosis: Tres veces al día, coma una banana madura previamente remojada en leche.

▶ Añada una cucharadita de ajo picado finamente a una cucharadita de miel y tómelo tres veces al día –dos horas después de cada comida.

▶ Ciertas bebidas son eficaces para el tratamiento de la diarrea y ayudan a reponer las bacterias intestinales benignas. Beba uno o dos vasos de jugo de "sauerkraut" (chucrut, col agria), suero de leche ("buttermilk") o kéfir (se puede comprar en las tiendas de alimentos naturales).

O consuma una o dos porciones de yogur con cultivos activos, junto con remolacha (betabel, "beet") o pepinos encurtidos, o "sauerkraut" cruda, (*vea* la "Guía de preparación" en la página 281, para la receta de "sauerkraut").

Masajearse el ombligo

▶ El ombligo es un punto de acupresión para tratar la diarrea. Use el pulgar o la base de la mano, presione hacia dentro y dé un masaje sobre el lugar con movimientos circulares por unos dos minutos.

Diarrea crónica

Este remedio demuestra que uno no puede discutir lo que da buenos resultados. Una mujer nos escribió para contarnos que comer macarrones de coco de la marca Archway –dos al día– acabó con su lucha de 12 años contra la diarrea. Ella sufre de enfermedad de Crohn, que es una inflamación crónica de las paredes intestinales. La diarrea crónica es uno de los síntomas más comunes y debilitantes de esta dolencia. La mujer nos pidió que incluyéramos su remedio, con la esperanza de poder ayudar a otros con este problema.

Después de más investigaciones, nos enteramos que el farmacólogo Joe Graedon, MS, profesor adjunto asistente de la Universidad de Carolina del Norte en Chapel Hill, también informó el éxito que estas galletas habían tenido para muchas personas. Una mujer no podía encontrar las galletas de marca Archway, así que preparó sus propias galletas de coco y también funcionaron como por arte de magia. Esto no le da resultados a todos, pero vale la pena probar.

NOTA: Considere sus necesidades alimentarias antes de probar el remedio de macarrones de coco. Las galletas tienen mucha grasa y edulcorantes.

Disentería

Es común que les dé disentería a las personas que viajan a países extranjeros. Todos los remedios para la diarrea pueden ayudar a tratar la disentería bacteriana. Sin embargo, la disentería amebiana (la cual es causada por las amebas que habitan en las verduras de algunos países) y la disentería viral, son formas más graves de disentería. Todos los tipos de disentería deben ser tratados por un profesional de la salud.

▶ Para ayudar a evitar la disentería bacterial, dos semanas antes de viajar al extranjero, vierta una cebolla cruda finamente picada en una taza de yogur y cómalo.

Antes de descartar esta medida preventiva, pruébela, quizá le sorprenda lo bien que sabe. De alguna manera el yogur hace que la cebolla sepa dulce.

DIENTES, ENCÍAS Y DOLENCIAS BUCALES

Sea fiel a sus dientes o se volverán falsos. El dramaturgo irlandés, ganador del premio Nobel, George Bernard Shaw (1856-1950) dijo una vez: "El hombre con dolor de muelas piensa que todos los que tienen dientes sanos son felices".

Los remedios naturales pueden ayudar a aliviar el dolor de muelas, y en algunos casos, aliviar los problemas causados por la tensión nerviosa y las infecciones menores.

Ya que es difícil saber la causa del dolor de muelas, pida una cita para ver al dentista lo más pronto posible. Aún más importante, permita que el dentista le examine los dientes.

Problemas de los dientes

▶ Si tiene los dientes flojos, refuércelos con perejil ("parsley"). Vierta un cuarto de galón (un litro) de agua hirviendo sobre una taza de perejil. Deje estar 15 minutos, después cuele el agua de perejil y refrigérela.

Dosis: Beba tres tazas al día.

Dolor de muelas

Hasta que acuda al dentista para que él haga de las suyas –taladrar, rellenar y cobrar–, pruebe uno de estos remedios para calmar el dolor de muelas.

▶ Prepare una taza de té de manzanilla ("chamomile") y empape una toallita blanca en el té. Escúrrala y colóquela sobre la mejilla o la mandíbula –la parte externa de la zona afectada. Tan pronto como la toallita se enfríe, vuélvala a empapar y aplíquela de nuevo. Esta compresa de manzanilla debería aliviar el dolor antes de que sea necesario recalentar el té.

▶ Remoje los pies en agua caliente. Séquelos bien y fricciónelos vigorosamente con salvado ("bran").

No, este remedio no está en la categoría equivocada. Nos dijeron que es un remedio de los indígenas Cherokee para el dolor de muelas.

El cuento de Papá Wilen de la grasa de cerdo

▶ Siempre que alguien tenía dolor de muelas en nuestra casa, le pedíamos a Papá que nos contara el cuento de la "grasa de cerdo".

Nos contaba que una vez, cuando era adolescente, le habían hecho un tratamiento dental un jueves. Esa noche, tuvo inflamación y dolor a causa del tratamiento. En aquellos tiempos, los dentistas no iban a los consultorios el viernes, y esperar hasta el lunes era imposible, ya que el dolor era muy intenso.

El viernes por la mañana, nuestra abuela fue a la carnicería del vecindario (que no era "kosher") y compró un pedazo de grasa de cerdo. Lo trajo a casa (cosa que no había pasado nunca,

ya que era una casa estrictamente "kosher" que respetaba la ley judaica), lo calentó y puso la grasa derretida en un pañuelo blanco. Luego le colocó a Papá el pañuelo sobre la mejilla. En unos pocos minutos, la inflamación se redujo y el dolor desapareció.

Durante esta parte del cuento, Papá se levantaba y demostraba cómo había bailado por todo el cuarto celebrando el alivio del dolor.

Recientemente descubrimos otra versión del mismo remedio (les prometemos no contarles más cuentos). Agarre un pedazo pequeño de grasa de cerdo y colóquelo entre la encía y la mejilla, directamente sobre el sitio dolorido.

Manténgalo ahí 15 minutos, o el tiempo necesario para aliviar el dolor. (El baile subsiguiente es opcional).

▶ Prepare una taza de té de salvia ("sage"), más fuerte que de costumbre. Si sus dientes no son sensibles a lo "caliente", mantenga el té caliente en la boca por medio minuto, después tráguelo y tome otro sorbo. Continúe haciendo esto hasta que termine la taza de té, y con suerte, no tendrá más dolor.

▶ Prepare una cataplasma de rábano picante ("horseradish"). Póngala detrás de la oreja que esté más cerca al diente afectado. Para asegurar el alivio, aplique también el rábano picante rallado a la zona de la encía más cercana al diente afectado.

▶ Para aliviar temporariamente una caries dolorida, cúbrala con leche en polvo. Y vaya al dentista ¡lo más pronto posible!

Los dedos sanadores

▶ La acupresión funciona como por arte de magia para algunas personas –con suerte, usted es una de ellas. Si el dolor de muelas está del lado derecho, apriete el dedo índice de la mano derecha (el que está al lado del pulgar), en ambos lados de la uña. Mientras aprieta el dedo, gírelo en sentido del reloj varias veces, dándole al dedo índice un pequeño y rápido masaje.

▶ Aplique unos pocos granos de pimienta de cayena ("cayenne pepper") a la muela afectada y a la encía. Al principio dolerá aún más, pero tan pronto deje de doler (en unos segundos), deberá eliminar el dolor de muelas.

▶ Empape en vinagre un pedazo de papel marrón (de bolsa de mercado) del tamaño de la mejilla, después espolvoree un lado con pimienta negra. Coloque el lado con pimienta sobre la cara cerca del diente afectado. Sujete con una venda y mantenga ahí por lo menos una hora.

▶ Parta por la mitad un higo fresco y maduro. Exprima el jugo del higo sobre la muela dolorida. Vierta más jugo de higo en la muela cada 15 minutos, hasta que el dolor desaparezca o hasta que se acabe el jugo de higo.

Éste es un antiguo remedio hindú. Y debe dar buenos resultados porque... ¿cuándo fue la última vez que vio a un antiguo hindú con dolor de muelas?

▶ Ase media cebolla. Cuando ya no esté muy caliente, colóquela sobre el pulso de la muñeca,

del lado contrario a la muela dolorida. Para cuando la cebolla se enfríe completamente, el dolor debería haber desaparecido.

Dulce alivio con clavos de olor

▶ Los clavos de olor ("cloves") se han utilizado por mucho tiempo para aliviar el dolor. Puede comprar aceite de clavos o clavos enteros. Si es aceite, empape un pedazo de algodón y colóquelo directamente sobre la muela dolorida. Si es clavo entero, sumérjalo en miel tibia.

Luego mastíquelo lentamente, dándole vueltas sobre la muela dolorida. Esto liberará el aceite esencial del clavo y calmará el dolor.

ADVERTENCIA: Los diabéticos y las personas alérgicas a la miel no deben consumir miel.

▶ Empape una rebanada de pan tostado con alcohol, luego espolvoree un poco de pimienta por encima. El lado con pimienta debe aplicarse externamente al lado de la cara donde está el dolor de muelas.

▶ Si le encanta el ajo, este remedio le va a gustar. Ponga un diente de ajo recién pelado directamente sobre la muela dolorida. Manténgalo por lo menos una hora. Después *vea* los remedios para el "mal aliento" (halitosis) en las páginas 58 a 60.

▶ Si ya tiene cita para ir al dentista, tome 10 mg de vitamina B_1 (tiamina) todos los días, comenzando una semana antes de la cita. Es posible que el dolor durante y después del tratamiento dental sea mucho menor.

Se piensa que la falta de tiamina en el organismo puede ser la causa del dolor intenso.

Cómo prepararse para un tratamiento dental

► Tan pronto sepa que tiene que ir al dentista para un tratamiento, consuma piña (ananá, "pineapple"). Coma una piña fresca o una taza de piña enlatada en su propio jugo y beba un vaso de jugo de piña puro todos los días.

Continúe el régimen de piña por unos días después de completar el tratamiento dental. Las enzimas de la piña deberían ayudar a disminuir el dolor y el malestar. También pueden ayudar a acelerar el proceso de curación.

Extracción de muelas

Cómo detener el sangrado

► Sumerja una bolsita de té en agua hirviendo, escurra el agua y deje enfriar. Luego presione la bolsa de té sobre el hueco de la muela y déjela ahí entre 15 y 30 minutos.

Para detener el dolor

► Mezcle un cucharadita de sal de Higuera ("Epsom salt") en una taza de agua caliente. Enjuague toda la boca con la mezcla y escúpala. No la trague –a menos que necesite un laxante. Una taza debería ser suficiente. Pero si el dolor vuelve, vuelva a "enjuagar" la boca con la sal de Higuera.

► Envuelva un cubito de hielo en una gasa o estopilla ("cheesecloth"). (Con suerte usted entenderá este remedio antes de que el hielo se derrita).

Cuando el pulgar se presiona contra el dedo índice, se forma una protuberancia carnosa donde se unen los dedos. Los acupunturistas lo llaman el "punto hoku".

Separe los dedos y con el cubito de hielo, dé un masaje a esa membrana por siete minutos.

Si la mano empieza a adormecerse, descarte el hielo y continúe el masaje solo con los dedos. Esto debería brindarle entre 15 y 30 minutos "sin dolor".

También es eficaz para el dolor después de un tratamiento de nervio dental (endodoncia, "root canal").

Problemas de las encías

► Es bueno cepillarse los dientes y darse un masaje en las encías con té de botón de oro (hidraste, "goldenseal"), que se puede comprar en las tiendas de alimentos naturales.

► La mirra (sí, uno de los regalos que llevaron los Tres Reyes Magos) es un arbusto, y la resina de este arbusto es un antiséptico y astringente que se utiliza para sanar la infección que causa la inflamación y hemorragia de las encías.

El aceite de mirra se puede frotar directamente sobre las encías. La mirra en polvo se puede poner en un cepillo de dientes de cerdas suaves para cepillar los dientes al borde de las encías. Haga esto varias veces al día.

Piorrea

La piorrea es el deterioro de las encías y los tejidos que rodean los dientes. Esta enfermedad se caracteriza por inflamación severa, encías sangrantes y descarga de pus. A medida que la piorrea empeora, las encías pueden retraerse completamente.

La piorrea es una afección grave que debe ser tratada por un dentista. Pero los siguiente remedios pueden brindarle alivio temporario del dolor de las encías.

▶ Prepare una pasta dental casera. Combine bicarbonato de soda ("baking soda") con una gota o dos de agua oxigenada (peróxido de hidrógeno). Cepíllese los dientes y frote las encías con esta pasta usando un cepillo de cerdas finas y suaves.

▶ Tome 15 mg de coenzima Q-10, dos veces al día. Además, parta una cápsula de CoQ-10 y use el polvo para cepillarse los dientes y darse un masaje en las encías.

Cada vez que tome CoQ-10, tome también 500 mg de vitamina C con bioflavonoides.

▶ Brian R. Clement, director del Hippocrates Health Institute en West Palm Beach, Florida, informa que el ajo es el primer y más destacado remedio para curar los problemas de las encías.

También advierte que el ajo puro puede quemar las encías sensibles. Es por esta razón que el personal profesional del instituto mezcla pectina con ajo antes de aplicarlo a las encías. El ajo cura la infección mientras la pectina evita que el ajo queme las encías. Propóngale este remedio a su periodontólogo (de la nueva era u holístico).

Encías sangrantes

▶ Tener encías sangrantes puede ser el aviso de su organismo que usted no está llevando una dieta bien equilibrada. Después de consultar con el dentista, considere buscar la ayuda profesional de un nutricionista o un terapeuta

que usa vitaminas, los cuales pueden ayudarle a complementar el consumo de alimentos con las vitaminas y minerales de los que usted carece. Mientras tanto, tome 500 mg de vitamina C, dos veces al día.

> **NOTA:** El sangrado persistente de las encías debe ser examinado por un profesional de la salud.

Cómo limpiar los dientes y las encías

▶ Corte una fresa (frutilla, "strawberry") fresca por la mitad y frótela sobre los dientes y las encías. Esto puede ayudar a quitar manchas, decoloraciones y sarro, sin dañar el esmalte de los dientes. También puede fortalecer y sanar las encías sensibles y doloridas.

Deje la fresa machacada y el jugo sobre los dientes y encías tanto tiempo como pueda –por lo menos 15 minutos. Después enjuague con agua tibia. Use solo fresas frescas a temperatura ambiente.

▶ Si no puede cepillarse después de cada comida, bese a alguien. De verdad –¡bese a alguien! Esto hace que la saliva fluya y ayuda a prevenir el deterioro de los dientes.

▶ Bueno, la verdad es que la mejor manera de limpiarse los dientes es como lo hace justo antes de ir al dentista.

Prevención de las caries

▶ Para evitar las caries, consuma un cubito de queso suizo, "cheddar" o "Monterey Jack" justo después de haber comido algo dulce que cause caries. Parece que el queso disminuye la producción del ácido bacteriano que causa el deterioro de los dientes.

▶ El maní (cacahuates, "peanuts") también puede ayudar a prevenir el deterioro de los dientes. Puede comerlo al terminar la comida,

■ Receta ■

Ensalada de maní

3½ tazas de col (repollo, "cabbage"), rallada

¾ taza de apio ("celery"), picado

½ taza de pepino ("cucumber"), pelado y picado

½ taza de maní enlatado (cacahuates, "cocktail peanuts"), picado

3 cdas. de cebolla, cortada en cubitos

½ taza de mayonesa

½ taza de crema agria ("sour cream")

¾ cdta. de rábano picante ("horseradish")

¼ cdta. de mostaza con miel ("honey mustard")

Sal y pimienta a gusto

En un bol grande combine la col, el apio, el pepino, el maní y la cebolla. Deje a un lado. Combine los ingredientes restantes y mezcle bien. Agregue a la mezcla de col, luego mezcle bien. Cubra y deje enfriar. Sirve 6.

Fuente: www.freerecipe.org

no necesariamente después de comer un alimento que cause caries.

▶ El té es rico en flúor ("fluoride"), el cual impide el deterioro de los dientes. Algunos japoneses creen que el té ayuda a combatir la placa dental. Pruebe el té de Kukicha. Sabe bien, es relajante, no contiene cafeína y lo puede comprar en tiendas de alimentos naturales o en los mercados asiáticos. Vale mencionar que puede usar las bolsitas de té de Kukicha tres o cuatro veces.

▶ La melaza negra ("blackstrap molasses") contiene un ingrediente que parece impedir el deterioro de los dientes. También se dice que las semillas de girasol ("sunflower seeds") impiden el deterioro de los dientes. Tome todos los días, una cucharada de melaza disuelta en agua y/o un puñado de semillas de girasol crudas, sin cáscara y sin sal. Asegúrese de enjuagarse bien con agua después de consumir melaza.

Limpie el cepillo de dientes

▶ Disuelva una cucharada de bicarbonato de soda ("baking soda") en un vaso de agua tibia y deje remojar su cepillo de dientes en el vaso durante toda la noche. Enjuáguelo por la mañana y observe lo limpio que está.

Tire a la basura su cepillo de dientes

▶ Las bacterias de la boca se asientan en las cerdas de su cepillo de dientes y pueden volverlo a infectar con cualquier cosa que haya padecido –herpes labial, resfriado, gripe o dolor de garganta.

Tan pronto como aparezcan los síntomas, eche a la basura su cepillo de dientes. Use uno nuevo por unos días, después tírelo y use otro nuevo. Si quiere ser extremadamente cuidadoso, use uno nuevo tan pronto se sienta mejor.

Eliminador de la placa dental

▶ Humedezca el hilo dental y sumérjalo en bicarbonato de soda ("baking soda") antes de usarlo. Esto puede ayudar a eliminar parte de la placa dental acumulada.

Eliminador del sarro

▶ Mezcle cantidades iguales de crema tártara ("cream of tartar") y sal. Cepíllese los dientes y frote suavemente las encías con la mezcla. Luego enjuague bien.

Blanqueador de dientes

▶ Queme una tostada –¡carbonícela completamente! (Para algunos de nosotros esto forma parte de nuestra rutina diaria). Luego pulverice el pan carbonizado, mézclelo con ½ cucharadita de miel y úselo para cepillarse los dientes. Enjuague bien. Póngase unos anteojos (gafas) de sol, mírese en el espejo y ¡sonría!

ADVERTENCIA: Los diabéticos y las personas alérgicas a la miel no deben consumir miel.

Halitosis (mal aliento)

La mayoría de las personas tiene mal aliento en algún momento del día (al despertarse, por ejemplo –¡ay, qué asco!). La causa es básicamente los pedazos pequeñitos de comida que se descomponen en la boca. Cepillarse los dientes correctamente puede solucionar la mayoría de los casos, pero el mal aliento

crónico puede ser causado por una enfermedad subyacente.

NOTA: Es importante encontrar la causa del mal aliento. Sométase a un examen de sinusitis o de indigestión crónicas y vaya al dentista.

Si bien nadie muere de mal aliento, seguro que puede arruinar una relación. Vale la pena hacer la prueba con estos remedios refrescantes.

▶ Chupe un pedazo de corteza de canela ("cinnamon bark") para endulzar su aliento. Los palitos de canela ("cinnamon sticks") vienen en frascos o se pueden comprar sueltos en algunas tiendas de alimentos especializadas. También pueden satisfacer las ansias de comer un caramelo o de fumar un cigarrillo.

▶ Algunas veces el mal aliento es causado por la descomposición de partículas de alimentos entre los dientes. Si ese es el caso, use hilo dental y cepíllese los dientes después de cada comida.

▶ Humedezca un pedazo de lana pura –preferentemente blanca y sin teñir– con ½ cucharadita de miel sin procesar ("raw honey") y dé un masaje con la lana a las encías superiores. Vierta otra ½ cucharadita de miel sin procesar en la lana y dé un masaje a las encías inferiores.

ADVERTENCIA: Los diabéticos y las personas alérgicas a la miel no deben consumir miel.

¿Usted dice que parece como una locura? No podemos discutirle, pero vale la pena hacer la prueba. Enjuáguese la boca a fondo con agua después de usar miel ya que puede contribuir al deterioro de los dientes.

▶ Si su lengua parece estar cubierta por una capa, tal vez necesita rasparla, lo que ayudará a combatir el mal aliento. Use su cepillo de dientes o un raspador de lengua ("tongue scraper") –que puede comprar en las tiendas de alimentos naturales y en las farmacias– para raspar la lengua después del desayuno y antes de acostarse.

Enjuague con hierbas

▶ Acumule menta ("mint"), romero ("rosemary") y semillas de hinojo ("fennel seeds") –puede comprarlas en las tiendas de alimentos naturales– y prepare un enjuague bucal eficaz.

Para una porción diaria, use ⅓ cucharadita de cada una de las tres hierbas secas. Vierta una taza de agua recién hervida sobre la menta, el romero y las semillas de hinojo, cubra y deje remojar 10 minutos. Luego cuele.

Ahora la mezcla debería estar lo suficientemente fría como para enjuagarse con ella. Si quiere puede tragar un poco. Es maravillosa para la digestión (que pudiera ser la causa del mal aliento).

▶ Antes de acostarse, tome un pedazo de mirra ("myrrh") del tamaño de un guisante (chícharo, "pea") y déjelo disolver en la boca. Ya que la mirra es un antiséptico y puede destruir los gérmenes que pueden ser la causa del problema, con suerte usted podrá decir "adiós" al aliento de dragón.

▶ Al salir de un restaurante hindú, puede haber notado un bol lleno de semillas cerca de la puerta. Casi siempre son semillas de anís ("anise"). Chupe unas cuantas de estas semillas con sabor a regaliz ("licorice") para ayudarle a endulzar su aliento.

Quizá sería bueno tener a mano un bol con anís durante la próxima cena que organice.

Aliento a ajo o cebolla

▶ Mezcle ½ cucharadita de bicarbonato de soda ("baking soda") en una taza con agua y enjuague toda la boca –con un buche por vez. Escupa. No trague este enjuague bucal. Para cuando se haya enjuagado la boca con toda la taza, su aliento debería estar fresco.

▶ Mastique ramitas de perejil ("parsley") –sí, especialmente después de comer ajo. A elegir –aliento a ajo o pedacitos de cosas verdes entre los dientes.

▶ Si le gusta el café, beba una taza de café fuerte para eliminar todo rastro de cebolla de su aliento.

Claro que entonces tendrá aliento a café, lo cual para algunas personas es tan desagradable como el aliento a cebolla. Entonces coma una manzana para librarse del aliento a café. Bueno, mejor sería olvidarse del café y solo comer una manzana.

▶ Mastique un clavo de olor ("clove") entero para mejorar su aliento. La gente ha hecho esto durante 5.000 años para refrescar el aliento.

▶ ¡Chupe un limón! Esto debería eliminar su aliento a cebolla o ajo. Algunas personas

obtienen mejores resultados cuando agregan sal al limón antes de chuparlo. (Este también es un buen remedio para librarse del hipo).

ATENCIÓN: No chupe limones frecuentemente. Haga esto únicamente en una situación de emergencia social. Con el consumo frecuente, el fuerte ácido del limón puede desgastar el esmalte de los dientes.

Enjuague bucal

▶ Prepare un enjuague bucal casero: combine ¼ taza de vinagre de sidra de manzana ("apple cider vinegar") y dos tazas de agua recién hervida. Deje enfriar y guarde en un frasco en su gabinete de medicinas.

Haga buches con un sorbo de esta solución antiséptica como lo haría con un enjuague bucal comercial, durante alrededor de un minuto; escúpalo. Luego enjuáguese bien con agua para quitar las manchas de ácido.

Aftas

Las aftas ("canker sores") son pequeñas llagas dolorosas y fastidiosas que salen en las encías, las mejillas y la lengua, y que pueden durar semanas. Se piensa que pueden ser causadas por estrés.

▶ Consiga una mazorca de maíz (choclo, elote, "corn"), deseche los granos y queme un pedacito de mazorca a la vez. Aplique las cenizas de mazorca al afta entre tres y cinco veces por día.

▶ Varias veces durante el día, ponga y mantenga un poco de melaza negra ("blackstrap molasses") sobre el afta en la boca. La melaza tiene propiedades curativas extraordinarias. Asegúrese de enjuagarse bien con agua después de usar melaza.

▶ Según el sanador psíquico Edgar Cayce, el aceite de ricino ("castor oil") alivia y ayuda a sanar las aftas. Aplique aceite de ricino con toques suaves sobre el afta cada vez que le duela.

Cura bacteriana

▶ El yogur con cultivos activos (asegúrese de que el envase especifique cultivos vivos –"living" – o activos –"active") puede aliviar la afección antes de que pueda decir *"Lactobacilos acidófilos"*. De hecho, las tabletas de lactobacilos pueden ser un tratamiento eficaz para las aftas.

Repetimos, asegúrese de que las tabletas contengan organismos vivos. Al principio del tratamiento tome dos tabletas con cada comida y después disminuya la dosis a medida que la dolencia mejora.

▶ Hasta que compre los lactobacilos acidófilos, sumerja una bolsita de té común (no de hierbas) en agua hirviendo. Escurra la mayor parte del agua. Cuando esté fría al tacto, aplíquela al afta durante tres minutos.

▶ Tome un trago de jugo de "sauerkraut" (chucrut, col agria) –use el jugo fresco del barril o de los envases disponibles en las tiendas de alimentos naturales, antes que las enlatadas de los supermercados– y "enjuague" el afta durante un minuto. Después puede tragar el jugo o escupirlo.

Haga esto durante todo el día, entre cuatro y seis veces diarias, hasta que el afta desaparezca, lo cual debería ocurrir en un día o dos.

Si usted es como nosotras, el jugo le encantará. Puede intentar hacer su propio "sauerkraut" (*vea* la "Guía de preparación" en la página 281).

DOLOR DE CABEZA

Encare su dolor de cabeza con técnicas holísticas. Analice las últimas 24 horas de su vida. ¿Ha comido normalmente? ¿Durmió bien durante la noche? ¿Ha evacuado desde que se despertó esta mañana? ¿Tiene fecha límite para terminar un proyecto? ¿Tiene exigencias en la casa o en el trabajo? ¿Hay algo que le cause temor?

Ahora que probablemente comprenda la causa de su dolor de cabeza, ¿qué debe hacer para aliviarlo? No rechace ninguna propuesta.

Estudios demuestran que más del 90% de los dolores de cabeza son causados por tensión nerviosa, por lo tanto la mayoría de nuestros remedios son para el dolor de cabeza causado por tensión. Sólo unos pocos son para migrañas más graves.

ADVERTENCIA: Los dolores de cabeza recurrentes pueden ser causados por tensión ocular, una alergia o algo más grave. Busque asistencia médica profesional, sobre todo si el dolor de cabeza aparece de repente o viene acompañado por náuseas, vómitos y/o fiebre.

Remedios naturales

No cabe duda alguna, ¡los dolores de cabeza son un dolor de cabeza! Use sus instintos, el sentido común y la paciencia para descubrir cuál de estos remedios le da mejores resultados.

▶ Los investigadores científicos nos dicen que las almendras ("almonds") contienen *salicilatos*, el ingrediente de la aspirina que alivia el dolor. Consuma 15 almendras crudas para obtener el efecto de una aspirina. Aunque el dolor de cabeza pueda tardar un poco más en desaparecer, no correrá el riesgo de sufrir efectos secundarios. (Lo que los científicos necesitan encontrar ahora, son almendras de acción rápida).

▶ Consiga una botella pequeña de esencia de romero ("essence of rosemary") y frote un poco del aceite sobre la frente, la sien, y también detrás de las orejas. Después inhale cuatro veces los vapores de la botella destapada. Si su dolor de cabeza no desaparece dentro de una media hora, repita la frotación y la inhalación una vez más.

Remedio del Oriente

▶ Este remedio parece ser el favorito de algunos gurús de la India. En una olla pequeña, combine una cucharadita de albahaca ("basil") seca con una taza de agua caliente, y hágala hervir. Sáquela del fuego y agregue dos cucharadas de hamamelis (olmo escocés, "witch hazel"). Deje enfriar; luego empape una toallita con la mezcla, escúrrala y aplíquela sobre la frente. Sujétela con una venda y manténgala hasta que la toallita se seque o hasta que su dolor de cabeza desaparezca.

▶ Esto le dará resultados –o tal vez no. De cualquier modo, lo averiguará rápido y fácilmente. Sumerja las manos en agua tan caliente como pueda aguantar –¡tenga cuidado de no quemarse! Manténgalas ahí durante un minuto. Si no empieza a sentir alivio en 15 minutos, pruebe otro remedio.

▶ Si su dolor de cabeza causado por tensión parece provenir de la tensión de su cuello, coloque una almohadilla eléctrica de calor ("heating pad") o un paño húmedo muy caliente, alrededor del cuello. El calor debería relajarlo y mejorar la circulación.

Aventuras alimentarias exóticas

El hecho de estar leyendo este libro, nos lleva a creer que usted es una persona que está interesada en todo tipo de alternativas, variedades y nuevas aventuras. Por lo general, cuando una persona es aventurera, lo es también con sus hábitos alimentarios. Así que nos gustaría presentarle al "daikon", un rábano japonés. Es delicioso crudo en las ensaladas y es maravilloso para la digestión, especialmente cuando come comidas grasosas.

▶ Ralle un pedazo de daikon y extraiga el jugo a través de una estopilla (gasa, "cheesecloth") sobre una toallita. Coloque la toallita sobre la frente y fíjela con una venda. Debería ayudar a eliminar el dolor de cabeza.

Ya que estamos hablando de remedios de "alimentos exóticos", debería conocer el "gomasio" –que significa sal de ajonjolí ("sesame salt") en japonés. Puede comprarlo en las tiendas de alimentos naturales. Lo interesante de este aderezo es que el aceite de las semillas de ajonjolí trituradas envuelve la sal marina de manera que no causa excesiva atracción al agua. En otras palabras, puede sazonar los alimentos con gomasio y no le causará la sed que produce la sal de mesa común.

▶ Para aliviar un dolor de cabeza, consuma una cucharadita de gomasio. Mastíquelo bien antes de tragarlo.

Pase la menta

▶ Un remedio tradicional mexicano pide pegar una hoja de menta recién cortada sobre la zona de la cabeza donde el dolor es más severo.

▶ En Inglaterra, se extrae el jugo de la hoja de menta y se administra como gotas para los oídos para aliviar el dolor de cabeza.

Señor Cabeza de papa

▶ Ralle una papa (una roja si es posible) o una manzana, y prepare una cataplasma (*vea* la "Guía de preparación" en la página 280). Aplique la cataplasma a su frente y sujétela con una venda, manteniéndola ahí durante una hora, por lo menos.

Muérdase la lengua –¡en serio!

▶ Quizá le convenga probar alguna forma de acupresión para librarse de ese dolor de cabeza. Saque su lengua aproximadamente ½ pulgada (1 cm) y muérdala tan fuerte como pueda sin hacerse daño. Mantenga la posición 10 minutos exactamente –¡ni un minuto más!

▶ Algunas personas se libran del dolor de cabeza tomando una dosis pequeña de vitamina C cada hora –pero tenga en cuenta que demasiada vitamina C puede causar diarrea.

Si después de unas horas todavía tiene dolor de cabeza, entonces deje de tomar la vitamina C y pruebe otro remedio.

▶ Agregue ½ cucharadita de angélica (se puede comprar en las tiendas de alimentos naturales) a ¾ taza de agua caliente y bébela. Ayuda a aliviar el dolor de cabeza, y también se afirma que hace que la persona se sienta más positiva y más feliz.

▶ Un remedio popular en Jamaica utiliza la hoja de áloe vera para el dolor de cabeza.

Cuidadosamente corte una hoja por la mitad a lo largo, y coloque el lado con gel sobre la frente y la sien. Manténgala en el lugar con un pañuelo o una venda y déjela hasta que el dolor de cabeza desaparezca.

Cara de vinagre para el dolor de cabeza

▶ Cuando nuestra abuelita tenía dolor de cabeza, empapaba un pañuelo blanco grande con vinagre, lo escurría y lo ataba firmemente alrededor de la frente hasta que el dolor de cabeza desaparecía.

Una variante del pañuelo empapado en vinagre consiste en empapar un pedazo de papel marrón (de bolsa de supermercado) en vinagre. Sacuda la bolsa para quitar el exceso de líquido y colóquela sobre la frente. Átela y manténgala ahí durante 30 minutos, por lo menos.

▶ Usamos este remedio exitosamente con el famoso presentador de un programa matutino de televisión… había sufrido un dolor de cabeza monstruoso durante dos días. ¡Intentó nuestro remedio de limón y se sintió mejor al final de la entrevista!

Pele un limón, de manera que los pedazos de cáscara sean lo más grande posible. Frote la frente y la sien con la cáscara (la parte interna de la cáscara del limón debe tocar su piel). Luego ponga los pedazos de cáscara sobre la frente y la sien, fijándolos con un pañuelo o una venda. Déjelos ahí hasta que el dolor de cabeza desaparezca, generalmente dentro de una media hora.

Dé una caminata… en la bañera

▶ Deje que el agua fría se acumule en la bañera (tina) hasta la altura del tobillo. Póngase ropa abrigada dejando los pies descalzos. Dé un paseo

Dígale adiós a su dolor de cabeza

Una vez nos dijeron que cualquier cosa que uno siente intensa y completamente, desaparece. Este ejercicio puede ayudar a que usted elimine el dolor de cabeza al sentirlo intensamente. *Hágase estas preguntas y responda honestamente.…*

◆ ¿Realmente quiero deshacerme del dolor de cabeza? (No se ría. Muchas personas prefieren quedarse con el dolor de cabeza. Es una excelente excusa y una manera de evitar un montón de cosas).

◆ ¿Qué tipo de dolor de cabeza tengo? Sea específico. ¿Le late sobre un ojo? ¿Le palpita cada vez que baja la cabeza? ¿Tiene dolor en la base del cuello?

Ahora, memorice las siguientes preguntas o pídale a alguien que se las lea. (¿Sabe por qué? Cierre los ojos. ¡Ajá, por eso!).

◆ ¿De qué tamaño es mi dolor de cabeza? Imagine las dimensiones exactas. Empiece por el largo desde delante de la cara hasta atrás de la cabeza, el ancho de oreja a oreja y el grosor del dolor desde la cima de la cabeza hasta el cuello.

◆ ¿De qué color es mi dolor de cabeza?

◆ ¿Cuánta agua puede contener? (Esto se hace en su mente a través de la visualización). Llene una taza con la cantidad de agua necesaria para llenar el sitio del dolor de cabeza. Luego, vierta el agua de la taza en ese espacio. Cuando haya terminado de hacerlo, abra los ojos. Debe haber eliminado el dolor de cabeza al sentirlo intensamente.

La primera vez que usamos este ejercicio, nuestros resultados fueron dramáticos. Si no lo hubiéramos experimentado nosotras mismas, probablemente pensaríamos que es tan loco como usted debe estar pensando que lo es.

lento en la bañera –entre uno y tres minutos– el tiempo necesario para que sus pies empiecen a sentirse calientes en el agua helada. Cuando esto ocurra, salga de la bañera, seque los pies y vaya directamente a la cama. Cúbrase, relájese y en instantes, su dolor de cabeza debería haber desaparecido.

▶ Haga presión con el dedo pulgar en el paladar (cielo de la boca) durante cuatro o cinco minutos. De vez en cuando, mueva su dedo pulgar a otra sección del paladar. La presión nerviosa en su cabeza debería aliviarse mucho. Si bien este remedio no es muy práctico durante una charla o discurso, vale la pena intentarlo en la privacidad de su casa.

Remedio al vapor

▶ Mezcle una taza de agua con una taza de vinagre de sidra de manzana ("apple cider vinegar") y ponga a hervir lentamente en una olla mediana. Cuando los vapores empiecen a salir, apague el fuego y quite la olla. Póngase una toalla sobre la cabeza y agáchese sobre la olla.

Inhale y exhale profundamente por la nariz alrededor de 80 veces o durante unos 10 minutos. Tenga cuidado –el vapor puede quemar si se pone demasiado cerca. Y asegúrese de sostener la toalla de manera que atrape el vapor para que usted lo pueda inhalar, pero que no toque la olla caliente ni la cocina.

▶ Si es temporada de fresas (frutillas, "strawberries"), coma unas cuantas. Las fresas contienen salicilatos orgánicos que están relacionados con los ingredientes activos de la aspirina. (No pruebe este remedio si es alérgico a la aspirina).

▶ Frote vigorosamente la segunda articulación de cada pulgar –dos minutos en la mano derecha, dos minutos en la mano izquierda– hasta que lo haya hecho cinco veces en cada mano, o durante 10 minutos. Use crema para las manos en los dedos pulgares para eliminar la fricción.

▶ Un remedio norteamericano muy antiguo consiste en tomar una cucharadita de miel mezclada con ½ cucharadita de jugo de ajo.

ADVERTENCIA: Bebés, diabéticos y las personas alérgicas a la miel no deben consumir miel.

▶ Pídale a alguien que le pase los pulgares lentamente, de arriba a abajo, por el lado derecho de la espalda, desde la paletilla (omóplato) hasta la cintura. Avísele a esa persona cuando le toque un punto doloroso o sensible. Pídale a su ayudante que mantenga la presión en ese punto durante un minuto. Esto debería aliviar el dolor de cabeza.

ATENCIÓN: Vaya al médico inmediatamente si su dolor de cabeza empeora o es "diferente" al habitual… ocurre rápidamente y es fuerte… aparece por primera vez después de los 50 años de edad… y/o es acompañado por síntomas neurológicos, como parálisis, dificultad al hablar o pérdida de conciencia. Estos síntomas pueden indicar aneurisma, tumor cerebral, apoplejía, derrame cerebral o algún otro problema grave.

Migrañas

Si padece de migrañas, a veces lo único que puede hacer para aliviar el dolor palpitante, la visión doble y las náuseas, es acostarse en un cuarto silencioso y oscuro.

Para prevenir un ataque, siga una dieta saludable, evite la cafeína y duerma lo suficiente. Estos remedios pueden proporcionar algún alivio adicional.

ATENCIÓN: Las víctimas de migraña crónica deben buscar asistencia médica. Es posible que necesite medicamentos para tratar sus dolores de cabeza.

▶ Ponga unas hojas de col (repollo, "cabbage") en agua hirviendo para ablandarlas. En cuanto se enfríen lo suficiente, coloque una o dos gruesas en la frente y en la nuca (la parte de atrás del cuello). Fíjelas con un pañuelo, bufanda o venda. Relájese mientras la col alivia el dolor.

▶ Hierva dos cebollas españolas. Coma una y haga la otra puré para preparar una cataplasma (*vea* la "Guía de preparación" en la página 280). Después coloque la cataplasma sobre la frente.

Masaje que combate las migrañas

▶ Aplique presión en la palma de una mano con el dedo pulgar de la otra mano. Después cambie de mano. Si siente algún punto sensible en cualquier palma, concentre el masaje en esa área. Mantenga firmemente la presión y continúe el masaje durante 10 minutos –cinco minutos en cada mano.

▶ Oímos hablar de una mujer que comía una cucharada de miel apenas sentía surgir una migraña. Si el dolor de cabeza no se iba en media hora, se tomaba otra cucharada de miel con tres vasos de agua y con esto el dolor desaparecía.

ADVERTENCIA: Bebés, diabéticos y las personas alérgicas a la miel no deben consumir miel.

▶ Dése un baño de pies en una palangana (cubeta, cuenco) o en dos cajas plásticas de zapatos llenas de café negro muy fuerte y caliente. Algunos profesionales médicos recomiendan beber también una o dos tazas de café. O para lograr el mismo efecto, pero con menos cafeína, beba yerba mate, (*vea* la página 112). La puede comprar en las tiendas de alimentos naturales.

NOTA: Tenga en cuenta que la yerba mate contiene cafeína, aunque menos que el café.

Vaya a la peluquería

▶ Parece una locura, pero trate este remedio. Siéntese bajo un secador de pelo. El calor y el zumbido agudo del secador pueden relajar la tensión que causó el dolor de cabeza. Según un médico, el secador brinda alivio a dos de cada tres víctimas de migrañas que lo ponen a prueba. Es posible que su salón de belleza pueda alojarla, con tal que tenga dolor de cabeza cuando no haya muchos clientes.

ADVERTENCIA: Si es sensible a las sustancias químicas, no vaya a la peluquería. Su dolor de cabeza podría empeorar.

▶ Abra un frasco de mostaza fuerte y lentamente inhale los vapores varias veces.

▶ Algunas personas tienen migrañas sin tener dolores de cabeza severos. En cambio, padecen problemas de la vista –ven puntos delante los ojos o tienen visión doble. Nos enteramos de un remedio simple para esto –mastique un puñado de pasas de uva ("raisins"). Mastíquelas completamente antes de tragar.

Prevención del dolor de cabeza... más o menos

Un estudio de tres años, realizado en la Universidad de Michigan en Ann Arbor, demostró que los estudiantes que comieron dos manzanas al día tenían muchos menos dolores de cabeza que aquellos que no las comieron. Los consumidores de manzanas también tenían menos problemas de piel, condiciones artríticas y resfriados.

Quizá le convenga comer una manzana en el desayuno y otra como merienda (refrigerio) por la tarde o un par de horas después de la cena.

■ Receta ■

"Salsa" de manzana y canela con "chips" de tortilla

"Salsa" de manzana

2 manzanas medianas agrias, picadas (preferentemente las "Granny Smith" verdes)

2 cdtas. de jugo de limón

1 taza de fresas (frutillas, "strawberries") frescas, picadas

2 kiwis medianos, pelados y picados

1 naranja pequeña

2 cdas. de azúcar morena empaquetada ("packed brown sugar")

2 cdas. de jalea de manzana ("apple jelly"), derretida

"Chips" de tortilla con canela

8 tortillas de harina de 8" (20 cm)

Agua

¼ taza de azúcar granulada

2 a 4 cdtas. de canela ("cinnamon")

En un bol grande, revuelva las manzanas con el jugo de limón para evitar que se pongan marrones. Agregue las fresas y los kiwis picados.

Ralle por encima del bol alrededor de una cucharada de la cáscara de la naranja.

Luego corte la naranja en mitades y exprima alrededor de 3 cucharadas de jugo. Quite las semillas para que no se mezclen en la "salsa". Agregue, revolviendo, la azúcar morena y la jalea. Deje a un lado.

Para preparar los "chips" de tortilla, unte ambos lados de las tortillas de harina con un poco de agua (suficiente para permitir que la azúcar y la canela se adhieran).

Mezcle la azúcar y la canela y espolvoree ligeramente por encima de las tortillas, dándoles vuelta para cubrir ambos lados. Si tiene un recipiente de especias vacío, duplique la mezcla y úselo para espolvorear las tortillas. Lo que queda de la azúcar y canela lo puede utilizar para preparar pan tostado con canela fácil y rápidamente.

Corte cada tortilla en 8 cuñas de igual tamaño, y coloque los trozos en una sola capa en una bandeja para hornear recubierta ligeramente con un aerosol para cocinar no adherente ("non-stick cooking spray") o con un pincelado ligero de mantequilla.

Precaliente el horno a 400°F (200°C) y hornee las tortillas con canela entre 6 y 8 minutos, o hasta que estén apenas doradas. Deje enfriar hasta que estén crujientes, y sirva con la "salsa" de manzana como acompañamiento.

Sirve 4.

Fuente: www.recipegoldmine.com

Además, como ya hemos mencionado, las manzanas contienen salicilatos naturales, sustancias relacionadas con el ingrediente activo de la aspirina.

De paso, comer dos manzanas al día también evitará el estreñimiento, el cual puede ser una causa principal del dolor de cabeza. (*Vea* la receta en la página anterior.)

DOLOR DE ESPALDA

Se estima que ocho de cada diez personas tienen, en algún momento de su vida, un dolor de espalda que los incapacita. También se ha calculado la suma que se gasta en el diagnóstico y tratamiento del dolor de espalda –más de cinco mil millones de dólares anuales.

ADVERTENCIA: Es de extrema importancia que cualquier dolor de espalda sea evaluado por un profesional médico para descartar enfermedades o lesiones graves. Si su dolor de espalda es crónico, persistente o severo, vaya al médico.

Hemos encontrado algunos remedios para aliviar dolores leves de espalda que vale la pena probar. En el mejor de los casos le aliviarán el dolor; al menos le darán algo de que hablar la próxima vez que alguien se queje de tener dolor de espalda.

Posiciones curativas

▶ Gracias a los sabios consejos de nuestra prima Linda, que es fisioterapeuta, muchas personas que pensaban que la espalda estaba a punto de descomponerse, evitaron el problema.

Si ha tenido problemas de espalda, seguramente sabe a qué sensación nos referimos.

Cuando tenga esa sensación, acuéstese con cuidado en el piso, suficientemente cerca de un sofá o un sillón, como para que pueda doblar las rodillas y poner las piernas (de las rodillas a los pies) sobre el asiento del sofá o del sillón. Los muslos deben quedar apoyados en la parte del frente del sofá y sus nalgas tan cerca como pueda al frente del sofá. El resto del cuerpo debe descansar recto en el piso.

En esa posición, usted queda como el comienzo de una escalera. Su cuerpo es el escalón de abajo, sus muslos son la distancia entre los escalones, y las piernas, desde las rodillas hasta los pies, son el segundo escalón.

Permanezca en esa posición entre 15 y 30 minutos. Es un tratamiento de descanso y curación para la espalda.

La mejor manera, y la más segura, de levantarse es bajar las piernas, girar hasta quedar de lado, luego levantarse lentamente dejando que los brazos y los hombros hagan la mayor parte del esfuerzo.

Solamente para los hombres

¿Le duele la espalda o la cadera cuando está sentado durante algún tiempo? ¿Es algo que ni usted ni su médico han podido explicar, y por lo tanto lo llaman un "problema de la espalda"?

Según algunos médicos, quizá necesite una "billeteroctomía".

Si lleva una billetera muy gruesa en el bolsillo de atrás del pantalón, esta puede estar presionando el nervio ciático. Lleve la billetera en el bolsillo de su chaqueta y tal vez podrá sentarse sin dolor.

Remedios naturales

▶ Un remedio asiático para prevenir o aliviar los problemas de la parte inferior de la espalda son los frijoles negros.

Deje remojar una taza llena de frijoles negros toda la noche. Esto ablanda los frijoles y se afirma que elimina los componentes que producen gas. Luego póngalos en una olla con 3½ tazas de agua. Haga hervir y luego cocine a fuego lento durante media hora. En esa media hora, vaya quitando la espuma grisácea que se forma encima. Después de media hora, cubra la olla y deje cocinar dos horas más. Si queda agua en la olla, descártela.

Coma dos o tres cucharadas diarias de frijoles negros durante un mes, luego un día sí y un día no, por un mes más.

Debe preparar nuevos frijoles por lo menos cada tres o cuatro días.

Busque un amigo

▶ Para este remedio necesita la ayuda de un amigo. Ponga 20 gotas de aceite de eucalipto ("eucalyptus") en una taza y caliéntelo unos segundos en el microondas. Luego, pídale a su amigo que le dé un masaje suave con el aceite tibio en la zona dolorida. El contacto con las manos es tan curativo como el aceite.

Ciática

La ciática es un trastorno doloroso que afecta el nervio ciático, que es el nervio más largo del cuerpo. Se extiende desde la parte inferior de la columna, sigue por la pelvis, los muslos, las piernas y termina en los talones. Cuando algo presiona o estira este nervio (generalmente por un esfuerzo excesivo), el dolor de espalda puede ser insoportable.

Los remedios caseros que describimos a continuación no necesariamente curarán el trastorno completamente, pero pueden ayudar a aliviar el dolor.

Jugos que alivian el dolor

▶ Se dice que el jugo de papas ha ayudado a quienes sufren de ciática. Igual que el jugo de apio ("celery"). Si no tiene un extractor de jugos, quizás una tienda de alimentos naturales que venda jugos puede ayudarlo. Pídales exprimir 10 onzas (300 ml) de jugo de papas y apio. Agregue zanahorias y/o remolachas (betabel, "beets") para mejorar el sabor.

Además del jugo, beba dos o tres tazas de té de apio a lo largo del día.

▶ Estimule el nervio ciático aplicando una cataplasma de rábano picante ("horseradish") recién picado en la zona dolorida. Déjela ahí una hora por vez.

Añada un poco de ajo

▶ La vitamina B_1 y el ajo pueden ser muy beneficiosos. Coma ajo crudo en ensaladas y úselo para cocinar. Además, tome a diario suplementos de ajo, 10 mg de vitamina B_1 y un buen suplemento con las vitaminas del complejo B.

ATENCIÓN: No consuma ajo ni tome suplementos de ajo si tiene úlceras o un problema hemorrágico, o si está tomando anticoagulantes.

Si está tomando cualquier tipo de medicamento, consulte a su profesional de la salud antes de tomar suplementos de ajo.

▶ Una bolsa de agua caliente en la zona dolorida puede ayudarle a dormir mejor y con menos dolor.

▶ Beba jugo y té de baya del saúco ("elderberry") a lo largo del día.

▶ Antes de acostarse, caliente aceite de oliva y úselo para masajear las zonas doloridas.

▶ Coma mucho berro ("watercress") y perejil ("parsley") todos los días (*Vea* la receta a la derecha).

▶ Según muchos alemanes, comer "sauerkraut" (chucrut, col agria) cruda previene la ciática.

El poder del color rojo

▶ Los curanderos tradicionales polacos le dicen a sus pacientes de ciática que se pongan ropa interior larga de lana –de color rojo– y que lleven una remolacha (betabel, "beet") cruda en el bolsillo de atrás del pantalón.

▶ Nos enteramos de un hombre que había ido de médico en médico buscando ayuda. Nada le había dado resultado. Como último recurso, siguió el consejo de un practicante de medicina alternativa que le recomendó leche de ajo.

El hombre ponía dos dientes de ajo picados finamente en ½ taza de leche y bebía la mezcla sin masticar los pedacitos de ajo. Se tomaba la leche de ajo cada mañana y cada tarde. A los pocos días sintió algo de alivio. A las dos semanas el dolor había desaparecido completamente.

■ **Receta** ■

Salsa esmeralda

2 cdas. de jugo de limón

¼ taza de perejil ("parsley") picado

¾ taza (sin apretar) de ramitas de berro ("watercress sprigs"), enjuagadas y escurridas

1 cda. de estragón ("tarragon"), picado

1 taza de crema agria ("sour cream") – o una mezcla de mitad crema agria y mitad yogur de sabor natural ("plain yogurt")

Sal a gusto

En una licuadora o un procesador de alimentos combine el jugo de limón, el perejil, el berro, el estragón y la crema agria. Procese hasta hacer un puré suave, raspando los costados si fuera necesario. Agregue sal a gusto.

Sirva por encima de papas, pescado o pollo.

Fuente: www.recipegoldmine.com

▶ El agua tiene un inmenso valor terapéutico para quienes sufren de ciática. Puede disminuir el dolor y mejorar la circulación. Tome un baño largo o una ducha con agua caliente y luego dése una ducha corta con agua fría. Si no puede tolerar la ducha fría, entonces después del baño caliente ponga compresas heladas en las zonas doloridas.

ENFISEMA

El enfisema es una afección anormal de los pulmones, caracterizada por la disminución de la función respiratoria y asociada con la bronquitis crónica, con el envejecimiento o con el cigarrillo.

Si le han diagnosticado enfisema, y todavía fuma, no pierda tiempo en leer esta sección ahora. Vaya primero a la sección "Cigarrillo" en la página 34 y vuelva a leer estos remedios cuando haya dejado de fumar.

▶ Bueno, pues, ¿listo?… Combine ½ cucharadita de miel sin procesar ("raw honey") y cinco gotas de aceite de anís ("anise oil") y tome esta dosis media hora antes de cada comida. Nos han informado de los resultados positivos de este remedio.

▶ Si tiene problemas para respirar, llame de inmediato al número telefónico de emergencias, 911. Mientras espera que llegue la ambulancia, siéntese, inclínese hacia adelante y ponga los codos sobre las rodillas. Esta posición puede facilitar la respiración ya que eleva el diafragma, el músculo más importante que se usa al respirar.

Vea "Ejercite los pulmones" en la sección "Super remedios" en la página 271 y considere aprender a tocar la armónica.

ADVERTENCIA: El enfisema es una enfermedad muy grave que debe ser tratada por un profesional de la salud capacitado.

ESGUINCES Y TORCEDURAS

La torsión repentina de un ligamento causa un esguince. Puede ocurrir jugando algún deporte o corriendo para alcanzar el autobús. Las torceduras son lesiones más leves que afectan a los tendones y músculos.

Según Ray C. Wunderlich, Jr., MD, PhD, director del Centro Wunderlich de medicina nutricional en St. Petersburg, Florida, apenas sufra un esguince, consuma grandes cantidades de enzimas cada hora, por medio de jugos frescos de vegetales y/o suplementos de bromelaína ("bromelain"), papaya y pancreáticos (los puede conseguir en las tiendas de alimentos naturales). ¡Cuanto más pronto empiece a consumir enzimas, mejor! Luego lea esta sección para decidir qué hacer.

El tratamiento de los esguinces

Le preguntamos a varios profesionales médicos cuál es el mejor tratamiento para un esguince, y éste fue el consenso…

▶ No use la articulación lastimada, y trátela con el método RICE –Reposo, (H)Ielo, Compresión y Elevación–, el cual viene del inglés: "Rest, Ice, Compression, Elevation". Tan pronto como pueda durante las primeras 12 horas después de la lesión, aplique una compresa de agua helada sobre la zona lastimada. Esto reducirá la inflamación.

Deje la compresa puesta durante 20 minutos; luego quítela durante 20 minutos. Siga este procedimiento de poner y quitar compresas frías durante 24 horas, si es necesario.

> **ADVERTENCIA:** Busque atención médica tan pronto como pueda para asegurarse de que el esguince es solo un esguince y no un hueso fracturado, astillado o dislocado.

Remedios naturales

También nos hemos enterado de otros remedios que han dado resultados maravillosos. Por ejemplo...

▶ Sumerja la zona afectada en una palangana (cubeta, cuenco) con agua helada y déjela ahí por cinco minutos. Luego envuelva la zona con una venda húmeda y cubra ésta con una venda seca.

▶ Caliente una taza de vinagre de sidra de manzana ("apple cider vinegar"). Empape una toallita con el vinagre y aplique al esguince durante cinco minutos cada hora.

▶ Aplique la cáscara de una naranja en el lugar del esguince, –con el lado blanco y esponjoso sobre la piel. Sujétela con una venda. Debería reducir la inflamación causada por el esguince.

▶ Añada 1 cucharada de pimienta de cayena ("cayenne pepper") a dos tazas de vinagre de sidra de manzana ("apple cider vinegar"). Haga hervir a fuego lento en una cacerola esmaltada o de vidrio. Embotelle y aplique a esguinces y músculos doloridos.

▶ Ralle jengibre ("ginger") –el congelado es más fácil de rallar– y exprima el jengibre rallado a través de una estopilla ("cheesecloth"), extrayendo todo el jugo que pueda. Mida la cantidad de jugo de jengibre y añada una cantidad igual de aceite de ajonjolí ("sesame oil"). Mezcle bien y frótelo sobre las zonas doloridas.

▶ En una taza de agua recién hervida añada una cucharadita de nébeda (hierba gatera, "catnip") y deje remojar cinco minutos. Empape una toallita con el té y aplíquela a la zona lastimada para reducir la inflamación. Cuando la toallita esté a temperatura ambiente, vuelva a empaparla con el líquido caliente y aplíquela de nuevo.

Puede conseguir nébeda en la mayoría de las tiendas de alimentos naturales, y en las tiendas de mascotas.

Consuelo de consuelda

▶ La consuelda ("comfrey") es muy popular entre los atletas profesionales y sus entrenadores actualizados. Esta hierba ayuda a acelerar el proceso de curación y a aliviar el dolor de los tendones y ligamentos desgarrados, torceduras, esguinces, huesos quebrados y codo de tenista.

Aplique una cataplasma de consuelda (*vea* la "Guía de preparación" en la página 280) sobre la zona lastimada y cámbiela cada dos o tres horas. Siempre y cuando no haya una herida abierta, puede aplicar la consuelda sin riesgo. Por supuesto, siempre es mejor consultar con su médico naturista (naturopático).

Alivio con puerro

▶ Para ayudar a aliviar el dolor de un esguince fuerte, frote la zona lastimada con un linimento de puerro ("leek"). Para preparar el linimento, ponga cuatro puerros en agua hirviendo y cocine a fuego lento hasta que se ablanden. Descarte el agua y haga puré de los puerros con cuatro cucharadas de mantequilla de coco ("coconut butter"). Apenas se enfríe, frote la mezcla en el lugar del esguince. Guarde el resto del linimento en un recipiente tapado. Se puede usar también para aliviar la mayoría de los dolores musculares.

Prevención de los esguinces recurrentes

▶ Esto es principalmente para los atletas y bailarines que tuercen frecuentemente la misma zona, ya debilitada, del cuerpo.

Antes de la sesión de calentamiento, empape una toallita en agua caliente y póngala sobre la zona debilitada por 10 ó 15 minutos. Es decir, precaliente la zona problemática antes de hacer ejercicios.

Codo de tenista

▶ *Vea* el remedio de consuelda en la página 71.

ESTREÑIMIENTO

S i está leyendo esta sección seguramente está buscando un laxante natural. Por lo tanto, quizá ya sepa que los laxantes químicos comerciales pueden matar las bacterias benignas, disminuir la absorción de nutrientes, obstruir las paredes intestinales, volver adictos a los usuarios, eliminar las vitaminas esenciales y eventualmente causar estreñimiento.

Le ofrecemos aquí remedios para aliviar el estreñimiento que son fáciles de tomar, económicos, sin sustancias químicas y que no deberían presentar efectos secundarios si

se toman con moderación, usando el sentido común. Es decir, no intente tomar más de uno a la vez.

NOTA: El estreñimiento es un problema común que puede ser un síntoma de enfermedad o conducir a un problema de salud más grave. Es importante consultar a un profesional médico antes de comenzar cualquier tratamiento por su cuenta.

Remedios naturales

▶ El momento más natural para evacuar es durante las primeras horas del día. Beber agua con el estómago vacío estimula, por reflejo, la peristalsis. Así que, antes del desayuno, vierta el jugo exprimido de medio limón en una taza de agua tibia y bébalo. Puede ayudarle a limpiar el organismo, pero si le resulta difícil tolerar el sabor amargo del limón, endúlcelo con un poco de miel.

Si el limón con agua no es para usted, coma o beba uno de los siguientes a temperatura ambiente (sin enfriar)...

- ◆ Jugo de ciruelas secas ("prunes") o ciruelas secas guisadas ("stewed prunes")
- ◆ Papaya
- ◆ Dos manzanas peladas
- ◆ Entre seis y ocho higos secos ("dried figs"). Remójelos toda una noche en un vaso de agua. A la mañana, beba el agua y luego coma los higos.

▶ Se afirma que la combinación de albaricoques (damascos, "apricots") secos y ciruelas funciona de maravilla. Remoje seis de cada uno por toda una noche. A la mañana siguiente, coma tres de cada uno. Luego por la tarde, una hora o dos antes de cenar, coma los tres albaricoques y las tres ciruelas restantes.

▶ Coma por lo menos tres frutas frescas al día. Una de ellas, preferentemente una manzana, debe comerse dos horas después de cenar.

▶ Tome dos remolachas (betabel, "beets") pequeñas, lávelas bien y cómalas crudas por la mañana. Debería evacuar unas 12 horas más tarde.

▶ El aceite de linaza ("flaxseed oil") es un tratamiento tradicional popular para el estreñimiento. Tome entre una y dos cucharadas con mucha agua inmediatamente después de almorzar o cenar (*vea* "Seis Superalimentos maravillosos" en la página 291).

▶ Las semillas de girasol ("sunflower seeds") tienen muchas propiedades saludables y también se sabe que han promovido la regularidad. Coma un puñado de semillas sin cáscara, crudas y sin sal cada día.

El "sauerkraut" es sensacional

▶ El "sauerkraut" (chucrut, col agria) crudo y su jugo contienen bacterias benignas y pueden ayudar a la digestión. También es un excelente laxante. El calor destruye las importantes enzimas del "sauerkraut"; por lo tanto, asegúrese de comerlo crudo. (El "sauerkraut" crudo se puede comprar en las tiendas de alimentos naturales, o *vea* la "Guía de preparación" en la página 281 para aprender a preparar "sauerkraut" casero).

También puede tomar 8 onzas (235 ml) de jugo de "sauerkraut" tibio y luego ½ taza de jugo de toronja ("grapefruit") sin azúcar –uno seguido del otro. Debería darle buenos resultados.

ADVERTENCIA: El jugo de toronja interfiere con muchos medicamentos. Hable con su médico antes de probar el remedio anterior.

▶ Nos han dicho de una técnica de acupresión que supuestamente estimula una evacuación completa en 15 minutos. Friccione la zona debajo del labio inferior, en medio de la barbilla, durante tres a cinco minutos.

Aceite de oliva ¡olé!

▶ Estudios recientes han demostrado que los ácidos grasos monoinsaturados –que se encuentran en el aceite de oliva– son los mejores para disminuir los niveles de colesterol. El aceite de oliva también ayuda cuando se necesita un laxante. Tome una cucharada de aceite de oliva extra virgen prensado en frío por la mañana y una cucharada una hora después de cenar.

▶ Para algunas personas, lo que da resultados es una dosis de levadura de cerveza ("brewer's yeast"). Tome 1 cucharadita colmada de levadura de cerveza y 1 cucharadita colmada de germen de trigo ("wheat germ") con cada comida. (Ambos se pueden comprar en las tiendas de alimentos naturales).

Comience con pequeñas cantidades de levadura de cerveza o de germen de trigo, o de ambos juntos. Gradualmente aumente la cantidad y pare cuando la cantidad que esté tomando le dé resultados.

▶ ¿Es temporada de caquis ("persimmons")? Coma uno. Se sabe que ha aliviado el estreñimiento.

▶ Para preparar un laxante suave, remoje seis dátiles ("dates") en un vaso de agua caliente. Cuando el agua esté fría, bébala, luego coma los dátiles. (*Vea* también el remedio de higos que está bajo "Fatiga" en la página 88).

▶ Añada salvado sin procesar ("raw, unprocessed bran") a su cereal preferido. Empiece con una cucharadita y vaya aumentando gradualmente hasta una o dos cucharadas cada mañana, dependiendo de cómo reaccione su organismo.

Exótico, pero efectivo

▶ Dos laxantes naturales que puede comprar en las verdulerías o en la sección de frutas y verduras del supermercado son la escarola –"escarole"– (cómala cruda o hiérvala en agua y beba el agua) y la cebolla española (hornéela y cómala antes de acostarse). La celulosa que contienen las cebollas da impulso a los intestinos.

▶ El médico griego y padre de la medicina, Hipócrates (460-377 AC), recomendaba comer ajo todos los días para aliviar el estreñimiento. Úselo para cocinar, y cómalo crudo (en ensaladas) siempre que pueda.

Sea convincente

▶ Cuando se esté quedando dormido, justo cuando la mente es más susceptible a las sugerencias de la autohipnosis, repita: "Por la mañana, podré evacuar bien". Siga repitiendo la frase

hasta que se quede dormido. ¡Que sueñe con los angelitos!

Métodos suaves

▶ La espinaca cruda es deliciosa en ensaladas, contiene muchas vitaminas y minerales, y es también un laxante suave. Asegúrese de lavarla a fondo para disminuir el riesgo de enfermedades transmitidas a través de los alimentos.

■ Receta ■

Sopa de pollo con quingombó ("okra")

1 pollo pequeño, limpio, cortado
    en porciones para servir
2 cdas. de harina
1 cebolla, picada
2 cdas. de aceite vegetal
4 tazas de quingombó ("okra"), picado
2 tazas de pulpa de tomate, sin semillas
½ taza de perejil ("parsley"), picado
4 tazas de agua
Sal y pimienta a gusto

Recubra los pedazos de pollo ligeramente con harina y saltee con la cebolla en el aceite. En cuanto el pollo esté dorado, agregue el quingombó, el tomate, el perejil y el agua. Condimente con sal y pimienta a gusto. Cocine a fuego lento alrededor de 2½ horas, hasta que el pollo esté tierno y el quingombó esté bien cocido. Asegúrese de agregar el agua necesaria durante la cocción.

Sirve 6.

▶ El ejercicio aeróbico es un excelente laxante. Con el consentimiento de su médico, trate de hacer ejercicios por 30 minutos cada mañana.

▶ Beber una cucharadita de melaza negra ("blackstrap molasses") diluida en ½ taza de agua caliente, antes del almuerzo, puede ayudar.

▶ Remoje los pies en agua fría, 15 minutos por vez, una vez por la mañana y otra vez antes de acostarse. Asegúrese de secarlos bien.

▶ El quingombó ("okra") es un laxante suave. Añada sopa de pollo con quingombó ("gumbo" en inglés) a su menú de vez en cuando.

Suavizante de heces

▶ Todas las noches, antes de cenar, coma una cucharada de pasas de uva ("raisins") o tres ciruelas secas ("prunes") previamente remojadas en agua por un par de horas.

EXCESO DE PESO

Este tema nos pesa mucho a nosotras... y a nuestras caderas, muslos, cintura, estómago, todos esos lugares que tenemos que adelgazar.

Como nos dicen cientos de libros y artículos de revista, perder peso es difícil –y mantenerse es aún más difícil.

La mayoría de las personas que se ponen a dieta viven pendientes del momento en que puedan abandonarla.

La solución, entonces, es no ponerse a dieta. Si usted no comienza una dieta, entonces nunca tendrá que abandonarla, ¿verdad?

Encontramos algunos remedios que pueden ayudarlo a perder peso sin seguir una dieta temporaria, de las de: "No aguanto más, no puedo esperar a abandonarla".

Así que, coloque en la puerta de su refrigerador algunos recordatorios que lo motiven, tales como "*¡Nada estira los pantalones como los refrigerios!*", "*¡Complacerse es abultarse!*", "*¡A las gorditas no las sacan a bailar!*", "*¡Se come para vivir, nos se vive para comer!*" –y empiece a practicar "el control de obesidad".

NOTA: Las píldoras para adelgazar pueden ser muy útiles. Dos veces por día, tírelas al suelo y recójalas una por una. Es un gran ejercicio, sobre todo para la cintura.

Consejos para controlar el peso

Ya sea que ha pasado años yendo de una dieta a otra y está más pesado que nunca, o que solo necesite perder unos pocos kilos para verse mejor en el traje de baño, aquí tiene varias sugerencias que le pueden ayudar, de manera saludable, a perder esas libras no deseadas.

Principios de sentido común para adelgazar

▶ Trate de comer sus comidas más abundantes más temprano que tarde en el día. Esto le da más tiempo al organismo para digerir y quemar las calorías.

Existe un dicho muy apropiado que aconseja: "Coma como un rey por la mañana, como un príncipe al mediodía y como un mendigo por la noche". Si bien no siempre es práctico comer un desayuno de cuatro platos, puede comer, siempre que sea posible, un almuerzo grande y una cena pequeña.

Antiguas hierbas adelgazantes

Cada una de las siguientes hierbas tiene varias propiedades maravillosas –pero lo que tienen en común es la capacidad de ayudarlo a perder peso. Sin embargo, por favor, pruebe una hierba a la vez –no todas al mismo tiempo.

NOTA: El uso de estas hierbas no le da permiso para comer como si se terminara el mundo. Son herramientas que pueden ayudar a disminuir el apetito y/o a metabolizar la grasa rápidamente, pero deben usarse en combinación con una dieta bien equilibrada y un plan de ejercicios adecuado.

Consulte a su médico antes de consumir cualquier hierba o suplemento natural como parte de un régimen para adelgazar.

Probablemente le llevó tiempo alcanzar su peso actual. Y le llevará tiempo perderlo. Tenga paciencia y permita que las hierbas hagan su trabajo. Usted puede ayudar al proceso eliminando o consumiendo menos alimentos con azúcar, sal y harina común.

Tal vez le convenga probar todas las hierbas antes de decidir cuál va a poner a prueba durante por lo menos un mes. Todas estas hierbas se pueden comprar en bolsas de té o sueltas en la mayoría de las tiendas de alimentos naturales.

Preparación de las hierbas

Para preparar, agregue a una taza de agua recién hervida, una cucharadita de la hierba suelta seca (o una bolsa de té). Cubra y deje remojar 10 minutos. Cuele y disfrute.

Beba una taza aproximadamente una media hora antes de cada comida y una taza a la hora de acostarse. Puede tardar un mes o dos en lograr resultados, sobre todo si no hace muchos cambios en sus hábitos alimentarios.

Semillas de hinojo ("fennel seeds")

El nombre griego para el hinojo es "marathron" que proviene de "mariano", lo que significa "para ponerse delgado". Se sabe que el hinojo metaboliza y expulsa las sustancias grasas a través de la orina. Es rico en vitamina A y es maravilloso para los ojos. También ayuda a la digestión.

Presera ("cleavers")

Al igual que las semillas de hinojo, la presera aparentemente no disminuye el apetito, si no que acelera de algún modo el metabolismo de la grasa. También es un diurético natural y puede ayudar a aliviar el estreñimiento. Quizá le convenga combinar la presera con semillas de hinojo para su bebida diaria.

Hojas de frambuesas ("raspberry-leaf")

Además de tener fama de ayudar a adelgazar, se afirma que el té de hojas de frambuesas ayuda a controlar la diarrea y las náuseas, a eliminar las aftas y lograr que el embarazo, el parto y el posparto sean más fáciles para la madre.

■ Receta ■

Berenjena a la mexicana con semillas de hinojo

2 berenjenas ("eggplants") grandes o
   3 berenjenas medianas

2 cdas. de aceite de oliva

1 cdta. de semillas de comino
   ("cumin seeds")

1 cdta. de semillas de hinojo ("fennel")

1 libra (450 g) de tomates frescos,
   pelados y picados

1 trozo de jengibre ("ginger") fresco de
   aprox. 1" (2 cm), rallado

4 dientes de ajo, machacados

1 cdta. de cilantro ("coriander") molido

1 taza de agua

Sal y pimienta

2 a 4 chiles jalapeños o serranos,
   picados finamente

Ramitas de perejil ("parsley") fresco

Lave la berenjena, quite los tallos y corte en cubitos. Fría en aceite alrededor de 5 minutos, o hasta que estén dorados. Escurra sobre toallas de papel.

Fría las semillas de comino e hinojo aprox. 2 minutos, revolviendo constantemente, hasta que estén más oscuras. Añada, revolviendo, los tomates picados, el jengibre rallado, el ajo machacado, los chiles, el cilantro y el agua. Cocine a fuego lento aprox. 20 minutos hasta que espese.

Agregue los cubitos de berenjena fritos a la mezcla y cocine hasta que esté bien caliente. Decore con las ramitas de perejil y sirva.

Fuente: www.recipegoldmine.com

Yerba mate

Hemos oído que las autoridades médicas de América del sur que han estudiado la yerba mate concluyeron que esta bebida popular puede mejorar la memoria, nutrir el tejido blando de los intestinos, aumentar la capacidad respiratoria, ayudar a prevenir las infecciones y es un tónico para el cerebro, los nervios y la espina dorsal, así como un supresor del apetito y una ayuda para la digestión. *Vea* la página 112 para mayor información sobre esta poderosa bebida.

NOTA: La yerba mate contiene cafeína (aunque no tanto como el café). Nos informaron que, aunque puede actuar como estimulante, no debería interferir con el sueño.

Marrubio ("horehound")

Esta hierba proveniente de Europa es un diurético y se usa en casos de indigestión, resfriados, tos y asma. También se ha informado que ha sido una ayuda eficaz en la pérdida de peso.

Espirulina ("spirulina")

Esta alga azul verdosa es un antiguo alimento azteca fácil de preparar y de digerir. Se informa que ha mejorado el sistema inmune, ayudado a desintoxicar el organismo y ha aumentado la energía. Cuando se toma diariamente la espirulina puede ayudar a levantar el ánimo debido a su alto contenido de *L-triptófano*.

Para ayudarlo a perder peso, tome espirulina unos 20 minutos antes de la comida. Es posible que le dé una sensación de satisfacción, como si ya hubiera comido y apenas tuviera espacio para más. Puede encontrar espirulina en varias formas –en polvo, tabletas, cápsulas y congelada en seco ("freeze-dried"). Búsquela en su tienda de alimentos naturales.

Otros remedios adelgazantes

▶ Le contamos a una de nuestras amigas, que es muy comilona, del remedio de jugo de uva recomendado por el sanador psíquico Edgar Cayce. Desde que ella empezó este régimen de jugo de uva, las ansias por los postres casi han desaparecido, sus hábitos de comida están mejorando gradualmente y está vistiendo ropa que hacía años no le cabía.

Beba tres onzas (90 ml) de jugo de uva puro (sin azúcar, aditivos ni conservantes agregados) mezclado con una onza (30 ml) de agua, media hora antes de cada comida y antes de acostarse. Beba la mezcla lentamente, tomando entre 5 y 10 minutos por cada vaso.

▶ Se dice que esta técnica china de acupresión disminuye el apetito. Cuando tenga hambre, apriete los lóbulos de las orejas durante un minuto. Si puede aguantar la presión, ponga pinzas para colgar ropa en los lóbulos de las orejas y déjelas ahí por 60 segundos.

Nos preguntamos si las mujeres que llevan los pendientes con pinza (aretes de "clip") son generalmente más delgadas que las mujeres que no los lucen. *Hummmm…*

La solución de vinagre de sidra de manzana

▶ Una señora que conocemos llevaba una dieta religiosa (es decir, no comía nada cuando estaba en la iglesia). Descontrolada, desesperada y cansada de todas las dietas de moda, buscó en nuestro archivo de remedios para el "Exceso de peso" y decidió seguir el régimen de vinagre de sidra de manzana ("apple cider vinegar").

A primera hora de la mañana, beba dos cucharaditas de vinagre de sidra de manzana diluido en un vaso de agua. Beba la misma mezcla antes del almuerzo y de la cena, o sea, un total de tres vasos de vinagre de sidra de manzana con agua por día.

En tres meses, la señora ya no estaba ni descontrolada ni desesperada. Pensaba que sus días de comilonas habían terminado y, gracias al vinagre de sidra de manzana, tenía la fuerza y la voluntad para seguir un régimen alimentario equilibrado mientras los kilos desaparecían lentamente.

▶ Se dice que la lecitina ("lecithin") ayuda a descomponer y quemar los depósitos de grasa de los bultos persistentes en el estómago, los brazos y las piernas. También puede darle la sensación de estar satisfecho, incluso cuando ha comido menos de lo habitual. La dosis diaria recomendada es una o dos cucharadas de gránulos de lecitina.

Llévese la mitad de la comida

▶ Tan pronto le sirvan el plato principal en un restaurante, separe la mitad de la comida y pida que se la empaquen para llevar. Explique que usted está siguiendo un "control de porción" y no quiere caer en la tentación de terminar todo el plato.

Los beneficios del aceite de linaza

Un héroe inesperado en la batalla contra el sobrepeso está, de hecho, clasificado como grasa" –afirma Jade Beutler, RRT, RCP, presidenta de Lignan Research LLC, en San Diego, practicante licenciada en el cuidado de la salud y experta en los beneficios del aceite de linaza ("flaxseed oil"). *Según las investigaciones de Beutler, el aceite de linaza puede ayudar a…*

◆ Reducir las ansias de comidas grasosas y dulces
◆ Avivar el ritmo del metabolismo
◆ Crear la sensación de saciedad (la sensación de plenitud y satisfacción después de la comida)
◆ Controlar los niveles de azúcar en la sangre
◆ Controlar los niveles de insulina
◆ Aumentar el consumo de oxígeno

La manera ideal para perder peso o mantenerlo, es tomar entre una y dos cucharadas diarias de aceite de linaza, divididas entre todas las comidas.

Lea más sobre el aceite de linaza en la sección "Seis Superalimentos maravillosos" en la página 291.

Almuerzo alto en proteínas

▶ Si come un almuerzo alto en proteínas –pescado, productos de soja, yogur, carne o pollo– es posible que coma menos calorías en la cena. Se afirma que las proteínas –solo dos o tres onzas (entre 55 y 85 g)– activan una hormona que reduce el apetito y le deja sintiéndose satisfecho. Haga la prueba.

Evite almuerzos con muchos carbohidratos –con mucha pasta, arroz y papas– y vea si una porción más grande de proteínas (junto con

verduras y ensalada –o sea, los alimentos saludables) ayuda a reducir su consumo de calorías en la cena.

Comidas que satisfacen

▶ Trate de comer alimentos con un contenido alto de agua. Prepare comidas con frutas y verduras –sopas, guisos y batidos. El 84% de una manzana es agua, lo que significa casi cuatro onzas (120 ml) de agua. El 91% de brócoli cocido es agua, o sea que media taza contiene 2,4 onzas (70 ml) de agua. Vea cuánta agua se utiliza para hacer arroz (y espaguetis). Las comidas con alto contenido de agua lo satisfarán e hidratarán al mismo tiempo.

¡Está hasta en la sopa!

▶ En un estudio realizado con 147 hombres y mujeres que siguieron un régimen de calorías reducidas durante un año, los que consumieron 10,5 onzas (300 ml) de sopa baja en grasa y en calorías dos veces al día, perdieron el 50% más peso que los que comieron meriendas (refrigerios) saludables pero ricas en carbohidratos, como "chips" horneados o "pretzels".

Aunque la sopa tenía la misma cantidad de calorías que las otras meriendas, el mayor peso y volumen de la sopa hicieron que los participantes del estudio se sintieran suficientemente satisfechos para comer menos durante el resto del día

Consuma una taza grande de sopa con base de caldo, baja en grasa, calorías y sodio, pero rica en verduras y/o frijoles (habichuelas, "beans") como primer plato, dos veces por día.

El truco de la ensalada

▶ Las ensaladas grandes le ayudan a consumir menos calorías. Un estudio reciente halló que los comensales que comieron una ensalada grande baja en calorías antes del plato principal, consumieron 12% menos calorías totales durante la comida que quienes no comieron nada antes del plato principal.

La ensalada calma el apetito y le ayuda a sentirse satisfecho.

La risa reduce las libras

▶ Un estudio reciente con estudiantes que miraron videos cómicos halló que reírse entre 10 y 15 minutos puede quemar entre 10 y 40 calorías.

Esto significa que 10 ó 15 minutos de risa diaria pudieran producir una pérdida de peso de unas cuatro libras (casi dos kilos) por año.

Espejo, espejito en la pared... de la cocina

▶ Se realizaron estudios con más de 1.000 personas que fueron divididas en dos grupos –unos comieron frente al espejo y otros comieron sin verse al espejo. Las personas que

se observaron mientras comían consumieron considerablemente menos grasas que quienes no tenían espejos.

Colgar un espejo en la cocina pudiera ser el recordatorio que necesite para ayudarle a decidir qué comer.

Meriendas saludables

▶ La fruta es una fabulosa merienda (refrigerio) dulce y saludable, fácil de preparar, y con mucha fibra. Podríamos escribir un libro nombrando cada fruta, su valor nutritivo y las maneras de prepararla.

En cambio, le sugerimos que sea aventurero y use su creatividad. Vaya a su frutería, verdulería, o cualquier mercado étnico y busque frutas exóticas para agregar a su repertorio.

NOTA: Asegúrese de lavar las frutas a fondo antes de comerla para disminuir el riesgo de enfermedades transmitidas a través de los alimentos.

¡Ñame!

▶ ¿Ha pensado en comer una batata o un ñame ("yam") como merienda (refrigerio)? La palabra "yam" en guineo significa "algo para comer". ¡Y es algo maravilloso para comer!

Los ñames son ricos en potasio. Las batatas (boniatos, camotes, papas dulces, "sweet potatoes") son ricas en vitamina A. Ambos son buenas fuentes de folato (la vitamina B que protege el corazón) y vitamina C. Ambos satisfacen, son fáciles de preparar, no contienen grasa y contienen entre 100 y 140 calorías satisfactorias.

▶ Cuando tenga ansias de comer algo crujiente, busque los vegetales ya preparados y listos

Para eliminar los pesticidas y la cera de las frutas y verduras

En un bol o en una palangana (cubeta, cuenco), mezcle cuatro cucharadas de sal común, cuatro cucharaditas de jugo de limón y un litro (un cuarto de galón) de agua fría. Remoje las frutas y los vegetales en esta mezcla durante cinco a 10 minutos.

Excepciones: Remoje las verduras de hojas verdes durante dos a tres minutos... las bayas, uno a dos minutos.

Después del remojo, enjuague en agua fría del grifo y seque.

Una alternativa es Veggie Wash, un producto elaborado completamente con ingredientes naturales que se puede comprar en los supermercados, las tiendas de alimentos naturales y por Internet en el sitio en inglés, *www.veggie-wash.com* (800-451-7096).

conocen la reacción que causa en las personas el color azul cuando se trata de comida. Al servir la comida en platos azules, los clientes comen menos, y los restaurantes ahorran dinero con su oferta de "Blue Plate specials", o sea, "todo lo que pueda comer en platos azules".

Lento, pero seguro

▶ Cambie gradualmente su estilo de vida. La palabra clave es "gradualmente". Gradualmente, día tras día, reemplace un par de comidas que engordan por opciones más saludables. Al hacer esto, se dará cuenta de lo que está comiendo. Ése es un gran paso para mejorar su consumo diario de alimentos.

▶ Además, comience a hacer ejercicios moderadamente. Consulte a su médico antes de empezar un programa de ejercicios, y comience caminando a paso rápido durante 10 minutos los primeros días, después 12 minutos, y luego 15 minutos. Continúe hasta que pueda realizar una rutina supervisada de ejercicios que sea adecuada para usted.

para comer. Por ejemplo, consuma zanahorias bebé ("baby carrots"), jícama y tallos de hinojo ("fennel sticks"), tiras de pimientos (ajíes, "peppers") amarillos o rojos y apio ("celery"), el viejo favorito.

Una mañana durante el fin de semana, prepare un bol de vegetales cortados. Guárdelos en agua helada en el refrigerador, y busque el bol siempre que necesite algo para picar o masticar.

La dieta de los "platos azules"

▶ El cromoterapeuta Carlton Wagner, fundador del Wagner Institute for Color Research en Santa Bárbara, California, afirma que la comida azul es poco apetecible. Ponga una bombilla azul en el refrigerador y una luz azul en el comedor. Wagner señala que los restaurantes

Alégrese si pierde una o dos libras (entre ½ y un kilo) por semana. Cuando se trata de perder peso permanentemente, rebajar hasta dos libras (un kilo) por semana tiene sentido. Si pierde más peso, su organismo piensa que va a pasar hambre y, en un esfuerzo por protegerlo de morir de hambre, desacelerará su metabolismo. Una pérdida de una o dos libras por semana logrará un gran cambio en pocos meses. Y ese es el peso que probablemente no recuperará.

Calorías por hora

▶ Las calorías quemadas por hora –por una persona de 155 libras (70 kilos)…

- ◆ 281 calorías: por rastrillar el césped, barrer la acera, caminar de paseo.

- ◆ 387 calorías: por fregar el piso con las manos y de rodillas, cortar el césped, pedalear ligeramente en la bicicleta fija, bailar –jazz, ballet o tango.

- ◆ 422 calorías: por mover muebles, esquiar a campo traviesa, quitar la nieve con una pala.

- ◆ 493 calorías: por trotar (hacer "jogging"), cargar cajas.

- ◆ 598 calorías: por pedalear enérgicamente en la bicicleta fija, hacer ciclismo de montaña.

- ◆ 705 calorías: por saltar a la cuerda moderadamente, nadar, hacer judo, karate o kick-boxing, trotar a 6 millas (10 km) por hora.

El yoga puede reducir el aumento de peso en la mediana edad

▶ En un reciente hallazgo, personas de 50 a 59 años de edad que practicaron yoga regularmente, perdieron unas 5 libras (2,2 kilos) en 10 años, mientras los que no practicaron yoga aumentaron unas 13 libras (6 kilos).

La mayoría de los ejercicios de yoga no queman suficientes calorías para justificar la pérdida de peso, pero algunos practicantes creen que el yoga mantiene a las personas conscientes de sus cuerpos y de sus hábitos alimentarios.

Eliminador de celulitis

▶ La ex modelo Maureen Klimt estaba decidida a librarse de la celulitis, así que empezó a tomar ácidos grasos omega-3 –en forma de semillas de lino ("flaxseed"). Maureen muele las semillas en un molinillo de café pequeño y espolvorea entre una y dos cucharadas en su cereal de avena ("oatmeal") cada mañana y después vierte un poquito de almíbar de arce ("maple syrup").

Después de comer la avena con semillas de lino a diario durante meses, afirma que la celulitis ha desaparecido. Aunque Maureen sigue una dieta saludable y hace ejercicios, atribuye la desaparición de la celulitis a las semillas de lino.

Lea más sobre las semillas de lino en la sección "Seis Superalimentos maravillosos" en la página 291.

Muslos firmes

▶ El hotel Fairmont Sonoma Mission Inn & Spa en Sonoma, California (sitio Web en inglés: *www.fairmont.com/sonoma*), compartió con nosotras su tratamiento secreto para los muslos que "se mueven y tiemblan".

Romero ("rosemary") es el ingrediente clave. (¡No, ese no es el nombre del entrenador físico que lo somete a un entrenamiento pesado!). El romero es una hierba que estimula la circulación y elimina las impurezas, dejando la piel más firme y estrecha.

Mezcle una cucharada de romero seco machacado (puede comprarlo en las tiendas de alimentos naturales) con dos cucharadas de aceite de oliva extra virgen. Aplique la mezcla suavemente sobre los muslos, envuélvalos con papel plástico ("plastic wrap") y déjela estar 10 minutos. Después enjuague.

Haga este tratamiento por lo menos una vez por semana.

Para adelgazar las piernas

▶ Todas las noches, mientras está acostado en el suelo o en la cama, descanse los pies contra una pared tan alto como le sea cómodo. Quédese así durante aproximadamente una hora. Esto es muy bueno para la circulación. Además, si tiene suerte, las piernas adelgazarán.

Acelere su metabolismo

▶ El kelp es un alga marina que contiene muchos minerales y vitaminas, sobre todo las vitaminas del complejo B. Su alto contenido de yodo puede ayudar a activar una tiroides aletargada. El kelp seco se puede comer crudo, o desmenuzado en las sopas y en las ensaladas. El kelp en polvo se puede usar en lugar de la sal. Tiene un sabor salado y similar al pescado, al que puede tardar en acostumbrarse. Si realmente no le gusta el sabor, puede probar las píldoras de kelp. Siga la dosis recomendada en la etiqueta.

Uno de los efectos secundarios positivos del kelp es que puede hacer que su pelo brille más. Pero, tenga cuidado –si come demasiado kelp, puede tener un efecto laxante.

Remedios picantes

▶ Un estudio británico descubrió que agregar una cucharadita de salsa picante –por ejemplo, una salsa que contenga pimienta de cayena ("cayenne pepper"), como la salsa Tabasco– y una cucharadita de mostaza a cada comida elevó el ritmo del metabolismo hasta un 25%.

▶ Antes de cenar, haga ejercicios durante 20 a 30 minutos. Una caminata a paso rápido es suficiente. El ejercicio estimulará el ritmo de su metabolismo y el efecto durará hasta la cena, ayudándole a digerir y quemar las calorías de la cena. Para muchos, el paseo antes de la cena parece reducir las ansias de comer meriendas (refrigerios) muy tarde a la noche.

▶ No coma durante las tres horas antes de acostarse. El cuerpo parece acumular grasa más fácilmente durante la noche, cuando el ritmo del metabolismo se desacelera.

La vitamina C le ayuda a quemar más grasa

▶ *En un estudio reciente,* las personas que tomaron diariamente 500 mg de vitamina C quemaron un 39% más grasa mientras hacían ejercicios que las personas que tomaron menos. Ya que es difícil obtener suficiente vitamina C únicamente de las verduras y frutas, tome un suplemento de vitamina C para asegurarse de consumir por lo menos 500 mg al día.

¿Por qué jugo o agua?

▶ Los resultados de un estudio publicado en el *American Journal of Clinical Nutrition* (*www. ajcn.org*) demostraron que beber agua o jugo antes de una comida –en vez de cerveza, vino o un coctel– contribuye significativamente en el control del peso.

Los bebedores consumieron un promedio de 240 calorías a través de sus bebidas alcohólicas y devoraron alrededor de 200 calorías más en sus comidas. También comieron más rápido. Les llevó más tiempo sentirse satisfechos, pero eso no los detuvo. Continuaron comiendo, incluso después de sentirse satisfechos. Y todo porque tomaron una bebida alcohólica antes de la comida. ¡Mozo, agua para mí, por favor!

¿Por qué no gaseosas?

▶ Se ha informado que las personas que beben frecuentemente gaseosas (ya sean dietéticas o con azúcar) tienen un índice mayor de hambre que las personas que beben bebidas naturalmente dulces o sin endulzar. Trate de abandonar las gaseosas durante una semana para ver si sus ansias de comer disminuyen.

Los desafíos de los días festivos

▶ Olvídese de adelgazar durante las fiestas. Confórmese con *no engordar*. Coma batatas (boniatos, camotes, papas dulces, "sweet potatoes"), frutas, verduras, carne blanca de pavo, pan integral y, de vez en cuando, una porción diminuta de un postre muy, pero muy engordador.

▶ Coma una porción de comida saludable que no engorde, antes de ir a una fiesta.

▶ Durante un evento festivo, beba agua mineral de marca o agua con gas con una tajada de limón. Un poco de vino está bien, pero evite las bebidas preparadas y los licores.

▶ Según Alan Hirsch, MD, director de la Smell & Taste Treatment and Research Foundation en Chicago: "Las personas que están expuestas a aromas de comida durante el día comen menos por la noche".

Una prueba de esto es lo que ocurre durante el mes de Ramadán, la fiesta musulmana en la que se ayuna durante el día y se festeja a la noche. Los índices de hambre en las mujeres musulmanas bajan, pero en los hombres se mantienen iguales durante el mes que dura la fiesta.

¿Por qué? Las mujeres preparan la comida durante todo el día y, a la hora de comer, su hambre ha disminuido. La comida simplemente no les apetece.

Use el olfato para perder peso

▶ En un estudio reciente, los participantes que espolvorearon polvos con aroma a queso "cheddar", a bananas (plátanos) y a frambuesas ("raspberries") en su comida, perdieron un promedio de 5,6 libras (2½ kilos) por mes durante un periodo de seis meses.

Los aromas agregados engañan al cerebro, haciéndolo pensar que ha comido suficiente. Así que huela cada comida antes de comerla.

Al aire libre

▶ Un día sin la luz del sol es como un día sin serotonina, una sustancia química del cerebro que puede calmar el apetito. El organismo necesita luz solar para fabricar la serotonina, así que salga afuera siempre que pueda. Ya que está al aire libre, también puede hacer un poco de ejercicios. Camine. Juegue. Salte. ¡Disfrute! Y no olvide el protector solar.

Cómo determinar su perfil de peso/salud

El Índice de masa del cuerpo (BMI por las siglas en inglés de "Body Mass Index") es una de las maneras más exactas para determinar cuándo el exceso de peso representa un riesgo para la salud. El BMI es una medida que considera el peso de la persona y su altura para determinar la grasa total del cuerpo en los adultos.

Según las normas establecidas por los Institutos de la salud de Estados Unidos (NIH por las siglas en inglés de National Institutes of Health), el peso saludable es definido por un BMI de 24 ó menos. Para hombres y mujeres, un BMI de 25 a 29,9 es considerado como sobrepeso. Se considera que los individuos que entran en el rango de BMI de 25 a 34,9 y miden de cintura más de 40 pulgadas (un metro) para los hombres ó 35 pulgadas (90 cm) para las mujeres, corren un riesgo especialmente alto de padecer problemas de salud.

Se pueden confiar en el BMI, la mayoría de las personas entre 19 y 70 años de edad, excepto las mujeres embarazadas o que estén amamantando, los atletas en competencia, los fisicoculturistas o las personas con enfermedades crónicas.

Para usar la tabla de la página siguiente, busque la altura adecuada en la columna de la izquierda. Vaya hacia la derecha para encontrar el peso determinado. El número del tope de la columna es el BMI para esa altura y ese peso. Los libras han sido redondeados.

ÍNDICE DE MASA DEL CUERPO

ALTURA (en pulgadas)	19	20	21	22	23	24	25	26	27	28	29	30	31	32	33	34	35
	PESO CORPORAL (en libras)																
58	91	96	100	105	110	115	119	124	129	134	138	143	148	153	158	162	167
59	94	99	104	109	114	119	124	128	133	138	143	148	153	158	163	168	173
60	97	102	107	112	118	123	128	133	138	143	148	153	158	163	168	174	179
61	100	106	111	116	122	127	132	137	143	148	153	158	164	169	174	180	185
62	104	109	115	120	126	131	136	142	147	153	158	164	169	175	180	186	191
63	107	113	118	124	130	135	141	146	152	158	163	169	175	180	186	191	197
64	110	116	122	128	134	140	145	151	157	163	169	174	180	186	192	197	204
65	114	120	126	132	138	144	150	156	162	168	174	180	186	192	198	204	210
66	118	124	130	136	142	148	155	161	167	173	179	186	192	198	204	210	216
67	121	127	134	140	146	153	159	166	172	178	185	191	198	204	211	217	223
68	125	131	138	144	151	158	164	171	177	184	190	197	203	210	216	223	230
69	128	135	142	149	155	162	169	176	182	189	196	203	209	216	223	230	236
70	132	139	146	153	160	167	174	181	188	195	202	209	216	222	229	236	243
71	136	143	150	157	165	172	179	186	193	200	208	215	222	229	236	243	250
72	140	147	154	162	169	177	184	191	199	206	213	221	228	235	242	250	258
73	144	151	159	166	174	182	189	197	204	212	219	227	235	242	250	257	265
74	148	155	163	171	179	186	194	202	210	218	225	233	241	249	256	264	272
75	152	160	168	176	184	192	200	208	216	224	232	240	248	256	264	272	279
76	156	164	172	180	189	197	205	213	221	230	238	246	254	263	271	279	287

Fuente: National Heart, Lung and Blood Institute. Para más información, vaya a *www.nhlbisupport.com/bmi/bmicalc.htm.*

ATIGA

Si está harto y cansado de estar cansado, entonces le conviene averiguar la causa de su fatiga. ¿Muchas noches en la oficina? ¿Un bebé que llora? ¿Una dieta deficiente? Vaya al médico para asegurarse de que no es una afección médica la que causa su fatiga. Una vez que consiga un certificado de buena salud, pruebe estos remedios que lo ayudarán a energizarse.

Remedios naturales

▶ Hemos leído historiales médicos en los cuales el consumo de polen de abeja ("bee pollen"), durante varias semanas, aumentó la energía física de la persona, y también restauró la alerta mental y eliminó los lapsos de memoria y la confusión.

Dosis sugerida: Tome una cucharadita de gránulos de polen de abeja o dos píldoras de 500 mg de polen de abeja después del desayuno. (Lea más sobre el polen de abeja en la sección "Seis Superalimentos maravillosos" en la página 286).

Empiece por tomar unos pocos gránulos de polen de abeja por día para asegurarse que no le cause ninguna reacción alérgica. Si todo está bien después de tres días, aumente la cantidad a ¼ cucharadita todos los días. Durante el próximo mes (o los dos siguientes), aumente gradualmente la cantidad hasta tomar tres cucharaditas de polen de abeja al día.

▶ Si está cansado al instante de levantarse por la mañana, pruebe este tónico de Vermont –en una licuadora, vierta una taza de agua tibia, dos cucharadas de vinagre de sidra de manzana ("apple cider vinegar") y una cucharadita de miel. Mezcle bien, después bébalo a sorbos hasta acabarlo. Tome este tónico todas las mañanas antes del desayuno y, en unos pocos días, quizá sienta una diferencia en su nivel de energía.

▶ **ADVERTENCIA:** Las personas que son alérgicas a las picaduras de abeja deben consultar con un médico antes de consumir polen de abeja.

Además, los bebés, los diabéticos y las personas alérgicas a la miel no deben usar ningún remedio que contenga miel.

▶ Un estimulante rápido consiste en mezclar ⅛ cucharadita de pimienta de cayena ("cayenne pepper") en una taza de agua. Bébalo todo y recobre las energías.

▶ Si usted padece de fatiga mental, intente esta receta austríaca –lave bien una manzana, sin pelarla, córtela en pedazos pequeños y ponga los pedazos en un bol grande. Vierta dos tazas de agua hirviendo sobre la manzana y deje remojar durante una hora. Después, agregue 1 cucharada de miel. Beba el agua de manzana con miel y coma los pedazos de manzana.

Sáquese los zapatos

▶ Si es posible, camine descalzo sobre el césped cubierto de rocío –¡pero, ojo con los insectos! Si eso no es posible, la segunda mejor opción es caminar cuidadosamente, hacia adelante y hacia atrás, en 6 pulgadas (15 cm) de agua fría en la bañera (tina). Hágalo dos veces al día, de 5 a 10 minutos –a la mañana y al final de la tarde.

▶ Si tiene un caso fuerte de somnolencia, pinche una cápsula de ajo (de gel suave –"soft gel garlic pearle") o corte un diente de ajo por la mitad, y aspire profundamente unas cuantas veces. Esto debería despertarlo.

Propulsores de energía

▶ Una teoría china afirma que "el cansancio" se aloja en la parte interior de los codos y la parte de atrás de las rodillas. Despierte su cuerpo dando unas palmadas en ambas áreas.

▶ No tiene que depender de la cafeína para mantenerse despierto. Mezcle una cucharadita de pimienta de cayena ("cayenne pepper") con un cuarto de galón (un litro) de jugo –cualquier tipo de jugo sin azúcar ni conservantes agregados. Durante un viaje largo, o una noche entera de estudio, en cuanto sienta que el sueño lo vence, tome una taza del jugo preparado con cayena para mantenerse despierto y alerta.

▶ ¿Tuvo un día pesado en el trabajo? ¿Necesita recobrar energías? ¿Listo para un trago? ¿Se ha cansado de todas estas preguntas? Bueno, entonces, agregue una cucharada de melaza negra ("blackstrap molasses") a un vaso de leche (ya sea leche común, descremada, de soja o de arroz) y bébalo todo.

Alcance el cielo

▶ Acuda a su imaginación para probar este ejercicio de visualización. Siéntese con los brazos sobre la cabeza y las palmas de las manos hacia el techo. Con la mano derecha, arranque un puñado de vitalidad del aire. Luego, deje que la mano izquierda agarre su porción. Abra ambas manos, permitiendo que toda esa energía fluya hacia abajo, pasando por los brazos, hombros, cuello y pecho.

Empiece de nuevo. Esta vez, cuando abra las manos, permita que la energía fluya directamente hacia la cintura, las caderas, los muslos, las piernas, los pies y los dedos del pie. ¡Así es, muy bien! Ha revitalizado su cuerpo. Ahora póngase de pie y siéntase renovado.

Higos para más energía

▶ Un puñado de uvas puede darle un puñado de energía. Pero las uvas pueden echarse a perder rápidamente si las lleva de un lado a otro. En ese caso, pruebe con higos secos. ¡Seguro que pueden brindarle un golpe de energía! Son deliciosos, satisfacen, contienen más potasio que las bananas (plátanos), más calcio que la leche, un alto contenido de fibra y no contienen colesterol, grasa ni sodio.

Lo más importante es que los higos contienen azúcares naturales fáciles de digerir, que se queman lentamente y que le dejarán seguir adelante, al contrario del efecto rápido y corto de la azúcar procesada de la comida basura (chatarra).

La herbaria Lalitha Thomas incluye los higos en la lista de los 10 alimentos esenciales (en su libro *10 Essential Foods*, editado por Hohm Press). Ella recomienda tratar de conseguir higos sin sulfuro ("unsulfured"). Coma unos pocos por vez –pero no muchos. Los higos también son conocidos por ayudar a evitar o aliviar el estreñimiento.

▶ Cuando simplemente no pueda mantener los ojos abiertos o la cabeza arriba y no sepa cómo llegar al fin del día de trabajo, escápese corriendo. Vaya al baño o a un sitio privado y corra en el lugar. Corra por dos minutos —esto debería ayudarle a mantenerse activo por el resto del día.

¡La chía chispeante!

▶ Según un estudio de los indígenas norte-americanos, una pizca de semillas de chía (salvia hispánica) los ayudó en sus arduas jornadas de caza. Las semillas de chía molidas, que se pueden comprar en las tiendas de alimentos naturales, pueden espolvorearse sobre una ensalada o sopa durante los días apresurados cuando la vitalidad es importante.

Empiece su día con energía

▶ Despierte su metabolismo a la mañana exprimiendo el jugo de media toronja ("grapefruit") en un vaso. Llene el resto del vaso con agua tibia. Bébalo lentamente, y

después coma la pulpa de la mitad de la toronja exprimida. Ahora que activó su tiroides, ¡tenga un día productivo!

ATENCIÓN: El jugo de toronja interfiere con algunos medicamentos recetados. Hable con su médico antes de probar este remedio.

▶ Si después de dormir una noche entera se levanta sintiéndose pesado, puede ser debido a un hígado cansado. Póngase de pie. Ponga su mano derecha sobre la cintura, al final de las costillas del lado derecho, con los dedos separados y apuntando hacia el lado izquierdo. Ponga la mano izquierda de la misma manera en el lado izquierdo. ¿Listo?

Presione la mano derecha hacia dentro, después colóquela de vuelta en su lugar. Presione la mano izquierda hacia dentro, y colóquela de vuelta en su lugar. Hágalo unas doce veces de cada lado todas las mañanas al despertarse. En un par de semanas, este masaje de hígado pudiera contribuir significativamente en su nivel diario de energía.

▶ Suprimir los almidones pesados y los dulces de su dieta también puede ayudarle a aumentar su energía al levantarse.

GOTA

Es realmente asombroso el gran dolor que puede causar un dedo del pie. La gota aparece de repente, pero si la tiene, usted lo sabe. La causa es una acumulación de ácido úrico en las articulaciones y normalmente se localiza en el dedo gordo del pie. La gota es sumamente dolorosa, pero también sumamente curable. Vaya al médico para que lo evalúe y lo diagnostique. Los casos de gota severos pueden ser muy graves.

Si usted tiene gota, probablemente sepa que es hora de cambiar su dieta. Conocida como "la enfermedad de los reyes", es causada a menudo por una dieta constante de comidas pesadas, como carnes rojas, salsas cremosas y dulces. Mientras más se acerque a la cocina vegetariana, más rápido se liberará de la gota. Puede comer un poco de pescado y pollo magro de vez en cuando, pero aléjese de las carnes rojas por un tiempo. Además, evite el alcohol y elimine la azúcar y las harinas blancas de su dieta. Es posible que empiece a sentirse tan bien, que no le quedarán ganas de consumir esos alimentos otra vez.

El mejor remedio

Las cerezas acertadas

El único remedio que todos coinciden es muy efectivo –¡son las cerezas ("cherries")! Cómalas frescas o congeladas. También, tome jugo de cereza diariamente. Puede comprar el jugo puro (concentrado) en las tiendas de alimentos naturales.

Otros remedios

▶ Remoje su pie con gota en té de consuelda ("comfrey") –*vea* la "Guía de preparación" en la página 279.

▶ Un remedio ruso consiste de ajo crudo –dos dientes al día. La mejor manera de comer el ajo crudo es picar los dientes finamente, ponerlos en agua (mejor aún, en jugo de cereza) y tomarlos. No es necesario masticarlos. El ajo no se quedará en su aliento. El ajo le puede repetir –pero también sucede lo mismo con un sándwich de salchichón, y el ajo es mucho más saludable.

NOTA: Consuma el ajo con unas ramitas de perejil ("parsley") para que le repita menos y para que no huela tan mal el aliento.

▶ Se afirma que una cura para la gota puede consistir en comer fresas (frutillas, "strawberries") y muy poco de otros alimentos por unos días. Las fresas son un poderoso alcalinizador y contienen calcio, hierro y un ingrediente conocido como salicina, que alivia la inflamación. Funcionó tan bien durante el siglo XVIII, que el botánico Carl Linnaeus (quien desarrolló el sistema moderno de clasificación de plantas) se refirió a las fresas como "una bendición de los dioses".

HEMORROIDES

Según el American College of Surgeons, las hemorroides (también conocidas como almorranas) son cojines fibromusculares que rodean el conducto anal. Cuando están irritados, infectados o tensos, causan dolor en el ano.

Dos de cada tres adultos han tenido, tienen actualmente o tendrán un caso de hemorroides. Lo más probable es, que si está leyendo esto, usted es uno de esos dos de cada tres.

Además de tratar su afección con remedios naturales y sin productos químicos, existen maneras de acelerar el proceso curativo...

◆ Mantenga los intestinos tan vacíos como pueda. Beba muchos jugos de frutas y vegetales. Evite las comidas procesadas y difíciles de digerir –especialmente las que contienen harina blanca y azúcar– así como las bebidas alcohólicas.

◆ Consuma seis o siete porciones de frutas y verduras al día.

◆ No se esfuerce o mantenga la respiración durante la evacuación. Trate de respirar uniformemente.

◆ Dé una caminata a paso rápido tan a menudo como pueda, sobre todo después de las comidas.

Remedios naturales

Considere estas sugerencias y, con suerte, en unos días, habrá superado este problema.

▶ Aplique lecitina ("lecithin") líquida directamente sobre las hemorroides, una vez al día, hasta que desaparezcan.

▶ Coma un puerro ("leek") grande hervido todos los días, como merienda (refrigerio) por la tarde o con la cena.

▶ Coma tres almendras crudas sin procesar ("raw unprocessed almonds") todos los días. Mastique cada una 50 veces aproximadamente.

▶ En una licuadora, pique finamente ¼ taza de arándanos agrios ("cranberries"). Ponga una cucharada de los arándanos licuados en un trozo de estopilla (gasa, "cheesecloth") y colóquelo en el ano. Una hora después, retire la estopilla y reemplácela con una cucharada de arándanos agrios envueltos en otra estopilla durante una hora más. Ésto alivia enormemente el dolor. Después de dos horas, debería sentirse mucho mejor.

Más rápido que una bala

▶ ¿Qué tal es usted tallando en hielo? Talle o derrita cuidadosamente un cubito de hielo hasta que quede del tamaño y la forma de una bala. Úselo como supositorio. El frío puede darle un sobresalto, pero también puede reducir la hinchazón y sanar las hemorroides.

Agua embrujada

▶ Agregue ¼ taza de hamamelis (olmo escocés, "witch hazel") a una palangana (cubeta, cuenco) con agua tibia. Si no le causa irritación, siéntese en ella por lo menos 15 minutos a la vez, por lo menos dos veces por día. Se han informado de curaciones completas en tres días.

▶ El sanador psíquico Edgar Cayce recomendó este ejercicio a una persona que sufría de hemorroides…

◆ Póngase de pie con los pies separados unas 6 pulgadas (15 cm) y las manos a los costados.

◆ Eleve las manos hacia al techo.

◆ Inclínese hacia adelante y acerque las manos al suelo tanto como pueda.

◆ Vuelva a la primera posición.

Repita todo el procedimiento 36 veces. Lo debería poder hacer en unos pocos minutos. Realice este ejercicio todos los días, una hora después del desayuno y una hora después de la cena, hasta que las hemorroides sean historia.

El tabaco que sí es bueno para usted

▶ Ponga el tabaco de dos cigarrillos en una cacerola tibia, agregue cuatro cucharaditas de mantequilla y deje hervir a fuego lento dos o tres minutos. (¡Es mucho mejor usar los cigarrillos de esta forma, en lugar de fumarlos!) Luego vierta el líquido caliente por un colador sobre una toalla sanitaria ("sanitary napkin"). Cuando se enfríe lo suficiente, aplíquela a la zona afectada. Prepare un lote fresco y vuelva a aplicar tres veces al día.

▶ Un médico asesor de los Denver Broncos y los Denver Nuggets (los equipos profesionales de fútbol americano y básquetbol de Denver) ha tenido éxito acelerando la curación de hemorroides con baños de vitamina C.

Ponga una taza de ácido ascórbico ("ascorbic acid") en polvo por cada cinco cuartos de galón (cinco litros) de agua fresca en la bañera (tina). Siéntese en la bañera durante 15 minutos por vez, dos o tres veces al día.

🖎 **NOTA:** El ácido ascórbico en polvo es caro. Si usted puede meter su trasero en una palangana (cubeta, cuenco) con ½ taza de polvo y 2½ litros de agua fresca, ahorrará una fortuna.

▶ Aproveche las propiedades curativas de las enzimas de la papaya mojando en jugo puro de papaya un trozo de algodón esterilizado. Colóquelo en la zona afectada y sujételo con una venda. El jugo debería ayudar a detener la hemorragia y controlar la irritación.

Prevención de las hemorroides

Para *prevenir* las hemorroides, lo mejor es aumentar la fibra y los líquidos en su dieta.

▶ Según el sanador psíquico Edgar Cayce, comer tres almendras ("almonds") crudas por día ayuda a prevenir las hemorroides.

▶ Ya que las hemorroides son la dolencia de los sentados, puede ayudar dar un paseo largo todos los días a un paso rápido. Tomar una clase de yoga dos o tres veces por semana también es una buena medida preventiva.

HERPES

El virus del herpes es una infección común que afecta las células nerviosas del cuerpo, haciéndolas "estallar" en forma de llagas dolorosas. El herpes simple 1 generalmente afecta la boca (herpes labial, llagas y úlceras) y el herpes simple 2 afecta los genitales. Ambos tienden a ser recurrentes (usted puede tener una erupción cuando esté enfermo o bajo estrés), y ambos pueden ser contagiosos durante el contacto íntimo –besos, sexo oral o relaciones sexuales.

Cuarenta y cinco millones de estadounidenses (uno de cada cinco adultos sexualmente activos) tienen herpes genital. Cada año, hasta un millón de personas se contagian con este virus. La mejor manera de prevenir la transmisión del virus es absteniéndose del contacto íntimo durante una erupción.

Hablamos con un hombre que hizo una extensa investigación y elaboró un remedio para superar los síntomas del herpes simple 1. Él y sus amigos lo probaron y los resultados fueron impresionantes.

Pero primero el remedio, después la explicación y luego, más información sobre los resultados.

Remedio alimentario

▶ No consuma nueces ("nuts"), chocolate o sopa de pollo (¡lo sentimos, mamá!). A la primera señal de un ataque de herpes, coma una libra (450 g) de platija ("flounder") cocida al vapor. Nada más. Ése es el remedio.

La explicación –en términos simples, como lo entendemos– es que existe un cierto equilibrio en el organismo entre dos aminoácidos… la *arginina* y la *lisina*. Al contraer el herpes y cuando los síntomas se repiten, el organismo tiene que tener un nivel alto de arginina comparado con el nivel de lisina.

El secreto, entonces, es disminuir la cantidad de arginina (eliminando las nueces, el chocolate y la sopa de pollo) y aumentar la cantidad de lisina (comiendo platija). Una libra (450 g) de platija contiene 11.000 mg de lisina. Usted puede tomar tabletas de lisina, pero tendría que tomar muchísimas, y ellas contienen adherentes

y otras cosas que usted no necesita. Además, las tabletas no son tan digeribles o tan absorbibles como la lisina que se encuentra naturalmente en la platija.

Cocinar al vapor el pescado ayuda a retener los nutrientes. Un beneficio adicional es que le puede añadir la salsa que más le guste a la platija después de cocinarla al vapor. ¡De esta manera, no considerará el pescado como medicina!

En cuanto a los resultados, el hombre y sus amigos han visto desaparecer los síntomas al día siguiente después de haber comido platija y haber dejado de comer nueces, chocolate y sopa de pollo.

Herpes labial y llagas en la boca

▶ Para acelerar el proceso curativo del herpes labial (llagas en la boca, úlceras en los labios, fuegos, "cold sores", "fever blisters"), corte un diente de ajo por la mitad y frótelo sobre la herida. No es agradable, pero es eficaz.

▶ Combine una cucharada de vinagre de sidra de manzana ("apple cider vinegar") y tres cucharadas de miel (preferentemente miel sin procesar –"raw honey"), y aplique con toques suaves a la herida por la mañana, la tarde y la noche.

⚡ ATENCIÓN: Las heridas abiertas pueden contagiar a las manos, ojos y genitales. Lo mejor es dejar que se sequen y sanen solas. Las sustancias externas pueden causar más irritaciones e infecciones.

▶ Muela unas cuantas nueces ("walnuts") y mézclelas con una cucharadita de manteca de cacao ("cocoa butter"). Aplique este ungüento a la herida dos veces al día. La herida debería desaparecer en tres o cuatro días.

▶ La lisina puede inhibir el desarrollo del virus del herpes que causa las llagas y úlceras en la boca. Tome una tableta diaria de L-lisina ("L-lysine") de 500 mg con la cena. ¡O coma platija en la cena!

▶ Este remedio nos llegó de varias personas a través de Estados Unidos. (Si ellos no tuvieron vergüenza de compartirlo con nosotras, tampoco tendremos vergüenza de compartirlo con usted). Ponga cera de oídos (su propia cera, claro) sobre la llaga o úlcera.

▶ Cuando una llaga está por salir, se siente a menudo un hormigueo extraño. A la primera señal de ese hormigueo, pinte ligeramente con esmalte transparente de uñas ("colorless nail polish") el lugar donde la llaga está a punto de surgir. El esmalte de uñas impide que la llaga se desarrolle.

Cyndi Antoniak, una productora para la cadena de televisión MSNBC, recibió este remedio de su dermatólogo. Desde que Cyndi tuvo éxito con este remedio, ya hace tiempo, no ha necesitado usarlo de nuevo. A propósito, el esmalte se cae por su cuenta en poco tiempo.

Culebrilla (Herpes zóster)

¿Tuvo varicela de niño? El *virus del herpes zóster* es el mismo virus de la varicela, el cual causa la culebrilla ("shingles") cuando vuelve a brotar. El virus de la varicela se mantiene inactivo hasta que su sistema inmune decae en su trabajo. El resultado es la dolorosa erupción de ampollas de la culebrilla.

▶ El hipérico (corazoncillo, hierba de San Juan, "St. John's wort") es una hierba antiviral y anti-inflamatoria que también puede fortalecer el sistema nervioso. Beba un té de hipérico para ayudarlo a calmar la tensión, y dése un masaje suave con la tintura de esta planta directamente sobre la zona afectada. Puede comprar el té y la tintura en las tiendas de alimentos naturales.

ATENCIÓN: Consulte a su médico antes de tomar el hipérico, ya que puede interferir con algunos medicamentos.

▶ El gel de áloe vera es un calmante y un anti-séptico refrescante. Puede comprar una botella en una tienda de alimentos naturales o puede comprar una planta de áloe vera. Son baratas, fáciles de cuidar y mucho más bonitas que una botella refrigerada.

Busque las plantas de áloe vera que tengan pequeñas púas en el borde de las hojas.

Cuando use la planta, corte la hoja más baja, y después corte esa hoja en pedazos de unas dos pulgadas (cinco cm). Pique uno de los trozos por la mitad y aplique el gel directamente a la zona afectada.

Envuelva individualmente los pedazos restantes de la hoja con papel plástico ("plastic wrap") y guárdelos en el congelador. Cada pocas horas, tome un pedazo de hoja del congelador y aplique el gel calmante.

▶ Para consumir una dosis saludable de lisina, un beneficioso aminoácido, coma platija ("flounder"). (*Vea* "Remedio alimentario" en la página 93).

ATENCIÓN: La culebrilla que afecta la cara o la frente –cualquier sitio cerca de los ojos– puede dañar la córnea o causar parálisis facial temporal. Vaya al médico inmediatamente para ser tratado.

▶ Prepare una pasta de bicarbonato de soda ("baking soda") y agua, y aplíquela sobre la zona afectada para obtener un poco de alivio.

▶ Prepare una pasta de sal de Higuera ("Epsom salt") y agua y póngala directamente sobre la zona afectada. Repita el procedimiento tan seguido como pueda.

▶ Aplique cualquiera de estos procedimientos para aliviar la picazón y acelerar la curación: hamamelis (olmo escocés, "witch hazel") –es astringente–, vinagre de sidra de manzana ("apple cider vinegar") –lucha contra la infección–, té de frambuesas rojas ("red raspberries"), –particularmente bueno para los problemas de erupciones virales– o el gel de áloe vera.

▶ Según Frank L. Greenway, MD, director médico del Pennington Biomedical Research Center, en Baton Rouge, Luisiana, el dolor de la culebrilla puede aliviarse con aceite de geranio ("geranium").

La aplicación de aceite de geranio puro directamente sobre la zona afectada, alivió el dolor drásticamente en el 25% de los pacientes cuyo dolor, después de un caso de culebrilla, había durado por tres meses o más y no había sido aliviado por los medicamentos habituales para el dolor. El 50% de los pacientes demostraron algún alivio, y el 25% no se beneficiaron. El aceite de geranio se puede comprar en las tiendas de alimentos naturales.

HIPERTENSIÓN

Más de 65 millones de estadounidenses han sido diagnosticados con hipertensión (presión arterial alta). Si usted es una de esas personas, obviamente no está solo.

Le instamos que considere su estilo de vida y, de una vez por todas, haga algo para cambiar lo que sea que esté causando el problema de la presión arterial.

La recomendación alimentaria más importante para bajar la presión arterial es aumentar el consumo de verduras y frutas en la dieta, según Jade Beutler, RRT, RCP, presidente de Lignan Research LLC en San Diego, y practicante licenciado en el cuidado de la salud. Una dieta principalmente vegetariana contiene menos grasa saturada y carbohidratos procesados; y más potasio, carbohidratos complejos, fibra, calcio, magnesio, vitamina C y ácidos grasos esenciales.

Los estudios de doble ciego han demostrado que cualquier suplemento de aceite de pescado o de aceite de linaza ("flaxseed oil"), ambos ricos en ácidos grasos omega-3, es muy efectivo para disminuir la presión arterial (*vea* "Seis Superalimentos maravillosos" en la página 291 para leer más detalles sobre el aceite de linaza).

Cuando se mide la presión arterial, se informa sobre dos números. El primer número y el más alto corresponde a la presión sistólica. Mide la presión dentro de las arterias cuando el corazón late (se contrae). El número más bajo corresponde a la presión diastólica y mide la presión en las arterias cuando el corazón reposa entre cada latido.

Soluciones básicas

Para ayudar a combatir los efectos de la hipertensión, empiece con estas sugerencias –después de consultar con su médico...

• Si tiene exceso de peso, siga una dieta sensata (sin tomar píldoras para adelgazar –"diet pills").

• Elimine la sal (use sal marina –"sea salt"– con moderación), y reduzca o elimine las carnes rojas.

• Para reducir el estrés de la vida cotidiana, intente la meditación o un programa de autoayuda. Pídale a un profesional de la salud que lo asesore y le dé contactos acreditados y de confianza.

• Si fuma, ¡deje de hacerlo! (Vea "Cigarrillo" en la página 34).

• Si bebe alcohol, ¡deje de hacerlo! O al menos reduzca la cantidad significativamente.

La hipertensión se clasifica en fases...

	Presión sistólica	Presión diastólica
Prehipertensión	120 a 139	80 a 89
Fase 1	140 a 159	90 a 99
Fase 2	mayor que 160	mayor que 100

Vimos a una mujer que llevaba una camiseta que decía: "Quien tenga la presión arterial normal hoy en día no está prestando atención".

Siga leyendo para conocer más estrategias que le ayudarán a mejorar su presión arterial...

Si tiene la presión arterial alta...

▶ Coma dos manzanas al día. La pectina de las manzanas puede ayudar a bajar la presión alta.

▶ Coma ajo crudo en las ensaladas y úselo al cocinar. También tome suplementos de ajo diariamente –uno después del desayuno y uno después de la cena.

Como el pez en el agua

▶ Según un estudio universitario, se puede disminuir la presión arterial mirando fijamente a peces en la pecera. Los beneficios de la relajación al mirar los peces son iguales a los de la autorregulación biológica ("biofeedback") y la meditación.

Si el mantenimiento de una pecera no es para usted, busque en Internet o en su tienda de video, películas de acuarios y peces nadando en sus hábitats naturales.

▶ Los pepinos ("cucumbers") son ricos en potasio, fósforo y calcio. También son un buen diurético y agente tranquilizante. Para ayudar a bajar la presión arterial, coma un pepino todos los días. Si tiene un extractor de jugos, beba ½ taza de jugo de pepino fresco. También puede incluir algunas zanahorias y perejil ("parsley"), el cual es otro diurético bueno.

▶ Tome dos tazas de agua de papas al día. *Vea* la "Guía de preparación" en la página 280.

▶ La pimienta de cayena ("cayenne pepper") es un maravilloso estabilizador de la presión arterial.

▶ Añada ⅛ cucharadita a una taza de té de botón de oro (hidraste, "goldenseal") –*vea* la "Guía de preparación" de té de hierbas en la página 279– y beba una taza al día.

■ Receta ■

Pepinos en crema agria

2 pepinos ("cucumbers") grandes,
    cortados en tajadas

1 cdta. de sal

1 taza de crema agria ("sour cream")

2 cdas. de vinagre

1 cda. de cebollín ("chives"), picado

1 cdta. de eneldo ("dill") fresco

¼ cdta. de azúcar granulada

Pizca de pimienta

Pele los pepinos y córtelos en rodajas finitas. Espolvoree con 1 cdta. de sal y deje reposar 30 minutos.

Cuele bien. Combine la crema agria, el vinagre, el cebollín, el eneldo, la azúcar y la pimienta. Vierta sobre los pepinos. Pruebe y agregue sal, si fuera necesario. Deje enfriar en el refrigerador por lo menos 30 minutos.

Fuente: www.recipegoldmine.com

No escupa las semillas

▶ En una licuadora o con un mortero de mano, triture dos cucharaditas de semillas de sandía ("watermelon") secas. Póngalas en una taza de agua recién hervida y déjelas remojar durante una hora. Revuelva, cuele y beba el té de semillas de sandía una media hora antes de la comida.

Repita el procedimiento antes de cada comida, tres veces al día. Después de tomar el té durante unos días, hágase medir la presión y verifique si ha mejorado. Puede comprar el té de semillas de sandía en las tiendas de alimentos naturales.

NOTA: Se sabe que las semillas de sandía fortalecen el funcionamiento del riñón –y aumentan la producción de orina. Prepárese para ir al baño a menudo.

▶ ¿Le gustaría una taza de té de hojas de frambuesas ("raspberries"), caliente o frío? Es posible que ayude a disminuir su presión arterial. Combine en una cacerola esmaltada ("enamel") o de vidrio, una onza (30 g) de hojas de frambuesas y dos tazas de agua hirviendo; deje cocinar a fuego lento durante 20 minutos. Beba una taza del té al día, caliente o fría (sin hielo). Después de una semana verifique los resultados haciéndose medir la presión arterial.

▶ Mientras más rápido habla, menos oxígeno entra. Con menos oxígeno, su corazón tiene que trabajar más para mantener el suministro de oxígeno en su cuerpo. Mientras más tenga que trabajar el corazón, más alta será su presión arterial.

Lo importante aquí es que si usted habla lentamente, debe inhalar más profundamente, lo cual le proporciona más oxígeno e impide que la presión arterial suba.

Si tiene la presión arterial baja...

Así como hay personas con la presión arterial alta, hay personas (no tantas) con la presión arterial baja. Se dice que estos remedios son eficaces reguladores y estabilizadores de la presión arterial.

Lecturas de presión sanguínea más precisas

Cuando se mida la presión, es importante asegurarse de que las lecturas sean lo más precisas posible. Una manera de obtener las lecturas adecuadas es manteniendo el brazo doblado.

Según investigadores de la facultad de medicina de la Universidad de California en San Diego, y del Medical College of Wisconsin, en Milwaukee, las lecturas de presión sanguínea pueden resultar en un 10% más altas si el brazo de una persona se mantiene paralelo al cuerpo.

Así que ¡doble el brazo! Asegúrese de que el codo esté en el ángulo correcto con relación al cuerpo y que el codo doblado esté a la altura del corazón. Esto debe suministrar lecturas más precisas. A propósito, no importa si está sentado, de pie o acostado al hacerse medir la presión —siempre que mantenga la misma posición durante el tiempo que dure la medición, los resultados deben ser precisos.

▶ Estudios científicos han demostrado que reír de cinco a 10 minutos al despertar mejora los niveles de presión arterial. ¿De qué se ríe uno al despertar? Escuche a un locutor cómico de radio, o conéctese a Internet y teclee "chistes" en cualquier sistema de búsqueda de Internet (Yahoo!, Google, AltaVista, Dogpile, Excite).

▶ Un curandero tradicional ruso recomienda beber ½ taza de jugo de remolacha (betabel, "beet") cruda cuando a una persona le parece que su presión arterial puede estar un poco baja. Este curandero también nos dijo que una persona con la presión arterial baja conoce esa sensación.

Ejercicio de 7-14-7

▶ La respiración profunda puede ayudar a que sus niveles de presión arterial se normalicen. Haga este ejercicio a primera hora de la mañana y antes de ir a dormir.

Deje que salga todo el aire de sus pulmones —exhale, sacando todo el aire—, después deje entrar el aire lentamente a través de la nariz, a la cuenta de siete. Cuando no pueda meter más aire en los pulmones, manténgalo mientras cuenta hasta 14. Luego, deje salir lentamente el aire por la boca a la cuenta de siete —sáquelo todo. Inhale y exhale 10 veces de esta manera.

Aún cuando su presión arterial se normalice, continúe este ejercicio para obtener beneficios físicos de todo tipo.

HIPO

El hipo es una contracción espástica del diafragma —el músculo grande y redondo que separa el pecho del abdomen.

El hipo es un buen motivo para comenzar una conversación. Si está en un cuarto con 30 personas, y le pregunta a cada una cómo se curan del hipo, probablemente conseguirá 30 remedios distintos.

Según el famoso *Libro Guinness de Récords Mundiales* (editado por Guinness), el ataque más largo de hipo que se ha registrado es el que sufrió Charles Osborne de Anthon, Iowa. Nació en 1894 y le dio hipo en 1922, mientras mataba un cerdo.

El hipo continuó, pero no le impidió casarse dos veces y engendrar ocho hijos. (Quién sabe, quizá el hipo lo benefició).

En 1983, *Guinness* informó que Charles Osborne hipó –y todavía sufría de hipo– cerca de 420 millones de veces. Cuando Osborne murió en 1990, el hipo había reducido su frecuencia de 40 veces por minuto a 20 veces por minuto. Saque la cuenta.

Remedios naturales

Para prevenir un ataque de hipo, no mate un cerdo. Para curar el hipo, pruebe con uno o más de los siguientes remedios.

► Beba un vaso de jugo de piña (ananá, "pineapple") o de naranja.

► Imagine que su dedo índice es un bigote. Póngalo debajo de la nariz y apriete fuerte durante 30 segundos.

► Beba un vaso de agua con una cuchara dentro –la parte redonda de la cuchara debe mantenerse en el agua. Cuando beba, apriete el mango de metal de la cuchara contra el lado izquierdo de la sien.

► Tome una cucharadita de jugo de cebolla recién exprimido.

► Mezcle una cucharadita de vinagre de sidra de manzana ("apple cider vinegar") en una taza de agua tibia y bébala.

► Beba agua por el lado opuesto del vaso. Inclínese hacia adelante y baje la cabeza para poder hacerlo sin derramar agua.

Anímelo

► Cuando un niño de entre 7 y 14 años tenga hipo, prométale duplicarle la cantidad del pago semanal si puede hipar después de que usted diga "¡Ahora!" Es probable que no vuelva a hipar después de que usted diga "¡Ahora!" No sabemos porqué, pero funciona... la mayoría de las veces.

► Los hombres deben poner un cubito de hielo justo debajo de la nuez de Adán y contar hasta 150.

► Tome un sorbo de agua y manténgalo en la boca mientras mete el dedo medio de cada mano en los oídos y presiona firmemente. Cuente hasta 100, beba el agua y destape los oídos.

¿Conoce La Bohème?

► Imagine estar cantando en la Ópera de París sin micrófono, y con el crítico más destacado de ópera sentado en la última fila de la grada más alta. Cante un aria y el hipo debería desaparecer. Claro, también es posible que desaparezca su compañero de cuarto.

► Beba siete sorbos de agua seguidos, sin respirar entre tragos. Mientras bebe el agua, siga girando el vaso hacia la izquierda.

► Ponga un pañuelo encima de un vaso de agua y chupe el agua a través de él como lo haría con una pajilla (popote).

► Saque la lengua todo lo que pueda y déjela afuera por tres minutos. Tenga cuidado, un hipo y –¡ay!

Esta solución tiene buena planta

► La planta del pie es un punto de acupresión para curar el hipo. Dése un masaje en el centro de la planta del pie el tiempo que sea necesario hasta detener el hipo.

► Mezcle ½ cucharadita de azúcar en ½ vaso de agua y bébalo lentamente.

▶ Coloque un lápiz entre los dientes de manera que sobresalga a ambos lados de la boca. Mastíquelo mientras bebe un vaso de agua. Quizá le convenga ponerse un babero (babador, pechero).

▶ Localice el área de unas dos o tres pulgadas (cinco o siete cm) sobre el ombligo y entre las costillas. Apriete con los dedos de ambas manos y quédese así el tiempo suficiente para decirse —"Uno, dos, tres, cuatro, cinco, ya no tengo más hipo".

Si todavía tiene hipo, recite el *Cantar de Mio Cid*, o lea en voz alta el primer capítulo de *Don Quijote*.

Calvo y guapo

▶ Cierre los ojos, mantenga la respiración y piense en 10 hombres calvos. Permítanos ayudarlo a empezar —Sean Connery, Michael Jordan, Bruce Willis, Hector Elizondo, etc.

▶ Perdonen que mencionemos nombres, pero… la periodista Jane Pauley nos dijo que su marido, Garry Trudeau (creador de la tira cómica "Doonesbury"), tiene ataques de hipo dolorosos. Su remedio es poner una cucharadita de sal en medio limón y chupar el jugo del limón.

▶ Nuestra tía abuela Molly empapaba un cubo de azúcar en el jugo de un limón fresco y lo dejaba disolver en la boca. Lo hacía para librarse del hipo. Bueno, también lo hacía siempre que tomaba té.

Piense en el conejito Peter

▶ Se sabe que simplemente visualizar un conejo —con su pequeña y tierna cara, su nariz temblorosa y sus bigotes blancos— ha hecho desaparecer el hipo.

▶ Uno de los remedios más comunes para el hipo es consumir una cucharadita de azúcar granulada. Se dice que irrita la garganta, causando una interrupción en los impulsos del nervio vago, el cual activa los espasmos del diafragma. El solo leer la oración anterior en voz alta puede ayudarle a librarse del hipo.

En Arabia, se han conocido personas que usan arena en lugar de azúcar.

▶ Otra manera en que podría interrumpir los espasmos diafragmáticos es poniendo los brazos por arriba de la cabeza y jadear como un perro.

▶ Acueste una escoba en el suelo y salte por encima seis veces. Si quiere actualizar este remedio, pruebe saltando sobre una aspiradora.

▶ Conviértase en una "T" extendiendo los brazos. Después dé un bostezo grande.

▶ Finja masticar chicle (goma de mascar) mientras mete los dedos en los oídos y presiona hacia dentro suavemente. "¿Qué dijo? No puedo oírlo. Tengo los dedos en los oídos".

▶ Si nada de esto funciona, tome un baño caliente, lo que ha ayudado a curar casos severos de hipo.

Cuando otra persona tiene hipo...

▶ Agarre algo frío que esté hecho de metal —una cuchara está bien— ate un cordón alrededor y bájelo por la espalda de la persona con hipo.

▶ De repente, acuse a la persona que hipa de haber hecho algo que no ha hecho —"¡Dejaste el agua corriendo en la bañera!"… "¡Me pediste dinero prestado y se te olvidó devolvérmelo!"… "¡Te perdiste la mejor parte de la película!"

INDIGESTIÓN

La famosa actriz Mae West dijo una vez: "Demasiado de algo bueno... ¡es maravilloso!" Nosotras decimos: "Demasiado de algo bueno... ¡puede causar indigestión!"

Existen muchas clases de indigestión –leve, severa y persistente. La indigestión persistente puede ser causada por alergia a un alimento. Lo mejor que puede hacer es buscar atención médica profesional para que lo examinen.

Dicho esto, la indigestión severa o el dolor de estómago severo pueden ser mucho más graves de lo que piensa, por eso es importante buscar ayuda profesional inmediatamente.

ATENCIÓN: Nunca tome un laxante cuando tenga un dolor de estómago fuerte.

La indigestión leve, por lo general, produce uno, o una combinación, de los siguientes síntomas –dolor de estómago, acidez estomacal, náuseas, vómitos y gases (flatulencia). Si padece problemas leves de vientre, aquí hay algunos remedios para probar.

Remedios naturales

Por lo general, lo primero que hace una persona que sufre de un caso leve de indigestión es prometer que nunca volverá a comer de forma exagerada. Bueno, con eso se soluciona el próximo ataque. Por ahora, tal vez encuentre el alivio que busca en los siguientes párrafos.

▶ Cuando tenga retortijones de estómago causados por indigestión, beba a sorbos té de menta piperita ("peppermint") o de jengibre ("ginger") después de la cena.

Alivio enrollado

▶ En caso de indigestión con acidez, mastique completamente una cucharadita de avena seca arrollada ("rolled oats") y luego tráguela. La avena alivia la acidez, y también la neutraliza.

▶ Siempre tenemos rábano japonés "daikon" en el refrigerador. Es blanco, crujiente y delicioso, y lo puede comprar en su verdulería o en un mercado de productos asiáticos. Es una ayuda eficaz para la digestión, especialmente si ha comido comidas pesadas y fritas.

Puede rallar una o dos cucharadas de "daikon" o comer dos tajadas con las comidas. También ayuda a eliminar las toxinas de las proteínas animales y las grasas.

▶ Cuando tenga la lengua cubierta de blanco, mal aliento y dolor de cabeza, probablemente se deba a que está mal del estómago. Una opción sabia es la salvia. Beba a sorbos lentos una taza de té de salvia (*vea* la "Guía de preparación" de té de hierbas en la página 279).

Alivio con una tira roja

▶ Hemos encontrado algunos remedios que suenan muy raro y para los cuales no parece haber ninguna explicación lógica. Incluimos algunos de ellos simplemente porque a veces funcionan.

Este es sin duda uno de ellos –cuando le duela el estómago, ate una tira roja alrededor de la cintura. Si el dolor desaparece, muy bien. Si no, pruebe con otro remedio.

► Cuando tenga acidez estomacal, mastique unas cuantas semillas de anís ("anise seeds"), semillas de cardamomo ("cardamom") o semillas de alcaravea ("caraway seeds"). Todas endulzarán su estómago y también su aliento.

► Al igual que la avena arrollada, el jugo de papa cruda también neutraliza la acidez. Ralle una papa y extraiga el jugo a través de una estopilla (gasa, "cheesecloth"). Diluya una cucharada de jugo de papa en ½ taza de agua tibia. Bébalo lentamente.

Después de una comelona, cepíllese las manos

► Con un cepillo de alambre para el cabello, o un peine de metal, cepille o peine el dorso de las manos durante tres o cuatro minutos. Se dice que esto alivia la sensación de pereza que da después de una comida casera tradicional cuyo alto contenido de colesterol podría matarlo.

► Nos recomendaron este remedio para el colon irritable. Añada ¼ cucharadita de orégano y ½ cucharadita de mejorana ("marjoram") a una taza de agua caliente. Deje en remojo 10 minutos. Cuele y beba a sorbos. Dos horas más tarde, si todavía siente malestar de estómago, tome otra taza de la mezcla recién preparada.

Relaciones internacionales

► Este remedio de la India se recomienda para el alivio rápido después de ingerir comida chatarra ("junk food") en exceso. Triture una cucharadita de semillas de fenogreco ("fenugreek") y déjelas en remojo en una taza de agua recién hervida durante cinco minutos. Cuele y beba lentamente. Debería sentirse mejor en unos 10 minutos.

■ Receta ■

Batido de papaya

1 papaya (lechosa, fruta bomba) madura, pelada, sin semillas y cortada en trozos
1 cdta. de extracto de vainilla
3 cdas. de azúcar granulada
⅛ a ¼ cdta. de canela ("cinnamon") molida
1 taza de leche
12 cubitos de hielo
Hojas de menta ("mint") fresca

Combine los primeros cinco ingredientes en una licuadora o procesador de alimentos hasta que la mezcla esté suave. Agregue los cubitos de hielo y procese hasta que esté espumosa. Decore con la menta, si desea.

Rinde 3 tazas.

Fuente: www.recipegoldmine.com

► Según un terapeuta de masajes chino, si se siente mal del estómago, también tendrá zonas sensibles a los costados de las rodillas, justo debajo de las rótulas. A medida que le da masajes a esos puntos y la sensibilidad disminuye, también se aliviará el dolor de estómago correspondiente.

► Mezcle una cucharada de miel con dos cucharaditas de vinagre de sidra de manzana ("apple cider vinegar") en un vaso de agua caliente y beba la mezcla.

☛ ADVERTENCIA: Los diabéticos y las personas alérgicas a la miel no deben consumir miel.

▶ Al comer un rábano ("radish") grande, todos los síntomas y las incomodidades de la indigestión pueden desaparecer, a menos que el rábano no le caiga bien a usted. En ese caso, pase al próximo remedio.

Remedio amarillo

▶ Póngase un impermeable amarillo, no porque esté lloviendo, sino porque los cromoterapeutas dicen que el color amarillo tiene rayos que pueden ayudar a sanar todos los problemas digestivos. Consuma alimentos amarillos como bananas (plátanos), limones, piñas (ananá, "pineapple"), calabacines ("squash") y toronjas (pomelos, "grapefruits"). Acuéstese sobre sábanas amarillas y hágase dar un masaje con un aceite amarillo. ¿Qué puede tener de malo?

▶ Los tés de manzanilla ("chamomile") y de menta piperita ("peppermint") son calmantes eficaces. Al primer síntoma de indigestión, beba 1 taza de uno de ellos.

▶ Coma, beba o tome papaya en alguna de sus formas después de comer. La papaya fresca (la amarilla y madura), el jugo de papaya, o las pastillas de papaya ayudan a combatir la indigestión gracias a la papaína, la potente enzima digestiva que contiene. (*Vea* la receta en la página anterior).

▶ Beba un poco de vino blanco después de una comida –no durante– para ayudar a superar la indigestión. (Las mujeres embarazadas o que estén amamantando no deben consumir alcohol).

El arrurruz y el ajo a sus órdenes

▶ El arrurruz ("arrowroot") es maravilloso para aliviar el estómago descompuesto. Mezcle una cucharada de arrurruz con suficiente agua para hacer una pasta suave. Hierva la mezcla. Deje enfriar, luego añada una cucharada de jugo de lima (limón verde, "lime") y bébala cuando tenga problemas de estómago.

▶ El ajo ayuda a estimular la secreción de las enzimas digestivas. Si tiene indigestión persistente, tome un suplemento de ajo después del almuerzo y después de la cena. Use el ajo en ensaladas y, siempre que pueda, cuando cocine –a menos que el ajo le dé indigestión, por supuesto.

NOTA: Comer ajo con perejil ("parsley") puede ayudarle a prevenir la indigestión causada por el ajo.

▶ Lave muy bien una naranja y coma un poco de la cáscara cinco minutos después de comer.

▶ Hierva o cocine al vapor calabacita italiana "zucchini" y espolvoréelas con almendras crudas ("raw almonds") ralladas, para preparar un acompañamiento que mejorará su digestión.

▶ Espolvoree un poco de pimienta de cayena ("cayenne pepper") –no más de ¼ cucharadita– en las comidas y en las sopas para ayudar a la digestión.

Ayuda herbaria

▶ Añada albahaca ("basil") fresca a las comidas, para hacerlas más digeribles y evitar el estreñimiento.

Si realmente le gusta la albahaca, añada entre ⅛ y ¼ cucharadita a una copa de vino blanco y bébalo *después* de la comida, no durante.

(Las mujeres embarazadas o que estén amamantando no deben consumir alcohol).

Para prevenir la indigestión

▶ Si tiene problemas para digerir las verduras crudas, rocíelas con jugo de limón, por lo menos tres horas antes de comerlas. De alguna manera, el limón, tan loco como esto suena, digiere parcialmente las partes difíciles de digerir de las verduras verdes.

▶ Un médico que conocemos emplea la medicina preventiva en sí mismo antes de comer comida china szechuan o mexicana, o cualquier otra comida picante que normalmente le daría malestar de estómago. Toma una cucharada de aceite de oliva extra virgen prensado en frío, unos 15 minutos antes de la comida.

▶ Hemos oído decir que tomar una cucharadita de semillas enteras de mostaza blanca ("white mustard") antes de la comida puede ayudar a prevenir las incomodidades estomacales.

La prueba de la patada

¿Está seguro de que son gases y no el apéndice? Para determinar si tiene problemas de apéndice, póngase de pie, levante la pierna derecha y luego estírela rápidamente hacia adelante como si estuviera pateando una pelota de fútbol. Si le da un dolor insoportable y agudo en cualquier zona del área abdominal, es posible que sea su apéndice.

En ese caso, busque atención médica inmediatamente. Si no hay dolor agudo, probablemente solo sean gases, pero debería ir al médico para estar seguro.

▶ Añada una taza de salvado ("bran") y una taza de cereal de avena ("oatmeal") a un galón (cuatro litros) de agua. Deje en remojo 24 horas, cuele y guarde el líquido. Tome una taza 15 minutos antes de cada comida para prevenir la indigestión.

▶ Para ayudar a la digestión y prevenir la indigestión, pruebe esto –trate de no beber nada durante o después de las comidas. Espere por lo menos una hora –preferentemente entre dos y tres horas– después de comer antes de beber algún líquido.

Gases y flatulencia

A esta altura ya debe saber qué alimentos le producen gases y qué comidas son letales. ¿Pero sabe sobre las combinaciones de alimentos? Las bibliotecas tienen un montón de libros con información al respecto y hay cuadros (tablas, "charts") simples y baratos en las tiendas de alimentos naturales. Si combina los alimentos de manera adecuada –por ejemplo, si espera dos horas después de una comida normal antes de ingerir frutas– nunca debería tener problemas de gases. Pero no siempre se pueden hacer las combinaciones adecuadas.

Estos son algunos remedios para cuando su combinación de alimentos no sea ideal y, como resultado, esté lleno de gas.

Sí al carbón, no al gas

▶ Cuando sepa que está comiendo algo que usted y los que lo rodean vayan a lamentar que lo haya comido, tome dos cápsulas o dos tabletas de carbón activado ("activated charcoal") apenas termine de comer.

Tenga en cuenta que el carbón activado adsorberá los medicamentos que pueda estar tomando, como las píldoras anticonceptivas, aspirinas y muchos medicamentos recetados. (*Vea* la página 50 para mayor información).

Es importante tomar el carbón activado rápidamente ya que los gases se forman en la parte baja del intestino y si espera demasiado, el carbón no llegará a tiempo para ayudarle.

☞ **ADVERTENCIA:** No tome cápsulas ni tabletas de carbón activado con más frecuencia de la recomendada. El carbón es un poderoso adsorbente y le privará de importantes nutrientes que usted obtiene de los alimentos.

▶ Una taza de té fuerte de menta piperita ("peppermint") le dará un alivio rápido, especialmente si camina mientras lo bebe.

▶ Una compresa de agua caliente colocada directamente sobre el estómago puede aliviar los dolores causados por gases.

▶ Añada una cucharadita de licor de anís ("anisette liquor") a una taza de agua tibia. Revuelva y beba a sorbos.

Contigo, pan y cebolla

▶ Un antiguo remedio casero para los gases y la acidez estomacal es un sándwich de cebolla cruda. Algunas personas prefieren tener gases y acidez que comer un sándwich de cebolla cruda, y a otros un sándwich de cebolla cruda les produce gases y acidez. Esto dicho, si usted y la cebolla se llevan bien, vale la pena probar.

▶ Añada ½ cucharadita de hojas de laurel ("bay leaves") a una taza de agua hirviendo. Deje remojar, luego cuele y bébalo lentamente.

▶ Elimine los gases con semillas de mostaza ("mustard seeds") y mucha agua. El primer día, tome dos semillas; el segundo día, tome cuatro; y así hasta tomar 12 semillas en el sexto día. Luego reduzca la cantidad hasta que esté tomando dos semillas en el undécimo día. Para entonces usted debería estar bien. Continúe tomando dos semillas al día. Siempre tome las semillas con el estómago vacío.

▶ Añada una taza de salvado ("bran") y una taza de cereal de avena ("oatmeal") a un galón (cuatro litros) de agua. Deje en remojo 24 horas, cuele y guarde el líquido. Tome una taza 15 minutos antes de cada comida para prevenir la indigestión.

Semillas que alivian

▶ Se sabe que todas las siguientes semillas brindan alivio rápido a los dolores causados por los gases –semillas de anís ("anise seeds"), semillas de alcaravea ("caraway seeds"), semillas de eneldo ("dill") y semillas de hinojo ("fennel seeds") –puede conseguirlas todas en las tiendas de alimentos naturales.

Para desprender los aceites naturales, triture suavemente las semillas y añada una cucharadita a una taza de agua recién hervida. Deje remojar 10 minutos. Cuele y beba. Si los dolores por gases no desaparecen inmediatamente, beba otra taza de té de semillas antes de la próxima comida.

► A las bayas verdes de un árbol de pimiento perenne se les llama pimienta de Jamaica ("allspice"). Se les dio este nombre en inglés ("todas las especias"), porque saben a una combinación de especias –clavos de olor, bayas de enebro, canela y pimienta. Se dice que la pimienta de Jamaica es eficaz para el tratamiento de la indigestión flatulenta. Añada 1 cucharadita de pimienta de Jamaica a una taza de agua recién hervida y bébala. Si tiene la fruta seca, mastique ½ cucharadita y luego tráguela.

Hágase como "pretzel"

► Esta técnica de yoga para expulsar los gases debe hacerse en la privacidad de su habitación. Acuéstese en la cama boca abajo con una pierna flexionada debajo de su cuerpo. ¿Lo entiende? La rodilla debe estar debajo de su pecho.

Quédese así por tres o cuatro minutos, luego estire esa pierna y flexione la otra, con la rodilla debajo del pecho. Cambie de pierna cada tres o cuatro minutos. Puede parar cuando haya expulsado los gases.

► Si siente que tiene gas atrapado, acuéstese en el suelo o en una cama y lentamente suba las rodillas hacia el pecho a la cuenta de 10, luego bájelas y relaje.

Mientras descansa, dése masajes en el estómago con movimientos circulares, usando la punta de los dedos y presionando fuerte para que el gas se mueva y salga.

► Beba té de jengibre ("ginger") después de una comida pesada que pueda producir gases. Remoje ¼ cucharadita de jengibre en polvo en una taza de agua caliente por cinco minutos, o deje en remojo unos cuantos pedacitos de raíz de jengibre ("gingerroot"), luego beba el té lentamente.

► Para prevenir que los frijoles (habas, habichuelas, judías secas) le den gases, remoje los frijoles secos durante una noche. A la mañana descarte el agua. Añada agua fresca y una cebolla y póngalos a hervir.

Cuando el líquido esté al punto de hervor, descarte el agua y quite la cebolla. Luego, cocine los frijoles como lo haría habitualmente –solo que esta vez es posible que no le den gases.

Cómo dejar de eructar

► Este es un remedio taoísta que data del siglo VI a. de C. Lave muy bien una mandarina ("tangerine"), luego pélela y hierva los pedazos de cáscara por cinco minutos. Cuele, deje enfriar y tome el té de mandarina. El té debería detener los eructos. También puede comer la cáscara de la mandarina para ayudar a la digestión.

Acidez estomacal

Algunas comidas pueden no caerle bien y hacer que el ácido estomacal retroceda (refluya) al esófago. Es entonces cuando le da acidez estomacal. Como implica el nombre en inglés ("heartburn"), se siente que el corazón arde. Nuestra madre padecía acidez estomacal muy seguido. Le preguntábamos: "¿Cómo se sabe si se tiene acidez?" y ella simplemente nos contestaba: "¡Lo sabrán, lo sabrán!" Y tenía razón.

Remedios naturales

Cuando tenga acidez, es mejor no acostarse. El reflujo del ácido estomacal hacia el esófago aumenta cuando se acuesta del lado derecho, así que si tiene que acostarse, hágalo del lado izquierdo. Si esto no funciona, quédese de pie y trate uno de los siguientes remedios.

▶ Coma seis almendras sin cáscara ("blanched almonds"). Mastique cada una por lo menos 30 veces.

▶ Coma una tajada de papa cruda.

▶ Mezcle una cucharada de vinagre de sidra de manzana ("apple cider vinegar") y una cucharada de miel en una taza de agua tibia. Revuelva y beba.

☞ **ADVERTENCIA:** Los diabéticos y las personas alérgicas a la miel no deben consumir miel.

▶ Ralle una papa cruda y envuélvala en una estopilla ("cheesecloth"). Exprima el jugo en un vaso. Añada agua tibia –el doble de la cantidad de jugo– y bébalo.

▶ Pele una zanahoria cruda y cómala. Mastique cada bocado 30 veces.

Limón al rescate

▶ Si tiene acidez estomacal por haber comido algo dulce, exprima el jugo de medio limón en una taza de agua tibia. Añada ½ cucharadita de sal y bébalo lentamente.

▶ Tenga siempre a mano pastillas masticables de papaya y, a la primera señal de acidez o de cualquier tipo de indigestión, mastique unas pastillas de papaya y tráguelas.

▶ Se sabe que una taza de té de menta ha aliviado el malestar de la acidez. También ayuda a aliviar los gases.

▶ Coma una cucharadita de gomasio (una mezcla de semillas de ajonjolí –"sesame seeds"– y sal marina que se puede comprar en las tiendas de alimentos naturales). Mastíquelas bien antes de tragarlas.

Copos crudos curativos

▶ Es posible que esto no sea muy apetitoso, pero funciona –trague, después de masticarlos bien, una o dos cucharaditas de copos de avena ("oat flakes") sin cocinar.

▶ El flujo de saliva puede neutralizar los ácidos estomacales que se agitan y causan la acidez. Según el difunto Wylie J. Dodds, MD, que fue profesor de radiología y medicina en el Medical College of Wisconsin, en Milwaukee, masticar chicle (le sugerimos que sea sin azúcar) puede aumentar la producción de saliva entre ocho y diez veces, y reducir el daño causado por los ácidos estomacales.

Prevención de la acidez estomacal

▶ La cúrcuma ("turmeric"), un ingrediente básico de los platos con "curry" de la India, también ayuda a la digestión. Estimula el flujo de saliva, la cual neutraliza los ácidos y ayuda a empujar los jugos digestivos a donde pertenecen. Si está a punto de comer algo que normalmente le da acidez, aderece la comida con cúrcuma.

Si a usted no le parece ser un ingrediente apropiado para la comida, tome dos o tres cápsulas de cúrcuma (las puede comprar en las tiendas de alimentos naturales) antes de comer.

Retortijones de estómago

▶ Remoje una cucharadita de perejil ("parsley") fresco o seco, en una taza de agua caliente. Después de cinco minutos, cuele y beba lentamente el té de perejil. Recuerde que el té de perejil actúa también como diurético, así que tenga esto en cuenta, al planificar su día, ya que quizá tenga que hacer como San Blas: "Ya comiste, ya te vas".

▶ Corte una cebolla mediana en rodajas y hiérvala en una taza de leche. Beba este brebaje tibio. Suena horrible y tal vez lo sea, pero es un antiguo remedio casero que puede dar resultado.

▶ Los indígenas norteamericanos usaban esto para los dolores de estómago –vierta una taza de agua hirviendo sobre una cucharadita de harina de maíz ("cornmeal"). Deje estar cinco minutos. Añada sal a gusto y beba lentamente.

▶ El agua tiene extraordinarios poderes curativos. Dése una ducha caliente y deje que el agua le caiga sobre el estómago durante 10 ó 15 minutos. Cuando se seque, ya debería sentirse mejor.

MANOS Y UÑAS: PROBLEMAS Y SOLUCIONES

Al igual que los pies, las manos y las uñas sufren mucho abuso diario. Ya sea por lavar los platos en agua caliente o teclear en la computadora, nuestras manos y uñas parecen tocar todo. Si siente que sus manos y uñas se ponen un poco ásperas, secas o quebradizas, algunos de estos remedios pueden brindarle alivio.

▶ Las manos agrietadas se aliviarán enormemente cuando las frota con aceite de germen de trigo ("wheat germ").

▶ Las manos enrojecidas, ásperas e irritadas (y los pies también) deberían mejorar con jugo de limón. Después de enjuagar las manos para quitar el jugo de limón, déles un masaje con aceite de oliva, de coco o de germen de trigo.

🖉 **NOTA:** Permita que el hidratante haga efecto manteniéndolo en las manos durante toda la noche. Para maximizar la eficacia y proteger sus sábanas, use guantes de algodón blancos después de la aplicación. Si no los tiene, vaya a una tienda de artículos fotográficos y compre los guantes baratos que usan los fotógrafos y editores de cine para manipular las películas.

Manos ásperas

▶ Para las manos agrietadas, pruebe un poco de miel. Mójese las manos y sacúdalas sin secarlas por completo. Luego unte miel por todas las manos, hasta que estén completamente cubiertas de miel. Déjelas así cinco minutos. (Le recomendaríamos que leyera el periódico para pasar el tiempo, pero dar vuelta las páginas sería un problema).

Luego, frote las manos mientras las enjuaga con agua tibia. Después séquelas dándoles palmaditas en una toalla. Haga esto todos los días hasta que pueda aplaudir para celebrar sus manos no agrietadas.

▶ ¿No le gusta la miel? Ponga una cucharadita de azúcar granulada en la palma de la mano y agregue unas gotas de aceite de ricino ("castor oil") y suficiente jugo de limón recién exprimido para humedecer totalmente la azúcar. Frote las manos vigorosamente por unos minutos. Enjuague con agua tibia y séquelas dándoles palmaditas en una toalla. Este tratamiento de manos debería dejarlas suaves y, de paso, quitar las manchas.

Limpiadores de manos

▶ Un limpiador sencillo consiste en restregar las manos con un puñado de bicarbonato de soda ("baking soda") seco, y después enjuagarlas con agua tibia.

▶ Para preparar otro limpiador, tome un puñado de cereal de avena ("oatmeal") humedecido con leche. Frote y enjuague.

El amigo del granjero

▶ Este remedio para manos ásperas, agrietadas y sucias es muy popular entre los granjeros. En un bol, combine alrededor de ¼ taza de harina de maíz ("cornmeal"), una cucharada de agua y suficiente vinagre de sidra de manzana ("apple cider vinegar") para que la mezcla tenga la consistencia de una pasta. Frote las manos con esta mezcla ligeramente abrasiva por 10 minutos.

Enjuague con agua tibia y séquelas dándoles palmaditas en una toalla.

Este tratamiento puede quitar la suciedad, y también suavizar, aliviar y sanar las manos.

► En un jarro, mezcle cantidades iguales de jugo de tomate, jugo de limón y glicerina ("glycerin", que se puede comprar en las farmacias). Deje que una mano le dé masajes a la otra con la mezcla. Enjuague con agua tibia.

► El remedio ideal para las personas con manos secas consiste en tener una oveja como mascota. La razón es que la lana de oveja contiene lanolina. Si frota las manos por el lomo del animal de vez en cuando, las mantendrá en buen estado.

Manos sudorosas

► En una palangana (cubeta, cuenco), combine medio galón (dos litros) de agua y ½ taza de alcohol. Sumerja las palmas. Después de unos minutos, enjuáguese las manos con agua fresca y séquelas dándoles palmaditas en una toalla. Esto es especialmente útil para los políticos en campaña que tengan las manos sudorosas.

¡Los últimos remedios para las uñas!

Si sus uñas se quiebran, se parten o son delgadas y frágiles, quizá necesite tomar suplementos con las vitaminas del complejo B y sulfato de zinc ("zinc sulfate") –siga las indicaciones del frasco para la dosis–, y también consumir ajo, ya sea crudo o en un suplemento. ¡Asegúrese de consultar primero a su médico!

Los siguientes remedios pueden ayudar a fortalecer las uñas si se usan como complemento de una dieta bien equilibrada.

► Diariamente, remoje los dedos 10 minutos en cualquiera de estos aceites…

♦ Aceite de oliva tibio

♦ Aceite de semillas de ajonjolí ("sesame seeds") tibio

♦ Aceite de germen de trigo ("wheat germ") tibio

Cuando limpie el aceite de los dedos, déle a las uñas un mini-masaje desde la punta hasta abajo.

► Si sus uñas son muy frágiles, use un extractor de jugos para obtener jugo de chirivías (pastinaca, "parsnips") –½ taza de jugo por vez es suficiente. Beba el jugo de chirivías por lo menos una vez por día. Tenga paciencia con los resultados –espere dos semanas o más.

► Tamborilear con las uñas sobre la mesa puede ser muy fastidioso para las personas que lo rodean, pero es muy bueno para las uñas. Mientras más golpecitos dé, más rápido crecerán. Esto es bueno, porque puede que necesite uñas largas para defenderse de las personas fastidiadas por los golpecitos.

Uñas manchadas

¿Quiere uñas rosadas, naturales y saludables? Gaby Nigai, copropietaria del salón de uñas Ellegee, en la ciudad de Nueva York, ofrece algunos consejos útiles.

▶ No aplique el esmalte de uñas de colores directamente sobre las uñas. Ponga primero una capa a base de proteínas debajo del esmalte para proteger las uñas de los pigmentos del esmalte, los cuales causan las manchas y la oxidación.

▶ Para eliminar las manchas causadas por el esmalte, ponga dos tabletas para limpiar dentaduras postizas ("denture-cleansing") en ¼ taza de agua. Remoje las puntas de los dedos en la solución por unos 15 minutos.

Si esto no deja las uñas tan limpias como desea, cepíllelas suavemente con un cepillo de uñas. Enjuague y seque.

▶ Coloque pasta blanqueadora de dientes ("tooth-whitening paste") en un cepillo de dientes y suavemente distribuya la pasta sobre las uñas. Déjela puesta por unos 15 minutos... después cepille mientras enjuaga las uñas para quitar la pasta. Seque suavemente.

🖉 **NOTA:** Es posible que lleve varios intentos, día tras día, antes de que las manchas desaparezcan completamente. Pero siga intentándolo –¡su apariencia vale la pena!

Uñas con nicotina

▶ Si tiene las uñas manchadas por el cigarrillo, le diremos cómo blanquearlas para que queden normales –pero solamente si usted promete dejar de fumar, ¿de acuerdo? (Primero vaya a "Cigarrillo" en la página 34).

¿Listo?... Pues, para quitar las manchas, frote las uñas con medio limón. Después saque la pulpa del limón y, con la cáscara restante, vaya uña por uña, frotándolas hasta que luzcan rosadas y bonitas.

🖉 **NOTA:** Si le cae jugo cítrico sobre la piel y usted sale al sol, la piel puede blanquearse o descolorarse permanentemente.

Asegúrese de enjuagar bien para quitar el jugo de limón completamente antes de salir al aire libre.

Dolor en los dedos (uñeros)

▶ Si tiene una inflamación dolorosa en la uña, remójela en agua caliente. Después caliente un limón en el horno, corte una abertura estrecha en el medio y rocíe un poco de sal dentro. Meta el dedo infectado dentro del limón. Después de sentir un ardor inicial, el dolor debería desaparecer en pocos minutos.

Asegúrese de desechar el limón y cubrir el dedo –los uñeros pueden ser contagiosos.

MEMORIA: PROBLEMAS COMUNES

No sé donde puse las llaves de la casa, no me acuerdo del nombre de nadie, finalmente le dije a mi médico que mi memoria me ha estado fallando últimamente.

—¿Y qué te dijo el médico?

—Me dijo que pagara por adelantado.

Claro, es fácil hacer chistes, pero sabemos lo frustrante que puede ser notar que se está perdiendo la memoria. Un remedio para recordar un nombre, un lugar o un dato, consiste en simplemente relajarse y olvidarse de que no lo puede recordar. Cuando no piense en ello, lo recordará de golpe.

Nosotras no creemos que eso de tener una buena memoria, o una no tan buena, sea un factor de la edad. Pensamos que somos víctimas del exceso de información.

El genio científico Albert Einstein pensaba que no tenía sentido recordar nada que pudiera averiguar, ya sea en un libro o en la biblioteca. Aunque esto no siempre es práctico, es una idea que alivia la tensión.

Entretanto, tenemos algunos remedios que pueden ayudarlo a recuperar su maravillosa memoria.

Remedios naturales

▶ Nuestro cerebro usa una sustancia llamada *colina* para generar el importante compuesto químico acetilcolina, que se necesita para la memoria.

Compre en una tienda de alimentos naturales cloruro de colina ("choline chloride") o hidrocloruro de colina ("choline hydrochloride") –*no* bitartrato de colina ("choline bitartrate"), el cual a veces causa diarrea. Tomar colina puede mejorar su memoria y su capacidad de aprendizaje. También deberá notar un sentido más agudo de organización mental.

Dosis: Tome 500 mg de colina dos veces por día (programe la alarma para no olvidarse de tomarlo).

▶ Esta es una bebida para mejorar la memoria: combine medio vaso de jugo de zanahoria y medio vaso de leche, y tómela a diario.

▶ Se dice que comer tres ciruelas por día mejora la memoria. También puede prevenir el estreñimiento, y ya que el estreñimiento paraliza el pensamiento, coma tres ciruelas por día.

▶ Utilizar una dosis diaria de jengibre ("ginger") fresco en las comidas o en un té puede mejorar la memoria.

▶ Añada cuatro clavos de olor ("cloves") a una taza de té de salvia ("sage"). Se afirma que la salvia y los clavos de olor agudizan la memoria. Beba una taza todos los días.

Pruebe este ponche de la selva

▶ La yerba mate es considerada la bebida caliente preferida en algunos países de América del Sur, incluidos Argentina, Paraguay, Uruguay y partes de Brasil y Chile. La yerba se cultiva principalmente en Paraguay y Argentina, y proviene de las hojas de un árbol que pertenece a la familia del acebo.

Uno de los muchos efectos positivos de la yerba mate, según las autoridades médicas sudamericanas, es que fortalece la memoria. En estudios realizados en Europa, también se ha comprobado que estimula la inmunidad del organismo, hace que la gente se sienta mejor física y mentalmente, y que, de hecho, puede ayudar a perder peso. Tome una taza de yerba mate temprano en el día. Puede conseguirla en las tiendas de alimentos naturales.

Para leer más sobre esta bebida casi mágica, *vea* la página 77.

NOTA: Tenga en cuenta que la yerba mate contiene cafeína, aunque menos que el café.

▶ Vierta una cucharadita de vinagre de sidra de manzana ("apple cider vinegar") en un vaso de agua a temperatura ambiente y bébalo antes de cada comida. Se dice que es un excelente tónico para la memoria, y, además, controla el apetito.

▶ Ah, el poder sanador de las almendras. Coma seis almendras crudas ("raw almonds") todos los días para ayudar a mejorar su memoria.

■ Receta ■

Almendras tostadas con canela

1 clara de huevo

1 cdta. de agua fría

4 tazas de almendras ("almonds")

½ taza de azúcar granulada

¼ cdta. de sal

½ cdta. de canela ("cinnamon") molida

Precaliente el horno a 250°F (120°C). Engrase ligeramente una fuente llana para hornear ("jelly roll pan") de 15" x 10" x 1" (38 cm x 25 cm x 2 cm).

Bata la clara de huevo ligeramente, luego agregue el agua y bata hasta que esté espumosa, pero no firme. Agregue las almendras y revuelva bien para recubrir.

Cierne (tamice) la azúcar, la sal y la canela. Espolvoree por encima de las almendras y revuelva para mezclar.

Esparza sobre la fuente y hornee una hora, revolviendo de vez en cuando.

Fuente: www.recipegoldmine.com

Un descubrimiento que abre los ojos

► Nuestras investigaciones nos llevaron a un médico japonés cuyos registros demostraron que había tratado con éxito a más de 500 pacientes con problemas de memoria. ¿Cómo? Al recomendarles eufrasia ("eyebright"), una hierba mejor conocida por su uso en el tratamiento de las enfermedades de los ojos… hasta ahora.

Añada ½ onza (15 g) de eufrasia y una cucharada de miel de trébol ("clover honey") a 1½ taza de agua recién hervida. Cuando se enfríe, cuele y embotelle la mezcla. Tome ¾ taza antes del almuerzo y ¾ taza antes de la cena.

► Se afirma que tomar dos semillas de mostaza a primera hora de la mañana estimula la memoria.

► Coma un puñado de semillas de girasol ("sunflower seeds") por día. Estas semillas son beneficiosas en muchos sentidos, uno de ellos es que mejoran la memoria.

► Según una gemólogo terapeuta, llevar una amatista ayuda a agudizar la memoria. Es una buena idea, pero ¡no se olvide de ponérsela!

Caminar mejora la memoria

► Caminar aumenta la cantidad de oxígeno que fluye al cerebro… ¡Y nunca es demasiado tarde para empezar! Unos investigadores realizaron un estudio con adultos de entre 60 y 75 años de edad. El grupo que caminó a paso rápido tres días a la semana, primero durante 15 minutos al día y aumentando hasta llegar a los 45 minutos diarios, mejoró la función

El color acertado

Si no cree que los colores tienen influencia alguna en nuestra vida, piénselo de nuevo después de leer lo siguiente: Alexander Schauss, PhD, presidente de la división de ciencias de la vida del American Institute for Biosocial and Medical Research, en Tacoma, estado de Washington, recomendó que el puente Blackfriars de Londres fuera pintado de un tono particular de azul. Se suponía que el color, llamado azul "Ertel", reduciría la incidencia de suicidios desde el puente, la cifra más alta en todos los puentes sobre el río Támesis.

Se pintó el puente con azul Ertel y el efecto fue drástico. Desde ese momento en adelante no se reportaron suicidios.

mental en un 15%. Este 15% podría significar no frustrarse más por no recordar las cosas… a cualquier edad.

▶ ¿Ha notado cuál es el color más común en los bloques de papel para oficina? ¿Y el de las notas Post-It para pegar? ¿Se da cuenta de lo que tienen en común? Según investigaciones de cromoterapia, el color amarillo es el que más estimula el cerebro. Escribir en papel amarillo puede ayudarlo a recordar mejor lo que sea que haya escrito.

MORDEDURAS Y PICADURAS DE ANIMALES

En esta sección sugerimos remedios para una variedad de mordeduras de animales (arañas, medusas, aguamalas, orugas peludas, perros y serpientes) así como de picaduras de insectos (abejas, avispas, avispones y mosquitos).

ATENCIÓN: Si usted tiene antecedentes de alergias a las picaduras de insectos, pídale a su médico que le recete un botiquín de primeros auxilios contra picaduras ("emergency sting kit") y ¡téngalo siempre a mano!

Todo el mundo sabe que es muy importante evitar las mordeduras y picaduras de insectos y animales. Si lo muerden o pican, pruebe estas sugerencias prácticas y eficaces.

▶ Una pasta hecha con agua y bicarbonato de soda ("baking soda") puede ayudar a expulsar la punta del aguijón, disminuir el enrojecimiento, inhibir la hinchazón y quitar la picazón de la mordedura o picadura. Cada media hora, alterne la pasta de bicarbonato de soda con hielo en el lugar de la mordedura o picadura.

El aceite de germen de trigo ("wheat germ") también ayuda a aliviar las picaduras. Cada media hora, alterne el aceite de germen de trigo con hielo en el lugar de la mordedura o picadura.

Mordeduras de animales

Una mordedura de animal –incluso de su propio perro, gato, hámster, conejillo de Indias, hurón o periquito– puede ser peligrosa. Si la mordedura rompe la piel, las bacterias en la saliva del animal pueden causar una infección.

Primero, lave bien el lugar de la mordedura con agua y jabón. Luego haga presión para que deje de sangrar. Cubra la herida con un vendaje estéril sin ajustar.

☞ ADVERTENCIA: Si una mordedura de animal rompe la piel, no deja de sangrar, se hincha o se pone roja y dolorosa, busque atención médica inmediatamente. Necesitará antibióticos y posiblemente una vacuna antitetánica ("tetanus shot").

Picaduras de insectos

Cuando un insecto pica, el aguijón normalmente queda en la piel cuando el insecto se escapa. Sin embargo, si el insecto queda pegado al aguijón en su piel, déle un golpecito con los dedos índice y pulgar. *No apriete el insecto.*

Saque el aguijón *sin usar* los dedos ni pinzas. Estos métodos pueden introducir más veneno dentro de la piel. Use la punta de un cuchillo afilado para rozar suave y cuidadosamente hasta sacar el aguijón. También puede usar el borde de una tarjeta de crédito.

Calmantes que ya tiene en la cocina

▶ Para aliviar el dolor y disminuir la hinchazón de una picadura, aplique cualquiera de los siguientes remedios durante media hora, luego altérnelo con media hora de hielo en el lugar de la picadura…

- ◆ Una rodaja de cebolla cruda
- ◆ Una tajada de papa cruda
- ◆ Rábano picante ("horseradish"), rallado o picado
- ◆ Sal humedecida
- ◆ Pasta de dientes comercial
- ◆ Lodo (barro, fango) húmedo y limpio es uno de los remedios más antiguos y prácticos para las picaduras. Si aún no ha salido el aguijón, despegar el barro seco ayudará a extraerlo.
- ◆ Vinagre y jugo de limón –en cantidades iguales– aplicados con toques suaves cada cinco minutos hasta que el dolor desaparezca
- ◆ Amoníaco diluido
- ◆ ⅓ cucharadita de ablandador de carne (no condimentado) disuelto en una cucharadita de agua. Uno de los ingredientes principales de los ablandadores de carne es la papaína, una enzima de la papaya que alivia el dolor y la inflamación de la picadura y disminuye las reacciones alérgicas. *IMPORTANTE: No use ablandador de carne si es alérgico al glutamato monosódico (MSG).*

- ◆ Aceite extraído de una cápsula de vitamina E
- ◆ Un trozo de tabaco húmedo
- ◆ Una gota de miel, preferentemente del panal de la abeja que lo picó (claro, esto es poco probable a menos que usted sea apicultor)

ATENCIÓN: No coloque ninguna sustancia extraña (lodo, tabaco, amoníaco, etc.) directamente en la piel si está partida. Puede causar una infección *mucho* peor que la picadura.

Otras picaduras

▶ Si le pica una medusa, aguamala o una oruga peluda, aplique aceite de oliva para un alivio rápido… y luego busque atención médica inmediata.

Picaduras de mosquitos

ADVERTENCIA: Los mosquitos pueden transmitir el virus del Nilo occidental y otras enfermedades graves, que pueden ser mortales. Use repelente de mosquitos, camisas de mangas largas y pantalones largos cuando esté al aire libre, elimine los criaderos de mosquitos cerca de su casa y repare las mallas (mosquiteros) rotas de las ventanas y puertas.

▶ Los mosquitos prefieren lo cálido a lo frío, la luz a la oscuridad, lo sucio a lo limpio, los adultos a los niños y los hombres a las mujeres.

Cuando le pica un mosquito, ponga un poco de saliva sobre la picadura. *Luego aplique uno de estos remedios…*

- Jabón humedecido

- Tabaco humedecido

- Lodo (barro) humedecido y limpio

- Amoníaco diluido

- Mezcla de cantidades iguales de vinagre y jugo de limón

En cuanto al mosquito, si le pica la mano, déle la otra mano –¡con la palma hacia abajo!

Prevención de picaduras de mosquitos y jejenes

Cuando éramos pequeñas y nos picaba un mosquito, nuestra mamá nos decía: "Eso es porque eres muy dulce". Bueno, puede que eso tenga algo que ver.

Se llevaron a cabo experimentos con personas que eliminaron completamente de su dieta la azúcar blanca y las bebidas alcohólicas. Los rodearon de mosquitos y jejenes. No solo no los picaron, sino que ni siquiera se molestaron en posarse en ellos.

Así que no consuma azúcar y ¡dígale adiós a los mosquitos y a los jejenes!

▶ Se ha observado que los mosquitos no se acercan a las personas cuyos organismos contienen una gran cantidad de vitamina B$_1$ (tiamina). Antes de ir a un lugar infectado de mosquitos, coma alimentos ricos en la vitamina B$_1$ –semillas de girasol ("sunflower seeds"), levadura de cerveza ("brewer's yeast"), nueces del Brasil y pescados.

Además, tome un suplemento de 100 mg de vitamina B$_1$ (tiamina) una hora antes de llegar a su destino.

▶ Coloque macetas de geranios en el porche o en otros sitios donde le guste sentarse. Los geranios plantados repelen los mosquitos.

▶ Si le tiene más miedo a las picaduras de mosquitos de lo que le importa oler a ajo, entonces tenemos un remedio para usted.

Frote todas las partes expuestas del cuerpo con ajo antes de llegar a un lugar infectado de mosquitos. Los mosquitos no se le acercarán. Odian el ajo. El ajo es para los mosquitos lo que la criptonita es para Superman.

Un biólogo de una universidad probó extracto de ajo en cinco especies de mosquitos. El ajo los venció. Ningún mosquito sobrevivió.

▶ El aceite de eucalipto repelerá a los mosquitos. Frótelo en las zonas descubiertas del cuerpo.

▶ No se vista de azul donde haya mosquitos. El color azul los atrae. También los atrae la ropa húmeda. ¡Manténgase seco!

▶ Frote las partes expuestas del cuerpo con perejil ("parsley") fresco para prevenir las picaduras de insectos.

▶ Si tiene una planta de áloe vera, corte un tallo. Extraiga el jugo y frótelo sobre las zonas descubiertas del cuerpo para protegerse de los insectos picadores.

Mordeduras de serpiente

Si va a acampar o a exponerse a una situación donde existe la posibilidad de que una serpiente lo muerda, le recomendamos averiguar qué tipo de serpientes hay en ese lugar para estar preparado si lo muerden.

▶ Si lo muerde una serpiente, prepare una cataplasma (*vea* la "Guía de preparación" en la página 280) con dos cebollas machacadas mezcladas con unas pocas gotas de querosén, y aplíquela a la mordedura. Al poco tiempo, la cataplasma debería extraer el veneno y ponerse de color verde.

Vaya a un lugar poblado lo más pronto posible y ¡vea a un médico!

▶ Mezcle un puñado de tabaco con saliva o agua. Aplique esta pasta directamente sobre la mordedura.

En cuanto se seque la pasta, reemplácela con otra porción de pasta y ¡vaya al médico!

Mordeduras de cascabel

▶ Cálmese. Humedezca un poco de sal y ponga un puñado sobre la mordedura, luego trate la zona afectada con una cataplasma de sal humedecida (*vea* la "Guía de preparación" en la página 280). Pero no se demore, ¡vaya al médico inmediatamente!

ATENCIÓN: Si la piel está partida, no coloque ninguna sustancia extraña (tabaco, sal, etc.) directamente en la mordedura. ¡Puede causar una infección *mucho peor* que la mordedura!

Picaduras de arañas

Existen cuatro clases de arañas cuyas picaduras pueden ser graves...

- ◆ *La araña viuda negra* ("black widow") tiene el cuerpo negro y brillante, y una marca roja o anaranjada en forma de reloj de arena en la parte de abajo del abdomen.

- ◆ *La araña café* ("brown recluse") también es conocida como araña violinista ("fiddle-back") por la marca en forma de violín que tiene en el lomo. Se encuentra principalmente en los estados del sur y del centro-norte de Estados Unidos.

- ◆ *La araña hobo* (vagabunda) es marrón con un diseño en forma de espiga en la punta del abdomen. Se encuentra en el noroeste de Estados Unidos.

- ◆ *La araña del saco amarillo* ("yellow sac") es amarilla clara con una franja ligeramente más oscura en la parte superior media del abdomen.

Si piensa que la araña que lo picó es una de estas cuatro, trate de mantener toda la calma posible. Llame a su médico, al hospital y al Centro de toxicología (Poison Control Center) más cercano (800-222-1222). Si puede atrapar la araña, o parte de ella, hágalo para poder identificarla.

▶ Hasta que llegue la ayuda profesional, póngase hielo en la picadura para evitar que se hinche.

▶ Después de que lo examine un médico tome nutrientes que sean antiinflamatorios –vitamina C con bioflavonoides, entre 500 y 1.000 mg cada seis u ocho horas, por varios días (reduzca la dosis si le da diarrea)... bromelaína, 500 mg tres o cuatro veces al día con el estómago vacío y/o quercetina, entre 250 y 300 mg de una a tres veces diarias.

Picaduras de garrapata

▶ Este es un remedio muy efectivo. Si una garrapata se ha incrustado en su piel –y han pasado menos de 24 horas– ponga dos gotas de esmalte de uñas transparente en el insecto. Se soltará y saldrá. Luego límpiese la piel.

Lamentablemente no podrá hacer una prueba de la enfermedad de Lyme en la garrapata debido al uso del esmalte de uñas.

Si la garrapata sigue incrustada, use unas pinzas para sacar firmemente la cabeza del insecto.

Siga observando el sitio de donde se sacó el insecto –si se le hace una marca en forma de diana (el punto en el centro de un blanco de tiro), vaya al médico y sométase a los exámenes para diagnosticar la enfermedad de Lyme.

Spray de mofeta

▶ Si se ha cruzado en el camino de una mofeta (zorrillo) asustada, añada una taza de jugo de tomate a un galón (cuatro litros) de agua y lávese el cuerpo con la mezcla. Haga lo mismo con su ropa.

MORETONES Y DECOLORACIÓN DE LA PIEL

Ayayay! Los moretones (cardenales) aparecen generalmente cuando la piel ha sufrido alguna clase de traumatismo (grave o no) que causó la ruptura de pequeños vasos sanguíneos. Esto puede ocurrir por golpearse con el borde de una mesa o por algo más grave como un accidente de tránsito.

La mayoría de los moretones pequeños se desvanecen solos con el tiempo (habitualmente después de pasar por un arco iris de colores), pero estos remedios pueden acelerar el proceso curativo.

Moretones

Para prevenir y curar los moretones comunes…

▶ Aplique una compresa fría o hielo envuelto en una toallita inmediatamente después del golpe. Manténgala por 20 minutos. Repita varias veces. El frío constriñe los vasos sanguíneos, reduce el tiempo de coagulación y puede disminuir el derrame sanguíneo de los vasos capilares.

▶ Eleve la zona lesionada por encima de su corazón, lo cual disminuye el flujo de sangre hacia la lesión. Cuanto más tiempo haga esto, mejor.

▶ Tome vitamina C. La vitamina C disminuye la fragilidad de los vasos capilares. El consumo de más vitamina C es especialmente importante si está tomando aspirina o corticosteroides, fármacos que pueden quitarle vitamina C al cuerpo. La cantidad que contiene un multivitamínico típico (entre 60 y 100 mg) por lo general es adecuada.

Bono: La mayoría de los multivitamínicos también contiene zinc, un mineral que puede disminuir los derrames de los vasos capilares.

▶ Si se pilla un dedo con una puerta o con un cajón, prepare una cataplasma de cebolla rallada y sal y aplíquela en el moretón. El dolor desaparecerá en segundos.

▶ Para evitar que un moretón se hinche y se ponga negro o azul, aplique hielo en la zona golpeada. Si no tiene hielo a su alcance, presione inmediatamente con una cuchara o un cuchillo de metal (solo la parte plana –estamos hablando de un moretón, no de una amputación) sobre el moretón entre cinco y diez minutos.

¡Menos mal, remedios sencillos para borrar los moretones!

▶ Prepare un ungüento machacando pedazos de perejil ("parsley") en una cucharadita de mantequilla. Frote suavemente el moretón con el ungüento.

▶ Ralle un trozo de nabo ("turnip") o de daikon (rábano japonés). Aplique la raíz rallada al moretón durante 15 ó 30 minutos. Se sabe que ambas raíces han ayudado a mejorar el aspecto de los moretones.

▶ Esparza una capa delgada de melaza negra ("blackstrap molasses") sobre un pedazo de papel marrón (de bolsa de mercado) y póngalo con el lado de la melaza sobre el moretón. Sujételo y déjelo ahí unas horas.

▶ Pele una banana (plátano) y ponga la parte interior de la piel en el moretón. Disminuirá el dolor, la decoloración de la piel y acelerará la curación. Sujete la cáscara de la banana con una venda.

▶ Mezcle dos cucharadas de maicena (fécula de maíz, "cornstarch") con una cucharada de aceite de ricino ("castor oil"). Humedezca un paño blanco limpio y prepare una cataplasma de maicena y aceite de ricino. (*Vea* la "Guía de preparación" en la página 280). Aplique la cataplasma al moretón y déjela hasta que el paño húmedo se seque.

ADVERTENCIA: La mayoría de los moretones son generalmente evidencias de una vida activa –pero si le salen moretones y no desaparecen o si le siguen saliendo moretones, puede ser un indicio de una afección médica peligrosa. Haga una cita con su médico.

Manchas marrones

Las manchas planas y grandes en la cara y las manos pueden ser llamadas manchas de envejecimiento o manchas del hígado en inglés. Muchas personas con piel clara las desarrollan a una edad mediana por la acumulación de pigmento (color) en la piel.

ATENCIÓN: Cualquier marca o decoloración de la piel debe ser examinada por un dermatólogo para descartar la posibilidad de cáncer de piel.

Los siguientes remedios quizá no produzcan resultados instantáneos. Tenga en cuenta que estas manchas marrones, que se piensa fueron causadas por el sol o por una deficiencia nutricional, se fueron formando durante años. Déle unos cuantos meses al remedio que decida usar. Si en ese tiempo no ve ningún cambio, intente con otro remedio. Encontrar el que mejor le funcione puede ser un trabajo de ensayo y error.

▶ Ralle una cebolla y exprímala a través de una estopilla (gasa, "cheesecloth") hasta obtener una cucharadita de jugo de cebolla. Mezcle con dos cucharaditas de vinagre y dése un masaje en las manchas marrones con este líquido. Hágalo diariamente –dos veces al día, si es posible– hasta que las manchas desaparezcan.

Elimine las manchas marrones con garbanzos

▶ Este remedio israelí requiere garbanzos ("chickpeas"). Si no los quiere preparar del todo, cómprelos enlatados. Machaque ⅓ taza de garbanzos y añada un poco de agua. Unte la pasta en las manchas marrones y déjela ahí hasta que se seque y empiece a desprenderse. Luego enjuáguela bien. Hágalo todas las noches.

¡Viva la vitamina E!

▶ Una vez al día, tome una cápsula de vitamina E (pregúntele a su médico la cantidad adecuada). Además, cuando se vaya a acostar, pinche una cápsula de vitamina E, extraiga el aceite y frótelo sobre las manchas marrones; déjelo toda la noche. Póngase guantes blancos de algodón para no ensuciar las sábanas.

▶ Una variación de este remedio consiste en frotarse con aceite de ricino ("castor oil") y tomar la vitamina E oralmente.

Ojeras

▶ Si puede conseguir higos frescos, corte uno por la mitad y póngase una mitad debajo de cada ojo. Claro que debe acostarse y relajarse unos 15 a 30 minutos. Listo, es hora de levantarse y enjuagarse suavemente los ojos con agua tibia para quitarse lo pegajoso. Aplique con toques suaves un poco de aceite de maní (cacahuates, "peanut").

▶ Cuando los higos no están en temporada, ralle un pepino ("cucumber") sin cera o una papa pequeña bien lavada (preferentemente roja). Ponga las ralladuras en dos almohadillas de gasa ("gauze pads"), acuéstese y colóquelas debajo de los ojos. Enjuague bien y aplique con toques suaves un poco de aceite de maní.

Ojos morados

Vimos a un amigo que tenía un ojo morado. Le preguntamos: "¿Alguien te dejó un ojo morado?" Él respondió: "No me lo dejaron, tuve que pelear para ganármelo".

Los ojos morados son esencialmente moretones en la cuenca de los ojos. Estos

remedios deberían ayudar a disminuir la hinchazón y a aclarar un poco el color.

Tratamiento hawaiano

▶ Coma piña (ananá, "pineapple") y papaya maduras –muchas– por dos o tres días, y deje que las enzimas de estas frutas le ayuden a eliminar la decoloración alrededor del ojo. Si no consigue piña ni papaya frescas, pruebe con las píldoras de papaya (las puede comprar en las tiendas de alimentos naturales). Tome una después de cada comida. Ambas frutas tienen mucha vitamina C, la cual ayuda a la curación.

¡De película! La carne es para comer

▶ Si usted fuera un personaje de una película y le dejaran un ojo morado, en la siguiente escena estarían tratándolo con un bistec crudo.

¡No lo haga! La carne de res puede tener bacterias que no le convienen a su ojo. La única razón por la cual se usa es porque está fría, así que retome la escena con un paquete de vegetales congelados o un paño frío y húmedo. Déjelo en el lugar del moretón por unos 20 minutos. Quíteselo por 10 minutos, luego póngaselo por 20, luego quíteselo por 10.

▶ Prepare una cataplasma (*vea* la "Guía de preparación" en la página 280) mezclando dos cucharadas de sal con dos cucharadas de manteca de cerdo ("lard") o manteca vegetal ("vegetable shortening"). Esparza la mezcla en un paño y póngasela sobre el ojo morado. Esta cataplasma puede ayudar a eliminar las células heridas alrededor del ojo al estimular la circulación. Tenga especial cuidado en que no le caiga esta manteca salada en el ojo.

▶ Vierta hamamelis (olmo escocés, "witch hazel") en una almohadilla de algodón ("cotton pad"), colóquela sobre el ojo morado cerrado. Acuéstese con los pies ligeramente más elevados que su cabeza por una media hora mientras deja el hamamelis en el lugar.

▶ Pele y ralle una papa (si es roja mejor). Prepare una cataplasma con esto (*vea* la "Guía de preparación" en la página 280) y déjela sobre el ojo morado por 20 minutos. El cloruro de potasio es uno de los compuestos curativos más eficaces, y las papas son la mejor fuente de cloruro de potasio. (Este remedio es bueno también para los ojos rojos).

MÚSCULOS DOLORIDOS

Esguince muscular... tensión en el cuello... calambres en las piernas... los problemas musculares pueden ser ¡un inconveniente doloroso! Afortunadamente la mayoría de los dolores musculares leves se pueden aliviar cuando se les da un buen masaje, o un buen baño caliente. Los siguientes remedios también pueden ayudar a aliviar sus dolores.

▶ Prepare un té fuerte de jengibre, poniendo en dos tazas de agua, dos cucharaditas de jengibre ("ginger") en polvo o jengibre fresco rallado. Deje remojar hasta que el agua se ponga amarillenta. Vierta el té en la bañera (tina) llena de agua tibia. Relájese en la bañera por 20 ó 30 minutos. El baño de té de jengibre puede aliviar la rigidez y el dolor muscular, y es maravilloso para la circulación.

Calambres

▶ Cuando sufra un calambre o dolor repentino de un músculo, dése un baño con sal de Higuera ("Epsom salt"). Vierta tres tazas de sal de Higuera en la bañera (tina) llena de agua tibia. Quédese en el agua entre 20 y 30 minutos y el dolor causado por el calambre puede que empiece a aliviarse.

▶ Se dice que este remedio es particularmente eficaz para los calambres. Limpie bien tres limones pequeños, dos naranjas pequeñas y una toronja (pomelo, "grapefruit") pequeña. (Si puede comprar productos orgánicos, mejor). Corte las seis frutas y póngalas en una licuadora –con cáscara y todo. Añada una cucharadita de crema tártara ("tartar cream") y licúe. Guarde la mezcla en un frasco cerrado en el refrigerador.

Dosis: Para aliviar la rigidez, beba dos cucharadas del brebaje con dos cucharadas de agua dos veces al día –a primera hora de la mañana y justo antes de acostarse.

Tensión en el cuello

Tener dolor de cuello es muy común para los que vivimos estresados. Las personas suelen acumular tensión en el cuello, y eso es lo peor que uno puede hacer. El cuello conecta el cerebro y el sistema nervioso con el resto del cuerpo. Cuando se crea tensión en el cuello, se perjudica el flujo de energía a través del organismo.

▶ Para evitar que la tensión se acumule, haga ejercicios de cuello. Empiece con la barbilla sobre el pecho y lentamente rote la cabeza de modo que la oreja derecha alcance el hombro derecho, luego gire la cabeza hacia atrás, de modo que la oreja izquierda alcance el hombro izquierdo, y vuelva a la posición inicial de la barbilla sobre el pecho. Haga estos giros, lentamente, seis veces en una dirección y seis veces en la opuesta, por la mañana y por la noche. Es posible que oiga muchos crujidos y sonidos como de grava o arena que salen del cuello. A medida que se afloja la tensión, los ruidos desaparecerán.

▶ Si cuando gira el cuello o solo lo mueve de un lado a otro, escucha y siente como si tuviera grava en el cuello, coma tres o cuatro dientes de ajo crudo todos los días. Es posible que necesite aumentar esa cantidad poco a poco hasta llegar a cuatro dientes de ajo diarios (*vea* "Seis Superalimentos maravillosos" en la página 295 para ver la mejor manera de comer dientes de ajo crudo).

Cuello rígido

▶ Los chamanes y curanderos de varias tribus de indígenas norteamericanos recetan frotamientos diarios en el cuello con jugo de limón recién exprimido, así como también beber el jugo de medio limón a primera hora de la mañana y a última hora de la noche.

▶ Según los antiguos principios de la reflexología, la base del dedo gordo del pie afecta el cuello. Frótese las manos vigorosamente hasta que sienta calor. Ahora está listo para darle un masaje a sus dedos gordos con movimientos circulares. Dedique unos cuantos minutos a masajear la base de los dedos gordos y sus alrededores. Para variar, dé un masaje a la base de los pulgares de la mano, también durante unos cuantos minutos por vez. Siga haciéndolo, por lo menos dos veces por día, todos los días.

Traumatismo cervical

El traumatismo cervical (latigazo, "whiplash") ocurre cuando los músculos del cuello están demasiado tensos para absorber un golpe repentino (como en un accidente de auto). Profesionales médicos nos han dicho que lo peor que se puede hacer para un traumatismo cervical es usar un collarín ("neck collar"). No ayuda a realinear el cuello y tampoco permite que el cuerpo se realinee a sí mismo.

Es mejor que un médico naturista (naturopático), un quiropráctico o un osteópata vuelva a alinear las vértebras del cuello adecuadamente. Durante este tiempo tan incómodo, póngase una bufanda (pañuelo) de seda. Se sabe que ha ayudado a la circulación sanguínea, además de aliviar el dolor muscular y la tensión en el cuello.

ADVERTENCIA: Si ha estado en un accidente y siente dolor en el cuello, busque atención médica inmediatamente. Es posible que tenga una fractura que pueda causar parálisis si no recibe tratamiento.

Calambres en las piernas

Nos hemos enterado que los calambres en las piernas pueden ser causados por ciertas deficiencias nutricionales. Por ejemplo, la falta de magnesio, potasio, vitamina E, calcio o proteínas. Por lo tanto le recomendamos comer muchas verduras. (Y no nos referimos a las dos o tres aceitunas que le pone al martini).

Reduzca su consumo de carne grasosa, azúcar y harina blanca. En una semana, verifique si se ha reducido la incidencia de calambres en las piernas.

¡Consuma bananas!

► Si está tomando un diurético, es posible que su organismo esté eliminando demasiado potasio, lo cual puede causar calambres en las piernas. Si ese es el caso, coma una o dos bananas (plátanos) al día. Quizá también le convendría pedirle al médico que le quite el diurético químico y le recomiende uno natural, como el pepino ("cucumber"), el apio ("celery") o la lechuga.

► Beba un vaso de agua tónica ("tonic water"). Puede contener suficiente quinina para ayudarlo, sin contener demasiada para hacerle daño.

► Si tiene calambres en las piernas mientras duerme, deje en su mesita de noche un cubierto plateado –una cuchara sería lo más seguro. Cuando lo despierten los calambres, ponga la cuchara sobre la zona afectada y el músculo debería desacalambrarse. La cuchara no tiene

que ser de plata –el acero inoxidable también dará resultado.

► La corteza del viburno ("cramp bark") es una hierba que sirve para cualquier clase de calambres. En las tiendas de alimentos naturales se consigue la tintura ("tincture"). Tome entre una y dos cucharaditas, tres a cinco veces al día.

► Los calambres musculares que suelen ocurrir por la noche, se alivian con frecuencia a los 20 minutos de haber tomado esta combinación: una cucharada de lactato de calcio ("calcium lactate"), una cucharadita de vinagre de sidra de manzana ("apple cider vinegar") y una cucharadita de miel en medio vaso de agua tibia.

► El difunto D.C. Jarvis, MD, sugería tomar dos cucharaditas de miel con cada comida, o miel mezclada con dos cucharaditas de vinagre de sidra de manzana ("apple cider vinegar") en un vaso de agua antes de cada comida, para prevenir los calambres musculares.

ADVERTENCIA: Los diabéticos y las personas alérgicas a la miel no deben consumir miel.

Contra la pared

► Antes de levantarse a la mañana, dése vuelta de manera que pueda poner los pies contra la pared, más altos que el cuerpo. Quédese así por 10 minutos. Haga lo mismo a la noche, justo antes de acostarse. Mejorará la circulación sanguínea y es posible que ayude a prevenir los calambres musculares. También es muy bueno para estirarse, lo cual en sí mismo puede prevenir los calambres.

▶ El prestigioso boletín médico británico *The Lancet* (*www.thelancet.com*) informa que la vitamina E ayuda a aliviar los calambres en las piernas. Tome vitamina E antes de cada comida, todos los días (consulte la cantidad con su médico). Dentro de una o dos semanas, debería sentir una mejoría.

▶ Aproveche las ventajas terapéuticas de las mecedoras. Mézase cuando esté viendo televisión y por lo menos durante una hora antes de acostarse. Para las personas que están sentadas la mayoría del tiempo, una mecedora puede prevenir las várices (*vea* la página 164) y los coágulos de sangre. También puede mejorar la circulación y aliviarle los calambres en las piernas.

▶ Tome una taza de té de hojas de frambuesas rojas ("red raspberries") por la mañana y una taza por la noche. Haga esto todos los días y quizá no tendrá más calambres en las piernas.

▶ Según un médico, tres semanas después de recetarle vitamina B_6 a sus pacientes que sufrían de calambres en las piernas, los calambres ya no los afectaban. La B_6 también

eliminó el estremecimiento y el entumecimiento de los dedos de los pies.

Pellízquelo

▶ Nos informaron de una simple técnica de acupresión llamada en inglés "acupinch" ("acupellizco"). Puede aliviar el dolor de los calambres musculares casi instantáneamente.

Al instante en que le dé un calambre, use los dedos pulgar e índice y pellizque el filtro –la piel entre el labio superior y la nariz. Siga pellizcando por unos 20 segundos. El dolor y el calambre deberían desaparecer.

▶ Beba un vaso de agua de ocho onzas (235 ml) antes de acostarse.

Calambres en las piernas de los corredores

▶ Después de correr, busque un arroyo de agua corriente y fría y remójese por 15 ó 20 minutos.

Para quienes hacer esto es solo un sueño… todas las noches, justo antes de acostarse, camine en su bañera (tina) con unas seis pulgadas (15 cm) de agua fría durante tres minutos.

Los comentarios de los corredores que hacen esto son muy convincentes –caminar sobre agua fría previene los calambres en las piernas. Asegúrese de poner una alfombra plástica o adhesivos antideslizantes sobre el piso de la bañera.

Náuseas y vómitos

Las náuseas y vómitos pueden ser síntomas de una variedad de enfermedades. Las náuseas son un malestar del estómago que a veces puede causar vómitos. De cualquier manera, pocas cosas son más incómodas que un ataque de náuseas o vómitos. Los siguientes remedios pueden ayudar a asentar el estómago y brindarle alivio.

Remedios naturales

▶ Cuando tenga malestar de estómago y náuseas, beba una bebida gaseosa –un agua "seltzer" o "club soda", un agua mineral con gas como Perrier o un poco de "ginger ale". Si no tiene a mano ninguna de estas bebidas, y no sigue una dieta de consumo de sodio restringido, mezcle una cucharadita de bicarbonato de soda ("baking soda") con ocho onzas (235 ml) de agua fría y bébala lentamente. A los pocos minutos debería eructar y sentirse mejor.

▶ Beba una taza de té de milenrama (aquilea, "yarrow"), el cual se puede comprar en las tiendas de alimentos naturales. Se sabe que esta hierba ha detenido las náuseas inmediatamente. También es maravillosa para ayudar a tonificar el sistema digestivo.

Curación de cocina "gourmet"

▶ Cuando lo que comió parece haberse asentado en el pecho –o se siente demasiado lleno y sabe que se sentiría mejor si vomitara– busque mostaza inglesa. Se consigue en las tiendas de alimentos especializadas.

Dosis: Beba una cucharadita en un vaso de agua tibia. Si no vomita en 10 minutos, tome otro vaso de esta agua con mostaza. Si después de otros 10 minutos todavía no ha funcionado, la tercera vez debería ser la vencida.

▶ Para aliviar un ataque severo de vómito, empape una toallita con ½ taza de vinagre tibio y colóquela sobre el abdomen descubierto. Ponga una botella de agua caliente encima de la toallita para mayor alivio.

ADVERTENCIA: Los vómitos severos o prolongados pueden ser síntoma de una enfermedad grave (y pueden causar una peligrosa deshidratación). Consulte a un médico para someterse a un tratamiento inmediato.

▶ Tome una taza de té de manzanilla ("chamomile") para calmar el estómago y dejar de vomitar.

Especias especiales

▶ Remoje unos cuantos clavos de olor ("cloves") en agua hirviendo por cinco minutos y beba el agua. Si el sabor de los clavos le recuerda demasiado al dentista, entonces remoje en agua hirviendo un pedazo de canela en rama ("cinnamon stick") o una cucharadita de jengibre ("ginger") en polvo. Todos sirven para detener las náuseas y el vómito.

▶ Parta un cubito de hielo y chupe los pedacitos. Vale la pena probarlo si no tiene otra alternativa en casa.

▶ Pele una cebolla grande y córtela por la mitad. Ponga una mitad en cada axila. Aunque pensar en ello puede darle náuseas, nos han dicho que esto detiene los vómitos y alivia las náuseas inmediatamente.

▶ Beber una taza de agua tibia media hora antes de cada comida puede prevenir las náuseas.

▶ Si está en la carretera y le dan náuseas, pare en el próximo restaurante y pida una cucharadita de jarabe de cola puro ("pure cola syrup") con un vaso de agua para beber después.

▶ Si está en casa y tiene un poco de refresco de cola o "root beer", revuélvala para que se le vaya el gas. Cuando el refresco ya no tenga burbujas, beba dos o tres onzas (60 ó 90 ml) para aliviar las náuseas.

☞ **ADVERTENCIA:** Busque atención médica si el dolor de estómago es fuerte o si viene acompañado por vómitos constantes.

Mareos causados por movimiento

Se cuenta la historia del capitán de un barco que anunció: "No hay esperanza. Estamos condenados. El barco se está hundiendo, estaremos todos muertos en una hora". Después de tan terrible anuncio, se escuchó la voz del pasajero más mareado que gritó: "¡gracias a Dios!".

Si alguna vez ha estado mareado en el mar, probablemente ya sabía cómo terminaba el chiste.

Remedios naturales

La mayoría de las personas piensa que el mareo por viajar en avión, por tierra o por mar, empieza en el estómago. ¡Pues no es así! Adivine de nuevo. Las sacudidas constantes de los canales semicirculares del oído causan problemas internos de equilibrio, los cuales producen los terribles síntomas de los mareos por movimiento. ¿Qué puede hacer? ¡Chupe un limón! En serio. Este es uno de los remedios que ha pasado la prueba del tiempo.

Estos son algunos otros remedios que pueden ayudarlo a sobrellevar esa terrible sensación.

▶ Hale o pellizque la piel de la parte interna de la muñeca, en el medio, a una pulgada (dos o tres centímetros) de la palma de la mano. Siga halando y pellizcando las muñecas alternando las manos hasta que se sienta mejor.

▶ Una taza de té de menta piperita ("peppermint") o de manzanilla ("chamomile") puede calmar el estómago y aliviar las náuseas.

Póngale sazón

▶ Mezcle ⅛ cucharadita de pimienta de cayena ("cayenne pepper") en una taza con agua tibia o con sopa y oblíguese a acabarla, por más que crea que esto acabará con usted. No lo hará. Pero es posible que detenga las náuseas.

▶ A la primera señal de mareo por movimiento, busque un peine de metal o un cepillo de alambre y pase los dientes por el dorso de las manos. Especialmente entre el pulgar y el índice, incluida la membrana que los separa. Es posible que sienta alivio en cinco o diez minutos.

▶ Déle un masaje vigoroso al cuarto y quinto dedo de cada mano, con más énfasis en las cercanías del nudillo del dedo meñique. Es posible que sienta alivio en menos de 15 minutos.

▶ Durante un ataque de mareo por movimiento, chupe un limón o beba jugo de limón recién exprimido para aliviar las náuseas.

▶ Para evitar el malestar del mareo por movimiento, un médico de la Universidad Brigham Young en Provo, Utah, recomienda tomar dos o tres cápsulas de jengibre ("ginger") en polvo, media hora antes de exponerse al movimiento.

O disuelva ½ cucharadita de jengibre en polvo en ocho onzas (235 ml) de agua tibia y bébalo unos 20 minutos antes de viajar.

▶ Este es uno de esos remedios "que no sabemos cómo funciona, pero da resultados". Con cinta adhesiva, fije una ciruela *"umeboshi"* (ciruela japonesa encurtida) directamente sobre el ombligo, justo antes de abordar el autobús, tren, auto, avión o barco. Esto debería prevenir

los mareos por movimiento. Puede comprar ciruelas "umeboshi" en las tiendas de alimentos naturales y en los mercados asiáticos.

Estas ciruelas contienen mucho calcio y hierro. Claro que para obtener estos beneficios es mejor comerlas que colocarlas sobre el ombligo.

Increíble pero cierto

▶ En cualquier medio de transporte, siéntese cerca de una ventanilla para poder mirar hacia fuera. Concéntrese en las cosas que están lejos, no en las que están cerca.

▶ En un avión, para garantizar el vuelo más tranquilo, elija un asiento ubicado por encima de las ruedas del avión, no cerca de la cola. Hay mucho más movimiento en la cola del avión.

▶ Un método mexicano para prevenir los mareos por movimiento consiste en mantener una moneda de cobre en el ombligo. Se dice que funciona especialmente bien en los autobuses muy llenos que viajan sobre caminos con baches y mal pavimentados.

▶ Durante por lo menos medio día antes de salir de viaje, consuma únicamente comidas líquidas que contengan casi nada de azúcar ni sal.

▶ Este remedio nos llegó desde Hawai, Afganistán y Suiza. Corte y deseche la parte de abajo de una bolsa grande de papel marrón. Luego corte la bolsa desde arriba hacia abajo, de modo que ya no sea un tubo, sino un pedazo largo de papel. Envuelva el pecho descubierto con el papel y fíjelo en el lugar. Vístase con su ropa habitual y viaje de esa manera. Se dice que esto previene los mareos por movimiento.

Mareos de mar

▶ Se cree que el té de mejorana ("marjoram") ayuda a prevenir los mareos de mar. Tome una taza de té tibio antes de ir a cubierta.

▶ Tome una cucharadita de *gomasio* (una mezcla de semillas de ajonjolí –"sesame seeds"– y sal marina que se puede comprar en las tiendas de alimentos naturales y en los mercados asiáticos) y mastíquelo todo lo que pueda antes de tragarlo. Esto debería librarlo de las náuseas.

NEURALGIA

El cuerpo humano contiene unas 45 millas (72 kilómetros) de nervios. La neuralgia es la inflamación de un nervio –puede ser el resultado de culebrilla (herpes zóster), fracturas o si un nervio queda presionado ("pinched nerve"). Un ataque de neuralgia es un dolor agudo insoportable en el torso, pero también puede ocurrir en la cara, por lo general cerca de la nariz, los labios, los ojos o las orejas.

La neuralgia es una afección médica grave que debe ser diagnosticada y tratada por un médico. Pero, con el consentimiento del médico, los siguientes remedios pueden ayudar.

Remedios naturales

▶ Para aliviar el dolor de un ataque, prepare un huevo duro. Sáquele la cáscara, corte el huevo por la mitad y cuando esté suficientemente frío para que no le queme, aplique ambas partes a la zona afectada. Cuando el huevo se enfríe por completo, el dolor debería haber desaparecido.

▶ Si tiene dolores neurálgicos en la cara, dése una ducha y deje que el chorro de agua caliente corra por la zona afectada. O pruebe con compresas de agua caliente si no aguanta la ducha caliente.

Oídos: dolor, infección y otros problemas

"Amigos, romanos, compatriotas, préstenme sus oídos…" –¡pero no si tienen dolor de oídos! Ni Marco Antonio (en su discurso de alabanza a César en la obra de William Shakespeare, *Julio César*) quería oídos inflamados, doloridos y con líquido. Pero si le arden los oídos, simplemente dígale a la gente que ¡deje de hablar de usted! ¿Ha oído las noticias? Los dolores y las infecciones de oídos pueden ser graves, no los ignore.

Dolor de oídos

El dolor de oídos es causado generalmente por una infección del oído medio como resultado de un resfriado o de una gripe. El dolor puede ser desproporcionado en relación con la gravedad del problema.

> **ADVERTENCIA:** Un dolor de oídos puede ser signo de una infección grave. Estos remedios no deben ser considerados como sustituto ni para determinar la causa del dolor de oídos ni del tratamiento médico apropiado.
>
> Si el dolor de oídos persiste, ¡no se haga el sordo! Consulte a un profesional de la salud para que lo diagnostique y lo trate.

Cuando el oído esté drenando –descargando líquido espeso o aguado por el canal– puede que haya ruptura del tímpano, e incluso una infección potencialmente grave. Si ese es el caso, busque atención médica *inmediatamente*.

Si el oído está drenando, no le ponga nada, a menos que tenga instrucciones médicas.

Remedios naturales

Es posible que usted mismo pueda determinar que un dolor de oídos no requiere atención médica en ese momento. *Solamente* en estos casos debería usted considerar los siguientes remedios. No se le ocurra probarlos si la piel está partida dentro o alrededor del oído.

▶ Ponga tres gotas de aceite de oliva tibio (no muy caliente) en el oído y tape el oído con una mota (bolita) de algodón, sin presionar. Haga esto tres o cuatro veces al día hasta que el dolor de oídos desaparezca.

▶ Mezcle el jugo de jengibre ("ginger") fresco rallado con igual cantidad de aceite de ajonjolí ("sesame oil"). Ponga tres gotas de la mezcla en el oído y tape el oído con una mota (bolita) de algodón, sin presionar. Quizá pique un poco, pero trate de dejarlo ahí por unas pocas horas.

Muerda, por favor

▶ Este remedio de la reflexología requiere un objeto para morder que sea estéril y firme. Lo ideal es uno de esos cilindros de algodón que usan los dentistas. También puede formar una bola con un pedazo de estopilla (gasa, "cheesecloth"), lo cual también funcionará.

Coloque el objeto estéril y firme detrás de la última muela del lado donde le duele el oído y muérdalo por cinco minutos. Esto estimula el punto de presión que va directamente al oído.

Repita este procedimiento cada dos horas hasta que el dolor desaparezca. Este proceso alivia el dolor de oídos y se sabe que también ha mejorado la audición.

▶ Otra manera eficaz de aliviar un dolor de oídos es poner una cataplasma analgésica de manzanilla (*vea* la "Guía de preparación" en la página 280) sobre el oído. Si no tiene manzanilla fresca, utilice un par de bolsitas de té de manzanilla.

Orejeras de cebolla

▶ Corte una cebolla grande por la mitad. Saque la parte de adentro de la cebolla de manera que la parte que quede le tape la oreja. Caliente la orejera de cebolla en el horno y luego póngala sobre la oreja. Asegúrese de que no esté demasiado caliente. Esto debería ayudar a eliminar el dolor.

▶ Mezcle ½ taza de salvado sin procesar ("unprocessed bran") y ½ taza de sal gruesa "kosher". Envuélvalo con un pedazo grande de estopilla (gasa, "cheesecloth") doblada. En otras palabras, envuélvalo de manera que no se desparrame. Luego, caliéntelo en el horno a fuego bajo hasta que esté tibio. Póngalo sobre el oído dolorido y déjelo ahí por una hora.

▶ Vierta aceite de ricino ("castor oil") en un pedazo de algodón. Póngale un poco de pimienta negra al algodón con aceite y aplíquelo al oído dolorido –no en el canal del oído, sino directamente sobre la oreja.

Centeno al rescate

▶ Si va a tener dolor de oídos, trate de tenerlo cuando esté horneando pan de centeno ("rye"). Todo lo que tiene que hacer es machacar una

onza (30 g) de semillas de alcaravea ("caraway seeds"). Luego añada una taza de migas de un pan suave, caliente y recién horneado y envuelva todo en un pedazo de estopilla (gasa, "cheesecloth"). Aplique al oído dolorido. Si usa un pan que ya está frío, caliéntelo un poco en el horno antes de aplicar.

Hielo, agua caliente, té... ¡qué alivio!

▶ La mayoría de los remedios para el dolor de oídos requieren que se coloque algo *tibio* sobre el oído. Angela Harris, una herbaria que reside en Las Vegas (*www.angelaharris.com*), cree que la bacteria que causa la infección prospera en el calor, por lo tanto ella prefiere aplicar algo *frío* sobre la oreja.

Mientras coloca una compresa de hielo en el oído afectado, ponga los pies en agua caliente –lo más caliente que tolere sin quemarse– y lentamente tome un té de hierbas que contenga un laxante suave (lo puede comprar en las tiendas de alimentos naturales). Haga este remedio de hielo, agua caliente y té por unos 15 minutos, tiempo suficiente para aliviar el dolor.

Infección de oídos

ADVERTENCIA: Si su infección de oído es dolorosa y persistente, busque atención médica. Es posible que tenga una dolencia grave que necesite tratamiento profesional.

Inflamación de oídos

▶ Mezcle una cucharada de leche y una cucharada de aceite de oliva o de aceite de ricino ("castor oil"). Luego caliente la mezcla en una sartén que no sea de aluminio.

Dosis: Cuando la mezcla se enfríe, ponga cuatro gotas en el oído inflamado cada hora y, con cuidado, tápelo con algodón. Asegúrese de que las gotas no estén muy calientes.

Inflamación de oídos con líquido

▶ Para preparar este remedio debe ir a una buena pescadería clásica italiana. Pida la espina blanda y transparente de un calamar ("squid"). Hornéela hasta que se ponga negra y pulverícela. Tómela oralmente –½ cucharadita antes del desayuno y otra ½ cucharadita antes de la cena– se dice que ayuda a aliviar la infección supurante de oídos.

Otitis de piscina

Si justo después de nadar nota que le duele cuando se toca o mueve el oído, es posible que tenga una infección en el canal auditivo llamada "otitis de piscina". Los siguientes remedios pueden traerle algo de alivio.

▶ Combine una gota de extracto de toronja ("grapefruit"), una gota de aceite de árbol del té (melaleuca, "tea tree oil") y dos gotas de aceite de oliva. Luego ponga la mezcla en el oído. Tape el oído suavemente con una mota (bolita) de algodón. Esto debería ayudar a despejar la infección.

▶ Para evitar infecciones, añada una cucharadita de vinagre blanco a cuatro cucharadas (dos onzas ó 60 ml) de agua recién hervida. Cuando el líquido se enfríe, embotéllelo. Justo después de nadar, ponga dos gotas de la mezcla de vinagre en cada oído. Tape cada oído con una mota (bolita) de algodón y manténgase así por unos 10 minutos.

Presión en los oídos

La clave para aliviar la presión causada por el despegue y el aterrizaje de un avión es masticar y tragar.

▶ La American Academy of Otolaryngology en Alexandria, Virginia, aconseja masticar chicle o chupar caramelos de menta –o cualquier cosa que le haga tragar más de lo habitual. Esté despierto cuando el avión ascienda y descienda para poder aumentar conscientemente la cantidad de veces que traga.

▶ Si tiene sueño, es bueno. Eso lo hará bostezar, lo cual es mejor que tragar ya que activa el músculo que abre la trompa de Eustaquio. Es así que el aire puede ser forzado a salir y entrar de la trompa de Eustaquio, y eso es lo que alivia la presión en los oídos.

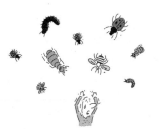

Otros problemas de oídos

¡Saque los insectos a la luz!

▶ ¡Estas cosas pasan! No con frecuencia, pero muy de vez en cuando, un insecto se mete en el oído de una persona. Ya que a los insectos les atrae la luz, si se le mete un insecto en el oído, ponga la oreja hacia el sol. Con suerte, el insecto saldrá volando. Si esto ocurre de noche, apague todas las luces de la habitación e ilumine el oído con una linterna.

▶ Si el insecto en el oído no responde a la luz, vierta una cucharadita de aceite de oliva tibio en el oído y déjelo ahí por un minuto o dos. Luego gire la cabeza al otro lado para que el aceite y el insecto puedan salir flotando.

Si esto no funciona, llene cuidadosamente su oído con agua tibia. Esto debería expulsar el insecto y el aceite.

Si nada de esto lo "desinsecta", vaya a un médico para que le saque el insecto.

¿Qué será, será... de la cera?

▶ Espolvoree pimienta negra en una cucharada de aceite de maíz (elote, "corn") tibio, luego sumerja una mota (bolita) de algodón en el aceite y coloque el algodón con cuidado en su oreja. Retire el algodón a los cinco minutos.

▶ Entibie en el microondas una cucharada de agua oxigenada ("hydrogen peroxide") del 3%. Póngase 10 gotas en el oído y déjela burbujear tres minutos. Luego gire la cabeza para que el líquido caiga sobre un pañuelo de papel. Con cuidado extraiga la cera con algodón suave. Repita el procedimiento con el otro oído.

También puede usar una solución de mitad agua y mitad agua oxigenada para irrigar y sacar la cera.

ATENCIÓN: Use motas (bolitas, "cotton balls") de algodón o hisopos (bastoncillos, "cotton swabs") solamente en la parte externa de la oreja para evitar daños en el tímpano.

▶ Entibie dos cucharaditas de aceite de ajonjolí ("sesame oil") y ponga una cucharadita de aceite en cada oído. *Asegúrese de que el aceite no esté muy caliente.* Con cuidado tape los oídos con una mota (bolita) de algodón y deje que el aceite circule un rato. Cuando el aceite de ajonjolí afloje la cera, se puede lavar los oídos completamente. El resultado –no tendrá más aceite, ni más cera.

Tinitus (tintineo en los oídos)

Si las campanas tintinean... y tintinean... y tintinean –usted puede tener tinitus.

NOTA: Aunque la mayoría de las personas con tinitus oyen campanas, otras pueden oír chasquidos, silbidos, estruendo, pitidos o chiflidos.

Se desconoce la causa exacta del tinitus, pero puede surgir por la pérdida de audición inducida por el ruido, exceso de cera, infecciones de oídos, problemas en la alineación de la mandíbula e incluso enfermedades cardiovasculares.

El tintineo de los oídos también puede ser el resultado de una sobredosis leve de *salicilato*, que se encuentra en la aspirina y otros medicamentos. Si esto es lo que le está causando el tintineo, éste debería desaparecer cuando deje de usar el medicamento.

▶ Si todavía escucha el tintineo (y no hay campanas cerca)... pruebe el jugo de cebolla.

Dosis: Ponga dos gotas de jugo de cebolla en los oídos, tres veces a la semana, para detener el tintineo.

▶ Aunque sea difícil de creer, ponerse una almohadilla de calor en los pies o en las manos puede aliviar el tintineo en los oídos. Está relacionado con la redistribución de la sangre, lo cual mejora la circulación y disminuye la presión en los sitios congestionados.

> ☞ **ADVERTENCIA:** Si el tintineo persiste, puede ser síntoma de una enfermedad más grave, en cuyo caso debe buscar atención médica.

▶ Nos enteramos de una mujer que durante años tuvo un constante zumbido en los oídos. Ninguno de los especialistas pudo ayudarla. Como último recurso, empezó a usar aceite de ricino ("castor oil"). Después de un mes, el tintineo disminuyó considerablemente. A los tres meses había desaparecido por completo.

Pruebe con tres o cuatro gotas en cada oído al día. Para sacarle todo el beneficio al aceite de ricino, tape el oído con una mota de algodón después de ponerse las gotas, y déjelo así durante la noche.

Adiós al tintineo con aceite y ajo

▶ En una licuadora, combine seis dientes de ajo grandes pelados y una taza de aceite de almendras ("almonds") o de aceite de oliva extra virgen prensado en frío. Licúe hasta que el ajo esté picado finamente. Luego limpie un frasco de vidrio vertiendo en él agua recién hervida.

Cuando el frasco esté seco, vierta la mezcla de ajo y aceite en el frasco, ciérrelo y déjelo en el refrigerador por siete días. Luego cuele el líquido del frasco en una botella con gotero.

Cuando se vaya a acostar, deje entibiar una pequeña cantidad del líquido, luego ponga tres gotas en cada oído y tápelos con motas (bolitas) de algodón. Quítese el algodón a la mañana. Si el tintineo va a parar, lo más probable es que pare en dos semanas.

Mantenga esta preparación siempre refrigerada, y no la guarde por más de un mes.

Pérdida de la audición

> ✎ **NOTA:** Busque atención médica profesional inmediatamente si tiene problemas para escuchar o una pérdida repentina de la audición.

▶ Un ruido fuerte, un resfriado con congestión o la acumulación de cera pueden causar pérdida parcial de la audición. En Sicilia, donde el ajo lo cura todo, hierven unos cuantos dientes de ajo en aceite de oliva, luego los machacan y cuelan el aceite. Todos los días, colocan tres o cuatro gotas de aceite con ajo

en el oído (o los oídos) y lo tapan con algodón. Se afirma que esto restaura la audición.

"¡Oye, ya puedo oír!"

"¡Qué bueno! He estado esperando para decirte algo… ¡hueles a ajo!"

Mejore su audición

Los ejercicios aeróbicos, incluso caminar vigorosamente o andar en bicicleta, pueden ayudar a evitar parcialmente el deterioro de la audición relacionado con la edad, y también el causado por la exposición a ruidos muy altos. El ejercicio también aumenta la capacidad de escuchar sonidos leves.

Estas buenas noticias son el resultado de los estudios realizados en la Universidad Miami en Oxford, Ohio, donde llegaron a la conclusión que el ejercicio aeróbico mejora la audición al hacer que la sangre circule en las células internas del oído, proporcionando más oxígeno y un mayor suministro de sustancias químicas que las protegen.

Asegúrese de consultar con su médico antes de empezar cualquier programa de ejercicios.

Solo un pinchazo

▶ Pinche la punta del dedo medio, cuatro veces al día, cinco minutos por vez. Antes de cada comida, pinche el dedo derecho. Después de cada comida, pinche el dedo izquierdo. Cuando se levante por la mañana, pinche el dedo derecho. Al acostarse a la noche, pinche el izquierdo.

El dedo derecho es para su oído derecho y el dedo izquierdo para el oído izquierdo, así que si necesita mejorar solo un oído, pinche solo ese lado. También puede usar una pinza para colgar ropa.

▶ Se afirma que esta potente poción verdaderamente restaura la audición –tome una onza (30 ml) de jugo de ajo con una onza (30 ml) de jugo de cebolla una vez al día. (*Vea* "Halitosis, mal aliento" en la página 58 ¡inmediatamente!)

OJOS ROJOS Y OTROS PROBLEMAS DE LOS OJOS

Cuán preciados son nuestros ojos y nuestra visión. ¿Cierto? ¡Cierto! Si es así, ¿qué ha hecho por sus ojos últimamente? ¿Sabe que hay alimentos para los ojos, ejercicios para fortalecerlos y puntos de acupresión para aliviar la vista cansada, lavados de ojos para que brillen esos ojos azules, marrones, grises o verdes, y alternativas naturales de curación?

Una vez vimos un anuncio en el consultorio de un optometrista que decía: "Si no ve lo que quiere, entonces está en el lugar adecuado".

Aquí es igual. Así que lea las siguientes sugerencias para el cuidado de sus ojos, o pídale a alguien que se las lea.

Ojos rojos

▶ Si usted no bebe en exceso ni duerme lo suficiente y todavía tiene los ojos rojos habitualmente, tal vez la causa sea sus lentes de contacto, o una alergia al maquillaje que usa, o una deficiencia de vitamina B_2 (riboflavina). Tome 15 mg de B_2 a diario. También puede tomar una cucharada de levadura de cerveza ("brewer's yeast") al día.

Use alguno de los lavados de ojos listados a partir de la página 145, y quizá le convenga probar el remedio con papas ralladas que figura bajo "Ojos morados" en la página 120.

Cataratas

Cuando el cristalino del ojo se pone opaco (nublado) –lo cual ocurre por el envejecimiento, una herida o una enfermedad sistémica como la diabetes– entonces tiene una catarata.

Hoy en día existen métodos nuevos y revolucionarios para eliminar las cataratas, en los cuales el paciente entra y sale en unas pocas horas del consultorio médico. Sin duda alguna, las cataratas tienen que ser tratadas y eliminadas por un profesional de la salud capacitado.

Remedios naturales

Mientras investiga las técnicas modernas actualizadas, quizá le convenga probar uno o más de los siguientes remedios naturales que le darán algo de alivio hasta que la catarata sea extraída por un profesional…

El abecé de la B y la C

▶ Unos investigadores científicos descubrieron que una deficiencia de vitamina B_2 (riboflavina) puede causar cataratas. Por lo tanto, es aceptable deducir que los suplementos de B_2 deberían ayudar a prevenir las cataratas y podrían también eliminar las ya existentes.

La levadura de cerveza ("brewer's yeast") es la mejor fuente de riboflavina. Tome una cucharada al día ó 15 mg de vitamina B_2. Además, tome un suplemento con las vitaminas del complejo B para evitar perder mucha vitamina B por la orina. También consuma

■ Receta ■

Remolachas en salsa de naranja

5 remolachas (betabel, "beets") medianas –1¼ libra (570 g)

6 tazas de agua

1 cdta. de sal

1 cda. de azúcar morena empaquetada ("packed brown sugar")

2 cdtas. de maicena (fécula de maíz, "cornstarch")

½ cdta. de sal

Una pizca de pimienta

¾ taza de jugo de naranja

2 cdtas. de vinagre

Corte y descarte todo salvo 2" (5 cm) de los tallos de las remolachas. Deje las remolachas enteras con las raíces. En una cacerola grande de tres cuartos de galón, caliente el agua y la sal hasta que hiervan. Agregue las remolachas y reduzca el fuego. Tape y cocine hasta que estén tiernas, unos 35 a 45 minutos. Escurra. Vierta agua fría sobre las remolachas, luego quite las cáscaras y las raíces. Corte las remolachas en tajadas de ¼" (½ cm).

En una cacerola de dos cuartos de galón (2 litros) mezcle la azúcar, la maicena, ½ cucharadita de sal y la pimienta. Agregue gradualmente, revolviendo, el jugo de naranja, luego el vinagre, siempre revolviendo. Cocine, revolviendo constantemente, hasta que la mezcla se espese y hierva. Hierva, revolviendo, un minuto. Agregue, revolviendo, las remolachas, y cocine hasta que esté caliente. Sirve 4.

Fuente: www.recipegoldmine.com

alimentos que contienen mucha vitamina B$_2$ –bróculi, salmón, frijoles (habichuelas, habas, judías, "beans"), germen de trigo ("wheat germ"), tallos de nabo ("turnip") y remolachas (betabel, "beets").

▶ La vitamina C previene el daño en la parte acuosa de las células, particularmente en la córnea y la retina. Un estudio de la Universidad Tufts informó que las mujeres que tomaron un suplemento de 325 mg de vitamina C diariamente, fueron 77% menos propensas a desarrollar cataratas que las mujeres que no tomaron el suplemento.

Tome 1.000 mg de vitamina C todos los días o coma alimentos que la contengan como el bróculi, las batatas (boniatos, camotes, papas dulces, "sweet potatoes"), las frutas cítricas y los pimientos dulces (ajíes, "bell peppers").

▶ Cada día masajee por cinco minutos la base de los dedos índice y medio (el segundo y el tercero), así como la membrana entre dichos dedos. La mano derecha ayuda al ojo derecho y la mano izquierda ayuda al ojo izquierdo.

▶ El famoso médico inglés del siglo XVII, Nicholas Culpeper, creía firmemente en el efecto curativo de los lavados de ojo con manzanilla para mejorar las cataratas. (*Vea* "Lavados de ojos" en la página 146).

Conjuntivitis

Si tiene los ojos rojos, aguados y le pican, quizá tenga alergias o simplemente polvo en el ojo. Pero si tiene los ojos MUY irritados, puede que tenga una enfermedad grave (y extremadamente contagiosa) llamada conjuntivitis ("pinkeye" en inglés).

ATENCIÓN: La conjuntivitis es una infección fuerte y contagiosa que puede ser viral, micótica o alérgica. Si la afección no muestra signos de mejoría en uno o dos días, vea a un profesional de la salud.

▶ Una vez al día, prepare una cataplasma (*vea* la "Guía de preparación" en la página 280) con manzanas ralladas o papas rojas crudas ralladas y colóquela sobre el ojo cerrado. Déjela ahí por media hora. La afección debería desaparecer por completo en dos días –tres a más tardar.

▶ Prepare té de manzanilla. Cuando se enfríe, úselo como lavado de ojos (*vea* la página 146) dos veces al día hasta que la conjuntivitis desaparezca.

Una planta curativa

▶ La planta eufrasia ("eyebright") es particularmente buena para el tratamiento de la conjuntivitis. Añada tres gotas de tintura de eufrasia (la puede comprar en las tiendas de alimentos naturales) a una cucharada de agua recién hervida. Deje enfriar y lave el ojo con la mezcla.

Ya que esta es una enfermedad muy contagiosa, lave bien el envase que usó para lavar el primer ojo; y mezcle otra tanda de eufrasia con agua antes de lavar el otro ojo. Haga esto tres o cuatro veces al día hasta eliminar la afección. O use los lavados de ojos listados en las páginas 146 y 147.

▶ El yogur de leche de cabra ("goat milk yogurt") también ayuda a aliviar esta desagrada-

---

Ojo cuando tiene los ojos secos

Hay cosas que debe evitar para que la afección de los ojos secos no empeore...

- No se seque el cabello con secador a menos que sea absolutamente necesario.
- No salga afuera sin anteojos (gafas) de sol. Los de tipo envolventes ("wraparound") son excelentes para que el viento no entre en contacto con los ojos.
- No permita que los sistemas de calefacción o de aire acondicionado en el hogar, el trabajo, el auto, o en un avión, le sequen los ojos. Mantenga la calefacción o el aire acondicionado al mínimo, y asegúrese de que los conductos no estén dirigidos hacia usted. Apáguelos completamente si no son realmente necesarios.
- No pase mucho tiempo sin pestañear. Las personas que trabajan frente a una computadora tienen este problema. Cada vez que haga clic en el ratón ("mouse"), pestañee. Cada vez que guarde un documento, pestañee. Cada vez que trague, pestañee. Haga todo lo necesario para acordarse de que tiene que pestañear con frecuencia, especialmente cuando esté sentado frente a una computadora.
- No use los lentes de contacto todo el tiempo.
- No fume. El humo del cigarrillo agrava el ardor y otros síntomas de los ojos secos.
- No llore. Agravará el problema. Las lágrimas que salen por las emociones eliminan los aceites que evitan la sequedad de los ojos.

---

ble afección. Aplique una cataplasma de yogur (*vea* la "Guía de preparación" en la página 280) sobre el ojo afectado (o sobre ambos, si es el caso) diariamente.

Además, coma una o dos porciones del yogur a diario. Los cultivos activos del yogur pueden proporcionarle bacterias benignas a su tracto gastrointestinal. Puede comprar yogur de leche de cabra en las tiendas de alimentos naturales, y en algunos mercados especializados, o lo puede pedir por Internet.

Ojos secos

Los conductos lacrimales que no producen suficiente fluido como para mantener los ojos húmedos pueden causar ojos secos, una afección incómoda que se caracteriza por irritación, sensación de quemazón y aspereza.

Lágrimas naturales

Averigüe sobre las lágrimas oculares homeopáticas para tratar el síndrome de los ojos secos. Las medicinas homeopáticas no tienen efectos secundarios y son bien toleradas incluso por los organismos más sensibles –restaurarán la salud en lugar de suprimir los síntomas.

> **NOTA:** Para obtener el mayor beneficio de las gotas para los ojos, hale el párpado inferior con cuidado y deje caer la gota en el bolsillito del ojo. Luego mantenga los ojos cerrados por unos dos minutos después de ponerse las gotas. Esto evitará que las gotas salgan del ojo al parpadear.

Las gotas Similasan Eye Drops son muy conocidas en Europa y ahora las puede conseguir en Estados Unidos. Para obtener más información sobre estas gotas homeopáticas, visite *www.allaboutvision.com/similasan* o llame a Similasan al 800-426-1644.

▶ Es posible que pueda eliminar completamente el uso de lágrimas artificiales al añadir ácidos grasos omega-3 a su dieta; esto puede aumentar la viscosidad de los aceites producidos por el organismo, principalmente en la piel y los ojos. Los omega-3 se encuentran en abundancia en pescados de aguas frías y en el aceite de linaza ("flaxseed oil"). Esto implica comer varias porciones de pescado a la semana –especialmente todas las variedades de salmón (excepto el ahumado) y atún blanco enlatado– y tomar aceite de linaza.

Le sugerimos que lea acerca de los abundantes beneficios del aceite de linaza y la semilla de lino en la sección "Seis Superalimentos maravillosos" en la página 291. Además, *vea* la receta de salmón a la derecha.

ATENCIÓN: Si está tomando medicamentos para diluir la sangre, tiene presión arterial elevada y sin controlar, algún problema hemorrágico o lo van a operar, consulte a su médico antes de tomar aceite de linaza.

▶ Ayude a sus ojos a hacer el trabajo que deberían hacer abriendo las glándulas sebáceas congestionadas de los párpados. Coloque una toallita blanca y tibia sobre los párpados cerrados. Déjela hasta que se enfríe –entre cinco y diez minutos. Haga esto varias veces al día –claro que mientras más veces lo haga, mejor.

Irritantes de los ojos

Productos químicos

▶ Si un producto químico, como tinte de pelo, entra en el ojo, lave a fondo el ojo inmediatamente con agua limpia y tibia. En la mayoría

---

■ Receta ■

Salmón escalfado con champán

½ taza de mostaza Dijon con miel

1½ cdta. de estragón ("tarragon") fresco, picado

4 filetes de salmón (6 a 8 onzas [170 g a 225 g] cada uno), sin escamas ni espinas

Sal y pimienta a gusto

2 tazas de champán

¼ taza de jugo de lima (limón verde, "lime") fresco

4 rodajas de cebolla roja

1 cda. de alcaparras ("capers")

4 ramitas de estragón ("tarragon sprigs") fresco

Mezcle la mostaza y el estragón. Deje a un lado.

Condimente ligeramente los filetes de salmón con sal y pimienta. Ponga en una cacerola suficientemente grande como para mantener el salmón en una capa. Agregue el champán, el jugo de lima y suficiente agua para cubrir el salmón. Retire el salmón y haga hervir el líquido.

Vuelva a poner los filetes de salmón en la cacerola. Por encima de cada filete ponga una rodaja de cebolla, algunas alcaparras y una ramita de estragón. Reduzca el fuego a lento, cubra la cacerola con papel de aluminio y escalfe a fuego lento no más de unos 6 a 10 min., según el grosor del salmón.

Retire los filetes de salmón del líquido y distribuya en cuatro platos calientes. Por encima de cada filete, vierta una onza (30 g) de la mezcla de mostaza y sirva.

Fuente: www.recipegoldmine.com

de los casos, después de haber lavado con agua la sustancia nociva, debería ir al médico para que le revise el ojo.

Polvo

▶ Cuando algo entre en el ojo, trate de no frotar el ojo. Eso lo irrita y hace más difícil saber si la partícula extraña salió o no. Agarre firmemente las pestañas del párpado superior entre los dedos pulgar e índice. Suavemente hale las pestañas hacia la mejilla, tanto como pueda sin arrancárselas. Manténgalas ahí, cuente hasta 10, escupa tres veces y suelte las pestañas.

Repita el procedimiento si es necesario. Si todavía no funciona, busque una cebolla y pruebe el próximo remedio.

▶ Pique finamente una cebolla y deje que las lágrimas naturales limpien su ojo.

Tenga un pañuelo de papel preparado. Con una mano, hale las pestañas de manera que el párpado superior no toque el ojo. Con la otra mano, coloque el pañuelo en el centro de la cara y sople la nariz tres veces.

▶ Entibie un poco de aceite de oliva puro en el microondas durante unos pocos segundos. Luego, con un gotero, ponga dos gotas en el ojo irritado.

¿Qué dice? ¿Que no tiene un gotero? Compre uno en una tienda de alimentos naturales o en una farmacia y póngalo en su botiquín de medicinas para este tipo de ocasión.

▶ Hasta que obtenga el gotero, puede intentar esto –ponga una gota de jugo de limón recién exprimido en una onza (30 ml) de agua tibia y lave el ojo con la mezcla. Puede arder al principio, pero debería eliminar el irritante.

▶ Si sus ojos están irritados por una partícula extraña, humo de la cocina o de cigarrillos, polvo, etc., ponga dos gotas de aceite de ricino ("castor oil") o de leche en cada ojo.

⚡ **ATENCIÓN:** Tenga cuidado al poner cualquier sustancia o líquido extraño en los ojos. Puede ser doloroso o podría causar una infección.

Ojos inflamados

▶ Pele y corte una manzana muy madura. Ponga los pedazos de la pulpa sobre los ojos cerrados, manteniendo los pedazos en su lugar con una venda o un pedazo de tela. Déjelo puesto por lo menos media hora para ayudar a aliviar la irritación y la inflamación.

▶ Una cataplasma de papa cruda rallada, papaya fresca machacada o remolacha (betabel, "beet") cocida machacada, alivia y estimula la curación. Aplique la cataplasma por 15 minutos dos veces al día.

Un consejo de moda

▶ Vuelva a usar las bolsitas de té ya remojadas. Asegúrese de que estén húmedas y suficientemente frías, y colóquelas sobre los párpados cerrados durante 15 minutos. (Este remedio es uno de los favoritos de las modelos cuando se despiertan con los ojos hinchados).

■ Receta ■

Ensalada de frutas con yogur y semillas de girasol ("sunflower seeds")

2 manzanas, picadas

2 naranjas, picadas

2 bananas (plátanos), picadas

2 peras, picadas

Manojo de arándanos azules
("blueberries")

2 melocotones (duraznos, "peaches")

Uvas, con o sin semillas, picadas

Piña (ananá) en trozos ("pineapple chunks") enlatada, escurrida

1 taza de coco ("coconut"), rallado

½ taza de semillas de girasol
("sunflower seeds") sin sal

¼ taza de miel

1 a 2 tazas de yogur de sabor natural
("plain yogurt")

Combine los ingredientes (agregue un poco más de miel si le gusta muy dulce). Utilice la cantidad de yogur que considera necesaria para que todo se una bien. Refrigere hasta que esté frío y sirva.

Fuente: www.recipegoldmine.com

▶ Machaque una cucharada de semillas de hinojo ("fennel seeds") y añádala a una pinta (½ litro) de agua recién hervida. Deje remojar 15 minutos, luego empape unas almohadillas de algodón ("cotton pads") en el líquido y póngalas sobre los párpados por unos 15 minutos.

▶ La hierba llamada cola de caballo ("horsetail") puede ayudar a aliviar los ojos hinchados (*vea* "Fuentes" en la página 329 para averiguar dónde se puede comprar).

Remoje una cucharadita de cola de caballo seca en agua caliente por 10 minutos. Empape unas almohadillas de algodón ("cotton pads") con el líquido y colóquelas sobre los párpados por 10 minutos. Vuelva a empapar las almohadillas en el líquido, luego manténgalas sobre los ojos por otros 10 minutos. Repita una vez más después de media hora y la inflamación debería disminuir.

▶ Poner pepino fresco picado sobre los párpados por unos 15 minutos alivia y cura.

▶ Además, use uno de los lavados de ojos de las páginas 146 y 147. Pruebe también el remedio de "las palmas" que está en la página 145.

Ojos hinchados

Conocemos a un hombre que tenía los ojos tan hinchados, que parecía que la nariz tuviera una silla de montar.

Una causa de los ojos hinchados puede ser el exceso de sal en la dieta. La sal causa retención de líquido y la retención de líquido causa la hinchazón. ¿Qué se puede hacer al respecto? Evite la sal. *Estas son algunas otras sugerencias...*

▶ Cuando quiera verse mejor, ponga el despertador una hora más temprano de lo habitual. Permita un poco más de tiempo para que los ojos se deshinchen. O si no, duerma sentado para no darle la oportunidad a las bolsas de formarse bajo los ojos.

▶ Si ya tiene los ojos hinchados, humedezca un par de bolsitas de té de manzanilla ("chamomile") con agua tibia y colóquelas sobre los ojos cerrados. Relájese 15 minutos.

Remedios **O**

Vista cansada

▶ Pinche las puntas de los dedos índice y medio (segundo y tercero) de cada mano, 30 segundos por dedo. Si la vista cansada no se alivia después de dos minutos, haga otra ronda de pinchazos.

▶ Las semillas de girasol ("sunflower seeds") contienen vitaminas, hierro y calcio que pueden ser extremadamente beneficiosos para los ojos. Coma a diario aproximadamente ½ taza de semillas sin cáscara, sin procesar y sin sal ("shelled, unprocessed, unsalted").

Eleve los pies

▶ Si tiene la vista cansada, es posible que el resto de su cuerpo también esté agotado. Acuéstese con los pies elevados a mayor altura que su cabeza. Relájese así por unos 15 minutos. El proceso de invertir la gravedad debería refrescar a usted y a sus ojos y alistarlo para seguir adelante.

▶ Corte dos tajadas finas de una papa roja cruda y déjelas sobre los párpados cerrados por lo menos 20 minutos. Se afirma que las papas rojas tienen una potente energía curativa, pero cualquier otro tipo de papa también da buenos resultados.

▶ Remoje romero ("rosemary") en agua caliente por 10 minutos. Use una bolsita de té de romero o una cucharadita de la hierba suelta en una taza de agua recién hervida. Empape una almohadilla de algodón ("cotton pad") con el té y manténgala sobre los ojos por 15 minutos. El romero debería ayudar a eliminar esa sensación de cansancio en los ojos.

■ Receta ■

Sopa fría checa de arándanos

3 tazas de arándanos azules ("blueberries")

4 tazas de agua

Pizca de sal

¼ cdta. de canela ("cinnamon")

1 cda. de azúcar granulada

1½ taza de crema agria ("sour cream")

6 cdas. de harina

Haga hervir 2 tazas de los arándanos azules en el agua. Agregue, revolviendo, la sal, la canela y la azúcar. Retire del fuego.

Agregue batiendo la harina a la crema agria, luego añada, siempre batiendo, al líquido caliente. Cuando esté bien mezclado, ponga nuevamente la olla en el fuego y haga hervir. Reduzca el fuego y revuelva hasta que espese.

Retire del fuego. Agregue, revolviendo, una ½ taza de arándanos azules y refrigere.

Cuando esté listo para servir, agregue, revolviendo, la ½ taza de arándanos azules restante y vierta por cucharones en tazones.

Fuente: www.recipegoldmine.com

Vea también el remedio de "las palmas" en la página 145 (en la sección "Para mejorar la vista").

Prevención de la vista cansada

▶ Mirar tinta roja sobre papel blanco por largos periodos de tiempo puede causar cansancio de la vista y dolores de cabeza. ¡Aléjese del rojo!

141

Espasmos del ojo

▶ La tensión y el estrés pueden causar que el párpado se contraiga en espasmos. Además de tomar unas relajantes vacaciones de dos semanas, debería tratar de comer más alimentos ricos en calcio.

Según algunos nutricionistas, los adultos pueden (y deben) obtener todo el calcio que necesitan de alimentos no lácteos –verduras, semillas de ajonjolí ("sesame seeds"), granos integrales, cereales sin procesar ("unrefined"), salmón y sardinas enlatadas, leche de soja y otros productos de soja, incluido el "tofu".

Glaucoma

El glaucoma es una pérdida de la vista que normalmente ocurre de repente y sin síntomas. La visión se deteriora cuando está dañado el nervio óptico, pero pueden haber otros factores involucrados. Si tiene problemas con la vista ¡vaya a un especialista capacitado! La detección precoz y el tratamiento temprano pueden desacelerar, y aún detener, el progreso del glaucoma.

⚡ **ATENCIÓN:** El glaucoma es una afección grave. Antes de usar cualquier remedio casero, asegúrese de consultar con un oftalmólogo.

▶ La deficiencia de vitamina B$_2$ (riboflavina) es una de las deficiencias de vitamina más

comunes en Estados Unidos. La B$_2$ es también la vitamina más beneficiosa para problemas en los ojos como el glaucoma. Tome 100 mg al día, junto con un suplemento con las vitaminas del complejo B. (La razón por la cual debe tomar el suplemento de las vitaminas B es que grandes cantidades de una de las vitaminas B puede llevar a la eliminación de las otras vitaminas B a través de la orina).

▶ Lave los ojos a la mañana y a la tarde con un lavado de ojos de semillas de hinojo ("fennel"), manzanilla ("chamomile") o eufrasia ("eyebright") –*vea* las páginas 146 y 147 para averiguar cómo usar estos lavados de ojos.

⚡ **ATENCIÓN:** Tenga cuidado al poner cualquier sustancia o líquido extraño en los ojos. Podría ser doloroso o causar una infección.

Visión nocturna

▶ Coma arándanos azules ("blueberries") cuando estén en temporada. Pueden ayudarle a restaurar la visión nocturna.

▶ ¿Ha escuchado el viejo chiste que dice que las zanahorias son buenas para la vista? Pues, ¿acaso ha visto un conejo con anteojos (gafas)? Coma dos o tres zanahorias al día (crudas o cocidas) y/o tome un vaso de jugo de zanahoria fresco. Es excelente para aliviar la ceguera nocturna.

▶ Coma más berro ("watercress") en ensaladas y/o beba té de berro.

Orzuelos

Si tiene un bultito rojo y doloroso en el párpado, entonces ¡tiene un orzuelo! El orzuelo surge cuando las glándulas sebáceas del párpado se infectan e inflaman. Algunos remedios naturales pueden aliviar la molestia.

▶ Ponga un puñado de perejil ("parsley") fresco en un bol de sopa. Vierta una taza de agua hirviendo sobre el perejil y deje remojar por 10 minutos. Empape una toallita limpia en el agua de perejil caliente, acuéstese, ponga la toallita sobre los párpados cerrados y relájese 15 minutos. Repita el procedimiento antes de acostarse. El agua con perejil también es buena para aliviar los ojos hinchados.

▶ Humedezca una bolsita de té común (no de hierbas), colóquela sobre el ojo afectado (cerrado), sujétela con una venda y déjela ahí todo el tiempo que pueda. Esperamos que pronto pueda decirle adiós al orzuelo.

Como anillo al dedo

▶ Frote el orzuelo tres veces con un anillo de bodas de oro. Cuando empezamos a reunir información para este libro, decidimos no usar ningún remedio que sonara ridículo o que tuviera orígenes supersticiosos. Sin embargo, este remedio para los orzuelos debe tener alguna credibilidad, ya que proviene de muchas fuentes respetables.

Afortunadamente para nosotras, pero desgraciadamente para los objetivos de la investigación, ninguna de nosotras ha tenido un orzuelo desde que comenzamos a preparar este libro, así que no hemos podido probar el remedio del anillo de bodas.

El té de banchá

▶ Las hojas de banchá asadas ("roasted-bancha leaves") se usan para preparar un té japonés popular; puede comprar bolsitas de este té en la mayoría de las tiendas de alimentos naturales

en Estados Unidos. Remoje una bolsita de té en agua caliente por 10 minutos y añada una cucharadita de sal marina ("sea salt", que puede comprar en las tiendas de alimentos naturales y también en los supermercados). Empape una almohadilla de algodón ("cotton pad") en el líquido tibio y aplíquelo al ojo cerrado, dejándolo durante 10 minutos por vez, tres veces al día.

▶ Además del remedio de té de banchá –o en lugar de éste– aplique con toques suaves un poco de aceite de ricino ("castor oil") varias veces a lo largo del día, hasta que desaparezca el orzuelo.

Prevención de los orzuelos

▶ Lydia fue a la escuela con Madeline, una chica a quien la llamaban cariñosamente "Sty", "orzuelo" en inglés, porque siempre parecía tener un orzuelo.

Si es propenso a los orzuelos como lo era Madeline, prepare todas las mañanas una taza de té fuerte de semillas de bardana ("burdock"), y tome una cucharada antes de cada comida y una cucharada antes de irse a la cama.

Ceguera por la nieve

La ceguera por la nieve es causada al estar expuesto a grandes extensiones de nieve o de hielo por un largo periodo de tiempo.

ATENCIÓN: La ceguera por la nieve es una afección grave que puede causar cataratas y daño en la retina. Como protección debe usar anteojos (gafas) de sol o anteojos de nieve.

► Los esquiadores piensan que este remedio es útil para enfrentar grandes extensiones de nieve blanca. Coma un puñado de semillas de girasol ("sunflower seeds") al día. (Cómprelas sin cáscara, crudas y sin sal).

En poco tiempo, puede resultarle más fácil a los ojos adaptarse al brillo de la nieve, gracias a las semillas de girasol… y a un buen par de anteojos de sol o anteojos de nieve.

Fortalecedores de ojos

► Aplique una toallita empapada en agua fría a los párpados, las cejas y la cien todas las mañanas, tardes y noches, entre cinco y diez minutos por vez.

Véalo todo color de rosas

► Vierta un puñado de pétalos de rosa (los pétalos son más potentes cuando las flores se marchitan) en una olla pequeña y cúbralos con agua. Caliente a fuego mediano. Cuando el agua hierva, saque la olla del fuego y deje enfriar. Luego cuele el agua en una botella y ciérrela bien.

Cuando los ojos se pongan rojos y los sienta cansados y débiles, trátelos con el agua de pétalos de rosa. Empape con el líquido una toallita o almohadillas de algodón ("cotton pads"), colóquelas sobre los ojos cerrados y manténgalas entre 15 y 30 minutos. Seguramente verá todo color de rosa y estará feliz.

► Esta es una manera interesante de terminar el día. Prepare una vela, una silla con el respaldo recto y un reloj que suene a los cinco minutos. Encienda la vela y póngala a 18 pulgadas (45 cm) de la silla. Siéntese en la silla, sin cruzar los pies, dejándolos planos sobre el suelo. La vela debe estar al nivel de la parte superior de la cabeza.

Ponga el reloj para que suene a los cinco minutos. Luego, usando los dedos índice, mantenga los párpados abiertos mientras mira fijamente la vela sin parpadear. Saldrán lágrimas.

■ Receta ■

Zanahorias con perejil y limón

1 libra (450 g) de zanahorias cortadas en tajadas de ¼" (½ cm) de espesor (alrededor de 3 tazas)
2 cdas. de agua
2 cdas. de mantequilla o margarina
1 cda. de azúcar granulada
1 cda. de perejil ("parsley"), recién picado
½ cdta. de cáscara de limón rallada
2 cdtas. de jugo de limón
¼ cdta. de sal

En una cazuela (fuente para hornear) de 2 cuartos de galón con tapa de vidrio, ponga las zanahorias y el agua. Cocine, tapado, en el microondas a nivel máximo (de 700 vatios o watts) por 8 ó 9 minutos, hasta que estén crujientes y tiernas, revolviendo una vez después de 5 minutos. Escurra. Agregue, revolviendo, la mantequilla, la azúcar, el perejil, la cáscara de limón, el jugo de limón y la sal. Cocine, tapado, en el microondas a nivel máximo entre 1 y 1½ minuto, hasta que esté completamente caliente. Rinde 4 porciones.

Fuente: www.recipegoldmine.com

No se las limpie. Haga esto un día sí y otro no por dos semanas. Luego deje de hacerlo por dos semanas. Entonces empiece el ejercicio de nuevo, un día sí y otro no, por dos semanas.

Cuando su vista se fortalezca lo suficientemente, apague la vela para siempre.

Para mejorar la vista

▶ ¿Ha escuchado decir que las zanahorias son buenas para la vista? ¡Pues, es verdad! Tome entre cinco y seis onzas (150 y 175 ml) de jugo de zanahoria fresco dos veces al día por al menos dos semanas. Claro que necesita tener un extractor de jugo o una tienda de jugos cercana. Después de dos semanas, reduzca a un vaso de jugo de zanahoria al día... ¡para siempre!

ADVERTENCIA: Si tiene problemas de candidiasis o infecciones causadas por hongos, olvídese del jugo de zanahoria. Su alto contenido de azúcar puede contribuir a esta afección.

▶ Según el difunto J.I. Rodale, pionero de la agricultura orgánica sin sustancias químicas y fundador de la revista *Prevention*, las semillas de girasol ("sunflower seeds") son un alimento milagroso. Estamos de acuerdo. Coma un puñado (sin cáscara, crudas y sin sal) al día.

Hay que andar con mucho ojo

▶ Hemos oído que llevar puesto un arete (pendiente) de oro en la oreja izquierda mejora y protege la vista, pero pensamos que era una superstición inútil.

Luego leímos en el libro de David Louis, *2,201 Fascinating Facts* (editado por Greenwich House) que los piratas creían que perforarse las orejas y ponerse aretes mejoraba la vista

– y es posible que los aventureros estuvieran en lo cierto.

La idea, que ha sido objeto de burlas durante siglos, ha sido evaluada a luz de las recientes teorías de acupuntura, las cuales afirman que el punto del lóbulo donde se perfora la oreja, es el mismo punto que controla los ojos.

Mmm, a llevar esos aretes de oro.

El poder de las palmas

▶ Hemos investigado ampliamente "dar palmadas" ("palming") y ni siquiera dos de nuestras fuentes están de acuerdo en el procedimiento. Les daremos un par de variantes. Pruébelas y vea cuál funciona mejor para usted.

Siéntese (todos coinciden en esto). Frote las manos hasta que sienta calor. Ponga los codos sobre la mesa, luego ponga las bases de ambas manos sobre los ojos para bloquear toda la luz. Algunos creen que es mejor tener los ojos abiertos en la oscuridad mientras otros prefieren tenerlos cerrados. El tiempo que deber estar sentado también oscila –entre dos y 10 minutos.

"Dar palmadas" es beneficioso para mejorar la vista, para la miopía, los ojos cansados, el astigmatismo y la inflamación... y puede contribuir a que las personas dejen de entrecerrar los ojos para ver mejor.

Limpiadores de anteojos

▶ Para evitar rayas en sus anteojos (gafas), límpielos con un pañito sin pelusa y un poquito de vinagre o de vodka.

Los mejores lavados caseros

Las gotas comerciales para los ojos eliminan el enrojecimiento porque contienen un

Alerta roja (para los ojos rojos)

Si usa lágrimas artificiales ("artificial tears"), *no use* ningún producto que promete quitarle el enrojecimiento (en inglés, "get the red out"). Cuando tiene los ojos rojos, es porque existe un problema. El cuerpo maneja este problema agrandando las delicadas venas y los vasos sanguíneos de los ojos. Las gotas oculares ("eye drops") que quitan el enrojecimiento son vasoconstrictores que contraen esas venas para que no se vean. Esto no es bueno y solo enmascara temporariamente el problema.

Además, los ojos se pueden volver dependientes a estas gotas y cuando las deje de usar el problema empeorará y los vasos sanguíneos estarán más dilatados que antes.

Cuando use lágrimas artificiales, asegúrese de que la caja indique que no contienen conservantes (*"preservative-free"* o *"non-preserved"*, en inglés). Los conservantes de las lágrimas artificiales pueden dañar los ojos.

descongestionante que constriñe los vasos sanguíneos. Usar estas gotas de forma seguida puede empeorar el problema. Los vasos sanguíneos se expandirán de nuevo y cada vez en menos tiempo. Prepare sus propias gotas con las siguientes hierbas, o simplemente enjuague los ojos con estos lavados de ojo.

NOTA: Es importante asegurarse de que todos los ingredientes sean higiénicos –y que hayan sido hervidos o esterilizados.

Eufrasia

▶ Para preparar un lavado de ojos de eufrasia ("eyebright"), añada 1 onza (30 ml) de eufrasia seca a 16 onzas (½ litro) de agua hirviendo y deje remojar por 10 minutos. Cuele la mezcla cuidadosamente con un colador súper fino o una muselina sin blanquear ("unbleached muslin"). Espere hasta que esté suficientemente fría para usarla.

▶ Añada tres gotas de tintura de eufrasia a una cucharada de agua hervida y espere hasta que esté suficientemente fría para usar.

Manzanilla

▶ Añada una cucharadita de flores de manzanilla ("chamomile") seca a una taza de agua recién hervida. Deje remojar cinco minutos y cuele la mezcla cuidadosamente con un colador súper fino o una muselina sin blanquear ("unbleached muslin"). Espere hasta que esté suficientemente fría para usar.

▶ Añada 12 gotas de tintura de manzanilla a una taza de agua hirviendo. Espere hasta que esté suficientemente fría para usar.

Semillas de hinojo

▶ Añada una cucharadita de semillas de hinojo ("fennel") trituradas a una taza de agua hirviendo. Deje remojar cinco minutos y cuele la mezcla cuidadosamente con un colador súper fino o una muselina sin blanquear ("unbleached muslin"). Espere hasta que esté suficientemente fría para usarla.

Zanahorias

▶ Lave bien un manojo de zanahorias y corte los extremos superiores. Ponga un puñado de extremos de zanahoria limpios en un jarro de agua destilada caliente. Deje estar. Cuando se enfríe, use el agua de zanahoria para lavar los ojos.

Puede beber el líquido sobrante. Esta bebida debería ayudar a los ojos y también fortalecer los riñones y la vejiga. (*Vea* la receta en la página 144).

▶ Mezcle una gota de jugo de limón en una onza (30 ml) de agua destilada y úsela como lavado de ojos. Es especialmente eficaz cuando los ojos han sido expuestos al polvo, humo de cigarrillo, luces muy brillantes o compuestos químicos en el aire.

Instrucciones para los lavados de ojos

✎ **NOTA:** Siempre debe quitarse los lentes de contacto antes de hacerse un lavado de ojos.

Necesitará un envase para los lavados de ojos ("eye cup" en inglés, el cual se puede comprar en las farmacias). Con cuidado vierta agua hirviendo en el envase para esterilizarlo. Sin contaminar el borde ni el interior del envase, llénelo hasta la mitad con el lavado de ojos que haya escogido.

Inclínese hacia adelante, acerque el envase al ojo lo más posible para evitar derramar el líquido, luego incline la cabeza hacia atrás. Abra el ojo ampliamente y rote el globo ocular para lavar el ojo completamente.

Inclínese de nuevo hacia adelante y quite el envase. Limpie de nuevo el envase y siga el mismo procedimiento con el otro ojo.

OLOR CORPORAL

Si tiene problemas de mal olor en las axilas, levante la mano. ¡Uy, mejor no! En cambio, pruebe uno de los siguientes remedios. Pueden ayudarle a combatir el hedor de las axilas —o de cualquier parte del cuerpo que huela mal.

▶ Dúchese, luego prepare jugo de nabo. Ralle un nabo ("turnip"), extraiga el jugo a través de una estopilla (gasa, "cheesecloth") hasta que obtenga dos cucharaditas. Ahora levante los brazos y dése un masaje vigoroso con una cucharadita del jugo de nabo en las axilas.

Remedios alimentarios

▶ El sentido del olfato de una amiga vegetariana es tan agudo que puede estar al lado de alguien y darse cuenta si esa persona come carne o no.

Si usted come mucha carne o aves y tiene problemas de olor corporal, cambie su dieta. Disminuya el consumo de carne y aves y esfuércese por comer verduras de hojas verdes. Notará una gran diferencia en poco tiempo. Es probable que no transpire menos, pero el olor no será tan fuerte, y el cambio de dieta será más saludable para usted en general. Incluso se lo agradecerán las personas que van con usted en el ascensor. (*Vea* la receta en la página 148).

La grama es verde...

▶ Además de comer verduras de hojas verdes, tome diariamente una cápsula de 500 mg de jugo en polvo de hierba de trigo ("wheat grass"). O, si la tienda de alimentos naturales cercana vende jugo fresco de hierba de trigo, tome una onza (30 ml) a primera hora de la mañana. Bébalo con el estómago vacío y tome de manantial. La clorofila puede disminuir los olores corporales en forma impresionante o eliminarlos por completo.

▶ Si el estrés le hace transpirar en exceso, lo cual causa olores corporales desagradables, tome té de salvia ("sage"). Ponga 1½ cucharadita de salvia seca, o dos bolsitas de té, en una taza

■ Receta ■

Ensalada orgánica con hierbas

Mezcla de verduras orgánicas – arúcula
("arugula"), espinaca ("spinach"),
lechuga romana ("romaine lettuce"),
endibia ("endive"), etc.

Tomates orgánicos, cortados en cubitos

Brotes de girasol ("sunflower sprouts")

Champiñones (hongos, setas) cortados
en tajadas ("sliced mushrooms")

Pimientos (ajíes, "peppers") amarillos,
cortados en tajadas

Albahaca ("basil"), picada finamente

Orégano seco

Menta ("mint")

Tomillo ("thyme")

Perejil ("parsley")

Aderezo para ensalada estilo italiano,
sin grasa ("non-fat")

1 cda. de vinagre balsámico
("balsamic vinegar") blanco

Pimienta molida fresca, a gusto

En un bol grande para ensalada o fuente para servir, mezcle partes iguales de cada verdura –ajuste la cantidad según el número de porciones deseadas. Coloque los tomates, los brotes de girasol, los champiñones, los pimientos amarillos y cualquier otro vegetal orgánico sobre las verduras.

Luego esparza las hojas de hierbas frescas, picadas o enteras, por encima. Cubra el bol o la fuente con papel plástico ("plastic wrap") o papel de aluminio ("aluminum foil") y refrigere.

Justo antes de servir, agregue 1 cda. de vinagre balsámico a ¼ taza de aderezo italiano para diluir el aderezo y darle el sabor característico del vinagre balsámico. También puede usar vinagre balsámico rojo, o jugo cítrico fresco. Condimente a gusto con pimienta molida fresca (especialmente pimienta roja o verde en granos –"peppercorns").

Fuente: www.recipegoldmine.com

de agua. Deje remojar el té 10 minutos. Tómelo en pequeñas dosis a lo largo del día. El té debería ayudarlo relajarse y disminuir la transpiración.

NOTA: Siempre lave cuidadosamente las frutas y verduras crudas para disminuir el riesgo de enfermedades transmitidas a través de los alimentos.

▶ ¡Para no apestar, zinc debe tomar! Se atribuye este eslogan a un hombre de Pensilvania que eliminó sus olores corporales tomando 30 mg de zinc por día. En dos semanas, olía a rosas.

ATENCIÓN: El zinc produce dolores de estómago en algunas personas. Además, grandes cantidades de zinc pueden aumentar el riesgo en los hombres de contraer cáncer de próstata. Consulte a su médico sobre la dosis adecuada antes de tomar un suplemento de zinc.

PIEL: ACNÉ, MANCHAS Y OTROS PROBLEMAS

La piel es el órgano más grande del cuerpo humano. Un adulto de tamaño normal tiene alrededor de 17 pies cuadrados (más de 1½ metro cuadrado) de piel. Gruesa o delgada, la piel pesa unas cinco libras (2¼ kilos).

Cinco libras de piel que cubren 17 pies cuadrados de superficie corporal... eso deja mucho espacio para erupciones, cortaduras, llagas, roces, raspaduras, rasguños y picazones.

Alguien llamado Anónimo dijo una vez: "La dermatología es la mejor especialidad. El paciente casi nunca muere –y nunca mejora".

Esperamos que los siguientes remedios demuestren que el Sr. Anónimo se equivocó en cuanto a la última observación.

Acné

Cuando la suciedad y la grasa tapan los poros de la piel, puede aparecer el acné (puntos blancos o negros). Si las bacterias quedan atrapadas, la piel se inflama y se pone roja –y como resultado, a usted le salen granos.

Lavarse la piel con regularidad con un jabón suave y agua tibia es la mejor manera de prevenir el acné. Pero para eliminar rápidamente los granitos, pruebe una de las siguientes soluciones.

Antídotos contra el acné

Es posible que estos remedios no produzcan resultados impresionantes de la noche a la mañana. Elija uno y póngalo a prueba durante por lo menos dos semanas. Si para entonces no ve ninguna mejoría, pruebe con otro remedio.

▶ Mezcle cuatro onzas (115 g) de rábano picante ("horseradish") con una pinta (½ litro) de alcohol de 45% ("90-proof"). Añada una pizca de nuez moscada ("nutmeg") rallada y la ralladura de una cáscara de naranja agria (la puede comprar en las tiendas de alimentos naturales). Usando un pedazo de algodón esterilizado, aplique la solución con toques suaves sobre cada grano, todas las mañanas y todas las noches.

▶ Angela Harris (*www.angelaharris.com*), una herbaria que reside en Las Vegas, nos dio este remedio suramericano que ha usado para limpiar los rostros de mucha gente.

Lávese la cara con un jabón suave y agua caliente. Luego aplique una capa delgada de aceite de oliva extra virgen prensado en frío. No lo enjuague. Deje que la piel absorba completamente el aceite de oliva. (Angela enfatizó la importancia de usar "aceite de oliva extra virgen").

Haga esto tres veces al día. Según Angela los granos desaparecen en menos de una semana. Luego, para mantener la piel sana, lávese la cara y aplique el aceite una vez por día.

▶ Una vez al día, pulverice en una licuadora ⅓ taza de avena ("oats") sin cocinar. Añada agua –un poco menos de ⅓ taza– hasta que tenga la consistencia de una pasta. Aplique la pasta sobre los granitos. Deje puesta esta papilla aliviadora y curativa hasta que se seque y empiece a desmenuzarse. Enjuague con agua tibia.

✎ **NOTA:** Lávese siempre la cara con agua tibia. El agua caliente puede causar la ruptura de vasos capilares (venitas), al igual que el agua fría.

▶ Extraiga el jugo de un pepino ("cucumber") con un extractor de jugos. Con una brocha de pastelería ("pastry brush"), aplique el jugo de pepino sobre las zonas afectadas. Déjelo estar por lo menos durante 15 minutos, luego enjuague bien con agua tibia. Hágalo diariamente.

▶ Una vez al día, hierva ⅓ taza de suero de leche ("buttermilk"). Mientras esté caliente, añada suficiente miel para que tenga una consistencia espesa y cremosa. Con una brocha de pastelería, aplique la mezcla fría sobre el acné. Déjela estar por lo menos 15 minutos. Enjuague con agua tibia.

▶ Este es un remedio fuerte para el acné que se toma internamente. El primer día, antes de desayunar –o durante el desayuno– mezcle dos cucharaditas de levadura de cerveza ("brewer's yeast"), una cucharada de gránulos de lecitina ("lecithin") y una cucharada de aceite de alazor (cártamo, "safflower") prensado en frío, en un vaso de jugo de manzana puro.

El segundo día, añada otra cucharadita de levadura de cerveza y otra cucharadita de gránulos de lecitina. Cada día, añada otra cucharadita de levadura de cerveza y otra de gránulos de lecitina hasta llegar a las dos cucharadas (un total de seis cucharaditas) de levadura de cerveza, y casi la misma cantidad de lecitina, junto con la cucharada de aceite de alazor; todo mezclado en un vaso de jugo de manzana.

A medida que esta mezcla desintoxica su organismo y elimina el acné, debería también darle más brillo a su cabello y más energía.

✎ **NOTA:** Se aconseja seguir este proceso solo bajo supervisión médica –y si puede, quédese cerca de un baño.

▶ Mezcle el jugo de dos dientes de ajo con la misma cantidad de vinagre, y aplique con toques suaves sobre los granos todas las noches. El acné debería desaparecer en dos o tres semanas.

▶ Cocine a fuego lento en ½ taza de miel, una cebolla mediana cortada en tajadas, hasta que se ablande. Luego machaque la mezcla hasta que tenga la consistencia de una pasta suave. Asegúrese de que esté fría antes de aplicarla sobre las manchas. Déjela estar por lo menos una hora. Luego enjuáguese con agua tibia. Repita el procedimiento todos los días hasta que pueda decir: "¡Mira, mamá, ya no tengo granos!"

▶ Coma arroz moreno ("brown rice") con frecuencia, ya que contiene aminoácidos que son buenos para las manchas en la piel.

▶ Unas cuatro horas antes de acostarse, remoje una taza de fresas (frutillas, "strawberries") machacadas en dos tazas (una pinta, ½ litro) de vinagre blanco destilado. Deje remojar hasta que esté listo para acostarse. Escurra la pulpa y las semillas, dése un masaje en la cara con el líquido restante ¡y duerma muy bien!

No es tan desastroso como suena. El líquido se seca antes que la cara toque la almohada. Por la mañana, lávese la cara con agua fría. Este es un excelente limpiador y astringente para la piel con manchas.

Cicatrices de acné

▶ Para ayudar a eliminar las cicatrices del acné, mezcle una cucharadita de nuez moscada ("nutmeg") en una cucharadita de miel y aplique en el lugar de las cicatrices. Después de 20 minutos, enjuague con agua fría.

Haga esto dos veces por semana, y esperemos que dentro de un par de meses haya una mejoría.

Puntos negros

▶ Antes de acostarse, frote los puntos negros con jugo de limón. Espere hasta la mañana para enjuagar con agua fría. Repita este procedimiento varias noches seguidas, y notará una gran mejoría.

Piel muerta y poros agrandados

▶ Una amiga nuestra usa el aderezo de ensaladas Miracle Whip para eliminar la piel muerta y achicar los poros. Se lo pone en la cara y lo deja unos 20 minutos. Luego se enjuaga la cara primero con agua tibia, y después con agua fría.

Ella afirma que ninguna otra mayonesa funciona tan bien como Miracle Whip. Tal vez por eso sea que en inglés la llaman milagrosa ("Miracle").

▶ La papaya contiene una enzima llamada papaína, que según dicen es una maravilla para el cutis. Lávese la cara y el cuello. Saque la pulpa de la papaya (es un almuerzo delicioso) y frote la piel con la parte interna de la cáscara de la papaya. Se secará dejando una máscara transparente. Después de 15 minutos, enjuague con agua tibia.

Además de eliminar la piel muerta y achicar los poros, puede lograr que algunas pecas claras desaparezcan.

▶ Para ayudar a achicar los poros, pulverice ⅓ taza de almendras ("almonds") en una licuadora. Añada suficiente agua para darle la consistencia de una pasta. Frote la mezcla suavemente sobre los poros agrandados, desde la nariz hacia fuera y hacia arriba. Déjelo en la cara por una media hora, luego enjuague con agua tibia.

Como enjuague final, mezcle ¼ taza de agua fría con ¼ taza de vinagre de sidra de manzana ("apple cider vinegar") y salpique en la cara para achicar los poros.

Para obtener los mejores resultados, hágase este tratamiento de almendras regularmente.

Poros súper agrandados

▶ Nos referimos a poros *muy, muy grandes.* Todas las noches durante una semana, o por el tiempo que dure un envase de suero de leche ("buttermilk"), lávese la cara; luego empape en suero de leche un pedazo de algodón absorbente

y dése toquecitos con él por toda la cara. Después de 20 minutos, sonría. Es una sensación muy extraña. Enjuague el suero de leche seco con agua fría.

✎ **NOTA:** La sonrisa es opcional.

Heridas y llagas

Es mejor que un profesional de la salud trate las llagas abiertas o infectadas. Mantenga limpia la herida y consulte al médico tan pronto como pueda.

⚡ **ATENCIÓN:** Si una herida está sangrando profusamente, aplique presión directa, preferentemente con un vendaje estéril y busque atención médica inmediatamente. Si una llaga no empieza a sanar en unos cuantos días, vaya al médico.

Si una herida o una llaga que sangra NO es grave, los siguientes remedios pueden ayudar. Pero tenga en cuenta que hay un riesgo de infección cuando se aplican sustancias naturales o sin procesar en una llaga o herida abierta. Si la infección persiste y la llaga no sana, consulte a un profesional de la salud.

¡Esto va a picar!

▶ El limón es un desinfectante eficaz y también ayuda a detener el sangrado de un corte. Exprima un poco de jugo de limón sobre el corte y prepárese para cuando le pique.

▶ Espolvoree un poco de pimienta de cayena ("cayenne pepper") o de pimienta negra para detener en unos pocos segundos el flujo de sangre de un corte. Aplique directamente sobre el corte. Sí, va a picar.

No lo fume

▶ Un puñado de tabaco húmedo detendrá el sangrado. También lo hará el papel húmedo de cigarrillo.

▶ Poner telarañas en una herida abierta puede detener el sangrado inmediatamente. De hecho, son tan buenas para coagular la sangre y curar heridas que se han aplicado durante años en vacas después de quitarles los cuernos.

Sin embargo, las telarañas contienen muchos tipos de bacterias que pueden infectar una herida abierta. Use telarañas *solo* cuando no hay absolutamente nada más que usar –por ejemplo, la próxima vez que sufra un corte en una casa encantada cuando aparecen las brujas.

▶ Aplicar a una herida hojas machacadas de geranio ("geranium") actúa como un lapicero hemostático (lápiz estíptico, "styptic pencil"), y ayuda a detener el sangrado.

Llagas que supuran

▶ Coloque un pedazo de pulpa de papaya sobre una llaga supurante. Manténgala en el lugar con una venda estéril. Cambie el vendaje cada dos o tres horas hasta que la llaga sane.

▶ Usando una mota (bolita, "cotton ball") de algodón o hisopo (bastoncillo, "cotton swab"), aplique aceite de lavanda con toques suaves sobre la llaga a lo largo del día. Esto debería contribuir a sanar la llaga y también a relajarlo a usted.

▶ Aplique una cataplasma de zanahoria cruda rallada o de puré de zanahorias cocidas para que la infección deje de palpitar y supurar.

▶ Una cataplasma de miel desinfecta y cura. Use miel cruda sin procesar ("raw, unprocessed honey").

✎ **NOTA:** *Vea* la "Guía de preparación" en la página 280 para leer sobre cómo preparar una cataplasma.

Llagas y lesiones

▶ Algunas llagas no malignas necesitan ayuda para que sanen. Vierta jugo puro de uvas "Concord" sin diluir en una mota (bolita) de algodón estéril o en una almohadilla de gasa ("gauze pad") y aplíquela sobre la llaga. Sujétala con una venda estéril.

No enjuague la llaga. Solo deje el jugo ahí, y cambie el vendaje por lo menos una vez por la mañana y una vez por la noche. Tenga paciencia.

☞ **ADVERTENCIA:** Los diabéticos deben consultar a un profesional de la salud para tratar con antibióticos cualquier llaga infectada que no se cure.

Furúnculos

Los furúnculos ("boils") de la piel son causados por una infección profunda. Al comienzo, la zona afectada generalmente se pone roja y sensible. Los furúnculos pueden crecer y ponerse duros al llenarse con pus –lo cual puede requerir drenaje quirúrgico.

⚡ **ATENCIÓN:** Si el dolor sigue empeorando, o si nota una raya roja en el furúnculo, busque atención médica. ¡No se demore!

Si el furúnculo no ha empezado a supurar, pruebe los siguientes remedios.

▶ Caliente a fuego lento una taza de leche. Poco a poco, añada tres cucharaditas de sal a medida que la leche se acerca al punto de hervor. Una vez que ha añadido toda la sal, retire del fuego y agregue harina para espesar la mezcla y preparar una cataplasma (*vea* la "Guía de preparación" en la página 280). Aplique al furúnculo. El calor de la cataplasma ayudará en la extracción del pus, pero asegúrese de que no esté demasiado caliente.

▶ Pele cuidadosamente la cáscara de un huevo duro. Humedezca la membrana delicada y colóquela sobre el furúnculo. Esto debería drenar el pus y aliviar la inflamación.

▶ Coloque unas cuantas tajadas de calabaza "pumpkin" sobre el furúnculo. Reemplace las tajadas con frecuencia hasta que el furúnculo esté a punto de reventar.

▶ Una cataplasma de ajo cocido y picado finamente, o de ajo crudo picado, aplicada sobre el furúnculo, drenará la infección.

▶ Caliente un limón en el horno, luego córtelo por la mitad y coloque la parte interna de una de las mitades sobre el furúnculo. Fíjelo en el sitio por alrededor de una hora.

Cure los furúnculos con higos

▶ Isaías mandó hacer una pasta de higos, y la hicieron y se la aplicaron al rey en la parte enferma, y el rey se curó (2 Reyes 20:7) (*Dios Habla Hoy –La Biblia de Estudio*. Sociedades Bíblicas Unidas, 1998).

Ase un higo fresco. Córtelo por la mitad y coloque la parte blanda interna sobre el furúnculo. Mantenga en el lugar por un par de horas. Luego caliente la otra mitad del higo asado y reemplácela por la primera mitad. Se curará cuando el furúnculo se drene.

▶ Mezcle una cucharada de miel con una cucharada de aceite de hígado de bacalao (la emulsión noruega de aceite de hígado de bacalao –"Norwegian emulsified cod-liver oil"– no huele), y aplique sobre el furúnculo. Sujete con una venda estéril. Cambie el vendaje cada ocho horas.

▶ Para drenar el residuo sin dolor y rápidamente, agregue un poco de agua a una cucharadita de polvo de fenogreco ("fenugreek") hasta que tenga la consistencia de una pasta. Ponga sobre el furúnculo y cubra con una venda estéril. Cambie el vendaje dos veces por día.

Remedio a pan y leche

▶ Este remedio irlandés pide cuatro rebanadas de pan y una taza de leche. Hierva el pan y la leche juntos hasta que formen una gran papilla blanda.

Cuando la papilla esté suficientemente fría para manipular, coloque un poco sobre el furúnculo y cubra con una venda estéril. Cuando la papilla se enfríe, reemplácela con más papilla tibia. Siga vendando el furúnculo hasta que haya usado las cuatro rebanadas de pan. Para entonces el furúnculo debería haberse reventado.

Cuando el furúnculo se reviente...

▶ Un furúnculo está a punto de reventar cuando se pone rojo y el dolor aumenta. Cuando finalmente se reviente, saldrá pus, y quedará un gran hoyo en la piel. Pero el dolor desaparecerá casi como por arte de magia.

Hierva una taza de agua y agregue dos cucharadas de jugo de limón. Deje enfriar. Limpie y desinfecte bien la zona afectada con esta agua de limón. Cubra con una venda estéril.

Durante algunos días, dos o tres veces por día, quite la venda y aplique una compresa tibia y húmeda, dejándola 15 minutos por vez. Vuelva a cubrir el sitio con un vendaje nuevo.

Rodillas y codos resecos

▶ Frote las zonas ásperas de los codos y rodillas con la parte interna de la cáscara de medio aguacate ("avocado"). Siga frotando por unos cuantos minutos. No limpie la zona hasta irse a dormir.

▶ Para eliminar la "piel de cocodrilo" repose los codos en mitades de toronja (pomelo, "grapefruit"). Póngase lo más cómodo que pueda y deje los codos dentro de la fruta por lo menos media hora.

▶ Prepare una pasta con sal y jugo de limón. Frote esta mezcla abrasiva sobre las zonas ásperas, como los codos, rodillas y pies. Enjuague con agua fría.

Pecas

Las pecas suelen ser un asunto de familia, pero también pueden aparecer si ha estado mucho tiempo al sol.

▶ Si ha decidido eliminar sus pecas, prepare un quita-pecas casero. Consiga cuatro hojas medianas de diente de león ("dandelion"), ya sea de su propia planta o cómprelas en la verdulería. Enjuáguelas bien y córtelas en pedacitos. Mezcle las hojas con cinco cucharadas de aceite de ricino ("castor oil") en una cacerola esmaltada o de vidrio.

Cocine la mezcla a fuego lento 10 minutos. Apague el fuego, cubra la cacerola y deje remojar tres horas. Cuele y embotelle el líquido. (No se olvide de etiquetar la botella).

Frote varias gotas del aceite sobre las zonas con pecas y déjelo toda la noche. Por la mañana, lávese la cara con agua tibia. Haga esto todos los días durante por lo menos una semana y observe cómo desaparecen las pecas.

▶ El agua de papas (*vea* la "Guía de preparación" en la página 280) puede ayudar a hacer desvanecer las pecas de verano. Empape una toallita en el agua de papas, escúrrala y aplíquela sobre las pecas. Déjela puesta por 10 minutos todos los días.

▶ Aplique jugo de limón, de perejil ("parsley") o de berro ("watercress").

▶ Mezcle seis cucharadas de suero de leche ("buttermilk") y una cucharadita de rábano picante ("horseradish") rallado. Debido a que este es un blanqueador suave de la piel, cubra la piel con un aceite liviano antes de aplicar la mezcla.

Déjela estar 20 minutos, luego enjuague con agua tibia. Aplique un hidratante de piel ("moisturizer") sobre las zonas blanqueadas.

▶ Si algún día se levanta por la mañana, se mira en el espejo y ve pecas que nunca antes había tenido, intente limpiar el espejo.

Cortaduras y raspaduras

▶ Lo primero que tiene que hacer cuando se rasguña, se corta o se raspa es enjuagar la herida con agua. Ponga miel sobre la herida y deje que las enzimas curativas hagan su trabajo.

▶ Ponga la parte interna de la cáscara de una banana (plátano) directamente sobre la herida y fíjela con una venda. Cambie la cáscara cada tres o cuatro horas. Hemos visto resultados asombrosos y rápidos con cáscaras de banana. Puede ser buena idea llevar bananas cuando vaya de campamento.

Cortaduras con papel

▶ Limpie la herida con jugo de limón. Luego, para aliviar el dolor, humedezca el dedo cortado y sumérjalo en clavos de olor ("cloves") en polvo. Ya que los clavos de olor actúan como anestésico suave, el dolor debería desaparecer en cuestión de segundos.

Cicatrices

▶ Según Angela Harris (*www.angelaharris.com*), una herbaria que reside en Las Vegas, las cicatrices pueden desvanecer al aplicar todos los días una capa delgada de aceite de oliva extra virgen prensado en frío. Sea persistente y tenga paciencia. No desaparecerán de la noche a la mañana.

Astillas

Si se le incrusta un pedacito de madera, metal o vidrio en la piel, puede doler muchísimo. Sáquelo con cuidado para prevenir infecciones. Tenga en cuenta que la madera se hincha cuando se humedece, así que la mayoría de las siguientes sugerencias funcionan mejor con otros tipos de astillas.

▶ Si el dedo con la astilla le duele mucho, fije con cinta adhesiva una rodaja de cebolla y déjela estar toda la noche. El dolor y la astilla deberían haber desaparecido por la mañana.

▶ Prepare una pasta con avena, banana (plátano) y un poco de agua. Aplíquela en el lugar donde tiene la astilla. Alterne esto con compresas de aceite para ensalada y, al final del día, debería poder extraer la astilla con un pellizquito.

▶ Prepare una cataplasma con el corazón de una col (repollo, "cabbage") rallado. Colóquela sobre la astilla y, en una o dos horas, la astilla debería salir.

▶ Para las astillas muy difíciles de extraer, espolvoree sal y ponga la mitad de un tomate cereza ("cherry tomato") sobre la zona afectada.

Sujete todo con una venda y una cubierta de plástico para evitar ensuciar las sábanas.

Ah, se nos olvidaba, debe dormir con el tomate puesto. A la mañana siguiente, la astilla debería salir fácilmente.

Estrías

La piel es muy elástica, pero no siempre se recupera adecuadamente cuando se estira —como después del embarazo o al engordar o adelgazar.

▶ Después de una ducha o un baño, frote suavemente con aceite de ajonjolí ("sesame oil") —más o menos una cucharada— todas las zonas donde tenga estrías. Eventualmente puede que desaparezcan.

Arrugas

Llevó años para que los pliegues de la piel aparecieran en su rostro, y se requiere tiempo y persistencia para hacerlos desaparecer. Conocemos a un hombre que tiene tantas arrugas en la frente que tiene que atornillar su gorra. ¡Esas son muchas arrugas!

Bueno, basta de chistes. Puede empezar a suavizar las arrugas relajándose más, alejándose del sol, dejando de fumar (¿sabía que los fumadores tienen muchas más arrugas que los no fumadores?) y probando uno de los siguientes remedios.

▶ Antes de acostarse, frote las zonas arrugadas del cuello y del rostro con aceite de oliva extra virgen prensado en frío ("extra-virgin, cold-pressed olive oil"). Empiece en el centro del cuello y con movimientos hacia arriba y hacia fuera, unte el aceite en los lugares secos. Vaya subiendo hasta llegar a la frente. Deje el aceite puesto toda la noche.

Por la mañana, lávese la cara primero con agua tibia, luego con agua fría. Si prefiere, puede agregarle unas cuantas gotas de su esencia herbaria favorita al aceite de oliva, e imaginar que le costó $60 la botella.

▶ Este es un tratamiento interno para las arrugas. No, no quiere decir que eliminará las de adentro, lo que significa es que el valor nutritivo de la levadura de cerveza ("brewer's yeast") puede ayudar a superar los signos externos del paso del tiempo.

Empiece con una cucharadita diaria de levadura de cerveza mezclada en jugo puro de fruta, y gradualmente vaya aumentando la cantidad (una cucharadita a la vez) hasta llegar a las dos cucharaditas (o sea, seis cucharaditas en total).

A algunas personas la levadura de cerveza les produce gases. Nos han dicho que eso significa que el organismo realmente la necesita, y que los gases desaparecerán cuando el organismo reciba los nutrientes que necesita. ¿Entiende eso? No sabemos a ciencia cierta lo que eso significa, pero sí sabemos que la levadura de cerveza contiene muchas propiedades saludables y que puede ayudar a "desarrugar" el rostro. Nos parece que vale la pena intentar este remedio.

▶ El eliminador de arrugas más popular que descubrimos pide una cucharadita de miel y dos cucharadas de crema de leche para batir ("heavy whipping cream"). Mezcle vigorosamente. Sumerja las puntas de los dedos en la mezcla y, aplíquela, masajeando suavemente, sobre las arrugas, los pliegues, las líneas, las patas de gallo –lo que sea.

Déjela puesta por lo menos media hora –cuanto más tiempo, mejor. Sentirá como se adhiere a la piel al convertirse en máscara. Cuando esté listo, enjuague con agua tibia. Haga esto todos los días, y puede que se libre totalmente de las arrugas.

Arrugas alrededor de los ojos

▶ Para los que no se han sometido a un estiramiento de los ojos ("eye tuck"), aplicar aceite de ricino ("castor oil") en la zona delicada alrededor de los ojos todas las noches, puede evitar la necesidad de cirugía plástica.

Cómo prevenir las arrugas

▶ Para reducir la tendencia a las arrugas, haga puré una banana (plátano) madura y añada unas gotas de aceite de maní (cacahuate, "peanut oil"). Aplique a la cara y al cuello (siempre con movimientos hacia arriba y hacia fuera) y déjelo puesto por lo menos media hora. Luego enjuague con agua tibia. Si hace esto todos los días –o incluso cada dos días– debería tener la piel más suave y menos propensa a las arrugas.

▶ Si desayuna con cereal de avena ("oatmeal"), ¡tenemos un remedio para usted! Deje a un lado un poco de cereal de avena cocido. Añada un poco de aceite vegetal –lo suficiente para que se pueda untar– y frótelo en la cara y el cuello. Déjelo puesto durante una media hora, luego enjuague con agua tibia. Para quedar libre de arrugas, debe repetir este procedimiento todos los días.

▶ El suero de leche ("buttermilk") es bueno para prevenir las arrugas faciales. Déjelo puesto en la cara durante unos 20 minutos, luego enjuague con agua tibia y séquese dando palmaditas.

Adiós arrugas

▶ Se dice que esta es la fórmula secreta de una renombrada belleza francesa –mezcle una taza de leche, dos cucharaditas de jugo de limón y una cucharada de brandy; haga hervir. Cuando la mezcla esté tibia, aplíquela en la cara y el cuello con una brocha de pastelería ("pastry brush"). Cuando esté completamente seca, enjuague con agua tibia y séquese dando palmaditas.

▶ La mejor manera de evitar que la piel se arrugue es evitar la exposición en exceso al sol y ponerse siempre protector solar antes de salir al aire libre.

Cómo prevenir las líneas de los labios

▶ La manera de prevenir esas arruguitas que salen alrededor de la boca es ejercitando el músculo de la mandíbula. Afortunadamente, de todos los músculos, este es el que más tiempo puede trabajar sin cansarse. Así que silbe, cante y hable a gusto.

Los trabalenguas son un tipo de ejercicio aeróbico para la boca, especialmente los que tienen sonidos de "m", "b" y "p". *Aquí hay unos para comenzar…*

◆ Mi mamá me mima, y yo mimo a mi mamá.

◆ Ese bobo vino nunca beber debe, vida boba y breve vivirá si bebe.

◆ Pepe Pecas pica papas con un pico. Con un pico pica papas Pepe Pecas.

PIES Y PIERNAS Y SUS DOLENCIAS

Nuestros pies llevan mucho peso y probablemente son la parte más abusada y descuidada de nuestra anatomía. Se enfrían, se congelan, se mojan, se queman, se ampollan, pican y sudan… al caminar, pasear, correr, bailar, escalar, patinar, esquiar y saltar el triple salto. También, en algún momento, somos víctimas del síndrome de la hermanastra de Cenicienta –metemos nuestros pies en zapatos muy apretados.

Pasamos el día entero maltratando los pies –los sometemos a todo tipo de tensiones y presiones. Y después nos preguntamos por qué nuestros pies "¡nos están matando!" Bueno, es porque nosotros los matamos primero.

⚡ **ATENCIÓN:** Si tiene problemas de circulación o diabetes, no use ninguno de estos remedios sin el consentimiento y supervisión de su profesional de la salud.

Vayamos al fondo de nuestros problemas con algunos remedios para los pies…

Pies doloridos

▶ En un día ajetreado cuando "le chillen los pies" y sienta que está por rendirse, ¡la pimienta de cayena viene al rescate! Eche un poco de cayena ("cayenne pepper") en sus medias (calcetines) o frótela directamente sobre las plantas de los pies doloridos. ¡Ahora apúrese o llegará tarde a su próxima cita!

▶ Después de un largo día, cuando sus nervios están tensos, sus pies doloridos y se siente agotado –demasiado cansado para dormirse– remoje los pies en agua caliente entre 10 y 15 minutos. Después (¡esto es muy importante!) dése un masaje en los pies con jugo de limón.

Después de haberse dado un masaje a fondo, enjuague los pies con agua fría. Como siempre, séquese bien, y respire hondo cinco veces. Usted y sus pies sin dolor estarán listos para una buena noche de descanso.

El remojo curativo al paso del reloj

▶ Este remedio requiere dos palanganas (cubetas, cuencos) o bandejas, o cuatro cajas plásticas de zapatos. Llene una palangana (o dos cajas de zapatos) con ½ taza de sal de Higuera ("Epsom salt") y alrededor de un galón (cuatro litros) de agua caliente (que no esté hirviendo). Llene la otra palangana (o las otras dos cajas de zapatos) con cubitos de hielo. Siéntese con un reloj o un cronómetro. Ponga los pies en el agua caliente durante un minuto y después en los cubitos de hielo durante 30 segundos.

Alterne de una palangana a otra durante unos 10 minutos. Sus pies se sentirán mejor. Este procedimiento también ayuda a controlar la presión arterial alta y es posible que prevenga las várices (venas varicosas), mejore la circulación y, si se hace regularmente, alivie la afección crónica de "pies fríos".

Variante: Póngase de pie en la bañera (tina) y deje correr por los pies agua caliente durante un minuto, luego agua fría durante 30 segundos; alterne el calor y el frío durante 10 minutos.

¡No deje correr agua caliente o agua fría por los pies durante más de un minuto a la vez!

▶ Añada una taza de vinagre de sidra de manzana ("apple cider vinegar") a una palangana (cubeta o cuenco) o dos cajas plásticas de zapatos, llena a la mitad de agua tibia. Luego remoje los pies por lo menos 15 minutos. El calor y el dolor deberían desaparecer para entonces.

▶ Hierva o ase un nabo ("turnip") grande hasta que se ablande. Entonces hágalo puré y esparza la mitad sobre un pañuelo blanco de algodón. Esparza la otra mitad sobre otro pañuelo. Aplique el pañuelo con la papilla de nabo a las plantas de los pies descalzos, envuélvalo con una venda para que no se mueva y siéntese con los pies elevados por media hora. Esta "papilla para los pies" debería eliminar el dolor y el cansancio.

Clavos y callos

¡No, no nos referimos a los clavos que se usan para colgar cuadros ni los clavos de olor que se usan para aderezar las comidas!

Los clavos son callos, capas gruesas y duras de piel, que se forman en la punta o en el costado de un dedo; los callos también se forman en la planta del pie. No son afecciones graves, pero probablemente estará más cómodo si se deshace de los zapatos (o cualquier otra cosa) que esté causando la fricción que causa los callos.

Los siguientes remedios también deberían ayudarlo.

▶ Puede ablandar sus callos aplicando cualquiera de estos aceites –aceite de germen de trigo ("wheat germ"), aceite de ricino ("castor oil"), aceite de semilla de ajonjolí ("sesame seeds") o aceite de oliva. Aplique el aceite tan frecuentemente como pueda durante el día, todos los días.

▶ Caminar descalzo sobre la arena, particularmente la arena húmeda, es maravilloso para los pies. Actúa como sustancia abrasiva y ayuda a que se desprenda la piel muerta que causa los callos.

▶ Si no está cerca de la playa, agregue una cucharada de bicarbonato de soda ("baking soda") a una palangana (cubeta, cuenco) o dos cajas plásticas de zapatos) llena hasta la mitad de agua tibia… y remoje sus pies durante 15 minutos. Después tome una piedra pómez ("pumice stone") –se puede comprar en las tiendas de alimentos naturales y farmacias– y cuidadosamente lime la piel dura.

La ensalada, a sus pies

▶ Corte una cebolla por la mitad –el tamaño de la cebolla debe determinarse de acuerdo al tamaño del callo a cubrir. Deje las mitades de cebolla remojando en vinagre de vino durante cuatro horas, después aplíquelas a los callos. Sujételas con papel plástico ("plastic wrap"), póngase medias (calcetines) y déjelas puestas toda la noche.

A la mañana siguiente, podrá raspar los callos. Asegúrese de lavar y enjuagar sus pies completamente para quitarse el olor a cebolla y vinagre.

Remedios para los clavos

No tienen nada que ver los clavos de olor con los clavos dolorosos. *Qué puede hacer para aliviar esos clavos dolorosos…*

▶ Frote el clavo con aceite de ricino ("castor oil") dos veces por día y gradualmente se pelará, dejando la piel suave y lisa.

▶ Cada noche, ponga un pedazo de cáscara de limón fresca sobre el clavo (la parte interna de la cáscara sobre el exterior del clavo). Ponga una venda alrededor para mantenerlo en su lugar. En cuestión de días, el clavo debería desaparecer.

▶ Prepare una cataplasma (*vea la* "Guía de preparación" en la página 280) con unas pocas migajas de pan empapadas en ¼ taza de vinagre. Déjela estar media hora y aplíquela al clavo, manteniéndola en su lugar con cinta adhesiva durante toda la noche. Por la mañana, el clavo debería poder pelarse. Si es un clavo particularmente fuerte, quizá necesite aplicar de nuevo la cataplasma con pan y vinagre por varias noches seguidas.

Fruta fresca para los pies

▶ Todos los días, envuelva una tira de cáscara de piña fresca alrededor del clavo (la parte interior de la cáscara debe estar pegada con cinta adhesiva directamente sobre el clavo). Dentro de una semana, el clavo debería desaparecer, gracias a las enzimas y el contenido ácido de la piña fresca.

▶ No tire a la basura las bolsitas usadas de té. Sujete una bolsita húmeda al clavo durante media hora por día y el clavo debería desaparecer en una o dos semanas.

▶ Para aliviar el dolor de un clavo, remoje los pies en agua con harina de avena. Haga hervir cinco litros (20 tazas) de agua y luego agregue 5 onzas (140 g) de cereal de avena ("oatmeal"). Continúe hirviendo hasta que el agua se reduzca a alrededor de cuatro litros. Después cuele el agua con un colador y viértala en una palangana (cubeta, cuenco) suficientemente grande para meter los pies, o en dos cajas plásticas de zapatos. Remoje los pies por lo menos 20 minutos.

▶ Haga una pasta con 1 cucharadita de levadura de cerveza ("brewer's yeast") y unas gotas de jugo de limón. Esparza la mezcla en una almohadilla de algodón ("cotton pad") y aplíquela al clavo, sujetándola con una venda y dejándola ahí toda la noche. Cambie la preparación diariamente hasta que el clavo desaparezca.

▶ Una pasta de tiza ("chalk") pulverizada y agua también debería eliminar el clavo.

Curas lejanas para los clavos dolorosos

▶ Un curandero hawaiano recomienda verter jugo puro de papaya en una almohadilla de algodón ("cotton pad"), o aplicar un pedazo de pulpa de papaya directamente sobre el clavo. Sujételo con una venda y déjelo ahí toda la noche. Renueve diariamente la aplicación hasta que el clavo desaparezca.

▶ Los pastores australianos extraen el jugo de los tallos de la planta diente de león ("dandelion") y lo aplican al clavo todos los días hasta que desaparezca, normalmente en una semana.

Pies fríos

▶ Si no puede estar en espacios interiores para calentarse, entonces trate de pararse poniendo el peso sobre los dedos de los pies durante un par de minutos, luego ponga rápidamente el peso sobre los talones. Repita la maniobra con los dedos del pie y los talones varias veces hasta que la sangre corra por sus pies y los caliente.

▶ Antes de acostarse, camine en la bañera (tina) con agua fría durante dos minutos. Después seque los pies vigorosamente con una toalla áspera. Para darle a los pies un brillo radiante, sostenga ambas puntas de la toalla y pásela de un lado a otro por los arcos de los pies.

Sal y pimienta para los pies

▶ Si la idea de poner los pies fríos en agua fría no le atrae mucho… agregue una taza de sal a una bañera (tina), llena de agua caliente, hasta la altura de los tobillos, y remoje los pies durante 15 minutos. Seque los pies y después aplique un masaje con sal húmeda.

Esto quitará la piel muerta y estimulará la circulación. Después que ha masajeado cada pie entre tres y cinco minutos, enjuáguelos con agua tibia y séquelos completamente.

▶ Para calentar los pies, espolvoree pimienta negra o pimienta de cayena ("cayenne pepper") en las medias (calcetines) antes de ponérselas. Es un truco de los esquiadores veteranos, pero usted no tiene que ser un esquiador veterano para hacerlo. Si usa cayena, sus medias y pies se pondrán rojos. No habrá problema con el color de los pies, pero sus medias nunca volverán a ser las mismas.

Además, si se encuentra en un restaurante y la comida es demasiado sosa, puede quitarse una media y sazonar la comida a gusto.

Pie de atleta

▶ El hongo que causa el pie de atleta muere al exponerse a la luz del sol. Así que, lo mejor es pasar dos semanas descalzo en las Bahamas. Pero si este remedio es poco práctico, exponga sus pies a la luz del sol una hora por día. Esto puede eliminar un caso leve de pie de atleta.

▶ Entre los baños de sol, mantenga los pies bien aireados llevando medias (calcetines) holgadas.

▶ Por la noche, aplique alcohol para frotar –"rubbing alcohol"– (arde por unos segundos), luego espere a que sus pies estén completamente secos y espolvoréelos con talco (preferentemente sin fragancia –"unscented talcum powder").

▶ Ponga un diente de ajo machacado sobre la zona afectada. Déjelo durante una media hora, después lave la zona con agua. Si hace esto una vez por día, al cabo de una semana, usted olerá como un salchichón, pero quizá ya no tendrá pie de atleta.

ADVERTENCIA: Cuando aplique el ajo, sentirá un poco de calor. Si después de unos minutos la sensación de calor se intensifica y el ajo empieza a quemar, lave el sitio con agua fría. Al día siguiente, diluya el jugo de ajo con agua e inténtelo de nuevo.

Un dulce alivio para los pies

▶ Todas las noches, aplique un pedazo de algodón o una estopilla (gasa, "cheesecloth") previamente empapada con miel sobre la zona afectada. Sujételo con cinta adhesiva. Para evitar un desastre pegajoso (es posible incluso con la cinta adhesiva), duerma con medias (calcetines) puestas.

Por la mañana, lave con agua, seque completamente y espolvoree con talco (preferentemente sin fragancia –"unscented").

▶ Ralle una cebolla y exprímala a través de una estopilla (gasa, "cheesecloth") para extraer el jugo. Aplique un masaje con este jugo de cebolla en las zonas del pie infectadas por el hongo.

Mantenga el jugo durante 10 minutos, después enjuague el pie con agua tibia y *séquelo completamente* (los hongos crecen en condiciones húmedas). Repita este procedimiento tres veces al día hasta que la afección desaparezca.

▶ Para evitar que se infecte de nuevo con el pie de atleta, empape sus medias, pantimedias y calcetines con vinagre blanco. También limpie sus zapatos con vinagre.

El olor a vinagre desaparecerá al exponerse al aire libre durante unos 15 minutos.

Uñas encarnadas

Nos sorprendió enterarnos que la tendencia a que las uñas del pie se encarnen es hereditaria. Si el dedo del pie está rojo, hinchado y duele, vaya al médico.

▶ Si tiene una uña del pie encarnada, alivie el dolor con un baño de pies. En una caja plástica de zapatos, agregue ½ onza (15 g) de raíz de consuelda ("comfrey") a dos cuartos de galón (dos litros) de agua tibia. Remoje el pie durante 20 minutos.

Una vez que la uña se ablande, tome un pedazo de algodón absorbente y tuérzalo hasta formar una cuerda gruesa de hilo. O junte varias hebras de hilo dental sin cera ("unwaxed dental floss") y tuérzalas. Suavemente acuñe el "hilo" bajo la esquina de la uña. Esto debería impedir que la uña corte la piel. Reemplace las hebras un par de veces al día, todos los días, hasta que la uña crezca hacia fuera.

Una vez que crezca hacia fuera, la uña debe cortarse en línea recta, no hacia abajo en las esquinas, y no más corta que el dedo del pie. Quizá prefiera que un podiatra le corte la uña adecuadamente. Preste atención y así podrá cuidar correctamente sus pies y evitar otra uña encarnada (y también otra cuenta del podiatra).

"Dedos de paloma"

▶ Si tiene las puntas de los dedos del pie ligeramente torcidas hacia dentro ("dedos de paloma" o "pigeon toes" en inglés) y un ortopedista no le puede ayudar... como último recurso, compre un par de zapatos una talla más grande de la que usa normalmente. Póngaselos al dormir todas las noches con el zapato derecho en el pie izquierdo y el zapato izquierdo en el pie derecho. Hágalo durante un mes para obtener resultados.

Talones agrietados

▶ Antes de acostarse, lave los pies con agua tibia y séquelos. Aplique cantidades generosas de vaselina ("petroleum jelly") en los pies, mientras da un masaje a las zonas ásperas y resquebrajadas. Envuelva cada pie con papel plástico ("plastic wrap"). Póngase medias (calcetines) y duerma así. Repita el proceso todas las noches hasta que los pies estén bien. No debería llevar más de una semana... probablemente menos.

Pies sudorosos

En promedio, un par de pies emite alrededor de ocho onzas (235 ml) de transpiración diariamente. Es asombroso que no vayamos chapoteando por ahí. *Pues bien, para aquellos que piensan que es así...*

▶ Ponga un poco de salvado ("bran") o de copos de avena ("oat flakes") sin cocinar en sus medias (calcetines). Esto debería absorber el sudor y hacerlo sentir más cómodo. Empiece de a poco, con alrededor de una cucharada en cada media. Agregue más si lo necesita.

Dedos entumecidos (dormidos)

▶ Se sabe que una dosis diaria de vitamina B_6 y un suplemento con las vitaminas del complejo B han eliminado el hormigueo y el entumecimiento en los dedos del pie.

ATENCIÓN: Controle la cantidad de B_6 en los suplementos del complejo B –una dosis muy alta puede ser tóxica. Consulte a su médico naturista (naturopático).

Várices (venas varicosas)

Las palabras *varicosa* y *várices* vienen de la palabra latina "varix", que significa "torcido". Cuando las pequeñas venas de las piernas empiecen a parecerse a gusanos retorcidos, quizá preferiría que los antiguos romanos hubiesen escogido otra palabra.

Esperamos que estos remedios brinden algún alivio para el malestar o la hinchazón que causan las várices.

▶ Se sabe que los practicantes de medicina tradicional a lo largo de Europa han ayudado a encoger las várices mediante la aplicación de vinagre de sidra de manzana ("apple cider vinegar").

Una vez por la mañana y otra por la noche, empape un vendaje de estopilla (gasa, "cheesecloth") en vinagre y envuelva la zona afectada con él. Acuéstese, eleve las piernas y relájese así durante al menos media hora. (¡Esto beneficiará más que a sus várices!)

Después de cada sesión con envolturas de vinagre, beba una taza de agua tibia con dos cucharaditas de vinagre. Los practicantes nos dicen que después de un mes, las venas se encogen lo suficiente para que la diferencia sea notable.

▶ Entre las sesiones de envolturas de vinagre, no olvide sentarse adecuadamente –simplemente corrigiendo la manera de sentarse puede evitar que las várices empeoren.

Nunca se siente con las piernas cruzadas. De manera relajada, mantenga las rodillas y los tobillos juntos y las piernas ligeramente inclinadas. Esta posición es elegante y no estimula la congestión que favorece a las várices.

Remedios naturales

Estas son algunas sugerencias que pueden ayudarle a mejorar sus várices.

▶ Tome diariamente vitamina C con bioflavonoides. Algunas hierbas también pueden ser muy útiles, particularmente el brusco (retama "butcher's broom"), el castaño de indias ("horse chestnut") y el espino blanco ("hawthorn"). Las puede comprar en las tiendas de alimentos naturales. Siga la dosis recomendada en la etiqueta.

▶ Tome una cápsula (80 mg) de ráspano ("bilberry") y una cápsula (500 a 1.000 mg) de bromelaína con cada comida. Una vez al día, tome una cápsula (150 mg) de brusco. Puede comprarlos en las tiendas de alimentos naturales.

Varias maneras fáciles de aliviar las várices

Siga estas simples sugerencias para evitar que las venas varicosas empeoren...

◆ Mantenga los pies elevados tanto como pueda. Lo ideal es elevar las piernas a la altura del corazón, o más arriba, durante 20 minutos varias veces al día.

◆ Nunca se siente con las piernas cruzadas.

◆ Nunca se ponga medias que llegan hasta la rodilla ni medias apretadas.

◆ Use zapatos sin tacón o con tacón muy bajo, no use tacones altos.

◆ Si tiene exceso de peso, hágale un favor a sus piernas y rebaje esos kilos de más.

◆ Haga ejercicios. Caminar apenas media hora diaria mejorará la circulación.

■ Receta ■

Ensalada "coleslaw" de bróculi

4 rabillos ("stems") de bróculi,
  lavados y pelados
Trozo de 6" (15 cm) de daikon
  (rábano japonés)
2 zanahorias grandes, peladas
½ manojo de cebollas verdes
  ("green onions"), picadas
2 kiwis, pelados y cortados en cubitos
2 cdas. de piñones ("pine nuts"),
  tostados
2 dientes de ajo, picados finamente
1 cdta. de sal
¼ cdta. de pimienta negra molida
2 cdas. de aceite de canola orgánico
Semillas de ajonjolí ("sesame seeds")
  negras

Ralle grueso los rabillos de bróculi, el rábano daikon y las zanahorias; colóquelos en un bol.

Agregue al bol las cebollas verdes, los kiwis, los piñones, el ajo, la sal, la pimienta y el aceite de canola. Revuelva. Condimente a gusto y transfiera a un bol para servir.

Espolvoree generosamente con las semillas de ajonjolí negras. Esta ensalada tipo "coleslaw" sabe mejor cuando se prepara con tres o cuatro horas de anticipación. Use como guarnición.

Rinde 6 a 8 porciones.

Fuente: www.vegparadise.com

Estas hierbas tienen muchos beneficios maravillosos, entre los que se incluyen mejorar la circulación sanguínea y ayudar a que las paredes de sus venas mantengan su forma.

▶ Reduzca la hinchazón y la constricción de las várices envolviendo la zona afectada con un vendaje de estopilla (gasa, "cheesecloth") empapado en hamamelis (olmo escocés, "witch hazel"). Acuéstese, eleve las piernas y relájese.

▶ Al final de cada día, póngase de pie en una bañera (tina) llena con agua fría (el agua debe llegar hasta las rodillas). Después de dos o tres minutos, seque las piernas completamente con una toalla áspera, luego camine dos o tres minutos a paso rápido.

▶ Tome cápsulas (300 mg) de castaño de indias ("horse chestnut"), una o dos veces al día. Se pueden comprar en las tiendas de alimentos naturales.

Flebitis

▶ Si sabe que tiene una inflamación superficial de las várices (tromboflebitis superficial), por lo general en las piernas, es muy probable que esté bajo el cuidado de un médico y así debe ser.

Tal vez desarrolló este tipo de inflamación cuando estaba recuperándose del parto, una cirugía o estuvo de algún modo incapacitado e inactivo por un largo periodo de tiempo. Esta inactividad disminuyó el flujo de sangre en sus venas y permitió la formación de coágulos. Los coágulos de sangre son potencialmente peligrosos.

Después que el tratamiento médico crítico haya terminado, preste especial atención a seguir una dieta óptima, a que sus evacuaciones sean óptimas, a mantener un peso óptimo, al hacer ejercicios y a la higiene meticulosa del cuerpo —nariz, oídos, boca, lengua, encías, uñas, piernas, pies, dedos de los pies, uñas del pie, escroto o vulva— para prevenir complicaciones y recaídas.

Remedios naturales

Entre las hierbas que ayudan a la salud de las venas se incluyen el brusco (retama, "butcher's broom"), el espino blanco ("hawthorn") y el castaño de indias ("horse chestnut"). Los puede comprar en las tiendas de alimentos naturales. Siga la dosis recomendada en la etiqueta.

Y esté seguro de consultar las siguientes sugerencias con su médico.

▶ Aplique una cataplasma de consuelda ("comfrey") en la parte externa de la zona afectada. (*Vea* la "Guía de preparación" en la página 280).

▶ Debería seguir una dieta de vegetales crudos. Es importante comer verduras de hojas verdes, y consumir mucha fibra.

▶ Beba muchos jugos frescos.

▶ Tome una cucharada de lecitina ("lecithin") diaria.

▶ Siga las indicaciones de su médico y eleve la zona afectada durante tantas horas al día como pueda. Esto mantendrá la sangre circulando adecuadamente.

Tobillos débiles

Este ejercicio mejorará la flexibilidad de los dedos del pie y fortalecerá tanto los arcos como los tobillos.

▶ Consiga una docena de canicas (bolitas) y un vaso plástico. Póngalas todas en el suelo. Siéntese y recoja cada canica con los dedos del pie derecho –una por una, déjelas caer en el vaso. Después haga lo mismo con los dedos del pie izquierdo.

Puede divertirse más calculando el tiempo con un cronómetro y viendo si puede mejorar el registro anterior. Cualquier cosa que pase, trate de no perder sus canicas y volverse loco.

QUEMADURAS

La palabra "quemadura" se aplica a ciertos tipos de daños en la piel causados por calor o frío extremos, productos químicos, grandes dosis de radiación o exposición al sol.

Las quemaduras se clasifican por grado. En una quemadura de primer grado ("first-degree burn"), la piel duele y está partida, pero no se ha partido. En una quemadura de segundo grado, la piel está partida y tiene ampollas dolorosas. Una quemadura de tercer grado destruye el tejido subyacente y la superficie de la piel. Es posible que la quemadura no duela porque las terminaciones nerviosas también han sido destruidas.

Las quemaduras de segundo grado que cubren una gran zona de piel y todas las quemaduras de tercer grado requieren atención médica inmediata. Cualquier tipo de quemadura en la cara también debe recibir atención médica inmediata para prevenir que se hinchen los conductos respiratorios.

Hablaremos principalmente de quemaduras superficiales de primer grado, las que ocurren cuando uno agarra el asa de una olla caliente, o toca una plancha caliente, o se le

cierra la tapa del horno en el antebrazo o le salpica aceite hirviendo.

ATENCIÓN: No use estos remedios tópicos cuando la piel está partida porque puede haber riesgo de infección.

Estos son remedios naturales que usan principalmente artículos del hogar.

Quemaduras de primer grado

¡Primero aplique agua fría o una compresa fría! *Entonces...*

▶ Elimine el calor y el dolor aplicando una tajada de papa cruda sin pelar, un trozo de pulpa de calabaza ("pumpkin") fresca o una rodaja de cebolla cruda. Deje la papa, la calabaza o la cebolla en la quemadura por 15 minutos, retírela por cinco minutos y luego ponga un pedazo nuevo por otros 15 minutos.

▶ Si tiene cápsulas de vitamina E o de aceite de ajo, pinche una y exprima el contenido directamente en la quemadura.

▶ Tenga siempre una planta de áloe en casa. Es como cultivar un tubo de ungüento curativo. Corte ½ pulgada (un cm) del tallo. Apriételo para extraer el líquido y déjelo caer en la zona quemada.

El líquido es más efectivo si la planta tiene por lo menos dos o tres años y el tallo tiene bultitos en los bordes.

▶ Si se quema mientras está horneando algo y tiene a mano base para pastel ("pie crust") sin sal y sin hornear, enróllela bien y cubra con ella toda la superficie de la quemadura. Déjela hasta que se seque y se caiga sola.

¡Esto no se come!

▶ Prepare una cataplasma de "sauerkraut" (chucrut, col agria) –vea la "Guía de preparación" en la página 280– y aplíquela en la parte quemada. Si no tiene "sauerkraut", use raíz de consuelda ("comfrey") machacada con un poco de miel. De hecho, según investigaciones realizadas en la India, la miel sola podría aliviar el dolor y ayudar al proceso curativo.

▶ Esparza mantequilla de manzana ("apple butter") sobre la zona quemada. Cuando se seque, añada otra capa. Siga añadiendo capas por uno o dos días, hasta que la quemadura desaparezca.

ATENCIÓN: Debido al riesgo de infección, solo ponga mantequilla u otras sustancias grasosas en las quemaduras muy superficiales y pequeñas.

Quemaduras de segundo grado

Sumerja la zona quemada en agua fría o use una toalla empapada en agua helada por lo menos 30 minutos. *No use manteca, mantequilla o ungüento (bálsamo, "salve") en la quemadura, ¡especialmente si la piel está partida!* Estos productos son un criadero de bacterias. Además, cuando llegue al médico, este tendrá que limpiar toda la sustancia pegajosa para examinar la piel.

Si la quemadura está en un brazo o en una pierna, mantenga la extremidad elevada para prevenir que se hinche.

Quemaduras con ácidos y sustancias químicas

Llame al médico inmediatamente. Hasta que llegue la ayuda, ponga la zona afectada bajo el chorro de agua más cercano –un grifo, una manguera o la ducha. La corriente de agua ayudará a sacar las sustancias químicas de la piel. Deje correr el agua en la piel quemada por lo menos 20 minutos. Puede parar cuando llegue la ayuda médica.

Quemaduras menores

Quemaduras en la lengua

▶ Enjuáguese la boca con agua fría. Unas gotitas de extracto de vainilla pueden aliviar el dolor, o espolvoree un poco de azúcar blanca.

Quemaduras causadas por una cuerda

▶ Remoje las manos en agua con sal.

Quemaduras de garganta

▶ Si tomó algo que estaba muy caliente, dos cucharaditas de aceite de oliva aliviarán y revestirán la garganta quemada. Una cucharada de miel también puede ayudar.

Quemaduras en los pies

▶ Para quemaduras en los pies producidas por caminar en el asfalto o en la arena calientes, envuélvase la planta de los pies con rodajas de tomate (sujételas con una venda para que no se muevan) y mantenga los pies elevados por media hora.

▶ Remoje los pies en agua de papas tibia (*vea la "Guía de preparación" en la página 280*) por 15 minutos. Séquese bien los pies. Si se va a acostar, dése un masaje en los pies con un poco de aceite de ajonjolí ("sesame oil") o de almendras ("almonds"). Tal vez quiera ponerse unas medias (calcetines) holgadas para no ensuciar las sábanas.

▶ Los alpinistas bávaros, después de remojar los pies en agua de papas, salpican sal tostada caliente en un paño y se envuelven los pies con él. No solo calma los pies quemados y cansados, sino que también alivia la picazón.

QUEMADURAS DE SOL

Es importante proteger la piel de los rayos ultravioleta (UV) del sol. Use un protector solar con un factor de protección solar (SPF) de por lo menos 15 –mientras más alto, mejor. Úselo todo el año, no solo en el verano. De hecho, durante el día ¡no salga de casa sin ponérselo!

Para la eficacia óptima, aplique el protector solar media hora antes de salir, para darle tiempo a que penetre. Mientras esté disfrutando del aire libre, vuelva a aplicar protector solar con frecuencia, especialmente si transpira o va a nadar. No dude en untarlo por todo el cuerpo. Una onza (30 ml) de protector solar debería cubrir la piel expuesta de un adulto de tamaño normal que tenga puesto un traje de baño. Vale la pena, especialmente si considera el costo del tratamiento de los posibles problemas de la piel.

ADVERTENCIA: Si está tomando algún tipo de medicamento, pregúntele al médico o al farmacéutico si el medicamento interfiere con el protector solar.

▶ *No* aplique protector solar a los bebés menores de seis meses. Las sustancias químicas del protector solar pueden ser muy fuertes para la delicada piel de los bebés. Los bebés tan pequeños no deberían ser expuestos al sol por mucho tiempo. La melanina de la piel del bebé no le brinda una protección adecuada. Cuando vaya afuera con un bebé, póngale una camisita tejida gruesa de manga larga, pantalones largos y una gorrita de ala ancha.

Cómo aliviar las quemaduras

▶ Cuando se exponga al sol por demasiado tiempo, llene un frasco de un cuarto de galón (un litro) con la misma cantidad de hielo y de leche, y añada dos cucharadas de sal. Empape una toallita con la mezcla y póngala sobre la quemadura. Déjela ahí unos 15 minutos.

La sombra sabe

Si tiene alguna duda sobre si está o no en riesgo de quemarse por el sol, mire su sombra. Si su sombra es más pequeña que usted, es posible que se queme.

No le sorprenda ver que su sombra puede ser más pequeña que usted a las cuatro de la tarde. El sol está en su punto más fuerte a eso de la una de la tarde (hora de verano). Si va a salir, póngase mucho protector solar al menos tres horas antes y después de la una de la tarde (o sea, entre las 10 de la mañana y las cuatro de la tarde).

Repita el procedimiento tres o cuatro veces a lo largo del día. Esta compresa refrescante puede aliviar muchísimo.

▶ Vacíe en una bañera (tina) de agua tibia, un paquete de leche descremada ("nonfat milk") en polvo, o un cuarto de galón (un litro) de leche baja en grasa ("low-fat"). Dedique media hora a remojarse en ella.

⚡ **ATENCIÓN:** Las quemaduras de sol graves pueden ser quemaduras de segundo grado (*vea* "Quemaduras" a partir de la página 167). Si la piel está partida o con ampollas, el tratamiento debe incluir agua fría primero, luego un vendaje seco y estéril. Vaya al médico tan pronto como pueda.

▶ Deje remojar en un cuarto de galón (un litro) de agua caliente, seis bolsitas de té común (no de hierbas). Cuando el té esté fuerte y suficientemente frío, empape una toallita en el líquido y aplíquela a la quemadura. Repita el procedimiento hasta que sienta alivio.

▶ Esparza crema agria ("sour cream") sobre las zonas quemadas, especialmente en la cara. Déjela estar por 20 minutos, luego enjuague con agua tibia. Se dice que la crema agria elimina el calor de la quemadura y también achica los poros.

⚡ **ATENCIÓN:** No aplique crema agria si la piel está partida. Podría causar una infección.

▶ Coloque sobre la piel rebanadas frías y crudas de pepino, manzana o cáscara de papa.

▶ Use áloe vera, ya sea en forma de gel comercial o extraído directamente de la planta.

El agua caliente elimina el dolor

Una manera de evitar que una quemadura de sol duela, es darse una ducha caliente –sí, caliente– inmediatamente después de haber estado expuesto al sol. Según los principios homeopáticos, el agua caliente desensibiliza la piel.

Ojos y párpados quemados por el sol

▶ Prepare una cataplasma (*vea* la "Guía de preparación" en la página 280) de manzanas ralladas y colóquela sobre los ojos cerrados durante una hora de relajación.

▶ Tome vitamina C –500 mg– dos veces al día para ayudar a curar la quemadura.

▶ Alivie los párpados quemados poniendo dos bolsas de té, remojadas en agua fría.

▶ Para preparar una compresa para la piel inflamada, empape una toallita con vinagre de sidra de manzana ("apple cider vinegar"), con hamamelis (olmo escocés, "witch hazel"), o con una mezcla de una parte de leche descremada ("skim milk") y cuatro partes de agua. Escurra la toallita, pero no totalmente. Aplíquela entre cinco y 10 minutos.

ATENCIÓN: Si salen ampollas, no intente curar la quemadura de sol por su cuenta –vaya al médico.

Piel sobreexpuesta al sol

▶ Suavice ese "aspecto de piel de cuero" con esta máscara de belleza que ha sido utilizada durante siglos. Mezcle dos cucharadas de miel sin procesar ("raw honey") con dos cucharadas de harina. Añada suficiente leche (dos o tres cucharadas) para que tenga la consistencia de una pasta de dientes.

Asegúrese de tener la cara y el cuello limpios, y que su cabello esté recogido. Distribuya la pasta por el rostro y el cuello. No toque la delicada piel alrededor de los ojos. Mantenga la pasta puesta por media hora. Enjuague con agua tibia y séquese dando palmaditas.

▶ Ahora necesita un tonificante. ¿Le podemos hacer una sugerencia económica? Con un extractor de jugo, extraiga el jugo de dos pepinos ("cucumbers"); luego caliente el jugo hasta que hierva. Quite la espuma (si se haya formado alguna), embotelle y refrigere.

Dosis: Dos veces al día, combine una cucharadita de jugo con dos cucharaditas de agua. Aplique con toques suaves al rostro y al cuello. Deje secar.

▶ Finalmente, necesita un hidratante. Considere aplicar una capa fina de aceite de oliva extra virgen prensado en frío ("extra-virgin, cold-pressed olive oil") o aceite de ricino ("castor oil").

RESFRIADOS Y GRIPE

Tener un resfriado o una gripe es fastidioso. El resfriado lo puede dejar sin energías y el virus de la gripe –que se caracteriza por inflamación del tracto respiratorio, fiebre, escalofríos y dolores musculares– pueden tumbarlo totalmente.

Si tiene la nariz roja y aguada, el pecho congestionado y esa sensación de dolor en todo cuerpo, en lugar de hacer *mucho ruido y pocas nueces*, siga leyendo y encontrará algunos consejos para defenderse.

Remedio caliente para el resfriado

▶ La primera ronda de municiones para defenderse en la guerra contra el resfriado es la sopa de pollo (conocida también como la penicilina judía). Marvin A. Sackner, MD, director médico jubilado del centro médico Mount Sinai en Miami Beach, Florida, ha comprobado que la sopa de pollo puede curar un resfriado.

Con el uso de un broncofibroscopio y de cinerroengenografías y mediciones de la velocidad de la mucosidad, el Dr. Sackner comprobó la eficacia de la sopa de pollo caliente con respecto a la del agua caliente y del agua fría. *Los resultados...*

El agua fría hizo que la congestión nasal empeorara. El agua caliente ayudó a despejar la nariz, pero no fue nada comparada con el mejoramiento que produjo la sopa de pollo caliente. Luego, para excluir los efectos del vapor del agua caliente y de la sopa de pollo

■ Receta ■

La Sopa de pollo de Lillian Wilen

4 ó 5 libras (1¾ a 2¼ kilos) de piezas de pollo

3 zanahorias, peladas o raspadas, cortadas en tercios

2 chirivías (pastinacas, "parsnips"), raspadas, cortadas en tercios

2 tallos de apio ("celery") con las hojas, cortados en tercios

1 cebolla grande, cortada en mitades

1 pimiento (ají, "pepper") verde cortado en mitades, sin semillas

10 tazas de agua

1 a 2 cdtas. de sal

2 ramitas de eneldo ("dill") o ½ cdta. de semillas de eneldo ("dill seeds")

4 ramitas de perejil ("parsley sprigs")

4 dientes de ajo, triturados

En una olla grande, agregue el pollo, las zanahorias, las chirivías, el apio, la cebolla, el pimiento verde, el agua, y la sal. Envuelva el eneldo o las semillas de eneldo en una estopilla (gasa, "cheesecloth") y coloque en la olla. Haga hervir, quite la espuma de la superficie de la sopa, tape y cocine a fuego lento por unas 2½ a 3 horas. Retire el pollo y los vegetales. Refrigere la sopa durante toda la noche.

Al día siguiente, antes de calentar la sopa, quite la capa superior de grasa con una cuchara. Agregue el pollo y los vegetales, caliente y ¡disfrute! ¡Antes de que se enfríe!

Fuente: www.recipegoldmine.com

caliente, los líquidos se sorbieron a través de pajillas ("straws") en recipientes tapados. De esta manera, el agua caliente tuvo muy poco efecto. Pero la sopa de pollo caliente todavía tuvo beneficios.

La Mayo aprueba la sopa de pollo casera

La respetada clínica Mayo en Rochester, Minnesota, publicó lo siguiente en su boletín de salud, *Health Letter...*

"Ahora existen pruebas de que nuestros ancestros podían haber sabido más sobre cómo tratar los resfriados que nosotros. Y no nos debe sorprender. Efectivamente, los estudios científicos de medicinas y curas tradicionales con frecuencia han comprobado que son extraordinariamente gratificantes.

"Maimónides, un médico y filósofo judío del siglo XII, informó de que la sopa de pollo es un medicamento efectivo además de una comida sabrosa.

"Un informe publicado en *Chest*, un boletín médico para especialistas de pecho, indica que la sopa de pollo es más eficaz que otros líquidos calientes para despejar las partículas de moco en la nariz. Todavía no se entiende a ciencia cierta la causa de este efecto beneficioso, pero parece que la sopa contiene una sustancia que promueve el despejo de moco nasal. Y la eliminación de las secreciones nasales que contienen virus y bacterias es importante para la defensa de nuestro organismo contra las infecciones del tracto respiratorio superior. El estudio le da crédito científico a la antigua opinión que la sopa de pollo puede ayudar a aliviar un resfriado.

"La sopa de pollo –en especial la casera– es un tratamiento sano y eficaz para muchas enfermedades 'auto limitantes' (las que no

■ Receta ■

La sopa de pollo del Dr. Ziment

1 cuarto de galón (950 ml) de caldo de pollo casero, ó 2 latas de caldo de pollo ("chicken broth") de bajo contenido en grasa y en sodio

1 cabeza de ajo (unos 15 dientes), pelado

5 ramitas de perejil ("parsley sprigs"), picadas finamente

6 ramitas de cilantro ("coriander"), picadas finamente

1 cdta. de pimienta alimonada ("lemon pepper")

1 cdta. de albahaca ("basil") seca, triturada, ó 1 cda. de albahaca fresca, picada

1 cdta. de "curry" en polvo

Opcional: copos de pimentón rojo ("red pepper flakes") a gusto, zanahorias cortadas en tajadas, 1 ó 2 hojas de laurel ("bay leaves")

Coloque todos los ingredientes en una olla sin tapa. Haga hervir, luego cocine a fuego lento unos 30 minutos. (Si la sopa es para usted, inhale los vapores cuidadosamente durante la preparación como tratamiento descongestionante adicional). Quite los dientes de ajo y las hierbas, y un poco del caldo, y hágalos puré en una licuadora o procesador de alimentos. Ponga el puré en el caldo y revuelva.

Sirva caliente.

requieren atención médica profesional). Es económica y fácil de conseguir.

"¿Qué conclusión sacamos de todo esto? La próxima vez que esté resfriado, tome sopa de pollo caliente hecha en casa antes de ir a la farmacia. Consideramos que la sopa de pollo puede ser un excelente tratamiento para resfriados simples y otras infecciones respiratorias virales para las que los antibióticos, por lo general, no ayudan. La sopa es más barata y, más importante aún, trae pocos, o ningún riesgo de reacciones alérgicas u otros efectos secundarios no deseados".

Para mayor información (en inglés) sobre el estudio de la sopa de pollo, visite *www.mayoclinic.com*.

Sopa de pollo (la medicina)

Irwin Ziment, MD, profesor emérito de medicina clínica de la facultad de medicina David Geffen de la Universidad de California en Los Ángeles (UCLA), es también una autoridad en medicamentos pulmonares. Teniendo en cuenta las investigaciones, la experiencia y los conocimientos que le llevaron a procurar su prestigio, creemos que la receta de sopa de pollo del Dr. Ziment para el resfriado, la congestión del pecho y la tos debe tomarse en serio y cada vez que esté resfriado (*Vea* la receta en la página anterior).

ATENCIÓN: Esta sopa de pollo es una medicina y no debe tomarla como lo haría con una porción de sopa. Por favor siga la dosis recomendada.

Dosis: Tome dos cucharadas de la sopa de pollo del Dr. Ziment, al comienzo de una comida, entre una y tres veces al día. (Si desea un poco más de dos cucharadas, está bien, pero no tome más de ½ taza por vez).

Otros remedios alimentarios

▶ En Rusia, el ajo es conocido como la penicilina rusa. Se ha informado que los resfriados han desaparecido en cuestión de horas —un día a lo más— después de tomar ajo.

Póngase un diente de ajo pelado en la boca entre la mejilla y los dientes. No lo mastique. De vez en cuando, libere un poco de jugo de ajo hincándole los dientes. Reemplace el diente de ajo cada tres o cuatro horas.

La *alicina* que contiene el ajo es un excelente diluyente de mocos y eliminador de bacteria. No nos extraña que muchos remedios para el resfriado contengan ajo.

▶ Si eso de tener ajo en la boca no es para usted, pele y machaque seis dientes de ajo. Mézclelos en ½ taza de manteca de cerdo blanca ("lard") o vegetal ("shortening"). Esparza la mezcla en las plantas de los pies y cúbralas con una toalla o un paño de franela, preferentemente entibiado. Envuélvase los pies con papel plástico ("plastic wrap") para proteger las sábanas. El ajo es tan poderoso que aunque solo se aplique en los pies, se sentirá también en el aliento.

Aplique un puñado nuevo de la mezcla cada cinco horas hasta que el resfriado desaparezca.

Medidas líquidas

▶ Prepare un té remojando en agua caliente cantidades iguales de canela ("cinnamon"), salvia ("sage") y hojas de laurel ("bay leaves"). Cuele y, antes de beber el té, añada una cucharada de jugo de limón. Si es necesario, endulce con miel.

▶ Siga limpiando su organismo bebiendo muchos líquidos que no sean lácteos –jugos de fruta sin endulzar, té de hierbas y agua.

La condesa aconseja

▶ Cuando nuestra amiga, una condesa de las colinas italianas, tiene un resfriado, prepara una taza de té fuerte y le añade una cucharada de miel, una cucharada de coñac, una cucharadita de mantequilla y ¼ cucharadita de canela ("cinnamon"). Lo bebe lo más caliente que puede y se acuesta entre sábanas de algodón. Si se despierta durante la noche toda transpirada, cambia las sábanas y su ropa de cama y vuelve a acostarse. A la mañana, se siente ¡*"molto bene"*!

▶ Se sabe de personas que han fingido tener un resfriado para poder tomar este remedio –combine cuatro cucharaditas de ron con el jugo de un limón y tres cucharaditas de miel. Añada la mezcla a un vaso de agua caliente y bébala antes de acostarse.

⚡ **ATENCIÓN:** Este remedio es solo para las personas que no tienen problemas con el alcohol.

▶ Mezcle ¼ taza de vinagre de sidra de manzana ("apple cider vinegar") con la misma cantidad de miel. Este elixir es particularmente efectivo para un resfriado con dolor de garganta.

Dosis: Tome una cucharada entre seis y ocho veces al día.

▶ Hierva en una cacerola con cinco tazas de agua, ½ taza de semillas de girasol ("sunflower seeds") –sin las cáscaras, por supuesto–, hasta que queden dos tazas de líquido en la cacerola. Luego agregue, revolviendo, ¼ taza de miel y ¾ taza de ginebra. Esta poción es particularmente buena para los resfriados de pecho.

Dosis: Tome dos cucharaditas tres veces por día a la hora de las comidas.

👉 **ADVERTENCIA:** Bebés, diabéticos y las personas alérgicas a la miel no deben consumir miel.

La toalla condimentada que alivia

▶ Frote el pecho con cuatro cucharaditas de mostaza ("mustard") preparada. Sumerja una toalla (preferentemente blanca) en agua caliente, escúrrala y colóquela sobre la mostaza que ya tiene en el pecho. Apenas se enfríe la toalla, sumérjala nuevamente en agua caliente, escúrrala y colóquela en el pecho. Aplique la toalla cuatro o cinco veces. Después de la última aplicación de la toalla, lávese el pecho, séquese bien, abríguese y acuéstese.

▶ Para estimular los puntos de acupuntura apropiados que pueden ayudar a aliviar el resfriado, ponga un cubo de hielo debajo del dedo gordo de ambos pies. Manténgalos ahí con una venda elástica o un pedazo de tela. Ponga los pies en una palangana (cubeta, cuenco), en dos cajas plásticas de zapatos o sobre plástico para evitar que se desparrame el hielo derretido. Haga esto durante no más de 20 minutos a la vez... a la mañana, al mediodía y a la noche.

¿Mineral o medicina?

▶ El gluconato de zinc ("zinc gluconate") –que se puede comprar en las tiendas de alimentos naturales y en algunas farmacias– funciona de maravillas para algunas personas. Detiene el resfriado ni bien comienza, acorta considerablemente su duración o disminuye su gravedad.

Para que sea eficaz, siga esta dosis para adultos detenidamente: tome dos pastillas (de 23 mg cada una) cuando empiecen los síntomas, y a partir de entonces, una cada dos horas, pero no más de 12 al día, y durante no más de dos días.

Además, no las tome con el estómago vacío. Aunque no tenga ganas de comer, coma media fruta antes de tomar la pastilla. Chúpelas para que estén en contacto prolongado con la boca y la garganta. Nuestras favoritas son las de sabor a miel; las de limón son las peores.

El gluconato de zinc también viene en pastillas de 46 mg. Si compra estas en lugar de las de 23 mg, tome una al principio del resfriado y una cada cuatro horas, no tome más de seis al día, y durante no más de dos días.

ATENCIÓN: El zinc produce dolores de estómago en algunas personas. Además, grandes cantidades de zinc pueden aumentar el riesgo de los hombres de contraer cáncer de próstata.

Consulte a su médico antes de tomar un suplemento de zinc.

Para ver la dosis adecuada para niños… *vea* la página 231 de la sección "Remedios curativos para niños".

Flores que alivian

Angela Harris, una herbaria que reside en Las Vegas (*www.angelaharris.com*), afirma que la combinación de equinácea y botón de oro (hidraste, "goldenseal") es efectiva tanto para evitar que un resfriado empeore como para acortar su duración y minimizar su severidad.

El secreto es disolver dos goteros del extracto (se puede comprar en las tiendas de alimentos naturales) en unas pocas onzas de agua y tomarlo cada hora, durante las primeras cuatro horas del día cuando sienta que se está por resfriar. Después, tome dos goteros cada cuatro horas. No tome equinácea por más de dos semanas seguidas. (No debería necesitarla).

Alimentos curativos

▶ Otro remedio popular para un resfriado con congestión en la cabeza consiste en cortar dos tiras –lo más fino que pueda– de cáscara de naranja. Enróllelas con la parte blanca y esponjosa por fuera, y con cuidado ponga una en cada fosa nasal. Déjelas ahí hasta que la congestión en la cabeza mejore, o hasta que ya no soporte tener la cáscara de naranja en la nariz –lo que suceda primero. Asegúrese de dejar un poquito de cáscara fuera de la nariz para que poderla sacar fácilmente.

▶ El primero en desarrollarse de nuestros cinco sentidos es el olfato. Con el tiempo, la nariz humana típica puede reconocer 10.000 olores distintos –excepto cuando tenemos un resfriado.

Para despejar la cabeza y detener la mucosidad de la nariz, trate este remedio

caliente. Corte la corteza de un pedazo de pan. Enchufe la plancha y póngala en "caliente" –la posición para lana o algodón. Con cuidado planche la corteza del pan. Cuando se empiece a quemar, levante la plancha de la corteza del pan y cuidadosamente inhale el humo a través de ambas fosas nasales durante dos minutos. Repita este proceso tres veces al día. Nos han dicho que la nariz deja de moquear y la congestión de la cabeza se despeja en muy poco tiempo –uno o dos días.

▶ Se dice que el sulfuro natural del bróculi y del perejil ("parsley") ayudan a combatir los resfriados. Coma bróculi o perejil una vez al día.

▶ Una manzana al día… ¡sí funciona! Un estudio universitario demostró que los estudiantes que comieron manzanas regularmente tuvieron menos resfriados.

▶ Antes de acostarse, tome un baño de jengibre ("ginger") y expulse el resfriado transpirando durante la noche. Ponga tres cucharadas de jengibre rallado en una media (calcetín) y ciérrela con un nudo.

NOTA: Es más fácil rallar el jengibre congelado que el fresco.

Arroje la media con el jengibre rallado en una bañera (tina) llena de agua caliente, junto con el contenido de un paquete de dos onzas (55 g) de jengibre en polvo. Revuelva el agua con una cuchara de madera. Luego, remójese durante 10 ó 15 minutos.

Cuando salga de la bañera, séquese muy bien, preferentemente con una toalla áspera. Póngase ropa de cama abrigada y cúbrase la cabeza con una toalla o una bufanda de lana, de manera que solo la cara quede descubierta. Acuéstese bajo la manta de cama y duérmase

■ Receta ■

Bróculi oriental

2 libras (900 g) de bróculi ("broccoli") –un manojo

1 cda. de maicena (fécula de maíz, "cornstarch")

2 cdas. de salsa de soja ("soy sauce")

½ taza de agua o caldo de verduras ("vegetable stock")

¼ taza de aceite

⅛ cdta. de sal

1 diente de ajo, picado finamente

2 cdas. de jerez ("sherry")

Limpie el bróculi. Corte los tallos en trozos de ⅛" (3 mm) en forma diagonal. Mezcle la maicena, la salsa de soja y el caldo o el agua. Deje a un lado.

Caliente un "wok" (cazuela china con base redonda) o una sartén de hierro fundido ("cast-iron pan") hasta que esté muy caliente. Agregue el aceite, luego la sal. Reduzca el fuego a mediano y añada el ajo. Cuando esté dorado, aumente el fuego y agregue el bróculi. Saltee revolviendo 3 minutos. Añada el jerez y tape el wok rápidamente. Cocine, tapado, 2 minutos. Agregue la mezcla de maicena, y revuelva hasta que espese.

Fuente: www.recipegoldmine.com

Si transpira tanto que la humedad lo hace sentir incómodo, póngase ropa seca.

Un remedio que es una joya

▶ A propósito de la "transpiración", una gemólogo terapeuta nos dijo que llevar un topacio activa el calor corporal humano y, por lo tanto, ayuda a curar las enfermedades que pueden mejorar al aumentar la transpiración.

El poder curativo de la cebolla

La cebolla también es un remedio natural popular para aliviar los resfriados. *Estos son algunos usos de la cebolla…*

▶ Corte una cebolla por la mitad y coloque cada mitad en un lado de la cama para inhalar el olor mientras duerme.

▶ Coma una cebolla completa antes de acostarse para aliviar el resfriado de la noche a la mañana.

▶ Sumerja una rodaja de cebolla cruda en un vaso de agua caliente. Después de unos segundos, saque la cebolla y, cuando el agua se enfríe, comience a sorberla. Continúe haciéndolo durante todo el día.

▶ Si le gustan las cebollas fritas, coloque cebollas fritas calientes en un paño de franela o de lana y sujételas sobre el pecho durante la noche.

▶ Póngase rodajas de cebolla cruda en las plantas de los pies y manténgalas en su sitio con medias de lana. Duerma con las medias puestas para expulsar la infección y la fiebre.

NOTA: Si usted se resfría con frecuencia, es posible que su sistema inmune necesite un estímulo. Revise los reforzadores del sistema inmune en "Super remedios" en la página 272.

Evite la gripe

Antes de que empiece la temporada de gripe (a principios de octubre en Norteamérica), pregúntele a su médico si debería vacunarse contra la gripe ("flu shot"). La gripe puede ser mortal, y las personas mayores y las que tienen un sistema inmune comprometido están en mayor riesgo. *Luego, si su médico lo aprueba, pruebe estos remedios…*

▶ Ni bien sienta los primeros síntomas de la gripe, tome una cucharada de lecitina líquida ("lecithin") –que se puede comprar en las tiendas de alimentos naturales. Siga tomando una cucharada cada ocho horas en los próximos dos días. Algunos naturistas (médicos naturopáticos) creen que estas grandes dosis de lecitina pueden prevenir que la gripe progrese.

Un antiguo remedio alemán

▶ Esta fórmula pasó de generación en generación por una familia que cuenta de las muchas vidas que salvó en Stuttgart, Alemania, durante la epidemia de gripe de 1918. La familia afirma que este elixir especial expulsa de la sangre el virus dañino.

ATENCIÓN: Este remedio es solo para las personas que no tienen problemas con el alcohol.

Pele y pique finamente ocho onzas (225 g) de ajo. Ponga el ajo y un cuarto de galón (un litro) de coñac de 45% ("90 proof") en una botella marrón oscura. Séllela bien con cera de parafina o con cinta adhesiva. Durante el día, mantenga la botella bajo el sol, o en algún otro lugar cálido e iluminado, como la cocina, cerca del horno. A la noche, ponga la botella en un lugar oscuro y fresco.

Después de 14 días abra la botella y cuele el contenido. Ponga el elixir colado de nuevo en la botella. Ahora está listo para tomar. Se afirma que el efecto de esta mezcla dura un año, así que marque la botella con la fecha de vencimiento.

Si ya tiene gripe, tome 20 gotas de la fórmula con un vaso de agua, una hora antes de cada comida (tres veces al día), por cinco días.

Para prevenir la gripe, tome entre 10 y 15 gotas con un vaso de agua, una hora antes de cada comida, todos los días durante la temporada de gripe. También asegúrese de lavarse las manos con frecuencia y evitar las muchedumbres (las multitudes de gente).

▶ Apenas haya estado en contacto con alguien con gripe, pruebe el aceite de canela ("cinnamon").

Dosis: Tome cinco gotas de aceite de canela en una cucharada de agua, tres veces al día.

▶ Al beber el jugo de "sauerkraut" (chucrut, col agria) cruda una vez al día, se debería evitar la gripe. (También es una buena manera de evitar el estreñimiento).

▶ Múdese al polo norte en invierno. Ninguno de los microorganismos comunes que causan la gripe y los resfriados pueden sobrevivir ahí. El problema es que quizá tampoco usted pueda existir ahí.

La bebida de la abuelita

▶ El filósofo Friedrich Nietzsche dijo una vez: "Lo que no me destruye me fortalece". Eso es lo que pensamos de la bebida que nuestra abuela

■ Receta ■

La bebida Guggle-Muggle de Ed Koch (solo para adultos)

Jugo exprimido de 1 toronja (pomelo, "grapefruit")
Jugo exprimido de 1 limón
Jugo exprimido de 1 naranja (preferentemente tipo Temple)
1 cda. de miel ("honey")

Exprima el jugo de la toronja, el limón y la naranja. Combine los jugos en una cacerola. Cocine sobre fuego mediano. Agregue la miel. Haga hervir, siempre revolviendo. Después de que haya hervido, retire la mezcla del fuego y deje enfriar. Luego vierta en un vaso y agregue su licor* preferido (Ed Koch prefiere brandy).

Como con todas las bebidas guggle-Muggle, bébala, acuéstese y duérmase. A la mañana siguiente, ¡no tendrá resfriado!

Las mujeres embarazadas o que estén amamantando no deben consumir bebidas alcohólicas.

(Bubbie) hacía apenas alguien de la familia se resfriaba. La temida bebida se llamaba "guggle-muggle". Pensábamos que era un nombre gracioso que Bubbie había inventado. Imagínese nuestra sorpresa cuando Ed Koch, el ex alcalde de Nueva York, habló de una cura antigua –la receta de "guggle-muggle" de su familia.

Parece que muchas familias judías tienen su propia receta de "guggle-muggle" –y algunas saben mejor que otras. La de nuestra familia es una de las que saben peor, pero la del Sr. Koch es de las que saben mejor. Como él mismo nos dijo: "No solo es medicinalmente maravillosa, ¡también es deliciosa!"

Aliviadores de la fiebre

▶ Ate rodajas de cebolla o dientes de ajo pelados a las plantas de los pies. Como mencionamos antes, no se sorprenda si esto le da aliento a cebolla o a ajo. Y no se sorprenda tampoco si le baja la temperatura.

▶ Coma uvas (en temporada) a lo largo del día. También puede diluir el jugo de uva puro y beberlo a sorbos a lo largo del día. Tómelo a temperatura ambiente, nunca frío.

▶ Hierva cuatro tazas de agua con ½ cucharadita de pimienta de cayena ("cayenne pepper"). Justo antes de beber una taza (cuatro a lo largo del día), añada una cucharadita de miel y ¼ taza de jugo de naranja. Caliéntelo un poco y luego tómelo lentamente.

ADVERTENCIA: No les dé miel a bebés, niños, diabéticos y las personas alérgicas a la miel.

Dolor de garganta

El problema del dolor de garganta es que cada trago es un doloroso recordatorio de que uno tiene dolor de garganta.

El dolor de garganta puede ser causado por alergias, cigarrillos, goteo postnasal (descarga nasal posterior), crecimiento excesivo de hongos, e invasiones bacterianas de diferentes grados de intensidad en los tejidos de la garganta. Muchos dolores de gargantas son causados por una infección viral leve que ataca cuando sus defensas están bajas. Puede necesitar a un profesional de la salud para determinar la causa.

Si en este instante tiene dolor de garganta, considere lo que ha estado haciendo. Es probable que se haya estado esforzando como loco, corriendo de aquí para allá y acostándose más tarde de lo habitual.

Si se tranquiliza, descansa mucho, limpia su organismo bebiendo líquidos que no sean lácteos y evita los alimentos "pesados", los remedios que recomendamos aquí serán más eficaces.

ADVERTENCIA: El dolor de garganta crónico o persistente debe ser evaluado por un profesional de la salud. Los dolores de garganta fuertes necesitan tratamiento inmediato y posiblemente antibióticos.

Remedios naturales

▶ Añada dos cucharaditas de vinagre de sidra de manzana ("apple cider vinegar") a una taza de agua tibia.

Dosis: Tome un sorbo y haga gárgaras, escúpalo, luego beba un sorbo. Tome un sorbo y haga gárgaras, escúpalo, luego beba otro sorbo. Siga así hasta que se acabe el líquido. Vuelva a hacerlo una hora más tarde.

▶ Mezcle una cucharadita de crema tártara ("tartar cream") con ½ taza de jugo de piña (ananá, "pineapple") y bébalo.

Dosis: Repita cada media hora hasta que haya una notable mejoría.

► Una cantante que conocemos afirma que esto siempre le da buenos resultados –remoje tres bolsitas de té que no sea de hierbas en una taza de agua recién hervida. Déjelas hasta que el agua esté lo más oscura posible –casi negra.

Dosis: Mientras que el agua todavía esté caliente, pero soportable, haga gárgaras con el té. No lo trague. (Nadie necesita tanta cafeína). Repita cada hora hasta que sienta alivio.

Alivio salado

► Caliente ½ taza de sal gruesa "kosher" en una sartén. Luego vierta la sal tibia en un pañuelo blanco grande y limpio, y dóblelo varias veces para que la sal no se cuele. Envuelva su cuello con el pañuelo con sal y manténgalo puesto una hora.

Este era uno de los remedios favoritos de nuestra tía abuela. El único problema era la laringitis que le daba ¡por explicarle a todos el propósito de la cataplasma salada alrededor del cuello!

Sea sabio, use la salvia

► La próxima vez que se despierte con dolor de garganta, añada una cucharadita de salvia ("sage") a una taza de agua hirviendo. Deje remojar entre tres y cinco minutos y cuele.

Dosis: Haga gárgaras a la mañana y antes de acostarse. Puede ser beneficioso tragar el té de salvia.

► Puede aliviar el dolor de garganta al inhalar el vapor de vinagre caliente. Tenga mucho cuidado cuando inhala los vapores de vinagre (o cualquier vapor). No hay necesidad de acercarse demasiado a la fuente de vapor para que este remedio sea eficaz.

► ¿Sería posible no incluir un remedio para el dolor de garganta sin miel ni limón? Todas las familias tienen su propia variante de esta combinación. Mezcle el jugo de un buen limón (nuestra familia siempre le agrega el adjetivo *buen* a todos los nombres) y una buena cucharadita de miel buena.

Dosis: Tome cada dos horas.

► Añada jugo de limón a un vaso de agua caliente (nuestra familia bebe todo en un vaso) y endulce a gusto con miel –alrededor de 1½ cucharada.

Dosis: Beba un vaso cada cuatro horas.

► Ralle una cucharadita de rábano picante ("horseradish") y un pedazo de cáscara de limón. Añada ⅛ cucharadita de pimienta de cayena ("cayenne pepper") y dos cucharadas de miel.

Dosis: Tome una cucharada cada hora.

ADVERTENCIA: Bebés, diabéticos y las personas alérgicas a la miel no deben consumir miel.

Compórtese como un malcriado

► Encontramos un ejercicio beneficioso para hacer cuando tenga dolor de garganta. Saque la lengua por 30 segundos, métala adentro y relájela por un par de segundos.

Luego sáquela por otros 30 segundos. Hágalo cinco veces seguidas y esto mejorará la circulación de la sangre, ayudará al proceso de curación y lo convertirá en el centro de atención en la próxima reunión de la junta directiva.

Haga una toalla de té

▶ Prepare té de manzanilla. Cuando se enfríe lo suficiente para que se pudiese utilizar, empape una toalla (preferentemente blanca) en el té, escúrrala y aplíquela al cuello. Apenas se enfríe, recaliente el té, vuelva a sumergir la toalla y aplíquela al cuello. La manzanilla ayudará a eliminar el dolor, y el calor relajará un poco de la tensión acumulada en esa zona.

▶ Según una gemólogo terapeuta, llevar el ámbar amarillo alrededor del cuello lo protegerá contra los dolores de garganta. Si ya tiene dolor de garganta, se dice que la fuerza eléctrica de esta resina dorada fosilizada lo curará.

▶ Prepare una cataplasma de zanahoria (*vea la "Guía de preparación" en la página 280*) con una zanahoria grande rallada. Ponga la cataplasma alrededor de la garganta. Sobre la cataplasma, ponga una toallita previamente empapada en agua caliente y escurrida. Para conservar el calor, cubra todo con una toalla o con una venda elástica ancha. Si siente que se alivia el dolor de garganta, vuelva a sumergir la toallita en agua caliente apenas se enfríe.

Ronquera y laringitis

El problema de la laringitis es que tiene que esperar hasta que se le vaya para poder decir que la tuvo.

Descanse las cuerdas vocales todo lo que pueda. Si necesita hablar, hágalo en voz normal, dejando que el sonido salga del diafragma en lugar de la garganta. *¡No susurre!* Susurrar aprieta los músculos de la caja vocal, y pone

más tensión en sus cuerdas vocales que hablar en voz normal.

▶ Beba una mezcla de dos cucharaditas de jugo de cebolla y una cucharadita de miel.
Dosis: Tome tres cucharaditas cada tres horas.

▶ Beba una taza de té de menta piperita ("peppermint") caliente con una cucharadita de miel. Después de un día de trabajo duro, es muy relajante para todo el cuerpo y para la garganta también.

▶ Si parece que el resfriado se asentó en su garganta en forma de ronquera y congestión, pele y corte finamente una cabeza entera de ajo. Cubra todos los trocitos con miel sin procesar ("raw honey") y deje estar dos horas. Tome una cucharadita de la mezcla de miel con ajo cada hora. Trague el ajo sin masticarlo. Así no tendrá aliento a ajo.

👉 **ADVERTENCIA:** Bebés, diabéticos y las personas alérgicas a la miel no deben consumir miel.

El secreto de los budistas

▶ Cocine a fuego lento en 1 taza de agua, ½ taza de pasas de uva ("raisins") por 20 minutos. Deje enfriar, luego cómalo todo. Este es un remedio tibetano. Debe ser eficaz porque no hemos conocido a nadie del Tíbet con laringitis.

► Hierva 1 libra (450 g) de frijoles negros en un galón (4 litros) de agua por una hora. Escurra.

Dosis: Tome un vaso de 6 onzas (175 ml) de agua de frijoles una hora antes de cada comida. Los frijoles los puede comer con la comida. (Si es necesario, *vea* "Gases y flatulencia" en la sección "Indigestión" en la página 104).

► Cuando esté ronco y hambriento, coma manzanas horneadas. Para prepararlas, quite el corazón de cuatro manzanas y pélelas hasta la mitad desde arriba. Póngalas en un plato engrasado con ½ pulgada (1 cm) de agua. Coloque una cucharadita de pasas en el centro de cada manzana y rocíe una cucharadita de miel en el centro y por encima. Cubra y hornee a 350°F (175°C) por 40 minutos. Mientras se esté cocinando, bañe las manzanas con el jugo de la bandeja.

Dosis: Coma las manzanas tibias o a temperatura ambiente. A diario una manzana es cosa sana. O como se dice en inglés: una manzana al día... aleja al médico.

► *Vea* el remedio de vinagre de sidra de manzana ("apple cider vinegar") en la página 180. Después de siete horas y siete dosis del vinagre con agua, más una buena noche de descanso, debería haber una gran mejoría.

► Ralle rábanos ("radishes") y exprímalos a través de una estopilla (gasa, "cheesecloth") para extraer jugo de rábano. Cada media hora ingiera una cucharadita del jugo y déjela deslizar por su garganta.

¡Este remedio es otro cantar!

► Este es un remedio popular ruso para lo que ellos llaman "el dolor de garganta de los cantantes". Promete restaurar la voz de los cantantes en un solo día. Por cierto, no tiene que ser cantante para probarlo.

Ponga ½ taza de semillas de anís ("anise seeds") en una taza de agua y hierva a fuego lento por 50 minutos. Escurra las semillas, luego vierta revolviendo ¼ taza de miel sin procesar ("raw honey") en el agua de semillas de anís y añada una cucharada de coñac.

Dosis: Tome una cucharada cada media hora.

ADVERTENCIA: Bebés, diabéticos y las personas alérgicas a la miel no deben consumir miel.

Estreptococos en la garganta

Esta enfermedad, conocida como "strep throat" en inglés, es causada por la bacteria *estreptococo del Grupo A.* Si tiene un fuerte dolor de garganta, fiebre, escalofríos y dolor en todo el cuerpo, quizá tenga inflamación estreptocócica.

ATENCIÓN: Tener estreptococos en la garganta es una enfermedad grave. Si no se trata, puede conducir a fiebre reumática. Consulte a un médico para que le diagnostique y trate esta dolencia.

► ¿Tiene usted un perro o un gato? Si es así y padece frecuentes brotes de estreptococos en la garganta, lleve a su mascota al veterinario para que la examine por estreptococos. Una vez que su mascota esté libre de la bacteria, es probable que usted tampoco la tenga... después de haber seguido el tratamiento recetado por su profesional de la salud, por supuesto.

Amigdalitis

Las amígdalas son esas dos pequeñas protuberancias en la parte posterior de la garganta.
Son parte del sistema linfático y pueden ayudar
a evitar las infecciones respiratorias. Cuando se
inflaman por largos periodos de tiempo –sin
que usted se sienta mejor– es posible que
tenga amigdalitis.

ATENCIÓN: Si tiene amigdalitis, su sistema inmune tiene que ser evaluado y tratado por
un médico. Tenga en cuenta que la amigdalitis
bacterial que no se trata puede tener consecuen-
cias graves, entre ellas la fiebre reumática, fiebre
escarlata e incluso enfermedad renal (nefritis).

Estos son algunos remedios simples para ayudar
a disminuir la inflamación de las amígdalas.

▶ Hornee una banana (plátano) mediana sin
pelar por 30 minutos a 350°F (175°C). Pele y
machaque la jugosa banana, añada una cucharada de aceite de oliva extra virgen prensado
en frío. Esparza la mezcla sobre un paño blanco limpio y aplíquelo al cuello. Manténgalo
por una media hora a la mañana y otra media
hora a la noche.

▶ Exprima el jugo de varios dientes de ajo (*vea*
la "Guía de preparación" en la página 278) para
extraer una cucharada de jugo. Añada el jugo
y dos onzas (55 g) de salvia ("sage") seca a un
litro de agua en una olla esmaltada ("enamel")
o de vidrio. Cubra la olla y haga hervir. Apenas
empiece a hervir, apague el fuego y deje estar
hasta entibiar. Cuele la mezcla.

Dosis: Beba ½ taza de este té de ajo con
salvia cada dos horas. Haga gárgaras con ½ taza
cada hora hasta que la dolencia mejore.

NOTA: Los profesionales holísticos de
la salud con quienes hablamos creen que las
amígdalas no deben extirparse a menos que
sea absolutamente necesario. Funcionan como
guardias armados, destruyendo las bacterias
dañinas que entran por la boca. Los practicantes de la medicina asiática creen que cuando
las amígdalas no pueden cumplir su función,
el sistema inmune del cuerpo debe fortalecerse
–pero las amígdalas no deben extirparse.

ANGRADOS POR LA NARIZ

 A la mayoría de las personas les ha salido sangre por la nariz. Generalmente no suele ser nada grave y puede ser causado por alergias, frío, infecciones de los senos nasales y otras enfermedades. Cuando los pasajes nasales están irritados porque se ha frotado, tocado o sonado la nariz, los pequeños vasos sanguíneos se rompen y la nariz comienza a sangrar.

ATENCIÓN: La hemorragia nasal –cuando la sangre sale de ambas fosas nasales– requiere atención médica inmediata. Vaya de inmediato al médico más cercano o la sala de emergencia del hospital.

Además, los sangrados nasales recurrentes pueden ser un síntoma de una enfermedad subyacente. Busque atención médica inmediata.

Remedios naturales

Para los sangrados nasales *ocasionales*, lo primero que debe hacer es sonarse suavemente la nariz. Esto ayudará a eliminar los coágulos en las fosas nasales que pueden evitar que los vasos sanguíneos se sellen. Luego, intente con cualquiera de estos remedios.

► Cuando sangre por la nariz, siéntese o póngase de pie. No se acueste. No incline la cabeza hacia atrás. Esto hará que trague la sangre.

► La mejor manera de detener el sangrado nasal es aplicando presión directa. Agárrese la nariz por el puente, luego mueva los dedos justo arriba de la parte carnosa de la nariz y apriete –suave pero firmemente. Mantenga esta posición entre 10 y 20 minutos.

Si le sigue sangrando la nariz después de 20 minutos de presión directa –vaya al hospital.

El dedo atado detiene el sangrado

► Este remedio nos llegó desde el Caribe –ate una cuerdita (cordón) apretada justo debajo de la uña del dedo meñique de la mano opuesta a la fosa que está sangrando.

► Sabemos que la pimienta de cayena ("cayenne pepper") detiene el sangrado de un corte o herida. Nos han dicho que tomar un vaso de agua tibia con ⅛ cucharadita de pimienta de cayena puede ayudar a detener el sangrado nasal.

► Las gemólogo terapeutas afirman que el sangrado nasal puede detenerse al colocar un trozo de ámbar ("amber") puro sobre la nariz.

► Se dice que el vinagre es muy útil para controlar el sangrado nasal. Vierta un poco de vinagre blanco destilado en un pañito y úselo para lavarse el cuello, la nariz y la sien. Además, mezcle dos cucharaditas de vinagre blanco destilado en medio vaso de agua tibia y bébalo.

■ **Receta** ■

Verduras al ajillo

1 manojo de col rizada ("kale")
  –alrededor de 10 tazas

1 manojo de berza ("collard greens")
  –alrededor de 10 tazas

2 cdas. de aceite de oliva

1 cebolla grande cortada en media
  lunas finas (2 tazas)

½ taza de ajo, picado finamente

½ cda. de sal marina ("sea salt")

1 cda. de salsa "tamari" (salsa de soja
  japonesa oscura –"dark Japanese
  soy sauce")

Desvene la col rizada y la berza. Corte en piezas de ½" (1 cm). Cocine al vapor en baño María ("double boiler") alrededor de 2 minutos.

En una sartén grande, caliente el aceite. Agregue la cebolla, el ajo y la sal marina. Saltee 5 min., o hasta que la cebolla esté bien cocida. Agregue la salsa "tamari".

Añada las verduras cocidas. Luego revuelva y mezcle con la cebolla y el ajo. Saltee 3 minutos.

Sirva inmediatamente.

Fuente: www.vegparadise.com

Cómo prevenir el sangrado nasal

▶ Si es propenso a padecer sangrados nasales leves, y por lo demás es una persona sana, consuma bioflavonoides. Coma por lo menos una fruta cítrica por día, incluyendo la cáscara blanca y gomosa debajo de la cáscara externa. Es extremadamente rica en bioflavonoides.

Además, tome un suplemento de vitamina C con bioflavonoides. También incluya en su dieta verduras de hojas verdes –muchas. Contienen mucha vitamina K, que se necesita para la producción de *protrombina*, la cual es necesaria para la coagulación de la sangre.

ATENCIÓN: El bróculi y las hojas de nabos ("turnip greens") contienen mucha vitamina K, la vitamina que estimula la coagulación. Si está tomando un medicamento anticoagulante recetado por su médico, tenga en cuenta que estas verduras pueden contrarrestar los efectos del medicamento.

SARPULLIDOS Y PICAZÓN EN LA PIEL

La resequedad de la piel es la causa más común de las picazones leves… y si se sigue rascando, puede convertirse en un sarpullido. Otras picazones son causadas por afecciones más graves como eccema o hiedra venenosa ("poison ivy").

Es bueno mantener cortas las uñas y –aún más importante– ¡trate de no rascarse! (Rascarse puede causar infecciones). Si la picazón o el sarpullido es persistente, vaya al médico.

Eccema

El eccema es una enfermedad crónica de la piel que es muy incómoda, pero no es contagiosa. Suele salir en los codos, las rodillas y las muñecas y puede ser desencadenado por alergias.

▶ Nos han dicho que comer papas crudas –por lo menos dos por día– ha logrado milagros en la eliminación del eccema. Póngase guantes, y asegúrese de que las papas estén muy bien lavadas. Si no ve ninguna mejoría en un par de semanas (o si se cansa de comer papas crudas), intente otra cosa.

✎ **NOTA:** Las personas con eccema deberían evitar tocar las papas crudas con las manos descubiertas. El eccema crónico o persistente debe ser tratado por un profesional de la salud.

Prepare una pasta

▶ Todas las mañanas y noches, mezcle unas cuantas cucharadas de levadura de cerveza ("brewer's yeast") con suficiente agua para formar una pasta que cubra la zona afectada. Aplique con cuidado y déjelo hasta que se seque y desmenuce.

Psoriasis

La psoriasis puede ser causada por un problema del sistema inmune. Las células capilares crecen demasiado rápido y se acumulan formando parches duros, con costras que pican.

▶ Una cabaña en la costa y zambullidas frecuentes en las olas o un viaje al Mar Muerto en Israel parece lograr maravillas para quienes sufren de psoriasis.

Una opción más conveniente es disolver ½ taza de sal marina ("sea salt") en un galón (cuatro litros) de agua. Remoje las zonas afectadas por la psoriasis en el agua salada varias veces por día –siempre que pueda.

▶ James A. Duke, PhD, un botánico que formó parte del servicio de investigación agrícola del Departamento de Agricultura de Estados Unidos, en Beltsville, Maryland, y uno de los principales expertos en hierbas, explica en su libro *The Green Pharmacy* (editado en inglés por St. Martin's, y en español por Rodale Press, *La farmacia natural*): "Muchos aceites vegetales son químicamente similares a los aceites de pescados, los cuales tienen fama de ayudar a aliviar la psoriasis. El aceite de linaza ('flaxseed oil') contiene ácido eicosapentaenoico y ácido alfalinolénico".

El Dr. Duke revisó estudios que demostraron que tomar entre 10 y 12 gramos (cinco o seis cucharaditas) de aceite de linaza puede ayudar a tratar la psoriasis (*vea* "Seis Superalimentos maravillosos" en la página 291 para leer más detalles sobre el aceite de linaza y cómo tomarlo).

▶ Todas las noches, aplique con palmaditas aceite de ajo en la zona afectada. Para hacer esto, pinche una cápsula de ajo (de gel suave –"soft gel garlic pearle") y exprima el aceite. Es posible que elimine la afección.

▶ Añada una cucharadita de raíz de zarzaparrilla ("sarsaparilla", que se puede comprar en las tiendas de alimentos naturales) a una taza de agua recién hervida y deje remojar por 15 minutos. Si para entonces está suficientemente fría, cuele y empape una toallita blanca con el líquido y aplíquelo a la zona afectada.

Quizá tenga que usar más de una toallita, dependiendo de la extensión de la afección. Si el tratamiento parece funcionar, hágalo por la mañana y por la noche durante una semana y verifique si hay alguna mejoría.

Prurito y urticaria

Prurito es el nombre elegante de la picazón. Por lo general, está relacionada con algún tipo de enfermedad, contraria a la picazón de la *urticaria*, que es causada por una reacción alérgica o sensibilidad de la piel.

☛ **ADVERTENCIA:** Cualquier picazón persistente o crónica debe ser examinada por un médico.

Para lograr alivio, aplique uno de estos remedios a los lugares donde le pica.

◆ Zanahorias frescas cortadas en tajadas

◆ Una tableta de vitamina C disuelta en una taza de agua tibia

◆ Jugo de limón (para aplicar sobre el área genital, diluya el jugo con agua)

◆ Rodajas de cebolla cruda

◆ Una pasta de cereal de avena ("oatmeal") sin cocinar con un poco de agua

◆ Vinagre de sidra de manzana –"apple cider vinegar"– (para aplicar sobre el área genital o cerca de los ojos, diluya el vinagre de sidra de manzana con agua)

► Si se quiere dar un baño, añada dos tazas de vinagre de sidra de manzana o tres cucharadas de bicarbonato de soda ("baking soda") al agua de la bañera (tina).

O añada una pinta (½ litro) de té de tomillo ("thyme") al agua de la bañera. El tomillo contiene *timol*, una sustancia antiséptica y antibacteriana que puede eliminar la picazón.

► Si prefiere una ducha en vez de un baño, dése una ducha rápida en agua caliente –tan caliente como pueda tolerar sin quemarse. Se sabe que el agua caliente ha detenido la picazón durante horas a la vez.

Recientemente, a Lydia le picaba una zona de la espalda. Encontró alivio al darse una ducha rápida con agua caliente y –por unos

■ Receta ■

Semillas de calabaza ("pumpkin") dulces y picantes

1 taza de semillas de una calabaza "pumpkin" de unas 5 a 7 lbs

5 cdas. de azúcar granulada, divididas

¼ cdta. de sal gruesa ("coarse salt")

¼ cdta. de comino ("cumin") molido

¼ cdta. de canela ("cinnamon") molida

¼ cdta. de jengibre ("ginger") molido

Pizca de pimienta de cayena ("cayenne pepper"), o a gusto

1½ cda. de aceite de maní ("peanut")

Precaliente el horno a 250°F (120°C). Forre una bandeja para hornear con papel pergamino ("parchment paper").

Corte la calabaza ("pumpkin") desde la parte inferior y quite las semillas con una cuchara de mango largo. Separe la pulpa de las semillas y descarte. Distribuya las semillas sobre el papel pergamino en una capa uniforme. Hornee hasta que se sequen, revolviendo ocasionalmente, aprox. una hora. Deje enfriar.

En un bol mediano combine 3 cdas. de la azúcar, la sal, el comino, la canela, el jengibre y la pimienta de cayena. Caliente el aceite de maní en una sartén grande no adherente sobre fuego alto. Agregue las semillas del "pumpkin" y las 2 cdas. de azúcar restantes. Cocine hasta que la azúcar se derrita y las semillas comiéncen a caramelizarse, aprox. 45 a 60 segundos. Transfiera al bol con especias y revuelva bien para recubrir. Deje enfriar.

Se pueden guardar en un envase cerrado herméticamente hasta una semana.

Rinde alrededor de 1 taza.

Fuente: www.recipegoldmine.com

segundos antes de terminar la ducha– dejando correr el agua *f-f-f-frí-í-í-ía* en la espalda. La picazón desapareció y pudo dormir toda la noche. Utilice la solución que le dé los mejores resultados.

▶ Para eliminar una picazón, lave la zona que le pica con un ron fuerte. Este remedio viene, por supuesto, del Caribe.

▶ ¿Tiene una bolsita de algodón que se cierra con una cuerda? Si no, puede coser una fácilmente usando un pañuelo blanco. Llene la bolsita con una libra (450 g) de cereal de avena ("oatmeal") sin cocinar y ciérrela bien. Tírela en la bañera (tina) mientras la llena con agua tibia. Luego dése un baño y, usando la bolsa de avena, dése un masaje suave en la zona de la piel que le pica. Quédese en la bañera y disfrute el baño por lo menos 15 minutos.

Urticaria

Esas protuberancias de color rojo pálido normalmente aparecen como consecuencia de una alergia –ya sea a los alimentos, medicamentos, picaduras de insectos o exposición al sol.

▶ La urticaria, por lo general, desaparece casi tan pronto y tan misteriosamente como apareció. Si la suya es persistente, frótela con harina de alforfón ("buckwheat").

▶ Combine tres cucharadas de maicena (fécula de maíz, "cornstarch") y una cucharada de vinagre. Mezcle bien y aplique la pasta sobre la urticaria.

▶ Prepare una pasta con crema tártara ("tartar cream") y agua. Aplique la pasta sobre las marcas rojas. Apenas la pasta se seque y se desmenuce, aplique más pasta.

▶ Añada una taza de bicarbonato de soda ("baking soda") al agua de la bañera (tina) y sumérjase por 20 minutos. Además, beba entre ¼ y ½ cucharadita de bicarbonato de soda disuelto en un vaso de agua.

NOTA: Ninguno de estos remedios brindan alivio para la "comezón del séptimo año".

Picazón en los genitales

▶ Espolvoree maicena (fécula de maíz, "cornstarch") por toda la zona para detener la picazón.

▶ Se sabe que el suero de leche ("buttermilk") detiene la picazón y ayuda a sanar la zona. Empape una almohadilla de algodón en suero de leche y aplíquela sobre la zona afectada.

NOTA: La picazón en los genitales y en el recto puede ser causada por alergias, crecimiento excesivo de hongos, mala higiene o parásitos. Vaya al médico para averiguar la causa, y así será más fácil eliminar el problema.

Picazón rectal

▶ Empape una almohadilla de algodón en vinagre de sidra de manzana ("apple cider vinegar") y póngala sobre la zona que le pica. Si el lugar está en carne viva, prepárese para sentir un ardor temporario. Mantenga puesta la almohadilla de algodón durante la noche. (Puede mantenerla fija con una toalla sanitaria –"sanitary napkin"). Debería brindar alivio instantáneo. Si le empieza a picar de nuevo durante el día, repita el procedimiento –en vez de rascarse.

▶ Antes de acostarse, dúchese, luego seque la zona afectada dando palmaditas, y aplique aceite de germen de trigo ("wheat germ"). Para evitar que la ropa de cama y las sábanas se ensucien, póngase una toalla sanitaria sobre la zona aceitada.

▶ Durante años, las semillas de calabaza "pumpkin" han sido usadas como tratamiento tradicional para controlar y prevenir los parásitos intestinales (que pueden causar que el trasero pique). Compre las semillas sin cáscara y sin sal, y coma un puñado todos los días. (*Vea* también la receta en la página 188).

Sarpullido por el calor

El sarpullido se puede desarrollar en cualquier momento que el cuerpo se recaliente –por lo general, en condiciones muy calientes y húmedas. Manténgase fresco y ¡no deje que el calor lo afecte!

▶ Prepare un polvo calmante dorando ½ taza de harina común en el horno. Luego aplíquelo sobre el sarpullido.

▶ Tome un suplemento de vitamina C regularmente. Puede ayudarlo a aliviar la picazón.

▶ Frote la zona afectada con la parte interna de la corteza de una sandía ("watermelon").

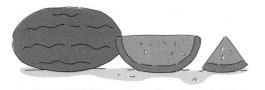

Irritación al afeitarse

Señores, ¿alguna vez han tenido una irritación al afeitarse, especialmente en el cuello? Señoras, lo único que tenemos que decirles es –la zona del bikini en plena temporada. Los siguientes remedios pueden brindar algo de alivio.

▶ Pinche una cápsula de vitamina E, exprima el contenido y mézclelo con un poco de vaselina ("petroleum jelly"). Luego esparza la mezcla con cuidado sobre la piel irritada.

▶ La maicena (fécula de maíz, "cornstarch") es un polvo aliviador para las axilas y otros sitios propensos a irritaciones.

Tiña

La tiña ("ringworm") es una infección leve de la capa externa de la piel causada por hongos. Está relacionada con el pie de atleta, picazón en la zona genital ("jock itch"), infecciones en las uñas y algunos tipos de sarpullido causado por los pañales.

El sarpullido de la tiña produce zonas de ampollas rojas escamosas, y se puede propagar rápidamente.

▶ Una mujer nos llamó para compartir su remedio para la tiña –mezcle tinta azul para pluma fuente con cenizas de cigarro y coloque la mezcla sobre la zona afectada. Ella dice que este remedio nunca falla. A los pocos días, la tiña desaparece completamente.

Pero si este remedio le va a llevar a fumar cigarros, ¡mejor quédese con la tiña!

▶ Pique finamente o ralle un ajo. Aplíquelo sobre la zona afectada y cúbralo con gasa. Déjelo toda la noche.

A lo largo del día pinche cápsulas de ajo ("garlic pearles") y frote el aceite sobre las zonas afectadas. El ajo debería detener la picazón y ayudar a sanar el sarpullido.

ADVERTENCIA: Tenga cuidado al poner cualquier cosa húmeda sobre una infección micótica. Los hongos prosperan en condiciones húmedas.

Seborrea

Este sarpullido crónico ocurre con más frecuencia en los bebés y los adolescentes (etapas de la vida cuando las glándulas sebáceas están activas). El sarpullido causa, por lo general, manchas rojas en la piel y escamas grasosas con costra. No causa mucha picazón, pero los siguientes remedios pueden brindar un poco de alivio.

▶ Aplique aceite de hígado de bacalao ("cod-liver oil") a la piel manchada, escamosa y que pica. Deje el aceite sobre la piel tanto tiempo como pueda. Luego enjuague con agua fría. Muchas tiendas de alimentos naturales tienen emulsión noruega de aceite de hígado de bacalao ("Norwegian emulsified cod-liver oil") que no huele.

▶ Frote un poco de lecitina ("lecithin") líquida sobre las zonas afectadas y déjela ahí tanto tiempo como pueda. Luego enjuague con agua fría. Repita el procedimiento tan seguido como pueda... varias veces al día.

Hiedra venenosa

Por lo menos una de las tres hierbas venenosas –hiedra, roble y zumaque ("ivy", "oak",

"sumac")– crece en casi todos los Estados Unidos. Y todas estas hierbas producen el mismo tipo de reacción incómoda. Si es alérgico a una, es muy probable que sea alérgico a todas. Se estima que 10 millones de estadounidenses son afectados por estas plantas.

ATENCIÓN: La hiedra venenosa en la cara o cualquier zona amplia de la piel es extremadamente grave y debe ser tratada por un médico tan pronto como sea posible.

Prevención de la hiedra venenosa

La mejor manera de evitar la hiedra venenosa es reconocer la planta y evitar tocarla. También ayuda reconocer la balsamina ("jewelweed"), el antídoto natural. Lo más probable es que si reconoce la balsamina, también reconoce la hiedra venenosa y, por lo tanto, no necesitará la balsamina.

Si necesita utilizar la balsamina, machaque las hojas y el tallo para extraer el jugo de la flor. Aplique el jugo sobre el sarpullido de la hiedra venenosa cada hora durante todo el día.

▶ Si es posible, tan pronto se dé cuenta que puede haber estado en contacto con la hiedra venenosa, deje correr agua fría sobre la zona afectada para quitar el aceite *urushiol* que haya quedado en la piel. Tendrá muy poco tiempo para hacer esto –unos tres minutos– así que si entra en contacto con la hiedra venenosa, ojalá esté cerca de una cascada o de una manguera.

Cómo descartar la planta de la hiedra venenosa

No la queme *jamás*. Los aceites de la planta se quedan en el aire y pueden ser inhalados. Esto puede ser muy peligroso y dañino para los pulmones. En cambio, con guantes puestos, saque las plantas con la raíz y déjelas en el suelo para que se sequen al sol.

O mátelas con una mezcla de tres libras (1⅓ kilo ó 1350 g) de sal y cuatro litros (un galón) de agua jabonosa. Rocíe, rocíe y siga rociando las plantas y luego rocíelas un poco más. Lave bien los instrumentos de jardinería con la misma mezcla.

Cuando haya eliminado la hiedra venenosa y limpiado todas sus herramientas, quítese los guantes con mucho cuidado, déles vuelta de adentro hacia fuera y tírelos a la basura. Quizá sea bueno que también descarte la ropa. Es posible que el aceite de la hiedra venenosa no salga completamente con el lavado y puede quedarse activo durante años.

▶ Esto puede sonar *un poco raro*... pero si sabe que va a visitar zonas donde abunda la hiedra venenosa, y si es temporada de tomates verdes, lleve algunos con usted.

En cuanto se dé cuenta que la hiedra venenosa ha estado en contacto con la piel, corte el tomate verde y exprima el jugo sobre la zona afectada. Puede ahorrarle la angustia de la picazón.

▶ Si tiene un sarpullido causado por la hiedra venenosa, use una mezcla de cantidades iguales de vinagre blanco y alcohol para frotar ("rubbing alcohol"). Aplique la solución con toques suaves cada vez que le empiece a picar. Debería aliviar la picazón y, a la vez, secar el sarpullido.

▶ Pulverice un pedazo de tiza blanca. Mezcle el polvo en una pinta (½ litro) de agua. Con un pañito limpio, aplique la mezcla sobre las zonas envenenadas. Repita el procedimiento varias veces por día. Esta es una curación muy útil, especialmente para los maestros de escuela.

No deseche la cáscara

▶ Frote la parte interna de la cáscara de una banana (plátano) directamente sobre la zona afectada de la piel. Debe usar una cáscara de banana nueva cada hora durante un día entero.

NOTA: Corte las bananas sobrantes en pedazos de dos pulgadas (cinco cm), póngalos en una bolsa plástica y congélelos. Son ideales para preparar un batido ("smoothie"), junto con varias fresas (frutillas, "strawberries"), una porción de yogur y 10 onzas (300 ml) de jugo de piña (ananá, "pineapple").

En un día caluroso, es muy refrescante comer pedazos de banana congelados.

▶ Aplique lodo fresco en las zonas afectadas. Al final del día, dúchese para quitar el lodo (ya sabemos, no hace falta decirle que lo haga).

Siga este procedimiento diariamente hasta que el enrojecimiento causado por la hiedra venenosa desaparezca.

▶ Corte en rodajas uno o dos limones y frótelos por todos las zonas afectadas. Debería eliminar la picazón y ayudar a sanar la piel.

▶ Pique cuatro dientes de ajo y hiérvalos en una taza de agua. Cuando la mezcla se enfríe, aplíquela con un pañito limpio sobre las zonas afectadas. Repita con frecuencia.

► Coloque compresas de leche entera bien fría en las zonas afectadas. Una vez que el sarpullido mejore, quítese la leche enjuagando con agua fría. Si no tiene leche entera, póngase cubitos de hielo sobre la piel.

► Dése un baño con cereal de avena ("oatmeal") para aliviar la picazón y ayudar a que las erupciones se sequen.

► Ponga trozos de "tofu" directamente sobre las zonas afectadas y sujételos con un pañito o una venda. Deberían ayudar a eliminar la picazón y aliviar el enrojecimiento causado por la hiedra venenosa.

► Cocine un cangrejo entero en agua hirviendo, deje enfriar y luego use el agua para enjuagar la zona afectada por la hiedra venenosa. O busque la sustancia verde dentro del caparazón del cangrejo. Aplique el pegote verde directamente sobre la erupción.

► Si ninguno de estos remedios funciona y todavía tiene picazón –por lo general dura unos 10 días– entonces frote la zona afectada con tréboles de cuatro hojas y ojalá tendrá una "¡erupción de buena suerte!"

Prueba de la hiedra venenosa

La prueba del papel blanco le indicará si esa planta con la que se acaba de tropezar es o no es hiedra venenosa. Agarre la planta sospechosa con un trozo de papel blanco (¡no la toque con las manos descubiertas!). Estruje las hojas hasta que el líquido de la planta humedezca el papel. Si es hiedra venenosa, el jugo en el papel se pondrá negro en cinco minutos.

SEXUALIDAD

Durante nuestras entrevistas en decenas de programas de radio y televisión, nos han hecho muchas preguntas relacionadas con el sexo. Así que decidimos darle a la gente lo que quiere– ¡Más sexo! Esto es, remedios para los problemas sexuales y algunos combustibles para ayudar a estimular el deseo sexual.

Los investigadores nos dicen que alrededor del 90% de los casos de disminución de la capacidad sexual son por causas psicológicas. Ya que se sabe que los placebos psicológicos han estimulado un desempeño ganador, incluimos rituales, recetas, pociones, lociones, amuletos y toda clase de hechizos para estimular la pasión.

Remedios naturales

Para los entusiastas de la historia del amor, seleccionamos varios secretos sexuales griegos, egipcios, indios y asiáticos que todavía se usan en la actualidad.

Así que sí lo hacía, pero ya no lo hace… debería, pero no tiene ganas… no puede, pero quiere… o lo hace, pero no lo disfruta –por favor, siga leyendo. Una ayudita y nuevas maneras de divertirse pueden estarle esperando.

Para acentuar el orgasmo masculino

Tocarle los testículos a un hombre antes del orgasmo es una maravillosa manera de que una mujer excite enormemente a su amante. También puede acelerar –así como acentuar– el orgasmo.

✎ **NOTA:** No toque los testículos justo después de un orgasmo. Puede producir una sensación incómoda y casi dolorosa.

Té para la fertilidad

▶ Añada una cucharadita de zarzaparrilla a una taza de agua recién hervida y deje remojar cinco minutos. Cuele y beba dos tazas al día.

Aunque el té de zarzaparrilla puede ser beneficioso para una mujer que quiera concebir, no se le debe dar a un hombre que quiera ser fértil. La zarzaparrilla (que se puede comprar en las tiendas de alimentos naturales) parece inhibir la formación de esperma.

Amuletos para la fertilidad

▶ Hace cientos de años, las brujas llevaban collares de bellotas ("acorns") como símbolos de los poderes fértiles de la naturaleza. En algunos círculos, todavía se cree que llevar una bellota estimulará las relaciones sexuales y la concepción.

Fortalecedor muscular

▶ Los antiguos japoneses, maestros de la sensualidad, inventaron las bolas Ben Wa. Más adelante, en el siglo XVIII, las francesas llamaban estas bolas *"pommes d'amour"* (manzanas de amor). Los médicos de todo el mundo las han recomendado por su valor terapéutico.

Cuando estas pequeñas bolas de cobre (a veces son de acero chapeado en oro) se colocan en la vagina, producen una sensación estimulante en los músculos de las paredes vaginales. Para evitar que las bolas se caigan, hay que contraer los músculos. Este ejercicio fortalece los músculos vaginales, y se dice que le brinda a la mujer un mayor control de sus orgasmos.

■ Receta ■

Poción de amor

Las antiguas novias teutónicas bebían cerveza con miel durante 30 días después de la boda. Se afirmaba que hacía que la novia respondiera mejor sexualmente. Por la costumbre de beber cerveza con miel por un mes, lo que los poetas llaman una "luna", se derivó el término "luna de miel".

Los herbarios han simplificado la preparación antigua, mediante la preparación de un té hecho de lúpulos ("hops") y miel.

1 onza (30 g) de lúpulos ("hops")

1 pinta (450 g) de agua hervida

1 cdta. de miel sin procesar

("raw honey")

Ponga los lúpulos (que se pueden comprar en tiendas de alimentos naturales) en un recipiente de porcelana o de marca Pyrex. Vierta el agua hirviendo sobre los lúpulos, tape y deje reposar 15 minutos. Luego cuele. Agregue la miel a un vaso del té y bébalo una hora antes de cada comida. Si prefiere lúpulos calientes con miel, caliente el té antes de beberlo.

La miel contiene ácido aspártico y vitamina E. La miel y los lúpulos contienen rastros de hormonas. Se afirma que todos estos ingredientes estimulan la sexualidad femenina. ¡Salud!

☞ **ADVERTENCIA:** Los diabéticos y las personas alérgicas a la miel no deben consumir miel.

Tener músculos vaginales fuertes también es beneficioso para las mujeres embarazadas. Tienen más control de la vejiga y se dice que facilita el proceso del parto. Los músculos vaginales fuertes también ayudan a prevenir la incontinencia.

También puede hacer los ejercicios Kegel para fortalecer estos músculos. Lea acerca de estos ejercicios en la página 249: "Control de la vejiga" en "Remedios curativos para la mujer".

Aroma del romance

▶ Permita que su fragancia favorita perdure en el aire y ayude a crear un ambiente de romance. Rocíe un poco de su perfume sobre una bombilla de luz —una que piense dejar encendida. Cuando haga frío, rocíe también el radiador.

La hora del amor

▶ La testosterona, la hormona que estimula el deseo sexual, está a su nivel más bajo en el cuerpo humano a las 11 de la noche. Y a su nivel más alto al amanecer. Con razón no tiene ganas de hacer el amor durante el noticiero de las 11.

Intente levantarse con los gallos y tal vez usted y su pareja tendrán una excusa para dar gritos de alegría "¡kikiriquiii ya es de día!".

Té para dos

▶ Las mujeres turcas creen que el té de fenogreco ("fenugreek") las hace parecer más atractivas para los hombres. Además de la energía

sexual que puede brindarles, este té tiene la capacidad de limpiar el organismo, endulzar el aliento y ayudar a eliminar los olores de la transpiración. (Si los olores corporales afectan su vida sexual, *vea* los remedios en las páginas 147 y 148).

▶ Los hombres que sufren de falta de deseo o incapacidad para hacer el amor, han recurrido también al té de fenogreco con éxito.

Muchos hombres con problemas sexuales tienen deficiencia de vitamina A. El fenogreco contiene un aceite con mucha vitamina A. La *trimetilamina* es otra sustancia presente en el fenogreco, con la cual se están haciendo pruebas con hombres, y actúa como una hormona sexual en ranas. Puede comprar el fenogreco en las tiendas de alimentos naturales.

Si quiere realizar su propia prueba, añada dos cucharaditas de semillas de fenogreco a una taza de agua recién hervida. Deje remojar cinco minutos, revuelva y cuele. Luego añada miel y limón a gusto. Beba una taza al día y no se sorprenda si siente la necesidad de hacer el amor en una hoja de nenúfar.

Unas almejas horneadas muy sexy

▶ Hornee la carne de una docena de almejas por un par de horas a 400°F (200°C). Cuando esté oscura y dura, sáquela del horno, déjela enfriar y pulverícela en una licuadora o con un mortero de mano. Tome ½ cucharadita del

polvo de almejas con agua, dos horas antes de acostarse, por una semana. Se dice que este remedio japonés restaura la vitalidad sexual.

Afrodisíacos

Nos enteramos de una pareja casada cuya idea de "compatibilidad sexual" era tener un dolor de cabeza al mismo tiempo.

Fueron los que nos pidieron que incluyéramos afrodisíacos en este libro. La palabra significa "cualquier forma de estimulación sexual". Proviene del nombre de Afrodita, la diosa griega del amor que ganó su título por tener un esposo y cinco amantes, incluyendo ese chico griego guapo, Adonis. Pero ¡basta de ella!

Después de mucho investigar, hemos preparado una lista de alimentos que se dice tienen un efecto afrodisíaco. Primero en la lista, aunque usted no lo crea, está el apio. Cómalo todos los días.

Claro que todos hemos oído hablar de las ostras. ¡Sí, sí, cómalas! Pero tenga cuidado con las fuentes contaminadas. Y siempre asegúrese de que estén bien cocidas para reducir el riesgo de enfermedades transmitidas a través de los alimentos. Las ostras contienen zinc y, al igual que las semillas de calabaza ("pumpkin"), se dice que son maravillosas para los genitales masculinos.

La lista continúa con melocotones (duraznos, "peaches"), miel, perejil ("parsley"), pimienta de cayena ("cayenne pepper"), cereales de salvado ("bran") y trufas ("truffles"). De hecho, Napoleón Bonaparte, el general y emperador francés del siglo XIX, atribuyó a las trufas su capacidad de engendrar un hijo.

Estos son algunos remedios que usted y su pareja pueden probar para renovar sin inhibiciones la vitalidad y sensualidad de su vida amorosa.

► Muchos indígenas norteamericanos usan ginseng como afrodisíaco. Los chinos también lo usan. Esta hierba debe tomarse de a poco, alrededor de ¼ cucharadita, dos veces por mes. Se dice que estimula el sistema endocrino y que es una fuente de hormonas masculinas. También se dice que el ginseng ayuda a los hombres con problemas de esterilidad.

► Al contrario de lo que se dice acerca de las duchas frías, éstas pueden ayudar a estimular el deseo sexual. Todos los días, por unos dos meses, dése una ducha fría o un baño frío y observe cómo rejuvenece.

Postura de yoga para la potencia sexual

► Para mejorar la potencia sexual, haga este ejercicio de yoga antes del desayuno y antes de acostarse –siéntese en el piso con la espalda recta, la cabeza levantada y los pies cruzados delante suyo. Contraiga todos los músculos del área genital, incluido el ano. Cuente hasta 20 y relaje los músculos; luego cuente hasta 20 otra vez. Repita el procedimiento cinco veces seguidas, dos veces por día.

► Los ingleses elaboran una preparación comercial llamada "Tonic for Happy Lovers" (Tónico para amantes felices). Esta es la receta: Mezcle una onza (30 g) de raíz de regaliz ("licorice") y dos cucharaditas de semillas de hinojo ("fennel seeds") machacadas (puede comprar ambas en las tiendas de alimentos naturales) en dos tazas de agua. Haga hervir la mezcla, baje el fuego, cubra y cocine a fuego lento 20 minutos. Después que se enfríe, cuele y embotéllela.

Dosis: Tome entre una y tres cucharadas, dos veces al día.

> **⚡ ATENCIÓN:** No tome raíz de regaliz ("licorice root") si tiene la presión arterial alta o problemas renales. Puede causar insuficiencia renal.

Estimulante esencial sensacional

▶ Para estimular la pasión, prepare un baño tibio y añada dos gotas de aceite de jazmín ("jasmine"), dos gotas de aceite de "ylang-ylang" y ocho gotas de aceite de sándalo ("sandalwood"). Estos aceites esenciales son aromáticos líquidos naturales y orgánicos, extraídos de plantas, que funcionan en armonía con las fuerzas naturales del organismo. Las tiendas de alimentos naturales los venden. Quizá prefieran ahorrar agua y bañarse juntos.

Las frutas de la pasión

▶ Se dice que las frutas que comienzan con la letra "p" en inglés son especialmente buenas para aumentar la potencia en los hombres e intensificar la energía sexual en las mujeres. A saber, las frutas que recomendamos son "peaches" (melocotones, duraznos), "plums" (ciruelas), "pears" (peras), "pineapple" (piña), papaya, "persimmons" (caquis) y "bananas", er, plátanos.

Poción y canto para un amor duradero

▶ Mezcle revolviendo una pizca de semillas de cilantro (coriandro, "coriander") molidas en una copa de buen vino tinto mientras repite este canto con su pareja…

> Corazón cálido y cariñoso
>
> Jamás dejes que nos separemos.

Deben turnarse al tomar un trago del vino de la misma copa. Cuando se acabe el vino, su amado debería quedarse para siempre.

Estimulante indígena de la pasión

▶ Añada dos cucharadas de cereal de avena sin procesar ("unrefined oatmeal") y ½ taza de pasas de uva ("raisins") a un cuarto de galón (un litro) de agua y haga hervir. Reduzca el fuego a lento, tape bien y cocine 45 minutos. Retire del fuego

---

La maldición que renueva el placer sexual

Los antiguos místicos usaban "maldiciones" como una manera positiva de revocar el flujo negativo de manifestaciones físicas. En otras palabras si no tiene ganas, ¡maldiga!

El secreto consiste en la carga emocional que usted pone en el conjuro al repetirlo por la mañana, por la tarde o justo antes de acostarse. *Aquí tiene una posibilidad…*

"Eros y Psique, Cupido y Venus,
restauren en mí la pasión y la vitalidad.
Marte y Júpiter, Aries y Zeus,
infundan en mí fuerza y fortaleza.
Aguas lujuriosas y vientos penetrantes,
renueven mi vigor, mi capacidad, mi goce.
Maldita seas debilidad, maldita seas
timidez, maldita seas impotencia,
Maldita seas frigidez. ¡Maldito sea
todo lo que me separa de la pasión!"

y cuele. Añada el jugo de dos limones y agregue, revolviendo, miel a gusto. Refrigere la mezcla. Beba dos tazas al día –una antes del desayuno y otra una hora antes de acostarse.

La avena es rica en vitamina E.

Una joya entre las joyas

▶ Según una gemólogo terapeuta que conocemos, la ropa color turquesa estimula el deseo sexual de quien la lleva puesta.

Para extender la luna de miel

▶ Esta es una receta actualizada de una antigua fórmula druida. Los terapeutas sexuales que la recetan creen que tomarla regularmente puede producir un deseo sexual abundante.

Mezcle estos ingredientes en una licuadora por varios segundos –dos cucharadas rasas de leche en polvo descremada ("skim milk powder") y agua (siga las direcciones de la leche en polvo), ¼ cucharadita de jengibre ("ginger") en polvo, ⅛ cucharadita de canela ("cinnamon") en polvo, dos cucharadas de miel sin procesar ("raw honey") y una pizca de jugo de limón, más cualquier fruta fresca o jugo puro de fruta que desee añadir.

Licúe y sirva en un vaso. Es una excelente bebida para beber "antes de que comience la acción".

ADVERTENCIA: Los diabéticos y las personas alérgicas a la miel no deben consumir miel.

SÍNDROME DEL TÚNEL CARPIANO

Esta dolencia ocurre cuando los tendones inflamados compriman el nervio medio dentro del canal del túnel carpiano de la muñeca. Con frecuencia está acompañado por sensaciones raras, adormecimiento, hinchazón, molestias, sensibilidad, entumecimiento, debilidad, estremecimiento, incomodidad y dolor... mucho dolor. Suele ser causado por el uso continuo y rápido de los dedos, las muñecas y los brazos.

Muchas personas piensan que las exigencias de sus trabajos contribuyen a la aparición del síndrome del túnel carpiano (CTS por las siglas en inglés de "carpal tunnel syndrome"). Pero las personas que trabajan todo el día frente a una computadora no son las únicas que hacen un trabajo repetitivo –músicos, cajeros de supermercado, trabajadores de fábrica, peluqueros, chóferes de autobús, costureras, sastres y un sinnúmero de otras personas están afectadas por esta lesión causada por el movimiento repetitivo.

La vitamina B$_6$ puede ayudar a aliviar los síntomas del CTS. Pero demasiada vitamina B$_6$ puede ser tóxica y dañina para el sistema nervioso, por lo tanto consulte a su profesional de la salud para determinar la dosis adecuada para usted.

Si su problema está relacionado con el uso de computadoras, vaya a una tienda de computación cercana y vea los productos ergonómicos disponibles que puedan darle apoyo a las muñecas cuando teclea en la computadora.

Dormir con el CTS

El dolor puede ser más agudo mientras duerme por la manera en que dobla las muñecas. Tal vez sea más cómodo si duerme con una tablilla (férula) o con una muñequera. Debido a que en la actualidad el problema es muy común, se pueden encontrar una selección de férulas y muñequeras en la mayoría de las farmacias. Tal vez quiera usar la muñequera o la férula también durante el día.

Ejercicios para evitar el CTS

Un equipo de médicos de la American Academy of Orthopaedic Surgeons en Rosemont, Illinois, ha desarrollado unos ejercicios especiales que pueden ayudar a prevenir el síndrome de túnel carpiano. Los ejercicios, que disminuyen la presión del nervio medio responsable del CTS, deben hacerse al comenzar cada turno de trabajo, como un ejercicio de calentamiento y nuevamente después de cada descanso.

▶ Póngase de pie, recto, con los pies separados unos 30 cm (un pie), los brazos estirados al frente con las palmas hacia abajo. Suba las manos y los dedos, apuntando al cielo. Manténgalos mientras cuenta hasta cinco. Enderece ambas muñecas y relaje los dedos. Apriete fuerte los puños de ambas manos. Luego doble ambas muñecas hacia abajo con los puños cerrados. Cuente hasta cinco en esa posición. Enderece ambas muñecas y relaje los dedos mientras cuenta hasta cinco. Repita el ejercicio 10 veces. Luego deje que los brazos cuelguen al lado del cuerpo y sacúdalos unos segundos. *No haga el ejercicio rápidamente.* Los 10 ciclos deben tardar unos cinco minutos.

Lista de control para el síndrome del túnel carpiano (CTS)

Si padece diabetes, hipotiroidismo, está embarazada o toma píldoras anticonceptivas, es posible que tenga predisposición a sufrir de CTS. *He aquí algunas cosas que puede empezar a cambiar de inmediato...*

◆ *¿Fuma?* El cigarrillo empeora la dolencia porque la nicotina constriñe los vasos sanguíneos y el monóxido de carbono reemplaza el oxígeno, reduciendo así el flujo de sangre a los tejidos.

◆ *¿Tiene exceso de peso?* El sobrepeso puede reducir el flujo de sangre a los tejidos. Además, mientras mayor es el peso, más tienen que aguantar los músculos para mover la mano o el brazo.

◆ *¿Hace ejercicios?* Los ejercicios aeróbicos (30 minutos, cuatro veces por semana) pueden aumentar el flujo de sangre oxigenada a las manos, y pueden ayudar a eliminar los desechos causados por la inflamación.

La cura de un experto en el CTS

▶ James A. Duke, PhD, un botánico que formó parte del servicio de investigación agrícola del Departamento de Agricultura de Estados Unidos, en Beltsville, Maryland, y uno de los principales expertos en tradiciones de curación herbaria del mundo, confiesa que usa la computadora hasta 14 horas por día. Pero no ha desarrollado síntomas del CTS. Esto lo atribuye en parte al hecho de que es hombre.

"Las mujeres desarrollan problemas de túnel carpiano más que los hombres —explica el Dr. Duke—, porque las fluctuaciones de los ciclos hormonal y menstrual, el embarazo y la menopausia pueden contribuir a la inflamación de los tejidos que envuelven el túnel carpiano".

Él considera que los ejercicios de manos también lo han ayudado a evitar el CTS. "Sigo la técnica china que mejora la flexibilidad —afirma el Dr. Duke—, tomo dos bolas de acero en una mano y les doy vueltas mientras no estoy tecleando. Las bolas chinas brindan una forma de ejercicio suave, y el movimiento giratorio masajea los pequeños músculos y ligamentos de las manos y muñecas". Cuando usa la computadora toma descansos frecuentes para girar las bolas chinas en cada mano.

Las bolas chinas son baratas y se pueden comprar en mercados chinos o en Internet. También las venden algunas tiendas de alimentos naturales.

Hierbas para el CTS

En su libro *The Green Pharmacy* (*La farmacia natural*, editado en español por St. Martin's), el Dr. Duke informa de varias hierbas que pueden ayudar a aliviar el CTS.

▶ "La corteza del sauce ('willow bark'), la fuente original de la aspirina, contiene elementos químicos (salicilatos) que alivian el dolor y disminuyen la inflamación. También puede probar otras hierbas con alto contenido de salicilatos, especialmente la ulmaria (reina de los prados, 'meadowsweet') y la gaulteria ('wintergreen')".

Con cualquiera de estas hierbas, el Dr. Duke remoja una o dos cucharaditas de corteza seca pulverizada, o cinco cucharaditas de corteza fresca, por unos 10 minutos, luego escurra los residuos de las plantas. Se puede agregar limonada para disimular el sabor amargo. El Dr. Duke recomienda beber tres tazas de té al día. También advierte que si usted es alérgico a la aspirina, probablemente no debería tomar hierbas de efecto similar a la aspirina.

Cuando usa una computadora...

El National Institute for Occupational Safety and Health en Washington, DC, recomienda que...

◆ Coloque la pantalla al nivel de los ojos con una distancia de aproximadamente 22 a 26 pulgadas (55 a 65 cm).

◆ Siéntese a un brazo de distancia de la pantalla. A esa distancia, el campo eléctrico es casi cero.

◆ Mire hacia adelante y mantenga el cuello relajado.

◆ Coloque el teclado de manera que los codos estén doblados en un ángulo de al menos 90 grados y que usted pueda trabajar sin doblar las muñecas.

◆ Use una silla en la que pueda apoyar la espalda y que permita que los pies descansen sobre el piso o en un apoya pies (reposapiés), y mantenga los muslos paralelos al piso.

◆ Si puede, aléjese de la computadora por 15 minutos cada hora, ya que esto puede ayudar a evitar el cansancio de la vista. Además, parpadee con frecuencia, ya que esto ayuda a evitar los ojos irritados, secos o ardientes.

Para obtener más información, visite *www.cdc.gov/niosh/homepage.html*.

▶ La manzanilla ("chamomile") contiene compuestos activos (*bisabolol, chamazulene y esteres cíclicos*) que también brindan una potente acción antiinflamatoria. El Dr. Duke afirma: "Si yo tuviera el CTS, tomaría varias tazas de té de manzanilla al día".

▶ Ray C. Wunderlich, Jr., MD, PhD, director del Centro Wunderlich de medicina nutricional en St. Petersburg, Florida, añade uña de diablo ("devil's claw") y bardana ("burdock") a la lista de hierbas que pueden ayudar.

▶ Otra opción es probar con bromelaína, la enzima *proteolítica* (es decir, disuelve las proteínas) que contiene la piña (ananá, "pineapple"). Según el Dr. Duke: "Los naturistas (médicos naturopáticos) sugieren tomar entre 250 y 1.500 mg de bromelaína pura al día, entre comidas, para tratar dolencias inflamatorias como el CTS". Puede comprar la bromelaína en las tiendas de alimentos naturales.

Ya que el jengibre ("ginger") y la papaya también contienen enzimas útiles, el Dr. Duke, quien es partidario más de los alimentos que de los suplementos comerciales, sugiere que "se puede disfrutar de una ensalada de frutas proteolíticas para el CTS, compuesta de piña, papaya y aderezada con jengibre rallado." (*Vea* la receta a la derecha).

▶ Otra sugerencia del Dr. Duke: "La pimienta de cayena ('cayenne pepper') contiene seis compuestos que alivian el dolor y siete que son antiinflamatorios. Es especialmente notable la capsaicina. Puede añadir varias cucharaditas de pimienta de cayena en polvo a ¼ taza de crema para la piel y frotarla en las muñecas. O puede preparar una crema de capsaicina remojando entre cinco y diez pimientos rojos picantes en un litro (dos pintas) de alcohol para frotar ('rubbing alcohol') por unos días. Recuerde lavarse bien las manos cuando use un tratamiento tópico de capsaicina para que no le entre en los ojos. Además, ya que hay gente muy sensible a este compuesto, debería probarlo en una pequeña porción de piel antes de usarlo en las zonas más extensas. Si parece que le irrita la piel, deje de usarlo".

▮ Receta ▮

Ensalada de colores

½ papaya (lechosa) madura –aprox. ½ libra (225 g)–, sin semillas, pelada y cortada en cubitos

½ mango maduro, sin semillas, pelado y cortado en cubitos

½ taza de piña (ananá) cortada en cubitos (puede usar piña enlatada)

1 pepino ("cucumber") mediano, sin semillas, pelado y cortado en cubitos

1 ó 2 chiles (ajíes) jalapeños, sin tallitos ni semillas, picados

4 cebollas verdes ("green onions"), mondadas y cortadas en tajadas finas

2 a 4 cdas. de albahaca ("basil") fresca o menta ("mint") fresca, picada finamente

2 cdas. de jugo de lima (limón verde, "lime") fresco

Sal "kosher" y pimienta, a gusto

En un bol pequeño de vidrio, combine la papaya, el mango, la piña, el pepino, los chiles jalapeños, las cebollas verdes, la albahaca o la menta, y el jugo de lima. Revuelva ligeramente para mezclar. Agregue sal y pimienta a gusto. Sirva inmediatamente o refrigere, cubierto, hasta 1 hora. Rinde aprox. 2½ tazas.

Si prepara la salsa con anticipación, agregue la papaya y la piña, justo antes de servir. A lo contrario, la salsa se pondrá demasiado aguada.

Fuente: www.recipegoldmine.com

SINUSITIS

Si sud nadiz eztá congeztiona-da… es probable que usted tenga problemas en los senos nasales. Tal vez tenga la nariz aguada, congestionada y roja por un resfriado o por alergias y esto puede hacerlo sentir sin energías. Además, la congestión puede causarle dolor de cabeza. Tenga los pañuelitos de papel a mano y pruebe estos remedios.

Remedios naturales

▶ Lenta, suave y cuidadosamente, inhale los aromas de rábano picante ("horseradish") recién rallado. Ya que está en eso, mezcle cantidades iguales de rábano picante rallado y jugo de limón.

Dosis: Consuma una cucharadita una hora antes del desayuno y por lo menos una hora después de la cena. Brinda alivio duradero a algunas personas que sufren de sinusitis y que toman este remedio todos los días sin falta.

▶ Ponga un diente de ajo machacado en ¼ taza de agua. Vierta el agua con ajo en un gotero. (Asegúrese de que no caigan pedazos de ajo en el gotero).

Dosis: Ponga 10 gotas de agua de ajo en cada fosa nasal, tres veces al día durante tres días. Al final del tercer día, debería haber una notable mejoría de la sinusitis.

▶ Compre píldoras de ajo y de perejil.

Dosis: Tome dos píldoras de ajo y dos de perejil cuatro veces por día, separando las dosis por unas cuatro horas. Despúes del sexto día, debería estar respirando mucho más fácilmente.

▶ Para eliminar el catarro (la mucosidad), tome una cucharadita de miel espolvoreada con un poco de pimienta fresca molida. No inhale la pimienta o se deshará del catarro y ¡empezará a estornudar!

▶ **ADVERTENCIA:** Los diabéticos y las personas alérgicas a la miel no deben consumir miel.

▶ Si está por estornudar y está en una situación en la cual esto no sería conveniente, coloque un dedo en la punta de la nariz y presione hacia dentro.

Dolores de cabeza causados por sinusitis

▶ Inhale un poco del aroma de jugo de rábano picante ("horseradish") –mientras más fuerte el jugo, mejor. Trate de hacerlo lentamente.

▶ Prepare una cataplasma de cebolla cruda rallada o de rábano picante ("horseradish") rallado (*vea* la "Guía de preparación" en la página 280). Aplíquela a la nuca y a las plantas de los pies. Déjela por una hora.

EL SISTEMA URINARIO: PROBLEMAS COMUNES

El sistema urinario incluye los riñones, uréteres, vejiga y uretra.

Muchos de los remedios de esta sección son útiles para más de una afección. Por consiguiente, la mayoría de las dolencias de la vejiga y del riñón (infecciones, piedras, inflamaciones, etc.) están agrupadas. Le sugerimos que las lea todas para determinar el remedio más apropiado para su problema específico.

⚡ **ATENCIÓN:** Las infecciones urinarias, las piedras en el riñón y la inflamación de la vejiga y de los riñones son afecciones graves que deben ser evaluadas por un profesional de la salud.

Remedios naturales

Con el consentimiento de su médico, estos son algunos remedios que vale la pena probar para tratar de aliviar su dolencia.

▶ Beba mucho líquido, incluido el té de perejil ("parsley") –entre tres y cuatro tazas por día. Si tiene un extractor de jugo, beba uno o dos vasos de jugo de perejil todos los días. Podría resultar muy beneficioso.

Además, espolvoree perejil fresco sobre sus comidas. Usted pudiera empezar a ver las mejorías en apenas tres días o en hasta tres semanas.

▶ Las cebollas son un agente diurético y ayudarán a limpiar el organismo. Así que coma cebollas frescas a menudo. Además, para estimular los riñones, aplique una cataplasma de cebollas ralladas o picadas finamente a la zona externa del riñón –en la espalda, justo debajo de la caja torácica.

▶ Se sabe que el jugo puro de arándanos agrios ("cranberries") –sin azúcar ni conservantes agregados– ha ayudado a aliviar las infecciones del riñón y la vejiga.

Dosis: Beba seis onzas (175 ml) de jugo de arándanos agrios a temperatura ambiente, tres veces al día.

¡No desperdicie las hojas!

▶ Las hojas de zanahoria y de apio fortalecen los riñones y la vejiga. Por la mañana, cubra un manojo de hojas de zanahoria bien lavadas con 12 onzas (350 ml) de agua hervida y deje remojar. Beba cuatro onzas (120 ml) de agua de hojas de zanahoria antes de cada comida. Después de cada comida, coma un manojo de hojas de apio bien lavadas.

En cinco semanas, debería haber un cambio notable y positivo en los riñones y la vejiga.

▶ Las semillas de calabaza "pumpkin" contienen mucho zinc y son buenas para fortalecer los músculos de la vejiga.

Dosis: Coma un puñado (alrededor de una onza ó 30 g) de semillas de calabaza ("pumpkin") sin cáscara ("shelled") y sin procesar (sin sal) tres veces por día.

▶ Según algunos indígenas norteamericanos, las barbas de maíz (las hebras bajo las hojas del maíz, "corn silk" en inglés) son un cúralo-todo para los problemas urinarios. La mejor barba de maíz proviene de los maíces tiernos, recogidos antes que la barba se ponga marrón.

Deje remojar en tres tazas de agua hervida, un manojo de barbas de maíz durante cinco minutos. Cuele y beba tres tazas a lo largo del día. La barba de maíz puede guardarse en un frasco de vidrio sin refrigerar.

Si no consigue barba de maíz, use el extracto de barbas de maíz ("corn silk extract"), que se vende en la mayoría de las tiendas de alimentos naturales. Agregue entre 10 y 15 gotas del extracto a una taza de agua.

Mojar la cama y orinar de noche

La micción frecuente durante la noche, conocida como nicturia, es un problema médico común que a menudo se pasa por alto. Para la mayoría de las personas, un caso leve –levantarse varias veces durante la noche– es molesto, pero no es una razón para ir al médico.

Sin embargo, ignorar la nicturia –aunque sea leve– es un error. Los riñones y la vejiga están diseñados para retener la orina durante las ocho horas de sueño. Si usted se despierta para orinar más de dos veces durante la noche, considere estas sugerencias...

ADVERTENCIA: La hipertensión, diabetes, problemas de la próstata, derrame cerebral (apoplejía, "stroke"), enfermedad renal y, en algunos casos, un tumor en la vejiga puede ser la causa de la nicturia. Sométase a un examen físico completo que incluya análisis de orina para descartar una posible infección en la vejiga.

▶ Reduzca el consumo de bebidas. Ciertas bebidas tienen un efecto diurético que pueden hacerlo orinar de noche –café, té verde o negro, alcohol, refrescos con cafeína y tés de hierbas que contengan diente de león ("dandelion"), bardana ("burdock"), tilo ("linden"), ortiga ("nettle") o perejil ("parsley"). Absténgase de tomar estas bebidas después de las seis de la tarde, y limite el consumo total de líquidos después de la cena a 12 onzas (350 ml) de agua o un té sin cafeína, que no sea diurético,

como el de manzanilla ("chamomile") o de menta piperita ("peppermint").

▶ En personas con alergias o con ciertas afecciones médicas, como la hiperplasia benigna de la próstata y la cistitis intersticial, la inflamación es la causa de la nicturia. La quercetina, un fuerte antioxidante, disminuye la inflamación e impide el daño celular en los riñones. Los arándanos agrios y otras bayas rojas oscuras o púrpuras, como los arándanos azules ("blueberries") y las frambuesas ("raspberries"), contienen una buena cantidad de quercetina. Coma una taza de bayas frescas todos los días, o tome un suplemento de 500 mg de quercetina dos veces al día con las comidas.

▶ Sométase a un examen de alergias causadas por alimentos. Los alérgenos en los alimentos actúan como irritantes, así que su organismo intenta eliminarlos rápidamente a través de una variedad de mecanismos, incluida la micción.

▶ Cuando piense que nada puede ayudarle, ¡descubra la gayuba (aguavilla, manzanita, uvaduz, "uva ursi")! Se dice que esta hierba ayuda a fortalecer el tracto urinario y, cuando se toma en pequeñas dosis, se sabe que ha acabado con el mojar la cama.

Agregue a una taza de agua recién hervida, una cucharada de hojas secas de gayuba o una bolsa de té y deje remojar cinco minutos. Cuele en un frasco.

Dosis: Tome una cucharada antes de cada comida todos los días durante seis semanas. (Puede comprar la gayuba en las tiendas de alimentos naturales).

NOTA: El arbutin, el componente principal de la gayuba, puede causar que la orina se ponga color pardo (marrón). ¡No se preocupe!

ADVERTENCIA: No recomendamos este remedio para los niños que mojan la cama, ya que ninguna de nuestras fuentes lo mencionó como tal. Es posible que la gayuba sea demasiado fuerte para el delicado organismo infantil.

Los diuréticos

Para estimular la micción, pruebe en moderación cualquiera de estos alimentos, usando el sentido común y prestando atención a su cuerpo...

- *Apio* ("celery"): cocido en la sopa de pollo o crudo en las ensaladas.

- *Barbas de maíz* ("corn silk"): como té.

- *Berro* ("watercress"): en sopas o ensaladas.

- *Cebollas* ("onions"): crudas en ensaladas y/o picadas para frotar en las caderas, la ingle y el abdomen. (Sí, leyó correctamente).

- *Espárragos* ("asparagus"): crudos o cocidos, o como té.

- *Pepino* ("cucumber"): crudo.

- *Perejil* ("parsley"): en sopas, ensaladas, jugos o como té.

- *Puerro* ("leek"): un diurético suave en la sopa, es mucho más fuerte cuando se come crudo.

- *Rábano picante* ("horseradish"): ralle ½ taza de rábano picante y hiérvalo con ½ taza de cerveza. Beba este brebaje tres veces por día.

- *Sandía* ("watermelon"): consuma un pedazo a primera hora de la mañana y no coma ninguna otra cosa, durante al menos dos horas.

Incontinencia

Cualquier problema de incontinencia debe ser evaluado por un profesional de la salud. Pero, hasta que le den un tratamiento, estos remedios pueden ayudarle.

► Dirija el chorro de agua de una manguera de jardín sobre las plantas de los pies durante dos minutos. Se sabe que este procedimiento ha reducido la incontinencia urinaria, particularmente en las personas mayores. También ayuda a la circulación en los pies.

¡Qué bueno el buchú!

► Este remedio proviene de la tribu Hotentote de África del sur, donde crecen los arbustos de buchú. Remoje una cucharada de hojas de buchú (se vende en las tiendas de alimentos naturales) en una taza de agua recién hervida durante una media hora.

Dosis: Tome tres o cuatro cucharadas, tres o cuatro veces por día. Se sabe que las hojas de buchú son útiles para muchos problemas urinarios, incluso para la inflamación de la vejiga, la micción dolorosa, y también la incontinencia.

La micción frecuente

► Se ha informado que los jugos de arándanos agrios ("cranberries") y de cerezas ("cherries") –sin azúcar ni conservantes agregados– ayudan a controlar el problema de tener que orinar constantemente.

Dosis: Beba tres o cuatro vasos de jugo de arándanos agrios o de cerezas a lo largo del día. Asegúrese de beberlo a temperatura ambiente y no frío.

> ✏️ **NOTA:** La micción frecuente durante un periodo prolongado puede ser una señal de una infección en el tracto urinario o de diabetes, y debe ser evaluada por un profesional de la salud.

Problemas de los riñones

▶ Muchos de los remedios tradicionales utilizan el vinagre de sidra de manzana ("apple cider vinegar") para ayudar a vaciar los riñones y para proporcionar un ácido natural. La dosis varía según la fuente.

Pensamos que lo que tiene más sentido es agregar a seis onzas (175 ml) de agua potable, una cucharadita de vinagre de sidra de manzana por cada 50 libras (22 kilos) de peso.

Por ejemplo, si pesa 150 libras (unos 66 kilos), la dosis sería tres cucharaditas de vinagre en seis onzas de agua. Beba esto dos veces por día, antes del desayuno y antes de la cena. Hágalo durante dos días, luego no lo haga por cuatro días. Continúe este ciclo de "dos días sí/cuatro días no" tanto como lo considere necesario.

Las aduki a la ayuda

▶ Las judías aduki ("aduki beans" o "azuki beans"), las cuales se venden en las tiendas de alimentos naturales, se utilizan en el oriente como alimento y medicina. Son excelentes para tratar los problemas de los riñones.

Enjuague una taza de judías aduki. Combínelas con cinco tazas de agua y hierva durante una hora. Cuele el agua de judías aduki en un frasco. Beba ½ taza por lo menos media hora antes de las comidas. Haga esto durante dos días –seis comidas.

Para prevenir que el agua de judías aduki se ponga mala, guarde el frasco en el refrigerador, y caliente el agua antes de beberla.

▶ Nuestra amiga la gemólogo terapeuta recomienda llevar un jade contra la piel para ayudar a curar los problemas de los riñones. Si su pareja lee esto y le regala una cadena con una piedra de jade, seguramente usted se sentirá mejor inmediatamente.

Piedras en el riñón

▶ Según un antiguo libro de medicina, *Los elementos de la materia médica* (*The Elements of Materia Medica*, editado en 1854), los espárragos eran un remedio popular para las piedras (cálculos) renales. Se dice que los espárragos aumentan la actividad celular en los riñones y ayudan a disolver los cristales de ácido oxálico.

Dosis: Consuma ½ taza de espárragos cocidos y hechos puré o mezclados en una licuadora, antes del desayuno y ½ taza antes de la cena. O hierva una taza de espárragos en dos cuartos de galón (dos litros) de agua y beba una taza de agua de espárragos cuatro veces por día.

> ✏️ **NOTA:** Después de comer espárragos, es posible que su orina tenga un olor raro. Existen algunas teorías científicas acerca de la causa de ese olor.
>
> En 1891, los experimentos del doctor y químico polaco Marceli Nencki lo llevaron a concluir que el olor es causado por un metabolito llamado *metanetiol*. Se dice que esta sustancia química odorífera es producida cuando el organismo metaboliza los espárragos. Algunos dicen que el olor es un indicio de la limpieza de la vejiga y de los riñones –otros creen que indica la secreción defectuosa de ácido clorhídrico gástrico.

► Un respetado herbario francés recomienda no comer casi ninguna otra cosa más que fresas (frutillas, "strawberries") durante tres a cinco días. Se cree que esto alivia el dolor de las piedras en el riñón.

► Un nivel elevado de oxalato en la orina contribuye a la formación de la mayoría de las piedras (de calcio) en el riñón. Si otros miembros de su familia han tenido este problema, o si ya ha sufrido la agonía de una piedra en el riñón, debería tomar todas las precauciones posibles para evitar que le ocurra o se repita.

Elimine completamente, o por lo menos limite, el consumo de alimentos y bebidas que tengan alto contenido de oxalatos o que puedan producir ácido oxálico. Entre estos se incluye la cafeína –café, té negro (incluido el "orange pekoe"), cacao, chocolate– espinaca, acedera ("sorrel"), remolacha (betabel, "beet"), acelga ("Swiss chard"), perejil ("parsley"), higos secos ("dried figs"), semillas de amapola ("poppy seeds"), ruibarbo ("rhubarb"), cenizo ("lamb's quarters"), verdolaga ("purslane"), nueces ("nuts") y pimienta.

► Consuma alimentos ricos en vitamina A, la cual puede ayudar a impedir la formación de piedras. Por ejemplo, albaricoques (damascos, "apricots"), calabaza "pumpkin", batatas (boniatos, camotes, papas dulces, "sweet potatoes"), calabacines ("squash"), zanahorias y melón cantalupo.

ATENCIÓN: Cualquier cambio repentino o drástico en la dieta debe ser supervisado por un profesional de la salud. Además, siempre lave a fondo las frutas y verduras para disminuir el riesgo de contraer enfermedades transmitidas a través de los alimentos.

► Comience el día bebiendo un vaso de agua (destilada, si es posible) con el jugo exprimido de un limón. El ácido cítrico y el magnesio del limón también pueden ayudar a prevenir la formación de piedras en el riñón.

Lo más importante es que beba mucha agua todos los días. El agua destilada es ideal.

EL SUEÑO Y SUS PROBLEMAS

Aaahhh! No dormir lo suficiente realmente puede hacerlo sentir cansado. La mayoría de las personas tienen problemas para conciliar el sueño de vez en cuando –pero para algunos desafortunados, el problema es crónico. Si no puede dormir (o no puede quedarse dormido), pruebe los siguientes remedios.

Insomnio

► Un remedio tradicional popular para el insomnio es contar ovejas. Nos contaron de un fabricante de ropa que tenía problemas para conciliar el sueño. No solo contaba ovejas, si no que las esquilaba, peinaba la lana, hilaba la lana en ovillos, la tejía en tela, la diseñaba en trajes, las distribuía en el pueblo, notaba que no se vendían, se las devolvían, y el negocio perdía mucho dinero. Claro, esa era la razón por la cual no podía dormir.

Tratamientos para el insomnio

Tenemos algunos otros remedios para ayudar al fabricante de ropa –y también a usted– a dormir bien (soñar con los angelitos).

■ Receta ■

Tarta de bayas

1 masa para tarta con dos costras
   ("double crust pie pastry")
   de 9" (23 cm)
2½ tazas de bayas del saúco
   ("elderberry")
3 cdas. de jugo de limón
¾ taza de azúcar granulada
2 cdas. de harina común
⅛ cdta. de sal

Precaliente el horno a 425°F (220°C). Forre un molde para tarta de 9" (23 cm) con la base de la masa para tarta.

Combine las bayas y el jugo de limón. Vierta en la base para tarta.

Mezcle la azúcar, la harina y la sal. Espolvoree por encima de las bayas. Cubra con la costra superior de la masa para tarta, luego cierre los bordes presionando con un tenedor. Haga unos cortes pequeños en la costra superior para que escape el vapor. Hornee 10 minutos, luego reduzca el fuego a 350°F (175°C) y hornee 30 minutos más.

Fuente: www.recipegoldmine.com

▶ En Inglaterra, se cree que se puede garantizar una buena noche de sueño si se acuesta en la cama con la cabeza hacia el norte y los pies hacia el sur.

▶ La nuez moscada ("nutmeg") puede actuar como sedante. Deje remojar la mitad (no más) de una nuez moscada machacada en agua caliente 10 minutos, y bébala una media hora antes de acostarse. Si no le gusta el sabor, puede usar aceite de nuez moscada externamente. Frótelo sobre la frente.

▶ Tome un vaso de jugo de toronja (pomelo, "grapefruit") puro y tibio. Si prefiere, endúlcelo con un poco de miel sin procesar ("raw honey").

ATENCIÓN: La toronja puede interferir con algunos medicamentos –consulte a su médico antes de probar este remedio. Además, diabéticos y las personas alérgicas a la miel no deben consumir miel.

▶ Este ejercicio del Método Silva parece dar resultados… zzzzzz. ¿Perdón, qué estábamos diciendo? Ah sí, una vez que esté en la cama, relájese completamente. Cierre los ojos. Ahora imagine una pizarra negra. Con una tiza imaginaria trace un círculo. Dentro del círculo, trace un cuadrado y escriba el número 99 dentro. Borre el número 99. Tenga cuidado de no borrar los lados del cuadrado. Reemplace el 99 con el 98. Luego borre el 98 y reemplácelo con el 97, luego 96, 95, 94, etc. Seguramente se quedará dormido mucho antes de llegar al cero.

Para obtener mayor información en español sobre el Método Silva, visite *www.metodosilva.com*.

▶ Michio Kushi, el pionero de la dieta macrobiótica y fundador del Instituto Kushi en Becket, Massachusetts, aconseja que si no puede dormir, debe poner una cebolla cruda cortada en rodajas debajo de la almohada. No, no va a llorar hasta quedarse dormido. Hay algo en la cebolla que lo llevará directamente a la tierra de los sueños.

▶ Corte una cebolla amarilla en trozos y póngala en un frasco de vidrio. Tape el frasco y déjelo sobre la mesa de noche. Cuando no pueda dormir –o se despierte y no pueda volver a conciliar el sueño– abra el frasco e inhale profundamente el aroma de la cebolla. Cierre el frasco, acuéstese, piense en cosas bonitas y en 15 minutos… zzzzzzzz.

▶ Un baño relajante puede ayudarlo a conciliar el sueño. Antes del baño, prepare una taza de un té de hierbas que induzca al sueño y bébala apenas salga de la bañera (tina). Use té de manzanilla ("chamomile"), salvia ("sage") o jengibre ("ginger") fresco (*vea* la "Guía de preparación" en la página 279). Luego dése un baño con una, o una combinación, de estas hierbas: lavanda (espliego, "lavender"), caléndula ("marigold"), pasionaria ("passion flower") o romero ("rosemary"). Puede comprar estas hierbas calmantes en una tienda de alimentos naturales.

Cuando acabe con el baño y con el té, se debería sentir relajado y listo para dormir.

▶ Una gemólogo terapeuta nos contó del poder del diamante. Montado en un anillo de plata, se dice que previene el insomnio. La terapeuta también nos dijo que llevar un diamante –de cualquier manera– protege a quien lo lleva de tener pesadillas. Bueno… esa es una buena razón para comprometerse.

Bayas de saúcozzzz…

▶ Se dice que tomar un vaso de jugo de bayas de saúco ("elderberry") a temperatura ambiente, es bueno para inducir el sueño. Puede comprar concentrado de baya de saúco puro en las tiendas de alimentos naturales. Simplemente dilúyalo, bébalo y váyase a dormir.

▶ Según los documentos (por favor, no nos pregunte cuáles), el rey Jorge III de Inglaterra (1738-1820) vivía acosado por el insomnio hasta que un médico le recetó una almohada de lúpulo ("hops"). Se sabe que el lúpulo ha tenido un efecto tranquilizante. El *lupulino*, un ingrediente activo del lúpulo, se ha usado en el tratamiento de muchos trastornos nerviosos.

Esta es la manera de usar el lúpulo para ayudarlo a dormir mejor: compre o cosa una bolsa de muselina ("muslin") o de algodón blanco fino. Llénela con lúpulo e hilvánelo a su almohada. Cambie el lúpulo una vez al mes.

▶ Quizá le convenga colocar una almohadilla rellena con semillas de lino ("flaxseed") sobre los ojos para ayudarlo a conciliar el sueño. Muchas tiendas de alimentos naturales las venden, o las puede conseguir por Internet. La almohadilla aplica suficiente presión a los ojos y a las órbitas para ayudarlo a relajarse.

Para que "baaaa-ya" a dormir"

▶ Un médico naturista (naturopático) que conocimos ha tenido mucho éxito en el tratamiento de insomnio serio usando ¡leche de cabra! Recomienda beber seis onzas (175 ml) antes de cada comida y otras seis onzas antes de acostarse.

Ha visto a pacientes que solían dormir dos horas pasar a dormir ocho horas de reposo absoluto, noche tras noche, después de una semana de tratamiento. Algunos supermercados y la mayoría de las tiendas de alimentos naturales venden leche de cabra.

El conejo siempre duerme

▶ Galeno, el médico, escritor y filósofo griego (129-216 AD), pudo curar su propio insomnio al comer mucha lechuga a la noche. La lechuga contiene *lactucarium*, un agente calmante. El problema de comer mucha lechuga es que es un diurético. Así que a pesar de que puede ayudarlo a quedarse dormido, quizá tenga que levantarse durante la noche para ir al baño.

No se duerma

▶ ¿Está preocupado porque no puede conciliar el sueño? Bueno, entonces no se deje dormir. Efectivamente –trate de quedarse despierto. Los especialistas del sueño llaman esta técnica "intención paradójica". (Cuando éramos pequeñas y nuestro padre la empleaba al hablarnos, la llamábamos "psicología inversa"). Así que olvide que está tratando dormir y haga un esfuerzo por quedarse despierto. Le apostamos que se quedará dormido en poco tiempo.

▶ Mantenga la temperatura de la habitación fría y los pies tibios. Póngase medias para dormir o apoye los pies sobre una botella de agua caliente.

Según un estudio suizo realizado en el Laboratorio de cronobiología y sueño en Basilea, la somnolencia es causada por una disminución de la temperatura central del cuerpo. Esto ocurre cuando el calor corporal se disipa lentamente a través de los vasos sanguíneos dilatados en los pies. Además de quedarse dormido más rápido, los pies calentitos son más cómodos para usted y para su compañero de cama.

▶ Haga ejercicios durante el día. Tome una clase o siga un plan de ejercicios de un libro o de videos en su casa. Pero no haga ejercicios justo antes de acostarse. Y consulte a su médico antes de empezar un nuevo programa de ejercicios.

Cómo dormir como los ricos y famosos

El renombrado autor inglés Charles Dickens (1812-1870) creía que era imposible dormir si se cruzaban las fuerzas magnéticas entre los polos norte y sur. Por eso, siempre que el Sr. Dickens viajaba, llevaba consigo una brújula para poder dormir de cara al norte.

El diplomático, inventor y escritor estadounidense Benjamín Franklin (1706-1790) creía que bañarse desnudo al aire libre era bueno para inducir el sueño. Durante la noche, se cambiaba de una cama a otra porque también pensaba que las sábanas frías le producían un efecto terapéutico. (¡O al menos eso es lo que le decía a su esposa!)

El presidente Abraham Lincoln (1809-1865) daba un paseo a medianoche para que lo ayudara a conciliar el sueño.

El célebre escritor estadounidense Mark Twain (1835-1910), famoso por sus ocurrencias, tenía una cura para el insomnio –"Acuéstese cerca del borde de la cama y caerá rendido".

Según el periodista y personaje de la radio estadounidense Franklin P. Adams (1881-1960): "Los insomnes no duermen porque están preocupados y están preocupados porque no pueden dormir".

▶ Pruebe usar una o dos almohadas más, lo que da resultados a algunas personas.

▶ Manténgase en una posición. Acostarse boca abajo es más relajante que boca arriba. Dar vueltas en la cama es una señal que le indica al organismo que usted está listo para levantarse.

▶ En una habitación completamente oscura, siéntese en una posición cómoda, sin cruzar ni los pies ni las manos. Encienda una vela. Observe fijamente la luz encendida mientras relaja todo el cuerpo, empezando con los dedos de los pies y yendo hacia arriba. Pase por los tobillos, pantorrillas, rodillas, muslos, pelvis, estómago, cintura, diafragma, costillas, pecho, dedos, muñecas, codos, brazos, hombros, cuello, mandíbula, labios, mejillas, ojos, cejas, frente y la parte de arriba de la cabeza. Cuando todo el cuerpo esté relajado, apague la vela y duérmase.

► Deje de pensar que tiene que quedarse dormido. Imagine algún problema a resolver, que sea interesante, pero sin importancia. Por ejemplo: si escribiera su autobiografía, ¿qué título le pondría?

► Deje remojar 10 minutos una cucharadita de manzanilla ("chamomile") en una taza de agua hirviendo y bébala a sorbos justo antes de acostarse.

► No se vaya a la cama hasta que realmente tenga sueño, aún si eso implica acostarse muy tarde y levantarse muy temprano al día siguiente. Nada malo le pasará si duerme menos de ocho, siete, seis, o incluso cinco horas durante una sola noche.

► Siéntese en la cama. Antes de acostarse, respire hondo seis veces. Cuente hasta 100, luego respire hondo otras seis veces. ¡Buenas noches!

► Una hora antes de acostarse, pele y corte una cebolla grande. Póngala en una cacerola o en un jarro de vidrio grande y resistente al calor. Vierta sobre la cebolla dos tazas de agua hirviendo. Deje remojar 15 minutos. Cuele y beba tanto como pueda. Siga esta rutina nocturna (que también puede incluir refrescarse el aliento) y acuéstese.

Ponche de leche tibia

► Todas las recetas de remedios tradicionales incluyen leche tibia con ½ cucharadita de nuez moscada y una o dos cucharaditas de miel antes de acostarse para promover un sueño reparador.

Según el National Institute of Mental Health (*www.nimh.nih.gov*), este brebaje da resultados porque la leche tibia contiene *triptófano*, un aminoácido esencial que aumenta la cantidad de serotonina en el cerebro. La serotonina es un neurotransmisor que ayuda a enviar mensajes del cerebro a los nervios y viceversa.

La ventaja del sueño inducido por triptófano sobre el inducido por pastillas para dormir es que usted se levanta a la hora habitual todos los días sin sentirse adormilado o sedado.

► Parece que los pies tienen mucho que ver con el dormir bien. Un libro de investigaciones recomienda poner los pies en el refrigerador por 10 minutos antes de acostarse. Si es suficientemente valiente para hacerlo, por favor, proceda con cuidado.

► Intente con la acupresión china. Presione con los pulgares el centro de la parte de abajo del talón. Siga presionando todo el tiempo que pueda –por lo menos tres minutos. (Bueno, para nosotras esto es mucho mejor que poner los pies en el refrigerador).

► Si ha llegado al punto en que es capaz de probar cualquier cosa, entonces frote las plantas de los pies y la nuca con un diente de ajo pelado. Esto puede ayudarlo a dormir –y sin duda alejará a los vampiros.

► Evite las noches sin dormir cenando sin sal y eliminando todos los refrigerios posteriores a la cena. Inténtelo varias noches seguidas y vea si puede dormir mejor.

► Es aconsejable para la buena digestión, no comer nada por dos o tres horas antes de acostarse. Sin embargo, una cura eficaz contra el insomnio recomendada por muchas culturas de todo el mundo, indica comer una cebolla cruda finamente picada antes de acostarse.

▶ Tener un orgasmo es un relajante fabuloso y además induce el sueño.

Dicho esto, las relaciones sexuales satisfactorias pueden ayudarlo a dormir, pero las relaciones sexuales insatisfactorias pueden producir frustraciones que conducen al insomnio. Así que (con disculpas al maravilloso poeta inglés Alfred Lord Tennyson), ¿será mejor haber amado y haber perdido el sueño que no haber amado jamás?

Pesadillas

Si alguna vez se ha despertado con un sobresalto –sudando y con el corazón palpitando– es posible que haya tenido una pesadilla. Estos sueños aterradores pueden dar miedo, pero, por lo general, son inofensivos.

▶ Justo antes de acostarse, remoje los pies en agua tibia por 10 minutos. Luego frótelos a fondo con medio limón. No los enjuague, solo séquelos con palmaditas. Respire hondo varias veces. ¡Que tenga felices sueños!

Cuando se esté quedando dormido, dígase que desea tener sueños felices. Muchas veces esta sugerencia da buenos resultados.

▶ Este consejo para evitar las pesadillas nos llegó desde Suiza –consuma una cena liviana un par de horas antes de acostarse. Acuéstese sobre su lado derecho con la mano derecha bajo la cabeza. *Entonces sueñe con los Alpes…*

▶ Antes de acostarse, beba un té de tomillo ("thyme") y no tendrá pesadillas.

▶ Cocine a fuego lento las hojas de afuera de una lechuga en dos tazas de agua hirviendo durante 15 minutos. Cuele y beba el té de lechuga justo antes de acostarse. Se dice que le asegurará dulces sueños y también es bueno para limpiar el organismo.

▶ Rocíe en su almohada un poco de esencia de anís ("essence of anise", que se vende en las tiendas de alimentos naturales) para inhalar la esencia apenas se acueste. Se dice que proporciona un sueño feliz, sueño reparador –y una funda manchada de aceite.

Sonambulismo

▶ Un profesor ruso que estudió a los sonámbulos recomendó colocar un pedazo de alfombra mojada, justo al lado de la cama del sonámbulo. En la mayoría de los casos, el sonámbulo se despierta apenas sus pies tocan la alfombra mojada.

Ronquidos y apnea del sueño

Un amigo nos dijo que empezaba a roncar apenas se quedaba dormido. Le preguntamos si eso no molestaba a su esposa. Dijo: "No solo molesta a mi esposa, le molesta a toda la congregación".

De verás, roncar no es un asunto de chistes. Los ronquidos crónicos –esto es, roncar ruidosamente todas las noches– puede ser el comienzo de una enfermedad seria llamada apnea del sueño.

Apnea significa "sin aliento", en griego. Durante la noche, la tráquea bloquea el aire cuando la garganta se relaja y cierra, dificultando la respiración. Después de contener la respiración durante una cantidad anormal de tiempo (de 10 segundos a un par de minutos), el ronquido ocurre cuando la persona se esfuerza por respirar. La persona se despierta ligeramente cada vez que esto pasa, y puede ocurrir docenas y docenas de veces durante la noche, sin que la persona se dé cuenta. La interrupción del sueño causa que la persona esté cansada todo el día.

Si padece esta enfermedad, es peligroso manejar un auto, operar maquinaria pesada o simplemente cruzar la calle. Aparte de los accidentes que pueden ocurrir durante el día, la apnea del sueño puede elevar la presión arterial, y provocar problemas del corazón, derrame cerebral y apoplejía.

Si piensa que puede tener apnea del sueño, dígale a su médico que le recomiende un especialista inmediatamente. Existen clínicas de sueño por todo Estados Unidos.

Para los ronquidos de rutina, estos son algunos remedios útiles que puede probar...

▶ Cosa una pelota de tenis en la parte de atrás del pijama del roncador. Esto evitará que el roncador se acueste boca arriba, lo cual previene los ronquidos.

Tres sugerencias para eliminar los ronquidos

Todos los roncadores pueden minimizar o eliminar completamente los ruidos nocturnos de tres maneras...

◆ *Si fuma, ¡deje de fumar!* Permita que se sane el tejido inflamado e hinchado de su garganta de fumador.

◆ *Si bebe, ¡deje de beber!* Las bebidas alcohólicas relajan los músculos respiratorios, lo cual dificulta la respiración y, por lo tanto, promueve los ronquidos.

◆ *Si tiene exceso de peso, ¡pierda peso!* Los depósitos de grasa en la base de la lengua pueden contribuir a bloquear los conductos de aire ya tapados. También debería esperar un par de horas después de haber comido antes de irse a dormir, y evitar comer cosas que puedan causar más congestión.

▶ Los ronquidos pueden ocurrir cuando el aire de la habitación es muy seco –a falta de humedad. Si usa un radiador cuando hace frío, colóquele encima una cacerola u olla con agua, o simplemente use un humidificador.

Cómo detener gentilmente los ronquidos de su pareja

▶ Hágale cosquillas suaves en la garganta al roncador y los ronquidos deberían detenerse. Claro que las risas lo pueden mantener despierto a usted.

TENSIÓN Y ANSIEDAD

Palmas sudorosas, indigestión, cuello rígido, hiperventilación, úlcera, boca seca, un tic, incluso una afta –todas estas afecciones pueden ser causadas por la tensión nerviosa, la ansiedad y el estrés.

Existen tantos síntomas y manifestaciones externas de la ansiedad como causas de su origen. En este libro, nos referimos generalmente al problema específico a tratar, como las palmas sudorosas. En esta sección, nos referimos al problema que puede causar el síntoma –la tensión nerviosa y la ansiedad.

La psicóloga Joyce Brothers, PhD, se relaja trabajando en el jardín de su granja. Navegar es un gran alivio para el ex presentador de noticias de la cadena *CBS*, Walter Cronkite. El actor John Travolta pilotea su avioneta para relajarse.

Remedios naturales

Si bien no todos tenemos una avioneta, un velero o una granja, la mayoría tenemos una cocina, una tienda de alimentos naturales en el vecindario –y los siguientes remedios para aliviar la tensión.

▶ Un buen primer paso es eliminar la cafeína. Sustituir el café y el té común por tés de hierbas. Si es adicto al chocolate, busque las barras de algarroba ("carob bars") cuando tenga ansias de comer chocolate. Las tiendas de alimentos naturales tienen un gran surtido de refrigerios de algarroba que no contienen cafeína. El sabor y la textura de algunas barras de algarroba son parecidas a las del chocolate.

▶ Atención, dueños de casa y apartamentos: no pinten sus cocinas de amarillo para animarse. Según el cromoterapeuta Carlton Wagner, fundador del Wagner Institute for Color Research en Santa Bárbara, California, un cuarto amarillo contribuye al estrés y fomenta las sensaciones de ansiedad.

La acupresión alivia la presión

▶ Aquí le ofrecemos un poco de acupresión para aliviar la presión. Durante por lo menos cinco minutos al día, dé un masaje al tejido entre el pulgar y el dedo índice de la mano izquierda. Concéntrese ahí y frote vigorosamente. Puede ser doloroso. Más razón aún para seguir friccionando.

Gradualmente, el dolor disminuirá, como así también debería hacerlo la tensión en el pecho y los hombros. Eventualmente, no debería tener dolor en absoluto y, además, puede que note una mejoría agradable en su relajado estado.

▶ Para obtener un aumento abrupto de energía sin la tensión que esto genera normalmente, agregue ⅛ cucharadita de pimienta de cayena ("cayenne pepper") a una taza de agua tibia y bébala toda.

Es un producto fuerte y puede llevarle tiempo acostumbrarse, pero la pimienta de cayena es muy beneficiosa y vale la pena. Una vez que se acostumbre, aumente la cantidad a ¼ cucharadita, después a ½ cucharadita.

▶ Prepare dos cataplasmas con una cebolla grande, cruda y rallada (*vea* la "Guía de preparación" en la página 280). Ponga una cataplasma sobre cada pantorrilla y manténgalas ahí media hora. Sabemos que es difícil creer que las cebollas en las piernas puedan eliminar la ansiedad y tensión nerviosa, pero no descarte este remedio hasta hacer la prueba.

▶ Si su tensión no lo deja conciliar el sueño, pruebe el efecto tranquilizante de la almohada de lúpulo ("hop pillow"). (*Vea* "El sueño y sus problemas" en la página 209.)

▶ Hablemos de un tema del cual algunos ya están enterados –Valium (el nombre de marca de *diazepán*). Generalmente recetado para aliviar la tensión, puede tener efectos secundarios. Pero existe una alternativa que se afirma que no tiene efectos secundarios. Se llama raíz de valeriana ("valerian root") y es el precursor natural del Valium. Puede comprar las cápsulas y las pastillas en las tiendas de alimentos naturales. Siga la dosis indicada en la etiqueta.

También se puede conseguir la raíz de valeriana cortada y en polvo, pero el olor es muy malo y no podemos creer que alguien quiera preparar un té con este polvo.

▶ ¿Sabía usted que existe un centro dedicado a la interacción de los animales y la sociedad? Bueno, así es, y está en la facultad de medicina veterinaria de la Universidad de Pensilvania en Filadelfia. Los resultados de un estudio realizado en este centro demostraron que, en cuanto a técnicas de relajación, observar un pez en un acuario en su hogar es tan beneficioso como la autorregulación biológica ("biofeedback") y la meditación. Pues sí, sentarse frente a un acuario de tamaño mediano –y observar un pez común, no tiene que ser exótico– relaja a las personas hasta el punto de disminuir considerablemente la presión arterial.

¡Así que compre unos cuantos gupis y siéntese! O consiga videos de peces en acuarios y en el mar. Visite el sitio Web en inglés, *www2.vet.upenn.edu/research/centers/cias* para obtener mayor información sobre este centro universitario.

▶ Las semillas de chía son calmantes. Tome una taza de té de semillas de chía antes de cada comida. También puede esparcir las semillas en las ensaladas.

Alterne las fosas nasales para relajarse

▶ Alternar las fosas nasales para respirar es una conocida técnica de yoga que induce a las personas a alcanzar un estado de relajación, tranquilidad y paz interna.

Preste atención –el procedimiento es más sencillo de lo que parece ser.

◆ Coloque el pulgar derecho sobre la fosa nasal derecha.

◆ Coloque los dedos anular y meñique de la mano derecha sobre la fosa nasal izquierda. (Este ejercicio no se recomienda para quien tenga la nariz tapada).

◆ Inhale y exhale lentamente por ambas fosas.

◆ Ahora apriete y cierre la fosa nasal derecha e inhale profunda y lentamente por la fosa nasal izquierda, y cuente hasta cinco.

◆ Mientras la fosa nasal derecha continúa cerrada, presione y cierre la fosa nasal izquierda.

◆ Mantenga el aire en los pulmones, y cuente hasta cinco.

◆ Abra la fosa nasal derecha y exhale contando hasta cinco. Inhale por la fosa nasal derecha contando hasta cinco.

◆ Cierre ambas fosas y cuente hasta cinco. Exhale a través de la fosa nasal izquierda contando hasta cinco.

Siga repitiendo esta secuencia durante –¡adivine, adivinador!– cinco minutos. Hágalo por la mañana y de nuevo antes de acostarse.

▶ El *kombu* es una clase de alga marina. El té de kombu puede aliviar enormemente la tensión nerviosa. Agregue una tira de tres pulgadas (ocho cm) de kombu a un cuarto de galón (un litro) de agua. Hierva 10 minutos. Beba ½ taza por vez a lo largo del día. Puede comprar el kombu en las tiendas de alimentos naturales y en los mercados asiáticos.

¡Mete la mano!

▶ ¿Tiene a mano pinzas para colgar ropa? Tome unas cuantas y engánchelas a las puntas de los dedos, donde comienzan las uñas de la mano izquierda. Manténgalas durante siete minutos. Después enganche con las pinzas los dedos de la mano derecha durante siete minutos. Se sabe que ejercer presión sobre las terminaciones nerviosas relaja todo el sistema nervioso.

Haga esto a primera hora de la mañana, y antes, durante o justo después de una situación muy estresante.

Relájese –de la cabeza a los pies

▶ Aquí tiene un ejercicio de visualización practicado por los hipnoterapeutas y presentado en muchos seminarios de autoayuda. Asegúrese de que no lo vayan a molestar los teléfonos, bípers, celulares, timbres de puerta, perros, silbidos de teteras, etc.

Siéntese en una silla cómoda. Cierre los ojos y … ¡espere un momento! Lea estas instrucciones primero y después cierre los ojos. Luego ponga toda su atención en los dedos de los pies. Concéntrese en creer que ninguna otra cosa existe, aparte de los dedos de los pies. Relaje completamente los músculos de los dedos de los pies. Lentamente dirija su atención hacia arriba y pase por los pies, tobillos, pantorrillas, rodillas, muslos, pelvis, caderas, espalda, estómago, pecho, hombros, brazos, manos, cuello, mandíbula, boca, mejillas, orejas, ojos y cejas. Sí, sí, incluso relaje los músculos del cuero cabelludo. Ahora que está relajado, respire lenta y profundamente tres veces, luego abra los ojos lentamente.

Miedo escénico

La mayoría de nosotros nos ponemos nerviosos cuando tenemos que hacer algún tipo de discurso público. De hecho, muchos actores profesionales sufren gravemente de nervios antes que el telón se levante.

Aquí le ofrecemos un par de ejercicios que pueden eliminar el nerviosismo…

▶ Antes de que empiece el "espectáculo", póngase de pie directamente delante de una pared fija. Ponga las palmas de las manos contra la pared con los codos flexionados un poco. Con el pie derecho unas 12 pulgadas (30 cm) delante del izquierdo, flexione ambas rodillas y ¡empuje, empuje, empuje! Asegúrese de contraer los músculos abdominales. Esta flexión del diafragma de alguna manera disipa los nervios.

Una vez, Lydia pensó que una pared del estudio de televisión era fija, pero resultó ser un escenario movible. (Es probable que no nos vuelvan a invitar a ese programa).

▶ Un minuto antes de "entrar en escena", inhale lenta y profundamente. Cuando no le quepa más aire en los pulmones, manténgalo por dos segundos y déjelo salir muy rápidamente, en un gran "fuuuus". Haga esto dos veces seguidas y deberá estar listo para salir en perfecta compostura.

Boca seca

▶ Cuando llegue el momento de dar un discurso muy importante –o hacer esa pregunta de compromiso– usted querrá sentirse tranquilo y sonar seguro de sí mismo. Esto es difícil cuando tiene la boca seca.

Cuando esto ocurra, no tome bebidas frías. Aunque le pueda ayudar a superar el problema de la boca seca, su garganta tiesa se pondrá aún más tensa.

Además, evite las bebidas con leche o crema, ya que producen flema y más problemas al hablar. El té caliente es la mejor opción.

Si no tiene té, mastíquese la lengua suavemente. En menos de 20 segundos, producirá suficiente saliva para solucionar el problema de la boca seca.

▶ Mezcle una cucharada de miel con ½ taza de agua tibia; haga gárgaras con la mezcla y enjuague completamente la boca por unos tres o cinco minutos. Luego enjuague otra vez con agua para eliminar el sabor dulce. La levulosa de la miel aumenta la secreción de saliva, lo que alivia la sequedad de la boca y facilita la ingestión.

ADVERTENCIA: Los diabéticos y las personas alérgicas a la miel no deben consumir miel.

TOS

Al examinar a su paciente una mañana, la médica le dijo: "Me alegra informarle que la tos suena mucho mejor".

El paciente le respondió: "Bueno, no me sorprende. Estuve practicando toda la noche".

Esto puede ser un chiste, pero no es gracioso cuando es uno el que está tosiendo, especialmente durante la noche cuando la tos parece hacer de las suyas.

Todos tenemos un centro de tos en el cerebro. Generalmente está estimulado por una irritación en el tracto respiratorio. En otras palabras, la tos es la manera natural de ayudarnos a aflojar y deshacernos de la mucosidad que congestiona nuestro organismo.

Estos son algunos remedios naturales que pueden disipar la tos y ayudarlo a dormir mejor.

NOTA: Si la tos es crónica o persistente, consulte a un profesional de la salud. La tos acompañada de fiebre o dificultades respiratorias puede ser grave.

Remedios naturales

▶ Caliente el jugo de un limón, una taza de miel y ½ taza de aceite de oliva por cinco minutos. Luego revuelva vigorosamente por dos minutos.

Dosis: Tome 1 cucharadita cada dos horas.

► Combine ½ taza de vinagre de sidra de manzana ("apple cider vinegar") con ½ taza de agua. Añada una cucharadita de pimienta de cayena ("cayenne pepper") y endulce a gusto con miel.

Dosis: Tome una cucharada cuando la tos comience a molestarle. Luego tome otra cucharada antes de acostarse.

☞ **ADVERTENCIA:** Bebés, diabéticos y las personas alérgicas a la miel no deben consumir miel.

Jarabe de cebolla y miel

► Pele y pique finamente seis cebollas medianas. Póngalas en ½ taza de miel en baño María (hervidor doble, "double boiler"). Cocine, tapado, a fuego lento dos horas. Cuele este brebaje y viértalo en un jarro con tapa.

Dosis: Tome una cucharada tibia cada dos o tres horas.

► Ralle una cucharadita de rábano picante ("horseradish") y mezcle con dos cucharaditas de miel. (También se puede usar un diente de ajo picado finamente en lugar del rábano picante).

Dosis: Tome una cucharadita de la mezcla cada dos o tres horas.

Limonada casera endulzada

► Para preparar una deliciosa y aliviadora bebida que quita la sed, exprima el jugo de un limón en un vaso o una taza grande. Añada agua caliente, dos cucharadas de miel, y tres clavos enteros o un pedazo de ½" (1 cm) de canela en rama ("stick cinnamon").

Dosis: Beba un vaso cada tres horas.

► Cocine una taza de cebada ("barley") según las indicaciones del paquete. Luego añada el jugo de un limón fresco y un poco de agua a la cebada. Licúe la mezcla en una licuadora. Bébala lentamente.

Dosis: Beba una taza cada cuatro horas.

¡Qué bueno el nabo sueco!

► Haga un hueco en el medio de un nabo sueco ("rutabaga") o de una cebolla amarilla, y llene el hueco con miel y azúcar morena ("brown sugar"). Deje estar toda la noche. A la mañana, tome el jugo para aliviar la tos.

► Haga un hueco profundo en el medio de una remolacha (betabel, "beet") y llene el hueco con miel o azúcar morena. Hornee la remolacha hasta que esté blanda. Coma la remolacha cuando sienta venir la tos.

Un aperitivo curativo

► Prepare un aperitivo caliente con hierbas. Combine tres tazas de vino, un pedazo de canela en rama ("stick cinnamon") de una pulgada (dos cm), una cucharada de miel, entre tres y seis clavos de olor ("cloves") –la cantidad depende de cuánto le gusten los clavos– y unos pedacitos de cáscara de limón bien lavada. Caliente y revuelva.

Dosis: Tome tres tazas al día.

Aún si este aperitivo no le ayuda, seguramente no le importará tanto la tos.

ADVERTENCIA: No les dé miel a bebés, niños, diabéticos o a las personas alérgicas a la miel. Las mujeres embarazadas o que estén amamantando no deben consumir bebidas alcohólicas.

Chicle de jengibre

▶ Mastique un pedazo de raíz de jengibre ("ginger root") del tamaño de un chicle. Tragar el jugo lo ayudará a controlar la tos. El jengibre es fuerte y puede llevar algún tiempo acostumbrarse.

▶ Remoje en vinagre un pedazo de papel marrón (de bolsa de mercado), más o menos del tamaño de su pecho. Cuando deje de gotear, espolvoree con pimienta negra un lado del papel. Luego ponga el lado con pimienta sobre su pecho descubierto.

Para mantenerlo en su lugar toda la noche, envuelva el pecho con una venda elástica o una tela. Por la mañana pudiera haber una gran mejoría, particularmente si la tos es bronquial.

La avena al rescate

▶ Entre otros ingredientes, se afirma que los ácidos grasos poliinsaturados que se encuentran en los granos enteros de avena ("whole-grain oats") calman la inflamación bronquial y alivian los ataques de tos.

▶ Prepare un puré de avena según las indicaciones de la caja de granos enteros de avena, pero reduzca la cantidad de agua en ¼ taza. Añada miel a gusto.

Dosis: Consuma una taza por vez, cuatro veces al día y cuando empiece a toser. Asegúrese de comerlo tibio.

Jarabe de nabo y miel

▶ Pele y corte en tajadas un nabo ("turnip") grande. Unte miel entre todas las tajadas y deje estar varias horas, permitiendo que el jarabe de nabo y miel rebose y se asiente en el fondo del plato. Cuando la tos empieza a molestarle, tome una cucharadita del jarabe.

ADVERTENCIA: Bebés, diabéticos y las personas alérgicas a la miel no deben consumir miel.

▶ Añada ½ taza de semillas de girasol crudas, sin cáscara y sin sal a cinco tazas de agua y hiérvalas en una olla esmaltada ("enamel") o de vidrio hasta que el agua se reduzca a unas dos tazas. Cuele, luego vierta revolviendo ¾ taza de ginebra ("gin") y 1½ taza de miel. Mezcle bien y embotéllelo. Cuando la tos ataque, tome una o dos cucharaditas, pero no más de cuatro veces al día.

ADVERTENCIA: Las personas que tienen problemas con el alcohol, no deben usar este remedio.

¡Qué buen regalo el regaliz!

▶ La raíz de regaliz ("licorice") contiene *saponinas*, sustancias naturales que se sabe que desintegran y aflojan la mucosidad. Cuando tenga una tos cortante, tome una taza de té de raíz de regaliz (*vea* la "Guía de preparación" en la página 279).

NOTA: No tome raíz de regaliz si tiene presión arterial alta o problemas renales. Puede causar insuficiencia renal.

La acupresión combate el resuello

▶ Se sabe que el punto de acupresión que ha detenido la tos es el que se encuentra cerca del final del dedo medio. Con los dedos de la mano derecha, apriete la articulación superior del dedo medio de la mano izquierda. Mantenga la presión hasta que pare el resuello.

Los frijoles rojos paran la tos

▶ Este remedio de puré de frijoles rojos (habichuelas coloradas, "kidney beans") se recomienda para la tos profunda que nada parece aliviar. Ponga una taza llena de frijoles rojos en un colador y enjuáguelos con agua. Luego póngalos en agua y déjelos remojar toda la noche (mientras probablemente usted esté tosiendo como loco, ¿verdad?).

A la mañana siguiente, cuele los frijoles, amárrelos en un paño limpio y machúquelos con un objeto romo y pesado como un rodillo ("rolling pin"), una sartén o un martillo. Ponga los frijoles machacados en una cacerola esmaltada ("enamel") o de vidrio con tres dientes de ajo pelados y picados finamente, y dos tazas de agua. Haga hervir, luego reduzca el fuego y cocine a fuego lento por 1½ ó 2 horas, hasta que se ablanden. Añada más agua si es necesario. Tome una cucharada de este puré de frijoles cuando aparezca la tos.

Tipos de tos

Tos bronquial

▶ Añada tres gotas de aceite de hinojo ("oil of fennel") y tres gotas de aceite de anís ("anise") a seis cucharadas de miel. Agite vigorosamente y embotéllelo. Tome una cucharadita cuando empiece a toser.

ADVERTENCIA: Bebés, diabéticos y las personas alérgicas a la miel no deben consumir miel.

▶ Si no ha preparado el jarabe con anticipación y no tiene los ingredientes necesarios cuando empieza a toser, puede probar la segunda mejor solución. ¿Tiene licor de anís ("anisette")? Tome una cucharadita de licor de anís disuelto en una cucharada de agua caliente, cada tres horas. ¡Salud!

ATENCIÓN: Las mujeres embarazadas o que estén amamantando no deben consumir alcohol.

Tos nocturna

▶ Muchas personas sufren de un tipo de tos que es como un cosquilleo, normalmente durante la noche mientras duermen. Vierta dos cucharaditas de vinagre de sidra de manzana ("apple cider vinegar") en un vaso de agua y manténgalo al lado de la cama. Cuando el cosquilleo lo despierte, beba uno o dos tragos del agua con vinagre y retome el sueño reparador.

▶ Mastique un par de clavos de olor ("cloves") enteros para aliviar el cosquilleo en la garganta.

▶ Coma un pedazo de pan bien tostado (preferentemente de trigo integral).

Tos de fumador

▶ Este remedio está actualizado del que figura en el libro (de alrededor del 1888), *Universal Cookery Book*. Vierta un cuarto de galón (un litro) de agua hirviendo sobre cuatro cucharadas de semillas de lino ("flaxseed") enteras y deje en remojo tres horas. Escurra, añada el jugo de dos limones y endulce con miel (la cual reemplaza los cristales de azúcar sólida que se usa en el remedio original). Tome una cucharada cuando la tos aparezca.

▶ El mejor remedio para la tos de fumador es –¡dejar de fumar! (*Vea* "Cigarrillo" en la página 34).

Tos seca

▶ Tome una o dos cucharadas de agua de papas (*vea* la "Guía de preparación" en la página 280) cada vez que la tos haga de las suyas. Si prefiere puede añadir miel a gusto.

Tos con flema

▶ Para ayudar a aflojar la flema, fría en manteca de cerdo ("lard") o en manteca vegetal ("shortening") dos cebollas medianas finamente picadas. Cuando se haya enfriado lo suficiente al tacto, frote la mezcla sobre el pecho de la persona que tose y envuelva el pecho con un paño limpio (preferentemente blanco). Haga esto por la noche. Así puede llegar a dormir bien.

▶ Justo antes de acostarse, añada una cucharadita de mostaza en polvo a una bañera (tina) llena a la mitad con agua caliente. Prepare una bebida caliente de su preferencia –té de menta piperita ("peppermint"), o agua caliente con limón y miel. Póngase ropa de cama que permita acceso al pecho. Ponga dos toallas de felpa ("terrycloth") y una silla o un banquito cómodo en el baño.

Sumerja los pies en el agua por 15 minutos (el resto del cuerpo debe estar afuera de la bañera). Cuando el agua se enfríe, añada más agua caliente. Tome la bebida a sorbos durante este proceso.

Después de 15 minutos, sumerja una de las toallas en el agua de la bañera, escúrrala y póngasela en el pecho descubierto. Cuando la toalla se enfríe, mójela de nuevo y vuelva a ponérsela en el pecho. Repita tres veces, luego séquese bien, abríguese y acuéstese.

Según Mark A. Stengler, ND, profesor clínico adjunto del National College of Naturopathic Medicine en Portland, Oregon, y médico de naturopatía en La Jolla Whole Health Clinic, en La Jolla, California, las alergias y los irritantes del aire pueden causar goteo postnasal. El drenaje de las mucosidades irrita la garganta, lo cual puede desencadenar la tos nocturna. Eleve las almohadas para que el drenaje sea más efectivo. Un filtro de aire de alta eficiencia que atrapa las partículas (HEPA, por sus siglas en inglés) en su habitación puede ayudar a disminuir los alérgenos, como el polvo y el polen.

También puede intentar tomar vitamina C (1.000 mg, dos veces al día) y *quercetina* ("quercetin", 500 mg, dos veces al día), una parienta de la vitamina C que actúa como antihistamínico natural. Siga hasta que sus síntomas disminuyan, normalmente entre dos y cuatro días.

Tos nerviosa

▶ Conocemos a un director de escena teatral que quisiera hacer este anuncio antes de que suba el telón...

"Para detener la tos nerviosa, haga presión en el espacio entre el labio y la nariz. Si eso no funciona, presione fuerte en el paladar (cielo de la boca). Si ninguno da resultado, por favor espere hasta el intermedio, salga y tosa afuera".

ÚLCERAS

Un porcentaje pequeño de personas desarrolla úlceras (heridas en el revestimiento del estómago o del intestino delgado) debido al uso continuo de aspirinas y otros medicamentos para aliviar el dolor. Si usted no es una de esas personas, continúe leyendo.

Recientemente se hizo un increíble descubrimiento sobre la causa principal de las úlceras. Alrededor del 80% de las úlceras son causadas por la bacteria *Helicobacter pylori*, también conocida como H. pylori. Se estima que la mitad de la población adulta de Estados Unidos tiene la bacteria H. pylori en el estómago, pero de forma inactiva.

¿Por qué será que algunas personas desarrollan úlceras y otras no? Nuestro sentido común nos sugiere que los trastornos emocionales, fatiga, ansiedad nerviosa, tensión crónica y/o la incapacidad de desempeñarse en un empleo o en una situación con mucha presión –todos ellos pueden debilitar el sistema inmune, y bajar la resistencia del organismo a la H. pylori.

Si usted encaja en este "cuadro", podemos sugerirle remedios para la úlcera, pero es imprescindible que elimine la causa primero. Cambie de trabajo, medite, busque seminarios de autoayuda o haga cualquier cosa que sea adecuada para convertir su problema específico en algo positivo y manejable.

Y ahora, le pedimos amablemente –por favor no pruebe ninguno de estos remedios sin el consentimiento de su médico, ¿de acuerdo?

Remedios alimentarios

▶ Según un informe que se publicó en el boletín médico *Practical Gastroenterology* (*www. practicalgastro.com*): "Además de no poder curar la ulceración gástrica, la dieta sosa tiene otros defectos –no es sabrosa, contiene demasiada grasa y muy poca fibra". ¡Así que póngale sabor a su comida con algunas especias!

▶ Descubrimos que la leche no es necesariamente el cúralo-todo que pensábamos. Aunque neutraliza el ácido del estómago al principio, su contenido de calcio hace que se secrete gastrina, una hormona que estimula la emisión de más ácido. No tome leche.

Remedio con mucha fibra

▶ Se cree que una dieta con alto contenido de fibra es el mejor tratamiento para las úlceras y para prevenir las recaídas.

▶ Si su médico lo aprueba, tome una cucharada de aceite de oliva extra virgen prensado en frío ("extra-virgin, cold-pressed olive oil") por la mañana y una cucharada por la tarde. Puede ayudar a aliviar y sanar la membrana mucosa que cubre el estómago.

▶ La cebada ("barley") y el agua de cebada alivian y ayudan a reconstruir el revestimiento del estómago. Hierva dos onzas (55 g) de cebada perlada ("pearled barley") en seis tazas de agua, hasta que el agua esté reducida a alrededor de la mitad –tres tazas. Cuele. Si es necesario, agregue miel y limón a gusto. Bébalo a lo largo del día. Consuma cebada en sopas, guisos o sola.

Vea la información sobre "Agua de cebada" en la página 277 de la "Guía de preparación".

▶ Una investigación reciente ha comprobado la efectividad del jugo de col (repollo, "cabbage"), un remedio tradicional desde hace siglos, para el alivio de las úlceras. Aunque hoy en día el estilo de vida estresante es favorable para el desarrollo de úlceras, tenemos la maquinaria moderna para ayudar a la curación –el extractor de jugo.

Extraiga el jugo de una col y beba una taza del jugo antes de cada comida y otra taza antes de acostarse. Asegúrese de que la col esté fresca, no marchita. Además, beba el jugo tan pronto lo prepare. Al ser preparado por adelantado y refrigerado, el jugo pierde mucho valor nutritivo.

Según los informes sobre grupos de prueba, el dolor, los síntomas y las úlceras desaparecieron entre dos y tres semanas después de empezar el régimen de jugo de col.

Las personas nos preguntan a menudo: "¿Por qué la col?" *Investigamos y encontramos dos razones…*

◆ La col es rica en *glutamina*, un aminoácido no esencial. La glutamina contribuye a que las células saludables del estómago se regeneren y estimula la producción de mucina, una mucoproteína que protege el revestimiento del estómago.

◆ La col contiene *gefarnate*, una sustancia que ayuda a fortalecer el revestimiento del estómago y el reemplazo de células. (También se usa en medicamentos para las úlceras).

La col cruda también es buena preparada como "sauerkraut" (chucrut, col agria), ensalada "coleslaw", y el plato coreano *"kim chee"*.

▶ Para casos agudos de úlceras (y gastritis), el doctor Ray C. Wunderlich, Jr., MD, PhD, director del Centro Wunderlich de medicina nutricional en St. Petersburg, Florida, recomienda lecitina granulada –una cucharada colmada tantas veces como la necesite. Las cápsulas de lecitina también dan buenos resultados. Puede comprar ambas en las tiendas de alimentos naturales.

VERRUGAS

El término médico para la verruga común es *Verruca vulgaris*. ¿No le parece que las verrugas son vulgares?

Las verrugas normalmente aparecen en las manos, los pies y la cara, y se cree que son causadas por algún tipo de virus.

El premio a la "mayor cantidad" de remedios caseros se lo ganan las verrugas. Conseguimos un millón –de remedios… no de verrugas.

Tratamos que nos salieran verrugas por propósitos de investigación. Tocamos muchas ranas. Pero es una mentira. No salen verrugas por tocar ranas. (Por cierto, tampoco se obtiene un príncipe al besarlas).

Remedios naturales

Si tiene una verruga, existe una vasta gama de remedios que puede probar para encontrar uno que le dé buenos resultados.

► Machaque un higo fresco hasta que tenga la consistencia de una masa blanda y aplíquelo a la verruga durante media hora cada día. Continúe este procedimiento hasta que la verruga desaparezca.

► A primera hora de la mañana, aplique un poco de su propia saliva a la verruga.

► Recoja algunos dientes de león ("dandelion"). Rompa los tallos y vierta el jugo que brota de ellos directamente sobre la verruga –una vez por la mañana y otra por la noche, durante cinco días seguidos.

► Ponga una bolsa de té usada en la verruga durante 15 minutos todos los días. Dentro de una semana a 10 días la verruga debería desaparecer.

► ¿Tiene verrugas en los genitales? Frote suavemente la parte interior de la cáscara de una piña (ananá, "pineapple") sobre la zona afectada. Repita todas las mañanas y todas las noches, hasta que las verrugas hayan desaparecido o la piña se haya acabado.

NOTA: Las verrugas en los genitales son una enfermedad grave de transmisión sexual. Son muy contagiosas y deben ser tratadas por un profesional médico lo más pronto posible.

Acabe con la cal

► Si tiene verrugas en el cuerpo, es posible que tenga exceso de cal en el organismo. Una manera de neutralizar el exceso de cal es beber una taza de té de manzanilla ("chamomile") dos o tres veces por día.

► Ralle unas zanahorias y mézclelas con una cucharadita de aceite de oliva. Aplique la mezcla a la verruga durante media hora, dos veces por día.

► Con un hisopo de algodón (bastoncillo, "cotton swab") o mota de algodón (bolita de algodón, "cotton ball"), aplique jugo de limón con toques suaves sobre la verruga, seguido inmediatamente por una cebolla cruda picada. Haga esto dos veces por día durante 15 minutos por vez.

Esto es papa pelada

► Coloque sobre la verruga una tajada de papa cruda recién cortada y manténgala en su lugar con una venda durante toda la noche. Quítela por la mañana. Repita el procedimiento a la noche siguiente. Si no se libra de la verruga en una semana, reemplace la papa por un diente de ajo.

▶ Todas las mañanas, exprima el contenido de una cápsula de vitamina E y frótelo vigorosamente sobre la verruga. Este remedio es lento (puede llevar más de un mes para dar resultados), ¿pero cuál es la prisa?

▶ Con un hisopo de algodón o mota de algodón, aplique el jugo curativo de la planta áloe vera con toques suaves todos los días hasta que la verruga desaparezca.

▶ Todos los días, aplique una cataplasma de melaza negra ("blackstrap molasses") –*vea* la "Guía de preparación" en la página 280– y manténgala sobre la verruga el mayor tiempo posible. También debe consumir todos los días una cucharada de melaza (enjuague la boca con agua después de comerla).

En aproximadamente dos semanas, la verruga debería desaparecer sin dejar ningún rastro.

La verruga vencida por la tiza

▶ Nos contaron de una joven que usaba un remedio antiguo. Aplicaba tiza blanca común a la verruga todas las noches. A la sexta noche, la verruga desapareció.

▶ Por la mañana y por la noche, frote la verruga con alguno de estos –un rábano ("radish"), jugo de caléndula ("marigold"), flores, corteza de tocino (panceta, "bacon"), aceite de canela ("cinnamon"), aceite de germen de trigo ("wheat germ"), o una pasta espesa de suero de leche ("buttermilk") y bicarbonato de soda ("baking soda").

Agua de huevo

▶ Prepare unos huevos hervidos y conserve el agua. En cuanto el agua se enfríe, remoje la mano (o las manos) con verrugas durante 10 minutos. Haga esto diariamente hasta que las verrugas desaparezcan.

▶ Si no tiene la paciencia para tratar la verruga todos los días, considere buscar un hipnotizador profesional competente. Aunque parezca increíble, las verrugas pueden desaparecer con hipnosis.

Verrugas plantares

▶ Las verrugas plantares ("plantar warts") son las que aparecen en las plantas de los pies, normalmente en grupos. La verruga comienza como un pequeño punto negro. No se debe tocar ni rascar –sólo hará que se extienda. En cambio, frótela con aceite de ricino todas las noches hasta que desaparezca.

▶ A la hora de acostarse, pinche una o dos cápsulas de ajo (de gel suave –"soft gel garlic pearles") y exprima el aceite sobre las verrugas plantares. Frote la zona entera con el aceite durante unos minutos. Póngase medias blancas limpias y duerma con ellas puestas.

Haga esto todas las noches por una semana o dos, hasta que las pequeñas raíces negras salgan y se desprendan.

VESÍCULA BILIAR IRRITADA

La vesícula es la compañera del hígado y su ayudante. Su trabajo es guardar la bilis producida por el hígado, y después soltarla para disolver las grasas. Usted tiene la tarea de mantener la vesícula saludable y funcionando bien. *Estos remedios pueden ayudar…*

ATENCIÓN: El dolor y/o los vómitos pueden ser señales de una enfermedad seria. Vea a un médico antes de probar cualquiera de estos remedios naturales.

Remedios naturales

▶ Una vesícula inflamada, irritada o tapada puede causar mucho dolor y puede hacer que se sienta perezoso y cansado, incluso al levantarse por la mañana. Media hora antes del desayuno, tome medio vaso de agua tibia con tres cucharadas de jugo de limón recién exprimido. Pruebe esto durante una semana y vea si siente una diferencia en su nivel de energía por la mañana. Se sabe que el jugo de limón estimula y limpia la vesícula.

▶ El remedio tradicional más popular para la vesícula es el rábano negro ("black radish"). Extraiga el jugo del rábano con un extractor de jugo o rallándolo y exprimiéndolo a través de una estopilla (gasa, "cheesecloth"). Tome una o dos cucharadas del jugo de rábano negro antes de cada comida. Hágalo durante dos semanas o más. Su digestión debería mejorar, como así también el estado de su vesícula.

▶ Si ha sido operado de la vesícula, es posible que usted ayude al proceso curativo bebiendo té de menta piperita ("peppermint") –una taza una hora después de cada una de las dos comidas más importantes del día. El mentol, el ingrediente activo de la menta, ejercita el hígado y la vesícula al estimular la secreción de la bilis. ∎

Remedios curativos
para niños

Remedios curativos para niños

La seguridad debe ser la prioridad

odos los libros sobre el cuidado de los bebés recomiendan preparar su casa "a prueba de niños" ("childproof"). Para observar las cosas desde el punto de vista de un niño, gatee por todos los cuartos. Una vez que reconozca las zonas de peligro elimine los problemas –cubra los cables, fije los muebles con clavos, etc. Haga esto cada cuatro a seis meses a medida que su niño crezca.

Aún así, pueden ocurrir accidentes. Sugerimos a los padres que tengan un libro de primeros auxilios a mano y/o que tomen un curso de primeros auxilios en la sede local de la Cruz Roja Americana (*www.redcross.org,* en inglés y en español).

También es muy importante mantener una lista con los números de emergencia cerca de todos los teléfonos. *La lista debería incluir los siguientes contactos:*

- ◆ Médico/Pediatra
- ◆ Centro de toxicología ("Poison Control Center" – 800-222-1222)
- ◆ Policía
- ◆ Bomberos
- ◆ Hospital
- ◆ Farmacia
- ◆ Dentista
- ◆ Vecinos (que tengan auto)

Le advertimos que cuando se trata de remedios caseros para enfermedades comunes, el organismo de los niños es mucho más delicado que el de los adultos. Así que, aunque muchos de los remedios en este libro pueden aplicarse a los niños, las dosis y potencias deben ser calculadas empleando el sentido común. En todos los casos, debe consultar primero al pediatra de su niño.

⚡ **ADVERTENCIA MUY IMPORTANTE:** ¡Nunca le dé miel pura a un niño menor de un año! Las esporas que se encuentran en la miel han sido vinculadas con el botulismo en los bebés.

A continuación encontrará remedios naturales para tratar específicamente las enfermedades de los niños. Estos deberían ayudarle a usted –y a sus hijos– a superar esos momentos difíciles.

Acné

▶ Es común que los bebés tengan una erupción de granitos. Según un remedio tradicional del siglo XVII, aplique suavemente con mota (bolita) de algodón un poco de la leche de la madre sobre el acné.

Si no está amamantando, use unas gotas de leche entera (no la leche descremada o "skim milk").

Trastorno de déficit de atención e hiperactividad

Este trastorno común (ADHD, por sus siglas en inglés) es un problema neuroconductual que afecta a muchos niños de edad escolar (y a algunos adultos). Se caracteriza por una impulsividad inapropiada que genera distracción, incapacidad para concentrarse (prestar atención) y, en algunos casos, hiperactividad.

Si a su niño le han diagnosticado ADHD, es posible que usted esté buscando una alternativa para que su niño no tenga que tomar Ritalin o algún otro medicamento recetado.

Antes de probar cualquier remedio natural, debe descartar otros factores que puedan influir el comportamiento de su niño. *Por ejemplo:*

- ◆ Exceso de metales tóxicos
- ◆ Pesticidas en el hogar
- ◆ Problemas de conducta en el hogar y en la escuela
- ◆ Mala nutrición
- ◆ Alergias (incluidas las alergias a los dulces, la leche y el queso)
- ◆ Intolerancia al gluten

La dieta del niño puede afectar enormemente en el desarrollo y en la superación de este trastorno. Lo que usted quizá no sepa es que varias investigaciones indican que existe una conexión entre el ADHD y una deficiencia de ácidos grasos omega-3.

Según un documento publicado en *Physiology & Behavior* (vaya al sitio de Internet *www.ibnshomepage.org* y luego haga clic en "Other Links") por un equipo de investigadores del Departamento de Alimentos y Nutrición de la Universidad Purdue en West Lafayette, Indiana, los niños varones con niveles más bajos de ácidos grasos omega-3 en la sangre manifestaron más problemas de conducta, aprendizaje y salud que quienes tenían niveles más altos de ácidos grasos omega-3.

Quizá le convenga averiguar más sobre este tema y considerar incluir aceite de linaza ("flaxseed oil"), la fuente más rica en ácidos grasos omega-3, en la dieta de su niño. Para obtener más información sobre el aceite de linaza, *vea* la sección "Seis Superalimentos maravillosos" en la página 291.

Mojar la cama

Es posible que el niño moje la cama con frecuencia mientras aprende a controlar la vejiga durante toda la noche. Tenga paciencia durante esta etapa, pero si el niño no muestra una mejoría, consulte con su pediatra.

El remedio de la canela

▶ Déle al niño unos trozos de canela en rama ("cinnamon bark") para que los mastique a lo largo del día. Por alguna razón desconocida parece ayudar a evitar que algunos niños mojen la cama.

▶ Prepare un té de barbas de maíz agregando entre 10 y 15 gotas de extracto de barbas de maíz ("corn silk extract") a una taza de agua hervida. Revuelva, deje enfriar y déselo al niño para que lo beba lentamente antes de acostarse.

Dormir boca arriba es mejor

▶ Si nada da resultados, pruebe esto: a la hora de dormir, ate una toalla alrededor de la pelvis del niño, asegurándose de que el nudo quede delante. Esto le enseña al niño a dormir boca arriba lo cual, aparentemente, reduce el impulso de mojar la cama.

> **NOTA:** Los niños que mojan la cama de forma crónica deben ser tratados por un profesional de la salud.

▶ El siguiente ejercicio fortalece los músculos que controlan la micción. Pídale al niño, desde la primera vez que orine en la mañana, que empiece a orinar y que se detenga todas las veces que pueda hasta que haya terminado.

Si lo convierte en un juego, contando el número de veces que empieza y se detiene, quizá el niño sea motivado a romper su récord personal cada vez. Pero tenga cuidado, es importante evitar que el niño se sienta incapaz si el ejercicio le parece difícil.

Varicela

Cuando éramos pequeñas, parecía que a todo el mundo le daba varicela ("chicken pox") –y si a alguien le daba, su deber era contagiar al resto. Este virus es menos común hoy en día, ya que los niños reciben vacunas infantiles, pero sigue siendo extremadamente contagioso y se transmite a través de la tos y los estornudos. Un niño con varicela debe quedarse en cama, mantenerse abrigado y consumir una dieta liviana que incluya muchos jugos puros de fruta.

▶ Según los herbarios, el té de milenrama (aquilea, "yarrow") alivia las erupciones de los niños. Agregue una cucharada de milenrama seca (que se vende en las tiendas de alimentos naturales) a dos tazas de agua recién hervida, y deje remojar 10 minutos. Cuele y agregue una cucharada de miel sin procesar –"raw honey"– (si el niño es mayor de un año). Déle al niño una cucharada ($\frac{1}{16}$ de taza), tres o cuatro veces por día.

Irritantes de los ojos

Vea "Irritantes de los ojos" para adultos en la página 138.

▶ Enjuague el ojo con agua.

▶ Pele una cebolla estando cerca del niño para que las lágrimas naturales eliminen el elemento irritante.

> **ADVERTENCIA:** Si el ojo del niño esta irritado por una sustancia química o tóxica, llame inmediatamente al número de emergencias 911 o al Centro de toxicología ("Poison Control Center" – 800-222-1222).

Resfriados y gripe

▶ Según un estudio publicado por dos médicos en una revista científica renombrada, las pastillas de gluconato de zinc ("zinc gluconate lozenges") pueden reducir de forma drástica la duración de un resfriado.

Las pastillas (nuestras favoritas son las de sabor a miel; y odiamos las de limón) no se deben tomar con el estómago vacío. Aunque el niño esté comiendo poco a causa del resfriado, haga que coma media fruta antes de chupar la pastilla.

Dosis: Si el niño pesa menos de 60 libras (27 kilos), debe tomar una a tres pastillas de 23 miligramos, por día, según su tolerancia. Para los adolescentes, la dosis máxima es de tres a seis pastillas de 23 mg por día, según su tolerancia.

Importante: No le dé pastillas de zinc a un niño por más de dos días seguidos.

Tos

▶ Si el niño ha tenido mucha tos seca, rocíe su almohada con vinagre de vino ("wine vinegar"). Esto puede ayudarlos, a usted y al niño, a dormir mejor.

▶ Agregue ½ cucharadita de semillas de anís ("anise seeds") y ½ cucharadita de tomillo ("thyme") a una taza de agua recién hervida. Deje remojar 10 minutos. Revuelva, cuele y deje enfriar. Luego, agregue una cucharadita de miel.

Dosis: Déle al niño una cucharada cada media hora. Este es un remedio para niños mayores de dos años.

La cura del hilo negro

▶ Una señora de Oklahoma nos contó que cuando a su niño le da una tos fuerte en la noche, le ata holgadamente alrededor del cuello un hilo negro de algodón. *El hilo debe ser negro.* Nos dijo que había probado otros colores, pero que solamente el negro dio resultados.

Nos intrigó este remedio y lo probamos con el hijo de una amiga. Funcionó como por arte de magia. Investigamos y descubrimos una fuente impresa en la que se les atribuye este remedio a los chamanes (médicos espirituales) del antiguo Egipto.

■ Receta ■

Sopa de zanahorias

1 libra (450 g) de zanahorias
½ onza (15 g) de cebollas
1 onza (30 g) de mantequilla
1 pinta (450 g) de agua hirviendo
½ onza (15 g) de harina
1 pinta (450 g) de leche
Sal y pimienta a gusto

Corte las zanahorias y las cebollas en piezas pequeñas, y cocine en mantequilla en una cacerola por cinco minutos. Agregue el agua y cocine hasta que los vegetales estén tiernos. Frote a través de un cedazo ("sieve"). Vuelva a poner en la cacerola.

En un bol pequeño mezcle la harina con un poco de la leche. Deje a un lado.

Agregue la leche restante a la mezcla, y haga hervir. Cuando hierva, agregue la mezcla de harina. Cocine 10 minutos. Sazone y sirva.

Fuente: www.freerecipe.org

Crup

¡Esa tos de perro! ¡Esa tos seca! Si su niño suena como una foca del acuario es probable que tenga crup ("croup" en inglés). Con frecuencia, los niños pequeños desarrollan esta terrible tos cuando tienen un resfriado.

▶ Los curanderos tradicionales escoceses tratan el crup colocando un pedazo de tocino ("bacon") crudo alrededor del cuello del niño, abrigándolo con una manta (frazada) cobija y dejándolo en un baño lleno de vapor durante algunos minutos.

Diarrea

▶ Déle al bebé dos o tres cucharadas de jugo puro de zarzamoras ("blackberries"), cuatro veces por día.

Alivio ensopado

▶ La sopa de zanahorias (*vea* la receta a la izquierda) alivia el intestino delgado cuando está irritado y también repone los fluidos y minerales del cuerpo. Además, las zanahorias contienen una sustancia antidiarreica llamada *pectina*.

También puede preparar la sopa mezclando un frasco de compota de zanahorias para bebé ("strained carrots") con la misma cantidad de agua. Déle la sopa de zanahorias al niño hasta que la diarrea se alivie.

▶ Otro remedio para la diarrea infantil consiste en darles agua de cebada ("barley") durante el día. (*Vea* la receta en la "Guía de preparación" en la página 277).

Delicia alemana

▶ Este remedio para la diarrea infantil proviene de los alemanes tradicionales de Pensilvania ("Pennsylvania Dutch"). En una taza de leche tibia agregue una pizca ($\frac{1}{16}$ de cucharadita) de canela ("cinnamon"). El niño debe beber todo lo que pueda.

▶ El té de hojas de frambuesas ("raspberries") es excelente para el tratamiento de la diarrea. Mezcle ½ onza (15 g) de hojas de frambuesas secas con una taza de agua; hierva a fuego lento en una cacerola esmaltada ("enamel") o de vidrio durante 25 minutos. Cuele y deje enfriar hasta que esté a temperatura ambiente.

Dosis: A un bebé menor de un año, déle ½ cucharadita cuatro veces por día... a un niño mayor de un año, déle una cucharadita cuatro veces por día.

Fiebre

▶ Para ayudar a bajar la fiebre de un niño, coloque tajadas de papa cruda sobre las plantas de los pies y sujételas con una venda. Permita que lo novedoso de este remedio les cause risa a usted y a su niño. Por algo se dice que la risa es el mejor remedio.

▶ Déle a su niño un baño prolongado y relajante en agua tibia. Luego, cuando lo ponga en la cama, asegúrese de que la manta (frazada) no esté demasiado ajustada. Déjela holgada para permitir que el calor escape.

Objetos en la nariz

Muchos niños se meten cosas en la nariz. Cuando tenía tres años, Lydia se metió un frijol en la fosa nasal y éste empezó a echar raíces. Por fortuna, nuestro padre se dio cuenta de que ella se quedaba quieta por más de 30 segundos a la vez y así dedujo que algo andaba mal.

▶ Antes de llevar a su niño al médico para que le extraigan un frijol, tápele la fosa nasal que no está bloqueada, abra la boca del niño (asegúrese de que esté vacía), coloque su boca sobre la del niño y sople fuerte una sola vez. Su bocanada de aire puede desalojar el objeto de la fosa nasal del niño y hacer que salga. Si esto no da resultado, busque atención médica.

Piojos

Se estima que en cualquier momento 10 millones de estadounidenses tienen piojos en la cabeza. Los piojos se pueden transmitir de un niño a otro al compartir un respaldo para la cabeza (como una colchoneta del gimnasio escolar o un asiento en el cine). Prácticamente la única forma de evitar que un niño esté expuesto a los piojos es mantenerlo en una burbuja.

Ya que la burbuja no es una opción factible, si su niño tiene piojos existen varios champús de venta libre (es decir, se venden sin receta médica) que son seguros y eficaces, a diferencia de los champús recetados que pueden ser peligrosos para los niños pequeños, las mujeres embarazadas o que estén amamantando y cualquier persona que tenga alguna herida en la mano. Una amiga probó varios champús de venta libre y el más seguro y que mejor funcionó fue el de la marca RID.

Para que el champú sea eficaz, déjelo en la cabeza del niño durante cinco minutos como mínimo, mejor aún si puede dejarlo por diez minutos.

Cómo sacar las liendres

▶ Después de aplicar el champú y matar los piojos, asegúrese de eliminar las liendres restantes (los huevecillos y piojos jóvenes) aplicando a fondo al cuero cabelludo del niño un enjuague hecho con cantidades iguales de vinagre blanco ("white vinegar") y agua. O también puede peinarle primero el cabello con aceite de árbol del té (melaleuca, "tea tree oil", que se vende en las tiendas de alimentos naturales) y luego enjuagarlo con la mezcla de vinagre y agua.

⚡ **ATENCIÓN:** No use los dedos para cazar a estos insectos; se pueden escabullir debajo de las uñas. ¡Ay, qué asco!

Piojos en las pestañas

▶ Si las liendres se extienden a las pestañas, no use el aceite de árbol del té. Es demasiado fuerte y peligroso para usarlo cerca de los ojos.

Como alternativa, aplique una capa delgada de vaselina ("petroleum jelly") sobre las pestañas, antes del desayuno y después de la cena. Hágalo durante ocho días. Al cabo de ese tiempo la vaselina habrá asfixiado a las liendres y podrá quitarlas fácilmente.

Indigestión, cólicos y gases

Si su niño sufre de indigestión o gases, puede estar muy malhumorado por el dolor de estómago. Si tiene cólicos es posible que llore durante horas sin parar, mientras usted prueba todo lo imaginable para que se sienta mejor. Los médicos no saben a ciencia cierta la causa de los cólicos (tal vez sea alergia, indigestión o simplemente temperamento), pero vale la pena probar estos remedios.

ADVERTENCIA: Busque atención médica si el problema digestivo le produce dolor al niño, es persistente o está acompañado de vómitos frecuentes.

Indigestión

▶ Si el bebé no puede retener la comida, agregue una cucharadita de polvo de algarroba ("carob powder", que se vende en la mayoría de las tiendas de alimentos naturales) a la leche del bebé. En algunos casos puede ayudar enormemente.

▶ Un té de manzanilla ("chamomile") no muy fuerte ayuda a aliviar la indigestión y a calmar los problemas intestinales. Bueno, eso sucede si primero logra calmar al niño lo suficiente como para que beba el té de manzanilla.

▶ Déle al niño un té de jengibre ("ginger") no muy fuerte. Es maravilloso para la digestión y los problemas de gases.

▶ Si su niño parece padecer un problema digestivo no serio, pruebe con dos cucharaditas de concentrado de jugo de manzana diluido en medio vaso de agua, antes de cada comida. Asegúrese de que la mezcla líquida esté a temperatura ambiente y no fría.

Cólicos

▶ El té de hinojo ("fennel") es un calmante de los cólicos muy popular en Europa. Agregue ½ cucharadita de semillas de hinojo a una taza de agua recién hervida y deje remojar 10 minutos. Cuele el líquido en el biberón (botella) del bebé. Cuando esté lo suficientemente frío para beber, déselo al bebé. Si no le gusta el sabor del hinojo, pruebe entonces con semillas de eneldo ("dill").

▶ Hierva una taza de agua con ⅓ hoja de laurel durante 15 minutos. Deje enfriar, deseche la hoja de laurel, y vierta el agua en el biberón del bebé para que la beba. Este viejo remedio siciliano ha curado los cólicos de muchos *bambini*.

▶ Se afirma que las semillas de alcaravea ("caraway seeds") alivian los cólicos de los niños (y también a sus padres y los vecinos). Agregue una cucharada de semillas de alcaravea machacadas a una taza de agua recién hervida. Deje remojar 10 minutos. Cuele y vierta dos cucharaditas del té en el biberón del bebé. Cuando se haya enfriado lo suficiente para beberlo, déselo al bebé.

Déle vacaciones a la vaca

▶ Si está amamantando a su bebé y el niño tiene cólicos, pruebe eliminar la leche de vaca de su propia dieta. Existe un 50% de probabilidades de que si usted deja de beber leche, el bebé ya no padecerá de cólicos.

Pero asegúrese de consumir más alimentos ricos en calcio, como el salmón enlatado, las sardinas enlatadas, las semillas de girasol ("sunflower seeds") o de ajonjolí ("sesame seeds"), verduras de hojas verdes, productos de soja (incluido el "tofu"), y melaza ("molasses").

▶ La leche no es lo único que debe eliminar de su dieta si está amamantando. También debe evitar cualquier cosa que les dificulte la digestión a usted o a su bebé –incluidos los pimientos verdes (ajíes, "green peppers"), frijoles (habichuelas, "beans"), pepinos ("cucumbers"), huevos, chocolate, cebolla, puerro ("leek"), ajo, berenjena ("eggplant"), lentejas, calabacita italiana "zucchini", tomates, azúcar, café y bebidas alcohólicas. Además, modere la cantidad de fruta que consume.

¡Recuerde que ni las restricciones dietéticas ni los cólicos durarán para siempre!

▶ Cuando al bebé le estén saliendo los dientes, o tenga cólicos leves, o cuando simplemente esté de mal humor por una indigestión o por el sueño interrumpido, deje remojar una bolsa de té de manzanilla ("chamomile") en una taza de agua caliente. Si el problema es causado por una indigestión, agregue un trozo pequeño de jengibre ("ginger") fresco.

Después de remojar unos 10 minutos, saque la bolsa de té y el jengibre. Déle al bebé una cucharadita de té cada 15 minutos hasta que se note una mejoría.

Haga un almíbar

▶ Caliente un poco del almíbar espeso de una lata de melocotones (duraznos, "peaches") y déselo a su bebé para detener las náuseas.

Niños sin apetito

▶ Prepare una taza de té de manzanilla ("chamomile") y agregue $\frac{1}{16}$ cucharadita de

jengibre ("ginger") molido. Un herbario recomienda que media hora antes de la comida le suministre una cucharadita de este té tibio para estimular el apetito del niño.

Sarpullidos

▶ Si el sarpullido es menor (y no está en la cara), frote delicadamente la zona afectada con el lado rojo de la corteza de una sandía. Esto debe detener la comezón y ayudar a secar el sarpullido.

Sarpullido causado por pañal

▶ Deje el trasero del bebé expuesto al aire. Si el clima lo permite, exponerlo al sol (de 10 a 15 minutos a la vez) puede tener un efecto milagroso en la eliminación del sarpullido. Primero, aplique protector solar a toda la piel que estará descubierta.

⚡ **ATENCIÓN:** Los bebés menores de seis meses no deben tomar sol.

Astillas

▶ Para ubicar el lugar exacto donde se encuentra una astilla, aplique yodo ("iodine") sobre la zona con toques suaves y la astilla lo absorberá, tornándose más oscura. Espere a que la zona se seque antes de tratar de extraer la astilla.

▶ Si el niño tiene una astilla de vidrio, antes de empezar a apretar y raspar la zona, adormézcala con un cubito de hielo o con crema para la dentición ("teething lotion"). ¡No se ponga a hurgar! Si la astilla no sale fácilmente, vaya al médico para ser tratado.

La dentición

▶ Cuando a los niños les están saliendo los dientes, con frecuencia lloran como si no quisieran comer. Pero es probable que estén llorando por el dolor que les produce la cuchara de metal. Alimente al bebé al que le están saliendo los dientes con una cuchara de marfil, madera o hueso y asegúrese de que los bordes sean suaves y lisos.

▶ Frote las encías doloridas con aceite de oliva para ayudar a aliviar el dolor.

Amigdalitis

La mayoría de los casos de amigdalitis son ocasionados por una infección y deben ser tratados con antibióticos. Sin embargo, en algunos casos, las amígdalas inflamadas pueden ser resultado de una intolerancia a la leche de vaca. Es muy fácil comprobarlo. Sencillamente elimine la leche de la dieta del niño para ver si mejora en un par de días.

No es un problema que el niño no tome leche. Si el niño no asimila ni digiere la leche de vaca debidamente, existen muchas otras maravillosas fuentes de calcio. Las semillas de girasol ("sunflower seeds") y de ajonjolí ("sesame seeds") son ricas en calcio, como así también lo son las almendras ("almonds"), las verduras de hojas verdes, el salmón enlatado, las sardinas, la melaza ("molasses") y los granos enteros.

Además, existen suplementos como la harina de huesos ("bonemeal"), la dolomita ("dolomite") y el lactato de calcio ("calcium lactate").

Consulte con el pediatra de su niño antes de cambiarle la dieta o darle suplementos. ■

Remedios curativos
para el hombre

Remedios curativos para el hombre

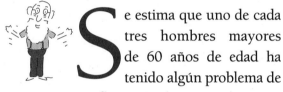

Agrandamiento de la próstata

Se estima que uno de cada tres hombres mayores de 60 años de edad ha tenido algún problema de próstata, como inflamación (prostatitis), agrandamiento (hiperplasia prostática benigna) o cáncer de próstata.

ADVERTENCIA: Consulte a un médico antes de intentar cualquiera de estos remedios para la próstata. Algunos no son adecuados para hombres con cáncer de próstata.

▶ Para aliviar la presión en la próstata, estimular la circulación y aliviar los órganos masculinos en general, dé masajes en la parte posterior del tobillo, a una o dos pulgadas (tres o cinco centímetros) arriba del borde del zapato en cada pie.

ADVERTENCIA: Si sufre de dolor, ardor al orinar, inflamación de los testículos o del escroto, hágase examinar por un profesional de la salud.

▶ Se afirma que el polen de abeja ("bee pollen") es eficaz para reducir la inflamación de la próstata. El polen contiene la hormona testosterona y rastros de otras hormonas masculinas. Parece estimular a la próstata a curarse por sí misma.

Dosis: Tome un total de cinco píldoras de polen diariamente –dos a la mañana, dos a la tarde y una a la noche (o tome el equivalente en gránulos de polen de abeja).

ATENCIÓN: Las personas que son alérgicas a las picaduras de abejas o a la miel deben consultar con un médico antes de consumir polen de abeja.

Para mayor información sobre el polen de abeja, *vea* la sección "Seis Superalimentos maravillosos" en la página 286.

▶ Beba entre dos y cuatro onzas (entre 60 y 120 ml) de leche de coco todos los días para fortalecer la glándula próstata. La leche de coco no está contaminada, es pura y contiene muchos minerales. También ayuda a la digestión. *Vea* la "Guía de preparación" en la página 277 para averiguar cómo extraer la leche de un coco.

Masaje circular

▶ Para aliviar el dolor prostático, dé masajes con un movimiento circular a la zona de arriba del talón y justo debajo de la parte interna de ambos tobillos y/o a la parte interna de las muñecas, arriba de la palma de ambas manos. Continúe dando masajes hasta que el dolor y la sensibilidad desaparezcan.

▶ Prepare un té de perejil ("parsley") dejando remojar un puñado de perejil fresco en una taza con agua caliente durante 10 minutos. Beba unas cuantas tazas del té de perejil durante el día.

Siéntese para sentirse mejor

▶ Tome baños "sitz" calientes –dos veces por día. Siéntese en unas seis pulgadas (15 cm) de agua caliente, pero no demasiado caliente, durante unos 15 minutos por vez. En una semana se reducirá considerablemente la inflamación.

▶ El té de barbas de maíz ("corn silk tea") ha sido un remedio tradicional popular para los problemas de próstata. Deje remojar un puñado de las hebras que crecen alrededor de la espiga del maíz en una taza con agua caliente por 10 minutos. Tome unas cuantas tazas durante el día.

Si no es temporada de maíz fresco, compre extracto de barbas de maíz en una tienda de alimentos naturales; añada entre 10 y 15 gotas en una taza da agua y bébala.

▶ Para la próstata agrandada, ralle parte de una cebolla amarilla y exprímala a través de una estopilla (gasa, "cheesecloth") –hasta obtener una cucharada. Tome una cucharada de jugo de cebolla dos veces por día.

Bebidas mixtas beneficiosas

▶ En casos extremadamente dolorosos, compre cápsulas de olmo norteamericano ("slippery elm") en las tiendas de alimentos naturales o de vitaminas. Parta varias cápsulas –suficientes para obtener ½ cucharadita de polvo– y mézclelo con seis onzas (175 ml) de agua (preferentemente destilada). Beba la mezcla antes del desayuno y unas horas después de la cena.

▶ Se afirma que la *asparagina*, un alcaloide saludable que se encuentra en los espárragos ("asparagus") frescos, es un elemento sanador para los problemas de próstata. Con un extractor, exprima en cantidades iguales el jugo de espárragos frescos, zanahorias y pepinos ("cucumbers") –lo suficiente para obtener un vaso de ocho onzas (225 g). Tome un vaso de jugo diario.

> **NOTA:** Siempre son preferibles los vegetales orgánicos. Si no puede conseguirlos, lave bien los espárragos, friegue las zanahorias y pele los pepinos.

▶ Se sabe tomar una cucharadita de aceite de ajonjolí sin refinar ("unrefined sesame oil"), todos los días por un mes, ha reducido una próstata agrandada a su tamaño normal.

▶ La lecitina ("lecithin", que se puede comprar en las tiendas de alimentos naturales) es altamente recomendada por muchas fuentes. Tome una cápsula de lecitina –1.200 mg cada una– tres veces al día, después de cada comida, o entre una y dos cucharadas de lecitina en gránulos al día.

▶ Si su médico todavía no se lo ha dicho, eliminar el café y todas las bebidas alcohólicas de su dieta puede ayudarle con los problemas de próstata.

▶ Y ahora un masaje de autoayuda para la próstata –acuéstese en el piso boca arriba. Coloque la planta de un pie contra la planta del otro pie, de manera que sus piernas queden arqueadas. Mientras mantiene juntas las plantas de los pies, extienda sus piernas tan lejos como pueda y luego acérquelas al pecho lo más que pueda. Haga este ejercicio de "extender y acercar" 10 veces a la mañana y 10 veces a la noche.

▶ El doctor Ray C. Wunderlich, Jr., MD, PhD, director del Centro Wunderlich de medicina nutricional en St. Petersburg, Florida, recomienda evacuar la glándula próstata eyaculando tan frecuentemente como pueda. Esto también puede mejorar el conducto urinario.

Impotencia (disfunción eréctil)

La mayoría de los hombres en algún momento de sus vidas han experimentado la temida incapacidad de lograr una erección. Esas son las malas noticias. Las buenas noticias son que generalmente es un estado temporario causado frecuentemente por medicamentos recetados o por algún trauma psicológico o tensión emocional. Mientras la psique es tratada con ayuda profesional, puede tomar unas medidas físicas para mejorar la vitalidad sexual.

Quizá le convenga leer estos consejos para la salud aún si no tiene ninguna preocupación. Es posible que encuentre alguna información útil para ayudarlo a mantener su salud y potencia sexual.

ADVERTENCIA: Los hombres que experimentan disfunción eréctil deben ir al médico para una evaluación física completa.

La mejor hora para el amor

▶ Según las enseñanzas del difunto Yogi Bhajan, PhD, consejero y maestro en yoga, un hombre nunca debería tener relaciones sexuales durante las 2½ horas después de comer, el tiempo que lleva digerir los alimentos.

El acto sexual es agotador y requiere de su mente, su sistema nervioso completo y de todos los músculos que se necesitan para la digestión. Yogi Bhajan pensaba que hacer el amor después de comer puede arruinar el estómago y si se hace frecuentemente, puede resultar eventualmente en eyaculación precoz.

Si bien el Yogi pensaba que cuatro horas entre la comida y el sexo son adecuadas, recomendaba que, para un desempeño sexual óptimo, un hombre no debería consumir nada, excepto líquidos y jugos, durante las 24 horas antes de hacer el amor.

El que pica ajos...

▶ Se afirma que el ajo es un estimulante del deseo sexual y de la producción de semen. Consuma ajo crudo en las ensaladas, úselo para cocinar y tome dos píldoras de ajo al día. Después busque una compañera que no le importe el olor a ajo.

Por cierto, ¿será coincidencia que los franceses e italianos, quienes siguen una dieta con mucho ajo, tengan fama de ser unos amantes increíbles?

▶ Se dice que la menta ("mint") restaura el deseo sexual. Consuma hojas de menta y beba

■ Receta ■

Pollo al ajillo

8 piezas de pollo, sin piel

2 cdas. de aceite de oliva extra virgen
("extra-virgin olive oil")

1 taza de cebolla picada finamente

2 tazas de apio ("celery"), cortado
en cubitos

2 cdas. de perejil ("parsley") fresco,
picado finamente

1 cdta. de estragón ("tarragon") seco

½ taza de vermú blanco seco
("dry white vermouth")

½ cdta. de sal

½ cdta. de pimienta molida fresca

½ cdta. de nuez moscada ("nutmeg")

40 dientes de ajo, separados pero no
pelados (alrededor de 3 bulbos)

Precaliente el horno a 325°F (165°C). Unte el pollo por todos los lados con el aceite de oliva. Combine la cebolla, el apio, el perejil y el estragón en una cacerola "Dutch oven" o en una fuente grande para hornear. Acomode las piezas de pollo por encima y vierta el vermú sobre el pollo. Espolvoree con la sal, la pimienta y la nuez moscada. Distribuya los dientes de ajo sin pelar por toda la cacerola, acomodándolos por debajo y por encima del pollo.

Cubra la cacerola ajustadamente con papel de aluminio, y hornee 1½ horas. Cuando esté cocido, sirva el pollo al ajillo sobre arroz, cebada ("barley") o mijo ("millet").

Fuente: Garlic: Nature's Super Healer

té de menta. También es buena para contrarrestar el aliento a ajo.

La "prueba postal" de la impotencia: ¿es física o psicológica?

La mayoría de los hombres tienen alrededor de cinco erecciones mientras duermen. No importa cuán tímidos sean –y no importa los problemas que puedan tener con las erecciones cuando estén despiertos– los hombres que sufren de impotencia psicológica tendrán erecciones firmes todas las noches mientras duermen.

Para comprobar estas erecciones, busque un rollo de estampillas postales (de cualquier denominación) de las que hay que humedecer para pegar; cuidadosamente enrolle el pene con ellas. Corte las estampillas sobrantes y junte los extremos con cinta adhesiva (la primera estampilla con la última), firmemente pero no muy apretado. ¡Dulces sueños!

Cuando ocurra la erección nocturna, el diámetro del pene se agranda y debería romper uno de los bordes perforados de las estampillas. Si la impotencia es de origen físico, no tendrá erecciones nocturnas y las estampillas estarán intactas a la mañana siguiente.

Esta prueba de las estampillas debe repetirse todas las noches durante dos a tres semanas. Si cada mañana el aro de estampillas se ha roto por las perforaciones, es posible que tenga capacidad normal para lograr erecciones y la impotencia sea de origen psicológico. Algunas veces el saber que todo funciona bien físicamente le da la confianza que necesita para que esté "listo para la ocasión".

Cómo aliviar la ansiedad

▶ En la farmacopea mexicana, la *damiana* está clasificada como un afrodisíaco y un

■ Receta ■

Berenjena vigorizante

Los registros hindúes del siglo X cuentan que los hombres viajaban al famoso templo de Khajuraho en la India para estudiar las esculturas pornográficas que mostraban todas las posiciones para hacer el amor conocidas. A fin de lograr la resistencia para probar estas posiciones, los alimentaban con este plato.

1 berenjena ("eggplant")

Mantequilla

Cebollín ("chives"), picado finamente

Salsa de "curry"

Corte la berenjena en rodajas y recubra ambos lados con la mantequilla y el cebollín. Dore las rodajas y recubra con salsa de "curry" picante.

Esta receta –y su fama por rejuvenecer a los ancianos– se ha pasado de generación en generación.

tónico para el sistema nervioso. Se sabe que ha sido un remedio eficaz para la "ansiedad ante el desempeño".

Agregue una cucharadita de hojas de damiana (puede comprarlas en las tiendas de alimentos naturales) a una taza de agua recién hervida. Deje remojar 10 minutos. Cuele y bébalo antes del desayuno todos los días.

▶ El Indio Amazónico, un curandero *botánico* de Bogotá, aconseja a sus pacientes con impotencia que no intenten tener relaciones sexuales por 30 días. Durante ese tiempo, sugiere que coman carne de cabra todos los días, además de testículos de toro. También recomienda tomar té de palitos de canela ("cinnamon sticks") y cacao (chocolate) caliente.

Cuando se termina el periodo de abstinencia, El Indio instruye a sus pacientes a frotar una pequeña cantidad de vaselina ("petroleum jelly") mezclada con un poco de jugo de limón alrededor del escroto –pero no encima del escroto. Después, sus pacientes quedan por su cuenta.

Hable en voz grave para amar con pasión

▶ Se dice que mientras más aguda es la voz de un hombre, menor es su vitalidad sexual. La teoría está basada en el hecho de que el vórtice en la base del cuello y el vórtice en el centro sexual están directamente conectados y se afectan mutuamente. Así que haga más grave su voz para aumentar la velocidad de vibración en los vórtices, lo cual puede aumentar la vitalidad sexual.

Mantenga la cabeza fría

▶ Las duchas frías rápidas no enfrían o apagan nuestro deseo sexual. *¡Al contrario!* Aplicar agua fría rápidamente, especialmente en la nuca, puede ser estimulante.

Para una erección más firme

▶ La mayoría de los hombres logran una erección más firme y tienen mayor sensibilidad cuando la vejiga está llena. Sin embargo, algunas posiciones sexuales pueden resultar incómodas si la vejiga está muy llena.

ADVERTENCIA: Los hombres con problemas de próstata no deben practicar esta técnica de erección con la vejiga llena.

Eyaculación precoz

▶ Según los terapeutas sexuales, la eyaculación precoz parece ser una de las enfermedades más fáciles de curar, mediante la modificación de la conducta.

Los difuntos William H. Masters, MD, y Virginia E. Johnson –pioneros en la investigación y la terapia sexual– desarrollaron este tratamiento. Primero, pídale ayuda a su pareja; acuéstese boca arriba con su compañera sentada a horcajadas sobre sus piernas. Haga que ella estimule su pene hasta que sienta que el orgasmo está por llegar. En ese momento, déle una señal preestablecida.

En respuesta a esa señal, ella debe dejar de estimular y comenzar a apretar el pene justo debajo de la punta. Debe apretarlo con suficiente firmeza como para que cause la perdida de la erección, pero sin causar dolor. Cuando la sensación de estar a punto de eyacular haya desaparecido, pídale que lo estimule de nuevo.

Como antes, déle la señal cuando el orgasmo sea inminente y ella debe dejar de estimular y comenzar a apretar el pene. La erección debe bajar sin que usted eyacule.

Haga este ejercicio por un tiempo y pronto será capaz de controlar la eyaculación.

El siguiente paso son las relaciones sexuales. Apenas sienta que está cerca del clímax, déle la señal a su compañera, retire el pene y pídale que le apriete el pene hasta que pierda la erección.

Recuerde –¡la práctica hace al maestro! Masters y Johnson informaron que en sólo dos semanas de seguir este programa de modificación del comportamiento, el 98% de los hombres con eyaculación precoz se habían curado.

No deje de amar por temer al corazón

Es un mito que el sexo es peligroso para el corazón, según Richard A. Stein, MD, director de cardiología preventiva del Beth Israel Medical Center en la ciudad de Nueva York y vocero de la American Heart Association (*www.americanheart.org* en inglés).

El esfuerzo que debe hacer el corazón es verdaderamente muy leve. El promedio del pulso aumenta de 115 a 120 latidos por minuto durante las relaciones sexuales –una carga muscular equivalente a subir dos pisos de escaleras.

ADVERTENCIA: Si el hombre está engañando a su pareja, el pulso y el riesgo suelen aumentar debido a la excitación y el peligro de ser descubierto.

Remedios curativos para la mujer

Remedios curativos para la mujer

"We have come a long way, baby!" ("¡Cuánto hemos avanzado, señoritas!"). Ese viejo sentimiento nunca ha sido más apropiado que en la actualidad.

Hoy, podemos hablar abiertamente acerca de la menstruación, el embarazo y la menopausia, no como enfermedades, sino como etapas naturales de la vida. También reconocemos y enfrentamos el síndrome premenstrual ("PMS", por sus siglas en inglés) y las irregularidades menopáusicas.

Por fin estamos aprendiendo a cuestionar la profesión médica dominada por los hombres después de oír innumerables historias de histerectomías, mastectomías radicales y otras cirugías que se hacen algunas veces –independientemente de si una mujer necesita o no el procedimiento.

Saber es poder. Los programas de televisión diurnos, las librerías, las bibliotecas e Internet están repletos de información sobre la salud de la mujer. Aproveche estas fuentes para hacerse responsable de su propio cuerpo y de su salud, eligiendo inteligentemente el cuidado médico adecuado.

Mientras tanto, aquí hay varios remedios naturales comprobados que han pasado de una generación a otra…

▶ Como remedio general, dé un masaje suave pero firme a la parte posterior de la pierna, cerca del tobillo. Darse masajes en esa zona puede reducir la tensión, estimular la circulación y aliviar los órganos femeninos.

Control de la vejiga

▶ Los ejercicios Kegel (o pubiococcígeos) pueden ayudarla a controlar la vejiga, fortalecer los músculos abdominales y fortalecer los músculos que pueden mejorar la actividad sexual.

Cada vez que orine, comience y pare tantas veces como pueda. Mientras aprieta el músculo que detiene el flujo de orina, contraiga los músculos del abdomen. También puede hacer este ejercicio cuando no está orinando. Sentada en el escritorio, en el auto, en el cine –en cualquier sitio– contraiga… relaje… contraiga… relaje.

Cistitis

Este doloroso trastorno crónico puede complicarle la vida, con idas frecuentes al baño y una incomodidad constante en la región pélvica. Algunos de estos remedios pueden proporcionarle alivio.

▶ Vierta una caja pequeña de bicarbonato de soda ("baking soda") en la bañera (tina) con agua tibia y quédese por lo menos media hora. Después, enjuáguese en la ducha.

▶ Incluso algunos médicos recomiendan jugo de arándanos agrios ("cranberry juice") para la cistitis. Puede comprar jugo sin azúcar ni conservantes agregados en la mayoría de los supermercados, o puede comprar concentrado de arándanos agrios (que necesita ser diluido) en las tiendas de alimentos naturales, o usar cápsulas de arándanos agrios, siguiendo las indicaciones del envase.

Dosis de jugo: Beba un vaso de jugo de ocho onzas (235 ml) por la mañana, antes del desayuno y otro vaso al final de la tarde. Asegúrese de que esté a temperatura ambiente, no frío.

▶ Tome dos cápsulas de ajo al día y si no le importa oler a salchichón, beba té de ajo durante el día. Machaque un par de dientes de ajo; deje remojar en agua caliente durante cinco minutos. También puede preparar té de ajo con una cucharadita de ajo en polvo disuelto en agua caliente.

✎ **NOTA:** La cistitis persistente puede requerir antibióticos recetados por un médico. Si ese es el caso, asegúrese de comer yogur que contenga cultivos ("cultures") vivos o activos, durante y después del periodo en que tome los antibióticos.

Las barbas de maíz bárbaras

▶ Según los indígenas norteamericanos, las barbas de maíz (las hebras bajo las hojas del maíz, "corn silk" en inglés) pueden ser un cúralo-todo para los problemas urinarios. Las barbas de maíz preferidas son las del maíz tierno, cosechadas antes de ponerse marrón. Tome un puñado de barbas de maíz y deje remojar en tres tazas de agua recién hervida por cinco minutos. Cuele y beba tres tazas durante el día.

Las barbas de maíz deben guardarse en una jarra de vidrio sin refrigerar. Si usted no puede conseguir las barbas de maíz, use el extracto, que se vende en las tiendas de alimentos naturales ("health food stores"). Agregue entre 10 y 15 gotas del extracto a una taza de agua caliente. También puede comprar las barbas de maíz secas.

Cómo evitar la cistitis

▶ Las mujeres que tienen cistitis frecuente deben evacuar sus vejigas, si la pasión lo permite, *antes* de las relaciones sexuales. También es posible disminuir el número de ataques o suprimirlos del todo al orinar inmediatamente *después* del acto sexual. Prívese de recibir sexo oral.

▶ Hemos oído hablar de remedios tradicionales que requieren que las mujeres afectadas por la cistitis tomen baños. Recientemente, un investigador científico nos informó que los baños posiblemente causen la reaparición de la cistitis. Si usted toma baños y la cistitis es recurrente, dúchese y no se bañe durante al menos un mes. Es posible que no tenga más problemas con la cistitis.

Falta de deseo sexual

La falta de interés sexual (a veces diagnosticada como trastorno del deseo sexual o disfunción sexual) generalmente se origina en la mala comunicación entre una mujer y su pareja. Los consejeros sexuales pueden ser el único remedio que de resultados.

Por ahora, aquí tiene algunos remedios naturales útiles que puede probar...

▶ Comer un pedazo de halvah puede despertar los deseos sexuales de la mujer y evitar el síndrome "Cariño, esta noche no". Este dulce proveniente del Medio Oriente está hecho de semillas de ajonjolí ("sesame seeds") y miel. Las semillas de ajonjolí contienen mucho magnesio y potasio. La miel contiene ácido aspártico. Se ha dicho que estas tres sustancias ayudan a la mujer a superar la falta de interés en el sexo.

▶ El regaliz ("licorice", la hierba, no el caramelo) puede lograr maravillas en su vida amorosa. Se sabe que tiene un efecto positivo en la libido. En Francia, muchas mujeres toman agua de regaliz, porque creen que puede ayudar a mejorar su vida amorosa.

Puede comprar raíz de regaliz en polvo en las tiendas de alimentos naturales. Tome una cucharadita disuelta en una taza de agua y póngase la ropa interior. Sin embargo, si tiene la presión alta, use la ropa interior pero *NO* el regaliz.

ATENCIÓN: No tome raíz de regaliz si tiene presión arterial alta o problemas renales. Puede causar insuficiencia renal.

El antiguo anticongelante espumosa

▶ En la antigua mitología griega, Anaxarete era fría con sus pretendientes. ¿Cuán fría era? Era tan fría que Afrodita, la diosa del amor, la convirtió en una estatua de mármol. ¡Eso sí es frío!

Este es un "anticongelante" que podría darle resultado incluso a Anaxarete –haga hervir una taza de hojas y raíces de cebollín ("chives") finamente picadas (puede encontrarlas en una frutería o verdulería) en dos tazas de champán. Luego cocine a fuego lento hasta que el líquido se reduzca a una taza espesa. Bébalo sin colar.

No dudamos que este jarabe sea eficaz. Siglos después, descubrimos que es rico en vitamina E (la vitamina del amor). Además, siempre se ha sabido que el champán estimula la pasión. El legendario amante italiano Giacomo Casanova (1725-1798) lo usaba continuamente en su cocina erótica.

Vaginitis (infección vaginal)

Si tiene picazón, inflamación y ardor "allá abajo", probablemente tenga esta infección común, causada por bacterias u hongos.

▶ Use ropa interior (calzones, bragas) de algodón para absorber la humedad, ya que la humedad estimula el crecimiento de los hongos y bacterias. Por ello, no use ropa que produzca humedad como las pantimedias ("pantyhose"), fajas (corsés), mallas ("leotards"), pantalones ajustados, prendas de "spandex", etc.

▶ Tome duchas en vez de baños. Los baños pueden empeorar sus problemas al dejar el área vaginal expuesta a las impurezas del agua del baño.

▶ No use ningún producto químico como aerosoles para la higiene femenina ("feminine hygiene sprays"). También evite el uso de tampones y papel higiénico perfumado o de color.

No lave los calzones con los calcetines, medias u otra ropa interior. Lávelos separados con un jabón o detergente suave ("mild") y enjuáguelos a fondo.

Menstruación

📝 **NOTA:** Ninguno de estos remedios funcionará si está embarazada o ha tenido una histerectomía.

Cómo regular la menstruación

▶ Para ayudar a estimular y regular la menstruación, coma remolacha (betabel, "beet") fresca y beba jugo de remolacha. Consuma unas tres tazas de remolacha y su jugo todos los días de atraso de la regla, hasta que comience el flujo.

▶ Se afirma que un baño de pies en agua caliente ha ayudado a que baje un período menstrual atrasado.

▶ Añada una cucharada de albahaca ("basil") a una taza de agua hirviendo. Deje remojar cinco minutos. Cuele y beba.

▶ Con un movimiento circular, dése un masaje debajo de las partes exterior e interior de ambos tobillos, y en el exterior e interior de ambas muñecas. Si tiene sensibilidad cuando frota estas zonas, entonces está en el lugar correcto. Continúe dando masajes hasta que la sensibilidad desaparezca. Es posible que su problema también desaparezca pronto. En uno o dos días, su período debería comenzar.

▶ El té de jengibre ("ginger") puede estimular el comienzo de la menstruación. Coloque en una taza de agua hirviendo, cuatro o cinco trozos, del tamaño de una moneda de 25 centavos estadounidenses, de jengibre fresco y deje remojar 10 minutos. Beba entre tres y cuatro tazas del té durante el día. También ayuda a aliviar los dolores menstruales.

Flujo menstrual excesivo

Si su flujo menstrual es excesivo, se ha dicho que los siguientes remedios han ayudado. También sugerimos someterse a un chequeo médico.

⚡ **ATENCIÓN:** ¡Las hemorragias exigen atención médica inmediata! Si no está segura de la diferencia entre hemorragia y flujo menstrual excesivo, no se arriesgue –si está sangrando profusamente, llame al 911 y busque atención médica rápidamente.

▶ Mezcle el jugo de ½ limón en una taza de agua tibia. Bébalo todo lentamente una hora antes del desayuno y una hora antes de la cena.

▶ Durante el día, beba a sorbos té de canela preparado con un trozo de canela en rama ("cinnamon stick") remojado en agua caliente. O vierta cuatro gotas de tintura de corteza de canela ("cinnamon bark tincture") en una taza de agua tibia.

▶ Cuando sangre excesivamente, no consuma bebidas alcohólicas ni comidas picantes –excepto la pimienta de cayena ("cayenne pepper") porque…

▶ La pimienta de cayena es un potente regulador del sangrado. Agregue ⅛ cucharadita a una taza de agua tibia o a su té de hierbas favorito y bébalo.

▶ Para ayudar a controlar un flujo menstrual profuso, beba té de tomillo ("thyme"). Deje remojar dos cucharadas de tomillo fresco en dos tazas de agua caliente. Deje estar 10 minutos. Cuele y beba una taza. Agregue un cubito de hielo a la otra taza de té caliente, después sumerja una toallita en el té y úsela como compresa fría en la zona pélvica.

▶ Beba té de milenrama (aquilea, "yarrow") –dos o tres tazas por día hasta que se termine el período. Para preparar el té, agregue una o dos cucharaditas de milenrama seca (la cantidad depende de cuán fuerte desea el té) a una taza de agua recién hervida. Deje remojar 10 minutos. Cuele y beba. Es posible que no le guste el sabor del té, pero bébalo con tal que obtenga resultados.

Dolores menstruales

▶ Cuando se trata de dolores menstruales, ¿qué sugieren los naturalistas? Verduras. Consuma mucha lechuga, col (repollo, "cabbage") y perejil ("parsley") antes y durante el período. Para obtener el beneficio completo de las verduras, cómalas crudas o cocidas al vapor. Además de ayudar a aliviar los dolores, las verduras son diuréticas y reducirán un poco la hinchazón.

NOTA: Asegúrese de lavar a fondo las verduras crudas para disminuir el riesgo de enfermedades transmitidas a través de los alimentos.

Un cóctel curativo

▶ Cuando los dolores menstruales la lleven a beber, prepárese un pequeño "gin tonic". La quinina del agua tónica ("tonic water") le relajará los músculos y sin duda, la ginebra también ayudará. La ginebra se prepara con una mezcla de 85% de maíz, 12% de malta y 3% de centeno, y es destilada en presencia de bayas de enebro ("juniper berries"), semillas de cilantro ("coriander"), etc. Pero bébala con

■ Receta ■

Ensalada "coleslaw"

½ cabeza grande de col (repollo, "cabbage"), rallada
1 taza de col roja, rallada
2 zanahorias medianas, ralladas
1 manzana grande, picada
½ taza de pasas de uva ("raisins"), hidratadas en agua caliente que las cubre
3 ó 4 dátiles ("dates"), picados
½ taza de cualquier tipo de nueces ("nuts") picadas

Aderezo para ensalada
½ taza de mayonesa de soja ("soy mayonnaise")
2 a 4 cdas. de jugo de limón
1 cda. de "miso" blanco
Pimienta negra recién molida
1 cdta. de semillas de alcaravea ("caraway seeds") –opcional

En un bol grande combine la col, las zanahorias, las manzanas, las pasas, los dátiles y las nueces, y revuelva para distribuir los ingredientes uniformemente.

En un bol pequeño combine los ingredientes para el aderezo, vierta sobre la ensalada "coleslaw" y mezcle bien. Rinde 4 a 6 porciones.

Fuente: www.vegparadise.com

moderación –alivia los dolores pero también puede causar una resaca.

NOTA: No pruebe el remedio de la ginebra si tiene o ha tenido problemas con bebidas alcohólicas. Y si prueba este remedio, ¡no maneje un auto!

Irregularidades menstruales

▶ Todos los días, mastique bien y luego trague una cucharada de semillas de ajonjolí ("sesame seeds"). O muela semillas de lino ("flaxseed") y espolvoree una cucharada sobre su cereal, sopa o ensalada. Se sabe que ambos tipos de semillas han ayudado a regular el ciclo menstrual.

Alivio premenstrual

▶ El té de manzanilla ("chamomile") es maravilloso para aliviar la tensión y relajar los nervios. En cuanto comiéncen los dolores menstruales, prepare un té de manzanilla y bébalo durante el día.

▶ Al aumentar el consumo de calcio, es posible que la tensión premenstrual y los dolores menstruales se alivien, y también que los síntomas de la menopausia se eviten. Es una buena idea consumir todos los días al menos una porción de dos o tres de estos alimentos ricos en calcio: salmón, sardinas y anchoas enlatadas, higos ("figs"), yogur, y verduras de hojas verdes, tales como berza ("collard greens"), hojas de diente de león ("dandelion greens"), col rizada ("kale"), hojas de mostaza ("mustard greens"), bróculi ("broccoli"), hojas de nabos ("turnip greens"), berro ("watercress"), perejil ("parsley"), y endibia ("endive").

NOTA: Asegúrese de lavar a fondo las verduras crudas para disminuir el riesgo de enfermedades transmitidas a través de los alimentos.

▶ Minimice o elimine completamente el consumo de cafeína y bebidas alcohólicas. Ambas aumentan la cantidad de calcio que se pierde a través de la micción.

ADVERTENCIA: Consulte con un profesional de la salud antes de tomar un suplemento de calcio. En algunas personas estos suplementos han causado piedras (cálculos) en el riñón.

El poder de la menta piperita

▶ El té de menta piperita ("peppermint") es calmante. También ayuda a la digestión y elimina la sensación de hinchazón. Tome una taza de té de menta *después* de la comida –no durante ella.

▶ Para un alivio premenstrual general, incluyendo la tristeza y la sensibilidad de los senos, tome dos suplementos de ajo diarios.

Embarazo

Consulte con su obstetra o partera antes de probar cualquiera de estos remedios o suplementos naturales.

Durante y después

Náuseas matutinas: Si tiene problemas con náuseas matutinas, pregúntele a su obstetra si puede tomar suplementos de 50 mg de vitamina B_6 y 50 mg de vitamina B_1 diariamente. El ajo aumenta la absorción de B_1 en el cuerpo, así que haga el esfuerzo y de comer ajo crudo en ensaladas y cocinar con ajo.

ATENCIÓN: No consuma ajo ni tome suplementos de ajo si tiene úlceras o un problema hemorrágico, o si está tomando anticoagulantes.

▶ Un médico de la Universidad Brigham Young en Provo, Utah, recomienda tomar dos o tres cápsulas de jengibre ("ginger") en polvo a primera hora de la mañana para evitar las náuseas matutinas.

▶ Mezcle ⅓ taza de jugo de lima (limón verde, "lime") y ⅛ cucharadita de canela ("cinnamon") en ½ taza de agua tibia. Aunque no parezca agradable, bébalo en cuanto se despierte. Se afirma que es muy eficaz.

Estreñimiento durante el embarazo: Coloque una silla, un banquillo, un taburete o una caja en el baño para que pueda descansar los pies mientras esté sentada en el retrete (inodoro). Una vez que sus pies estén al mismo nivel que el asiento, recuéstese y relájese. Para evitar las hemorroides y las várices, no haga fuerza y no contenga la respiración.

Para aumentar la producción de leche después del embarazo: Haga hervir una cucharadita de semillas de alcaravea ("caraway seeds") en ocho onzas (235 ml) de agua. Luego, cocine a fuego lento cinco minutos. Deje que el té se enfríe y bébalo. Tomar unas cuantas tazas de té de semillas de alcaravea todos los días puede aumentar la cantidad de leche materna.

▶ La levadura de cerveza ("brewer's yeast" que se vende en las tiendas de alimentos naturales) también puede ayudar a reponer la leche.

Trabajo de parto y parto

▶ Muchas fuentes están de acuerdo sobre el té de frambuesas ("raspberries") para la futura madre. En lo que nuestras fuentes no coinciden es en el mejor momento para empezar a beber el té. Algunas dicen que justo después de la concepción… otras dicen que tres meses antes del parto… y otras dicen que seis semanas antes de la fecha estimada de parto.

El consenso es que la mujer embarazada debe tomar entre dos y tres tazas de té de frambuesas todos los días, empezando al menos seis semanas antes de la fecha del parto. Pregúntele a su obstetra o a su partera.

Para preparar el té, agregue una cucharadita de hojas secas de frambuesas a una taza de agua recién hervida. Deje remojar cinco minutos, cuele y beba.

Amamantar al bebé

▶ Incluya sopa de lentejas en su dieta. Las lentejas son ricas en calcio y otros nutrientes necesarios para las madres que están amamantando (*vea* la receta en la página siguiente).

▶ Para estimular la secreción de leche, beba una mezcla de semillas de hinojo ("fennel seeds") y agua de cebada ("barley"). Machaque dos cucharadas de semillas de hinojo y cocínelas a fuego lento en un cuarto de galón (un litro) de agua de cebada (*vea* la "Guía de preparación" en la página 277) por 20 minutos. Deje enfriar y beba a lo largo del día.

▶ Se afirma que el té de menta piperita ("peppermint") aumenta la producción de leche materna y también se sabe que alivia la tensión nerviosa y mejora la digestión. Beba entre dos y tres tazas por día.

Pezones doloridos y/o agrietados

▶ Cuando Angela Harris, una herbaria que reside en Las Vegas (*www.angelaharris.com*), amamantaba a sus ocho hijos, humedecía una bolsita de té negro (normalmente el de Orange Pekoe de marca Lipton) y lo aplicaba al pezón dolorido o agrietado, cuando no estaba amamantando. Esto alivió el dolor y ayudó a curar las grietas.

Menopausia

Si tiene bochornos (calores repentinos, sofocos), hay dos posibilidades –los fotógrafos la persiguen o está pasando la menopausia. No tenemos remedios para los fotógrafos, pero podemos darle recomendaciones que pueden ayudar a aliviar el caos menopáusico.

▶ Un ginecólogo vienés ha reportado resultados positivos entre sus pacientes tratadas con polen de abeja. Este contiene una combinación de hormonas masculinas y femeninas. Se sabe que ha ayudado a algunas mujeres a eliminar o minimizar los calores repentinos.

■ Receta ■

Sopa sabrosa de vegetales y lentejas

Si prefiere las sopas espesas, reduzca la cantidad de agua en la que se cuecen las lentejas a 6 tazas y la cantidad de agua para los vegetales a 1½ taza.

1 taza de lentejas ("lentils") secas

1 hoja de laurel ("bay leaf")

1 cebolla pequeña, picada

7 tazas de agua

2 clavos de olor ("cloves")

1 ramita de canela ("cinnamon stick")

2 pizcas de semillas de hinojo
    ("fennel seeds")

3 vainas de semillas de cardamomo
    ("cardamom"), partidas

1 cebolla pequeña, picada

2 zanahorias medianas,
    cortadas en tajadas

2 tallos de apio ("celery"),
    cortado en cubitos

1 calabacita "zucchini" grande,
    cortada en trocitos

1 calabacín amarillo ("yellow crookneck
    squash"), cortado en trocitos

1 nabo ("turnip") pequeño,
    cortado en cubitos

2 tazas de agua

Jugo de un limón

Sal y pimienta a gusto

Combine en una olla grande para caldo, las lentejas, la hoja de laurel, la cebolla y siete tazas de agua.

Con un pedazo de estopilla (gasa, "cheesecloth") ate los clavos de olor, la ramita de canela, las semillas de hinojo y de cardamomo, y agregue a la olla.

Haga hervir, sin tapar. Reduzca el fuego a mediano y cocine 45 minutos.

Combine la cebolla, las zanahorias, el apio, los calabacines, el nabo y el agua en un "wok" (cazuela china con base redonda) o sartén grande. Cocine a fuego alto hasta que estén apenas tiernos, revolviendo frecuentemente, alrededor de 6 a 8 minutos.

Agregue los vegetales a las lentejas cocidas y revuelva para distribuir uniformemente.

Condimente a gusto con el jugo de limón, la sal y la pimienta. Sirve 6.

Dosis: Tome tres pastillas de polen de abeja (500 mg) al día, o el equivalente en gránulos.

Para obtener mayor información sobre el polen de abeja, *vea* la página 286 de la sección "Seis Superalimentos maravillosos".

ATENCIÓN: Las personas que son alérgicas a las picaduras de abejas o a la miel deben consultar con un médico antes de consumir polen de abeja.

▶ Las sustancias estrogénicas que contiene la cimifuga negra ("black cohosh") pueden aliviar los síntomas de la menopausia, como los calores repentinos y la sequedad vaginal. Puede comprar la hierba en forma de tintura en las tiendas de alimentos naturales. Siga la dosis recomendada en el paquete.

Remedio de ron

▶ Si tiene un flujo menstrual excesivo durante la menopausia, mezcle una onza (30 g) de nuez moscada ("nutmeg") rallada en una pinta (½ litro) de ron.

Dosis: Tome una cucharadita tres veces por día mientras tenga el período.

ADVERTENCIA: No tome este remedio antes de manejar u operar maquinaria pesada.

▶ Coma un pepino ("cucumber") todos los días. Se afirma que los pepinos contienen hormonas beneficiosas.

▶ Métase en la bañera (tina) con seis pulgadas (15 cm) de agua fría. Con cuidado camine hacia adelante y hacia atrás durante unos tres minutos. Asegúrese de poner una alfombra plástica antideslizante (calcomanías) sobre el piso de la bañera.

Salga, séquese bien los pies y póngase un par de zapatos aptos para caminar (las medias son opcionales). Después camine –aunque sea por su habitación– por otros tres minutos.

▶ Los naturalistas llaman al regaliz ("licorice") puro y a la zarzaparrilla ("sarsaparilla") "alimentos hormonales". Puede comprar estas hierbas en las tiendas de alimentos naturales. Úselas para preparar té y bébalos frecuentemente (*vea* la "Guía de preparación" en la página 279).

ADVERTENCIA: Si está tomando medicamentos, no consuma ninguna de estas hierbas o suplementos sin consultar con su profesional de la salud.

Remedios para lograr una belleza natural

Remedios para lograr una belleza natural

EL CUIDADO DE LA PIEL

Espejito, espejito, ¿quién es la más hermosa del reino? ¡Hasta Blanca Nieves tuvo que cuidar su cutis! La mayoría de las personas tiene problemas de la piel alguna vez (*vea* "Acné" en la página 149), pero una de las mejores maneras de asegurarse de mostrar su "cara más bella" cada día es lavándola adecuadamente, según su tipo de piel. Aquí tiene unas buenas recomendaciones generales para su limpieza.

Cuidado básico de la piel

▶ Siempre utilice movimientos hacia arriba y hacia fuera en la cara —cuando se la lava, aplica un tratamiento facial, y coloca o quita el maquillaje.

▶ Cuando se lava la cara use agua tibia. El agua muy caliente o muy fría puede romper los pequeños vasos capilares —esas venas rojas pequeñitas— de la cara.

¿Cuál es su tipo?

Primero, responda la pregunta: "¿Qué tipo de piel tengo —seca, grasosa, normal o mixta?" Cuando sepa que tipo de piel tiene, podrá aprender cómo cuidarla. Si no está segura a ciencia cierta, la asesora periodística Heloise (redactora de la columna "Hints from Heloise") preparó esta prueba que puede efectuar.

"Lávese la cara con crema de afeitar. Enjuague. Espere tres horas para que su piel se normalice. Entonces coloque, presionando, papeles de cigarrillo —o cualquier tipo de papel muy fino— sobre la cara.

"Si el papel queda pegado, dejando una mancha grasosa que se puede ver cuando sostiene el papel a contraluz, usted tiene piel grasosa. Si el papel no se pega, tiene piel seca. Si el papel se pega, pero no deja manchas grasosas, tiene piel normal. Si el papel se pega en algunas partes, y no en otras, tiene una piel mixta."

▶ Es importante lavarse la cara dos veces al día. El lavado quita la piel muerta y mantiene los poros limpios y la textura de la piel saludable.

El lavado matutino es necesario debido a la actividad metabólica durante la noche. El lavado nocturno es necesario debido a la acumulación de suciedad durante el día. Lávese con un jabón suave ("mild") y una toallita o una esponja cosmética, siempre con movimientos hacia arriba y hacia fuera. *Bueno, adelante...*

NOTA: Hemos incluido máscaras para el tratamiento de la piel grasosa, seca, normal y mixta. Pero independientemente del tipo de piel, el mejor momento para aplicar una máscara es antes de acostarse, cuando no tiene que usar maquillaje por lo menos seis u ocho horas.

También pruebe aplicar la máscara después del baño o la ducha, o después de haber humedecido levemente la cara con vapor para que los poros estén abiertos.

Tratamiento facial sabroso

▶ El chocolate es rico en cobre, un nutriente esencial para los tejidos conectivos que tonifican la piel.

Mezcle una cucharada colmada de cacao en polvo no endulzado ("unsweetened cocoa powder") con suficiente crema de leche ("heavy cream") para formar una pasta. Aplíquela sobre la piel limpia y seca, y déjela reposar 15 minutos. Luego enjuague con agua tibia y una toallita, y después séquese dando palmaditas.

Prepare su propia máscara de belleza

▶ En una licuadora, haga un puré con una taza de piña (ananá, "pineapple") fresca y ½ taza de papaya fresca (un poco verde). Coloque el puré de frutas en un bol y añada, revolviendo, dos cucharadas de miel. Aplique sobre la cara y el cuello recién lavados, pero no en la delicada zona alrededor de los ojos. Deje reposar por cinco minutos –no más– y enjuague con agua fría.

Este tratamiento facial semanal con alfahidroxiácido puede estimular la producción de colágeno (que da mayor firmeza a su cara), quitar las células muertas de la piel, regular el tono de la piel y hacer menos notables las pequeñas líneas. Las enzimas que contiene la piña (bromelaína) y la papaya (papaína) efectúan la mayor parte del trabajo, mientras la miel hidrata la piel.

Esta fórmula casera revitaliza la piel

Una fuente describió este tratamiento como "el ácido limpiador que penetra la capa de residuos y produce un aspecto saludable". Otra fuente afirmó que "este tratamiento restablecerá los ácidos que su piel necesita para protegerse". Y otra aseveró que "no cabe duda que esta fórmula es el remedio natural más simple para la piel cansada. Le brinda el resplandor de una cara joven y fresca". Con recomendaciones como esas, ¿qué esperan para aplicarla?

▶ Mezcle una cucharada de vinagre de sidra de manzana ("apple cider vinegar") y una cucharada de agua recién hervida. Cuando el líquido se enfrié lo suficiente, aplíquelo a la cara con motas de algodón (bolitas de algodón, "cotton balls"). NO lo aplique cerca de los ojos.

Lydia probó este tratamiento. Logró una piel suave y firme. Sus ojos quedaron un poco llorosos debido a los fuertes vapores del vinagre diluido y, por unos 10 minutos, olió como una ensalada de col ("coleslaw").

Use este tratamiento para revitalizar la piel al menos cada dos días –o cuando tenga antojo de ensalada de col.

▶ Después de la ducha o del baño, algunas personas se rocían el cuerpo con una mezcla de cantidades iguales de vinagre de sidra de manzana y agua, usando un recipiente plástico para rociar plantas. No solo restablece la capa ácida (el equilibrio acido-básico pH) en la piel, sino también quita los residuos de jabón y los depósitos de agua dura.

Tonificante para la piel

▶ En una licuadora, haga un puré con cuatro fresas (frutillas, "strawberries") bien lavadas de tamaño mediano, dos porciones de yogur natural y una cucharada de jugo de limón fresco.

Distribuya el puré de fresas por toda la cara y el cuello, salvo la zona delicada alrededor de los ojos. Deje reposar unos 20 minutos, después enjuague con agua tibia.

Se afirma que la aplicación de este tratamiento dos veces por semana ayuda a prevenir las pequeñas líneas que se forman con la edad.

El cuidado para la piel grasosa

Lo básico

▶ Muchos curanderos tradicionales sugieren tomar una taza de té fuerte de milenrama (aquilea, "yarrow"), que es un astringente, para disminuir la grasa de la piel. Ponga dos cucharaditas de milenrama (puede comprarla en las tiendas de alimentos naturales) en una taza de agua recién hervida. Deje remojar 10 minutos. Cuele y beba todos los días.

▶ En una licuadora, mezcle ¼ de una berenjena ("eggplant") pequeña (con cáscara y todo) con una taza de yogur de sabor natural ("plain yogurt"). Unte la mezcla en la cara y el cuello (pero no en la delicada piel cerca de los ojos) y déjela reposar 20 minutos. Enjuague con agua tibia.

Termine el tratamiento con un tonificador –lo ideal es un astringente sin alcohol como el té de milenrama (descrito a la izquierda). Como alternativa, llene un rociador plástico para plantas con una taza de té (como el de manzanilla –"chamomile"– que es astringente) y rocíe la cara. Mantenga el rociador en el refrigerador para poder usarlo antes del maquillaje o para refrescarse.

Desmaquillador

▶ Los limpiadores ("cleansers") parecen ser un problema para la piel grasosa por el alto contenido de alcohol que contiene la mayoría de los astringentes desmaquilladores. Normalmente son demasiado fuertes para ser usados con regularidad.

En cambio, mezcle una cucharadita de leche en polvo con suficiente cantidad de agua caliente para obtener una consistencia lechosa. Con motas de algodón (bolitas, "cotton balls"), aplique el líquido sobre la cara y el cuello (salvo la zona delicada alrededor de los ojos) frotando suavemente. Una vez que ha cubierto toda la cara y el cuello, quítese el maquillaje y la suciedad con un pañuelo de papel ("tissue")... suavemente. Seque dando palmaditas.

Máscara

▶ La arena higiénica para los gatos ("kitty litter") es muy absorbente y puede ser usada para muchas cosas, incluso en el tratamiento facial *miau* perfecto para la piel grasosa. Asegúrese de comprar la arena higiénica natural que sea de 100% arcilla ("clay") sin sustancias químicas agregadas.

Mezcle dos cucharadas de arena higiénica con suficiente cantidad de agua –alrededor de una onza (30 ml)– para que tenga la consistencia de una pasta. Aplíquela a la cara recién lavada, pero no cerca de la zona delicada alrededor de los ojos. Déjela reposar unos 15 minutos. Luego enjuague con agua tibia.

El cuidado de la piel seca

La causa principal de la piel seca son las toallas. (No, no es verdad, ¡queríamos ver si estaba prestando atención!)

Lo básico

▶ El aguacate ("avocado") es muy recomendado para la piel seca. Masajee la cara y el cuello recién lavados con la parte interna de la cáscara de un aguacate.

O mezcle cantidades iguales de aguacate (alrededor de ¼ taza) y crema agria ("sour cream"). Frote la mezcla suavemente sobre la cara y el cuello (pero no sobre la zona delicada alrededor de los ojos) y déjela reposar durante al menos 15 minutos. Enjuague con agua tibia.

Cuando ya no queden rastros de la mezcla, dé masajes con la punta de los dedos, con movimientos suaves hacia arriba y hacia fuera, para que la piel absorba el aceite invisible.

Desmaquillador

▶ En vez de usar agua y jabón, lávese la cara con leche entera ("whole milk"). Caliente dos o tres cucharadas de leche, vierta en un recipiente con tapa, añada ½ cucharadita de aceite de ricino ("castor oil") y mezcle bien. Empape una mota (bolita) de algodón ("cotton ball") –no use un pañuelo de papel– en la mezcla y comience la limpieza, con movimientos hacia arriba y hacia fuera. Evite la zona delicada alrededor de los ojos.

Se dice que esta combinación de leche y aceite quita más maquillaje y suciedad urbana que los costosos productos limpiadores profesionales. Y lo hace naturalmente, sin sustancias químicas.

Complete el tratamiento sellando la humedad al cubrir la cara con una capa delgada de aceite de ricino ("castor oil").

Máscara

▶ Lave bien dos o tres zanahorias de tamaño mediano, luego córtelas en trozos de una pulgada (dos cm) y póngalas en una olla con unas tazas de agua. Cocine las zanahorias hasta que se ablanden un poco. Pase las zanahorias a una licuadora o un procesador de alimentos y haga un puré.

Masajee la cara y el cuello recién lavados con el puré de zanahorias, evitando la zona delicada alrededor de los ojos. Deje reposar unos 20 minutos, después enjuague con agua tibia.

Esta máscara es popular en los balnearios ("spas") europeos, donde dicen que el uso frecuente mejora la elasticidad de la piel y también suaviza las arrugas.

El cuidado de la piel mixta

La aplicación de diferentes tratamientos para la parte seca y la parte grasosa de la cara pueden llegar a ser una gran molestia. En cambio, puede intentar estos tratamientos que son buenos para todos los tipos de piel.

Lo básico

▶ Este tratamiento facial de papaya ayuda a quitar células de piel muerta y permite que la piel nueva respire libremente. La papaya logra naturalmente lo que la mayoría de los productos comerciales hacen químicamente.

En una licuadora, haga un puré con una papaya madura sin cáscara. Unte la fruta sobre la cara y el cuello y déjela reposar unos 20 minutos. Enjuague con agua tibia.

Sería de mayor beneficio aplicar este tratamiento facial una o dos veces al mes, pero ya que no siempre es posible conseguir una papaya madura, hágalo cuando pueda.

Desmaquillador

▶ ¿No tiene desmaquillador? Use mantequilla dulce batida ("whipped sweet butter") o manteca vegetal ("vegetable shortening").

Cualquier desmaquillador que use, déjelo sobre los párpados y la cara al menos 30 segundos para que tenga tiempo de penetrar y facilitar la limpieza suave del maquillaje.

Máscara

▶ Esta máscara es para todos, para aplicarla todo el año. Es una dulce máscara de miel. Los curanderos tradicionales afirman que ayuda a quitar las manchas y los puntos negros de la cara… deja a la persona renovada y revitalizada… devuelve la salud a la piel maltratada por el clima… desacelera el envejecimiento de la piel ayudándola a mantener una proporción normal de humedad. Bueno, basta, ya que mientras más hablamos, ¡más envejece su piel!

Así debe aplicarse la máscara –primero, lávese la cara y el cuello y recoja el cabello. Humedezca las puntas de los dedos en miel sin procesar ("raw honey") y sin calentar; úntela suavemente sobre la cara y el cuello con movimientos hacia arriba y hacia fuera. Asegúrese de no tocar la zona alrededor de los ojos. Manténgala 20 minutos y después enjuague con agua tibia. Es dulce, simple… y pegajosa.

Humectante

▶ Humedezca la cara limpia y frote un poco de vaselina ("petroleum jelly"). Siga agregando agua para diluir la capa de vaselina por toda la cara y el cuello hasta que no esté grasosa.

Este tratamiento barato es usado en costosos balnearios por ser muy eficaz.

Pasta exfoliante

▶ Mezcle una cucharadita de azúcar con unas gotas de champán –suficientes para logra la consistencia de una pasta. Con movimientos circulares, aplique la mezcla sobre la cara y el cuello; luego enjuague con agua tibia y seque dando palmaditas.

Las enzimas del ácido tartárico del champán, junto con la capacidad abrasiva de la azúcar, deberían exfoliar a fondo su piel.

Prepare un exfoliante casero para el cuerpo

▶ Haga una pasta mezclando ¼ taza de jugo de limón recién exprimido, ¼ taza de aceite de oliva extra virgen y ½ taza de sal gruesa "kosher".

Masajee con la pasta todas las partes del cuerpo que necesiten la exfoliación. Luego enjuague y note lo suave que deja la piel.

ADVERTENCIA: Nunca aplique este exfoliante en la cara. Es demasiado fuerte y áspero para la piel delicada de la cara.

CÓMO LUCIR MARAVILLOSA

Mejore su crema nocturna

▶ Según la legendaria experta de cosméticos Adrien Arpel: "Para transformar una crema de noche común en un tratamiento enriquecido con vitaminas, agregue ⅛ cucharadita de vitamina C líquida y el contenido de una cápsula de vitamina E de 100 unidades internacionales (IU), a cuatro onzas (120 ml) de crema de noche común".

Relaja la cara como por arte de magia

Antes de aplicar el maquillaje para una noche de fiesta, dedique tiempo para eliminar la tensión acumulada en la cara durante el día. *A saber…*

▶ Acuéstese con los pies levantados. Coloque el corcho de una botella de vino entre los dientes. No lo muerda –manténgalo entre los labios. Quédese así 10 minutos –respire tranquilamente y piense en cosas agradables.

Después de que hayan pasado los 10 minutos, su cara debe estar más suave y más receptiva al maquillaje. Y usted se sentirá fresca y dispuesta a pasar una noche divertida.

Cómo prevenir la papada

▶ Un simple ejercicio de yoga llamado "el león" endurece los músculos de la garganta que están debajo de la barbilla.

El ejercicio completo consiste en sacar la lengua lo más posible hacia afuera y abajo. Haga esto decenas de veces durante el día

–en su auto, mirando televisión, mientras lava los platos o espera que su computadora se encienda.

Es posible que note una mejoría en su papada en unos pocos días.

Las secadoras más rápidas

▶ Las toallas hechas de 100% algodón le secan más rápido y mejor que las toallas hechas de mezclas de fibras.

Evite los labios agrietados

▶ Aplique una capa delgada de glicerina (puede encontrarla en las farmacias) para suavizar y proteger sus labios.

Depilación de cejas placentera

▶ Si usted no aguanta el dolor al depilarse las cejas con pinzas, primero adormezca la zona colocando un cubito de hielo durante unos segundos.

▶ Si no necesita adormecer la zona, pero simplemente quiere facilitar el proceso, depílese las cejas justo después de una ducha caliente. Los vellos saldrán más fácilmente.

CÓMO CUIDARSE LAS UÑAS

La lima de la caja de fósforos

▶ Cuando no encuentre una lima de uñas, busque una caja de fósforos. Lime la parte dentada de la uña con el borde áspero de la caja de fósforos.

Base para el esmalte

▶ Frote las uñas sin esmaltar con vinagre blanco, para limpiar y preparar la superficie para el esmalte de uñas. Una vez que se seque el vinagre, este tratamiento ayudará a que el esmalte permanezca por más tiempo.

Protección para la manicura

▶ Para no perjudicar su manicura, use un cepillo de dientes y pasta dental para limpiar las puntas de los dedos de las manchas de la oficina (carbón, tinta, etc.).

CONSEJOS ÚTILES

Para quitar la pintura de la piel

▶ Si ha estado pintando paredes o lienzos, un poco de aceite vegetal debería limpiar los rastros de pintura de la cara y los brazos sin maltratar la piel.

Para quitar las tiritas sin dolor

▶ Cuando tenga puesta una tirita (curita) que no sea del tipo "ouchless" que se quita "sin dolor", empápela primero en aceite vegetal para poder quitarla sin dolor.

Espejo, espejito limpio...

▶ Limpie el espejo del baño con la crema de afeitar común, no la que viene en gel, para que no se empañe el espejo durante varias semanas.

▶ Después de ducharse o bañarse, use el secador de cabello para quitar el vapor del espejo.

Perfume estimulante

▶ Moje una pequeña esponja natural con su perfume favorito y llévela en la cartera en una bolsa plástica para sándwich.

Durante o después de un día ocupado en la oficina, humedezca la esponja con un poco de agua fría y dése toquecitos detrás de las orejas y las rodillas, y por los codos y las muñecas, para sentirse refrescada. ■

Super remedios

Super remedios

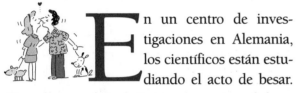

Beso de la vida

En un centro de investigaciones en Alemania, los científicos están estudiando el acto de besar. Uno de sus descubrimientos es que el beso matutino de "Hasta luego, cariño" es el más importante del día. Este beso de despedida ayuda a comenzar el día con una actitud positiva que le permitirá enfrentar más fácilmente el estrés y mejorar el desempeño en el trabajo.

Según los investigadores, este beso matutino de despedida diaria puede ayudarle a ganar más dinero y vivir una vida más sana y más prolongada.

¿Ey, y qué pasa con nosotros los solteros? Bueno, pues nosotras vamos a hacer un trato con el portero…

▶ De acuerdo a un médico citado en un periódico romano: "Besar es bueno para la salud y le permitirá vivir más tiempo". A nosotras ciertamente nos gusta la idea –¡díganos más!

El médico explica: "Besar estimula el corazón, el cual da más oxígeno a las células del cuerpo, manteniéndolas jóvenes y vibrantes".

También descubrió que besar produce anticuerpos en el organismo que, con el tiempo, pueden protegerlo de ciertas infecciones.

Ejercite los pulmones

▶ Este remedio requiere un poco de dinero y tiempo. Pero si quiere mejorar la capacidad de los pulmones, aprenda a tocar un instrumento musical –como la armónica. ¡Es divertido! Consiga el modelo "Marine Band" de marca Hohner. Es una buena armónica para principiantes y no es cara.

Hohner también edita libros que le enseñan a tocar la armónica mientras fortalece los pulmones. Se ha informado que tocar la armónica ha aliviado los síntomas del enfisema. Quién sabe, quizá comience una nueva carrera. Visite *www.hohnerusa.com* para obtener mayor información en inglés.

Bostece por completo

▶ No reprima el bostezo. Bostezar restablece el equilibrio entre la presión del aire en el oído medio y la atmósfera exterior, brindándole una sensación de alivio. (¡Y usted pensaba que simplemente estaba aburrido!)

Las confesiones son buenas... para el sistema inmune

▶ Todos hemos oído que "la confesión es buena para el alma". Según James W. Pennebaker, PhD, profesor de psicología en la Universidad de Texas en Austin: "Cuando reprimimos sentimientos y pensamientos, la respiración y el ritmo cardiaco se aceleran, esforzando aún más el sistema nervioso autonómico".

Al escribir sobre el estrés y las preocupaciones en su vida se liberan emociones reprimidas, permitiendo que el sistema inmune haga su trabajo –proteger al cuerpo de invasores no deseados.

Después de seguir la fórmula del doctor Pennebaker, exactamente como la recetó, usted se sentirá más animado y feliz, y tal vez disfrutará de mejor salud durante los seis meses siguientes.

El programa curativo del Dr. Pennebaker

- ◆ Encuentre un lugar tranquilo en el que pueda estar solo, sin interrupción, durante 20 minutos.
- ◆ Escriba una confesión sobre lo que lo molesta. Sea tan específico como pueda.
- ◆ No se preocupe por la ortografía o la gramática. Simplemente escriba continuamente durante los 20 minutos.
- ◆ Continúe, aunque se sienta incómodo. Expresarse libremente requiere práctica. Si encuentra obstáculos, repita las palabras que ya ha escrito.

- ◆ Por cuatro días seguidos, escriba durante 20 minutos. Después de cuatro días de escribir, deberá estar listo para tirar el papel a la basura y disfrutar de su revitalizado sistema inmune.

No dude en repetir este ejercicio cada vez que ocurra algo estresante. Este desahogo habitual mantendrá fuerte a su sistema inmune.

La siesta es productiva

▶ Se afirma que dormir la siesta durante el día puede lograr maravillas para equilibrar las emociones y actitudes y, en general, armonizar el organismo sin necesidad de que la mente consciente intervenga.

Los presidentes de Estados Unidos, Harry S. Truman, John F. Kennedy y Lyndon B. Johnson fueron conocidos por sus siestas. Muchas personas prestigiosas y productivas cerraban los ojos diariamente, entre ellos el inventor Thomas A. Edison, el mandatario británico Winston Churchill y el emperador francés Napoleón Bonaparte.

Practique la medicina preventiva: ¡Ríase!

▶ El difunto escritor y editor de revistas Norman Cousins recurrió a la risa como remedio para ayudar a sobrellevar la enfermedad (tuberculosis) –"incurable" según su médico–, por la cual fue incorrectamente internado de niño.

Según Cousins, quien se refirió a reír como "hacer jogging interno", existe evidencia científica que demuestra que la risa oxigena la sangre, mejora la respiración, estimula el sistema inmune y ayuda a liberar sustancias descritas como "la anestesia del organismo y el relajador que ayuda a los seres humanos a soportar el dolor".

Busque a través de cualquier buscador de Internet, las palabras "humor" o "chistes" ("jokes" en inglés), y ¡ríase!

Llore a lágrima viva

▶ Las lágrimas verdaderas tienen mayor contenido de proteínas que las lágrimas producidas por la cebolla. Según un investigador del centro médico St. Paul-Ramsey (ahora llamado hospital Regions) en St. Paul, Minnesota, la diferencia se debe a la manera natural de liberar las sustancias químicas (las proteínas) generadas durante una situación emocional o estresante.

A su vez, la liberación de esas sustancias químicas permite que los sentimientos negativos salgan de la mente, y renueva el bienestar emocional.

Según Margaret T. Crepeau, PhD, profesora de enfermería en la Universidad Marquette en Milwaukee, Wisconsin, las personas que reprimen las lágrimas son más vulnerables a las enfermedades. De hecho, reprimir cualquier tipo de sentimientos parece dejar su marca en el organismo. Así que, enfrente sus sentimientos y ¡déjelos salir!

Vigile el consumo de calcio

El calcio es el mineral que ayuda a su cuerpo a formar huesos y dientes fuertes –y para mantenerlos fuertes, necesita consumir las cantidades adecuadas de calcio.

Todos –particularmente las mujeres– deberíamos consumir alimentos ricos en calcio: sardinas y salmón enlatados, productos de soja (incluido el "tofu"), verduras de hojas de color verde oscuro, espárragos ("asparagus"), melaza negra ("blackstrap molasses"), semillas de girasol ("sunflower seeds"), semillas de ajonjolí ("sesame seeds"), nueces ("walnuts"), almendras ("almonds"), maní (cacahuates, "peanuts"), frijoles (habas, habichuelas, "beans") secos, tortillas de maíz (choclo, elote, "corn"), y productos lácteos.

El cuerpo se desabastece de calcio cuando hay un alto consumo de cafeína, colas y otras bebidas gaseosas. La absorción de calcio también se disminuye cuando la persona fuma, toma antiácidos con alto contenido de aluminio o sigue una dieta con bajo contenido de sal y con muchas proteínas.

Ordénese a sanar

Una encuesta realizada en el hospital Johns Hopkins en Baltimore concluyó que tres de cada cuatro enfermedades son causadas por factores emocionales. Tiene sentido. Las crisis en nuestras vidas causan reacciones emocionales que generan cambios bioquímicos, los cuales interrumpen la armonía del organismo, debilitan el sistema inmune y afectan la producción de hormonas.

De hecho, frecuentemente nos complicamos nuestras vidas –sin embargo, ¡podemos revertir este proceso!

▶ Relaje todas las partes del cuerpo (siga el ejercicio de visualización de la sección "Tensión y ansiedad" –en la página 216).

Una vez que esté completamente relajado, ordénele a su cuerpo que se cure. Mejor aún, déle la orden en voz alta. Sea directo, claro y positivo. Imagínese el problema específico en cuestión. (No existe manera correcta o incorrecta –todo depende de su imaginación).

Cuando vea claramente su problema, obsérvelo mientras se soluciona. Vea cómo el dolor se escapa por los poros… imagine que la enfermedad se desintegra. Imagine y diga lo que sea que le parezca adecuado para su caso en particular.

Termine la sesión diaria mirándose al espejo y repitiendo una docena de veces: "Estoy sano" –¡y dígalo en serio!

Abrazos para todos

Según el profesor emérito jubilado Sidney B. Simon de la Universidad de Massachusetts en Amherst: "Todas las personas necesitan por lo menos tres abrazos diarios para estar sanos".

Y el muy citado San Aelred, abad de Rievaulx (1110-1167), afirmó: "No existe una medicina más valiosa, ninguna más eficaz, ninguna más adecuada para la curación de todas nuestras enfermedades temporarias que un amigo".

Teniendo en cuenta esos pensamientos, decidimos que el mejor remedio es abrazar a tres amigos una vez por día… o abrazar a un amigo tres veces por día. De cualquier manera, esto le hará sentir fenomenal (y a sus amigos también). ■

Guía de preparación

Guía de preparación

Cebada ("barley")

El padre de la medicina, el griego Hipócrates (460-377 AC), creía que se debería beber agua de cebada todos los días para mantener la buena salud. La cebada es rica en hierro y en vitaminas del complejo B. Se afirma que ayuda a prevenir las caries y la caída del cabello, a fortalecer las uñas, y a sanar las úlceras, la diarrea y los espasmos bronquiales.

La cebada perlada ("pearled barley") ha sido molida. Durante el proceso de molimiento, se quita la doble cáscara exterior –y también sus nutrientes. Una versión menos procesada es la cebada germinada o malteada ("pot barley" o "Scotch barley"). Después de ser sometida a un molimiento más suave, aún queda parte de la capa de salvado, junto con algunos de sus nutrientes.

La cebada mondada ("hulled barley"), a la que sólo se le ha quitado la cáscara no comestible, es una fuente rica en fibra y tiene más hierro, microminerales ("trace minerals"), y cuatro veces más tiamina (vitamina B_1) que la cebada perlada. Esta y la germinada se pueden comprar en algunas tiendas de alimentos naturales. Si no puede conseguir ninguna de estas dos, busque la cebada perlada en el supermercado.

Agua de cebada

Hierva dos onzas (55 g) de cebada en seis tazas de agua (agua destilada, si es posible), hasta que el agua se reduzca a la mitad –tres tazas. Cuele. Si es necesario, añada miel y limón al gusto.

Leche de coco

Para extraer la leche de la manera más fácil, use un picador de hielo o un destornillador (de cabeza "Phillips", si es posible) y un martillo. El coco tiene tres pequeños puntos negros pelados, semejantes a ojos. Coloque el picador de hielo o el destornillador en el centro de uno de los puntos negros y martille para abrir un hueco en el coco.

Repita el procedimiento con los otros dos puntos negros y después vierta la leche de coco. Con el martillo puede romper el coco. ¡Cuidado con los dedos! (También cuide su figura. La pulpa del coco tiene un alto contenido de grasas saturadas).

Lavado de ojos

Necesitará un envase para los lavados de ojos ("eye cup" en inglés, el cual se puede comprar en las farmacias). Vierta con cuidado agua recién hervida en el envase para esterilizarlo. Luego, sin contaminar el borde ni el interior del envase, llénelo hasta la mitad con el lavado de ojos que haya elegido (*vea* "Lavado de ojos" a partir de la página 145). Inclínese hacia adelante, coloque el envase firmemente sobre el ojo para evitar que se derrame el líquido y después incline la cabeza hacia atrás. Abra el ojo ampliamente y rote el globo ocular para lavar el ojo a fondo. Inclínese hacia adelante y descarte el líquido. Siga este procedimiento para lavar el otro ojo si es necesario.

NOTA: Siempre debe quitarse los lentes de contacto antes de hacerse un lavado de ojos.

Jugo de ajo

Cuando un remedio requiere jugo de ajo, pele uno o dos dientes de ajo, píquelos finamente sobre un pedazo de estopilla (gasa, "cheesecloth"), y luego exprima el jugo. Un exprimidor de ajos (prensa-ajos, "garlic press") puede facilitar la tarea.

Té de jengibre ("ginger")

Pele o lave bien un trozo de jengibre fresco y córtelo en tres a cinco pedazos del tamaño de una moneda de 25 centavos estadounidenses. En una taza, vierta agua recién hervida sobre el jengibre cortado y deje remojar entre cinco y 10 minutos.

Si prefiere un té de jengibre fuerte, *ralle* un pedazo de jengibre; deje remojar en una taza con agua recién hervida, cuele y beba. El "chef" y personaje de televisión, Ainsley Harriott, nos dijo que congela el jengibre fresco, lo cual facilita rallarlo.

Baño de hierbas

Además de ser una buena manera de relajarse, un baño de hierbas puede ser muy curativo. Los aceites volátiles de las hierbas se activan con el calor del agua, lo cual también abre los poros, permitiendo la absorción de las hierbas. Mientras disfruta del baño, usted inhala las hierbas (aromaterapia), que llegan al cerebro a través del sistema nervioso, beneficiando su mente y su cuerpo.

Instrucciones para el baño de hierbas

Tome un puñado de una hierba o una combinación de hierbas, ya sean secas o frescas, y colóquelas en el centro de un pañuelo blanco. Ate el pañuelo con un nudo, armando un saquito. Arroje el saquito lleno de hierbas a la bañera (tina) y deje que el agua caliente corra hasta que llegue al nivel que desee. Cuando el agua se enfríe lo suficiente, siéntese. Disfrute del baño aromático.

Después del baño, abra el pañuelo y separe las hierbas para que se sequen. Puede usarlas dos o tres veces más.

En lugar de las hierbas secas o frescas, también puede usar los aceites esenciales de hierbas ("herbal essential oils"). Tenga cuidado —los aceites pueden hacer que la bañera se ponga resbaladiza. También límpiela bien después de vaciarla.

Té de hierbas

Coloque una cucharadita de hierbas (o una bolsita de té de hierbas) en una taza de vidrio o de cerámica; vierta agua recién hervida.

> **NOTA:** En general la proporción es de seis a ocho onzas (175 a 235 ml) de agua para una cucharadita colmada de la hierba. Hay excepciones, así que lea las indicaciones de la caja del té.

Según la empresa de tés de hierbas, Lion Cross, nunca se debe usar agua que ya había hervido. El primer hervor suelta oxígeno, así que con el segundo hervor el té resulta "insípido" y sin vida.

Cubra la taza y deje remojar el té según las indicaciones del paquete. Por lo general las flores y hojas suaves se deben dejar en remojo alrededor de tres minutos… las semillas y hojas, alrededor de cinco minutos… y las semillas duras, raíces y cortezas, alrededor de 10 minutos. (Claro que, mientras más tiempo deje reposar el té, más fuerte será).

Cuele o retire la bolsita de té. Si desea endulzarlo, use un poco de miel sin procesar ("raw honey") –nunca use azúcar ya que se afirma que anula las propiedades sanadoras de la mayoría de las hierbas–, y cuando se enfríe lo suficiente, beba el té lentamente.

Cebollas

La cebolla pertenece a la misma familia de plantas que el ajo (*Liliaceae*) –y es casi igual de versátil. Los antiguos egipcios se referían a la cebolla como el símbolo del universo. Se ha considerado durante mucho tiempo un alimento cúralo-todo, usado para tratar los dolores de oído, resfriados, fiebre, heridas, diarrea, insomnio, verrugas… y mucho más.

Se cree que cortar una cebolla en un cuarto de enfermos desinfecta el aire y absorbe los gérmenes en el cuarto. Y media cebolla ayudará a absorber el olor de un cuarto recién pintado. Teniendo esto en cuenta, tal vez sería mejor no utilizar una cebolla cortada que ha estado en la cocina durante más de un día, a menos que la envuelva en plástico y la refrigere.

Jugo de cebolla

Cuando un remedio requiere jugo de cebolla, ralle una cebolla, ponga la ralladura en un pedazo de estopilla (gasa, "cheesecloth") y exprima el jugo. Un exprimidor de ajos (prensa-ajos, "garlic press") también debería dar resultados.

Pomas (bolsas aromáticas)

Para preparar una poma de naranja con especias, necesitará…

    1 naranja de cáscara fina
    1 caja de clavos de olor ("cloves") enteros
    1 onza de raíz de iris florentina,
        ("orrisroot")
    1 onza de canela ("cinnamon")
    ½ onza (15 g) de nuez moscada ("nutmeg")
    2 pies (60 cm) de cinta para regalos,
        con un ancho entre ¼" y ½"
        (entre ½ cm y 1 cm).

Ate la naranja con la cinta, dejando dos extremos largos de cinta. Inserte los clavos de olor por toda la naranja, pero no a través de la cinta. Mezcle las tres hierbas en un bol; luego introduzca la naranja. Deje reposar durante cuatro o cinco días, dándole vueltas ocasionalmente. Cuando esté lista, cuelgue la poma de naranja con especias en un clóset (armario, ropero).

Papas

Crudas, peladas, hervidas, ralladas y hechas puré… agua de papas… y cataplasma de papas… en todas sus formas, las papas ayudan a sanar, según la medicina tradicional estadounidense, inglesa e irlandesa. De hecho, un dicho popular irlandés del siglo XIX decía: "Sólo existen dos cosas en este mundo demasiado serias para burlarse de ellas –las papas y el matrimonio".

La cáscara de la papa es más rica en fibra, hierro, potasio, calcio, fósforo, zinc y vitaminas C y B que el interior de la papa. No pele la papa cuando prepare agua de papa, pero lávela muy bien primero.

No use papas que tengan un tono verde. El color verdoso es una advertencia de que puede contener una concentración alta de *solanina*, un alcaloide tóxico que puede afectar los impulsos nerviosos y causar vómitos, retortijones y diarrea. Lo mismo se aplica a papas que han empezado a germinar. Estas papas no son para nada buenas.

Agua de papas

Lave muy bien dos papas medianas (orgánicas, si es posible) y córtelas a la mitad. Ponga las cuatro mitades en una olla con cuatro tazas de agua (filtrada, mineral o destilada, si es posible) y haga hervir. Reduzca el fuego a mediano y deje cocinar 30 minutos.

Cuando estén listas, saque las papas (comerlas es opcional) y reserve el agua. La mayoría de los remedios sugieren beber dos tazas de agua de papa. Refrigere lo que quede de agua para usar la próxima vez.

NOTA: Las personas con eccema deben evitar tocar las papas crudas con las manos descubiertas. Un caso de eccema crónico o persistente debe ser tratado por un profesional de la salud.

Cataplasmas

Las cataplasmas ("poultices") normalmente se hacen con verduras, frutas o hierbas que han sido picadas, cortadas, ralladas, machacadas o hechas puré y algunas veces cocidas. Luego los ingredientes son envueltos en una tela limpia –como una estopilla (gasa, "cheesecloth"), algodón blanco o muselina sin blanquear ("unbleached muslin")– y aplicados externamente a la zona afectada.

Una cataplasma es más efectiva cuando está húmeda. Cuando se seca, debe cambiarse –tanto la tela como sus ingredientes.

Siempre que pueda, use frutas, verduras o hierbas frescas. Si no puede encontrarlas frescas, utilice las secas. Para ablandar las hierbas secas, vierta agua caliente encima. No deje remojar hierbas en agua que todavía está hirviendo, a menos que el remedio lo especifique. En general, hervir las hierbas disminuye sus poderes curativos.

Para preparar una cataplasma de consuelda ("comfrey"), por ejemplo, corte un pedazo de tela del doble del tamaño de la zona a cubrir. Si usa hojas frescas, lávelas en agua fría y luego aplástelas con la mano. Coloque las hojas en una mitad de la tela y cúbralas con la otra mitad.

Si usa raíces y hojas secas de consuelda, vierta agua caliente sobre la hierba y luego coloque la hierba ablandada a lo largo de la tela, a una distancia de alrededor de dos pulgadas (cinco cm) del borde.

Envuelva la hierba con la tela para que no se desparrame y colóquela sobre la zona afectada. Envuelva sin ajustar la cataplasma con una venda elástica ("elastic bandage") u otro pedazo de tela para mantenerla en el lugar y retener la humedad.

"Sauerkraut" (chucrut)

El "sauerkraut", que es col (repollo, "cabbage") fermentada, ha sido un remedio tradicional popular en todo el mundo durante siglos. Se afirma que el ácido láctico del "sauerkraut" estimula el crecimiento de las bacterias benignas y ayuda a eliminar las bacterias enemigas en el intestino grueso (donde muchas personas piensan que se originan las enfermedades) y en otras partes del tracto digestivo.

El "sauerkraut" contiene mucha vitamina B_6, la cual es importante para las funciones del cerebro y del sistema nervioso, y mucho calcio –para mantener sanos los dientes y huesos. De hecho, se ha informado que en las colinas de Alemania occidental, el "sauerkraut" se les da a los niños como merienda (refrigerio) para prevenir las caries y para sanar problemas de la piel.

El "sauerkraut" que se vende en lata ha sido procesado, lo que puede haber destruido sus valiosas propiedades curativas. Por esta razón, debería comer "sauerkraut" fresco, ya sea frío (directamente del refrigerador), a temperatura ambiente o después de haber sido calentado a fuego lento. Calentar el "sauerkraut" demasiado puede destruir el ácido láctico y las enzimas benéficas.

Puede comprar "sauerkraut" crudo sin procesar en frasco en las tiendas de alimentos naturales, o de barriles en algunas tiendas étnicas. También puede preparar su propio "sauerkraut" casero, que es lo que recomendamos. *Esta es la receta…*

Ingredientes y materiales

1 cabeza grande de col (repollo, "cabbage")
    –alrededor de ocho tazas
    después de rallar

8 cucharaditas de sal marina ("sea salt")

1 cucharada de semillas de alcaravea
    ("caraway seeds") o eneldo ("dill")
    fresco o seco (opcional)

1 recipiente grande (vasija de barro –
    "earthenware crock"– bol de vidrio
    o de acero inoxidable)

Una tapa o un plato que tape ajustadamente
    el recipiente

Un ladrillo, unas cuantas piedras o un
    objeto limpio que pese alrededor de
    10 libras (4 ó 5 kilos)

Una tela o toalla para cubrir el recipiente

Preparación

Quite las hojas exteriores grandes de la col, enjuáguelas y déjelas a un lado. Quite el corazón y corte en tiritas finas el resto de la col. Cubra el fondo del recipiente con una capa de tiritas de col (alrededor de una taza). Espolvoree la capa con una cucharadita de sal marina y unas pocas semillas de alcaravea (o eneldo). Distribuya en capas las tiritas de col, espolvoreando cada capa con sal y semillas (o eneldo). Coloque las hojas

exteriores grandes encima de la última capa de sal (o eneldo).

Luego, presione la col hacia abajo con el plato o la tapa y coloque el peso de 10 libras sobre la tapa. Cubra el recipiente con una tela o toalla, y déjelo en un sitio cálido durante 7 a 12 días, según lo fuerte que desea el "sauerkraut".

Cuando esté listo, quite el peso y la tapa. Descarte las hojas que estaban por encima y quite el moho con mal aspecto. Transfiera el "sauerkraut" a pequeños frascos de vidrio con tapa ajustada y refrigere. El "sauerkraut" se puede mantener de esta forma alrededor de un mes. ■

Seis Superalimentos maravillosos

Seis Superalimentos maravillosos

El famoso médico griego Hipócrates, considerado el padre de la medicina, afirmó: "Dejen que los alimentos sean su medicina". Estas sabias palabras fueron consideradas revolucionarias en el año 400 AC. Pero hoy en día, estas mismas palabras son repetidas por muchos profesionales de la salud.

Después de años de estudios e investigaciones, la comunidad científica ahora reconoce las valiosas propiedades de los alimentos que pueden ser usadas para la prevención y para el tratamiento de casi todas las enfermedades. (Muchos ejemplos están incluidos en la sección principal de este libro, "Remedios").

Sin duda, las empresas que elaboran suplementos nutricionales son conscientes del poder curativo de los alimentos –han extraído y procesado sustancias alimentarias beneficiosas durante muchos años. Estos alimentos han sido elaborados en forma de pastillas, cápsulas, polvos, tés, tinturas, cremas, geles y más.

Con todo respeto por el estimado doctor Hipócrates, quisiéramos parafrasear sus eternas y sabias palabras, para que sean aún más pertinentes a la información en esta sección:

"Dejen que los alimentos le ayuden a *evitar* la necesidad de usar medicamentos".

Cómo elegimos los Seis Superalimentos

Tuvimos en cuenta varios criterios para elegir los Seis Superalimentos maravillosos. Primero y principal, decidimos que cada uno debía ser extremadamente curativo en muchos aspectos, fácil de conseguir y –muy importante– asequible.

Después fuimos reduciendo la lista eligiendo los alimentos que la mayoría de la gente consume, o al menos conoce, pero cuyos beneficios para la salud tal vez se desconozcan. Así fue como entraron en nuestra lista el ajo, el jengibre, las nueces y el yogur. Teníamos cuatro y necesitábamos dos más.

Entonces pensamos incluir alimentos que quizá necesiten una introducción. En otras palabras, si no los mencionáramos en este libro, es posible que usted nunca se hubiera enterado de cuánto pueden influir su ánimo y sus hábitos alimentarios. Así fue como decidimos incluir las semillas de lino y el polen de abeja, que completan nuestros Seis Superalimentos maravillosos.

Consumir estos Superalimentos habitualmente puede contribuir enormemente al alivio de ciertas afecciones médicas, en la prevención de otras y, en general, en ayudarlo a superar los defectos de su banco de genes.

Aproveche estos alimentos curativos

Lea acerca de nuestros Seis Superalimentos maravillosos y considere incluirlos en su dieta diaria. Para no exagerar, agregue uno o dos de estos alimentos cada semana, reemplazando uno o dos alimentos menos saludables. Puede usar su creatividad. Experimente con distintas formas de preparar los alimentos, pruebe marcas y variedades distintas. Encárelo como si fuera una aventura gratificante. Lo será.

¡Salud y buen apetito!

1. Polen de abeja

Las abejas son asombrosas. Los ingenieros saben que, tomando en cuenta el tamaño y la forma de una abeja, es casi imposible que pueda volar. Las abejas obreras son voladoras incansables. Sus vuelos de una flor a otra son responsables de la polinización cruzada.

En caso de que no recuerde lo que aprendió en la escuela primaria, aquí tiene un curso rápido para refrescar la memoria —cada flor produce polen, el elemento reproductor masculino que es trasladado por el viento o los insectos (en su mayoría, abejas) a fertilizar el óvulo de otra flor. Cada grano diminuto de polen (se necesitan diez millones para llenar una cuchara) tiene la capacidad de producir una semilla que puede convertirse

eventualmente en una flor, un arbusto o un árbol. El polen que recogen las abejas, se llama, apropiadamente, polen de abeja.

Lo más natural del mundo

"La abeja obrera recoge instintivamente sólo el polen más fresco y más potente que encuentra", dice James Hagemeyer, un colmenero (apicultor) que trabaja para Health from the Hive en Madisonville, Tennessee. "Existen muchas variedades de flores que aparecen en cualquier momento, así que la recolección de polen cambia con la temporada, dando como resultado polen de todos colores (desde el blanco al negro y todos los colores intermedios) con diferentes y distintivos sabores —algunos dulces y otros amargos. En general el sabor de la mayoría del polen es un poco amargo".

El Sr. Hagemeyer o "Sr. Polen de Abeja", como se le conoce en la comunidad de colmeneros, no se cansa de decir: "Aunque el polen es un alimento, no una droga, no se debe comer sólo porque tiene buen sabor —¡se debe comer porque es bueno para su salud!".

El alimento perfecto de la naturaleza

Conocido como el alimento más completo de la naturaleza, el polen de abeja tiene todos los nutrientes necesarios para la supervivencia del ser humano —por lo menos 18 de los 22 aminoácidos… más de doce vitaminas —es especialmente rico en las del complejo B y las vitaminas A, C, D y E… casi todos los minerales conocidos… microelementos (oligoelementos)… 11 enzimas o coenzimas… y 14 ácidos grasos benéficos. El polen de abeja contiene la esencia de cada planta que la abeja visita, combinada con las enzimas digestivas de las abejas.

Consiste en 35% proteínas, 55% carbohidratos, 2% ácidos grasos y 3% vitaminas y minerales, lo que deja un 5% sin determinar. Ese 5% que la ciencia no ha sido capaz de aislar e identificar, puede ser a lo que se refiere en susurros como "la magia de la abeja", lo que hace tan poderoso al polen de abeja. (Lamentablemente, no hay recetas que usen polen de abeja. Pero hemos incluido unas cuantas recetas con miel).

El poder del polen

Según Steve Schechter, ND, HHP, director del Natural Healing Institute en Encinitas, California, más de 40 estudios de investigación documentan la seguridad y la eficacia terapéutica del polen de abeja. Pruebas clínicas demuestran que el polen de abeja por vía oral se absorbe rápida y fácilmente –pasa directamente del estómago al torrente sanguíneo.

El Dr. Schechter afirma: "El polen de abeja rejuvenece el cuerpo, estimula los órganos y las glándulas, aumenta la vitalidad y brinda una mayor expectativa de vida".

ATENCIÓN: Las personas que han tenido una reacción alérgica a las picaduras de abejas o a la miel deben consultar al médico antes de consumir polen de abeja.

Le ofrecemos algunos datos…

◆ *El polen de abeja proporciona alivio de las alergias.* El polen reduce la producción de histamina, la cual puede causar problemas como la fiebre del heno. La proteína del polen puede asistir al organismo a establecer una defensa natural contra las reacciones alérgicas. Para desensibilizarse, consuma polen de abeja diariamente, empezando un mes o dos antes del comienzo de la temporada de fiebre del heno.

No confunda el polen que acarrea el viento, el cual causa las alergias, con el polen de abeja. El polen recogido por las abejas es más pesado y pegajoso y, aunque raramente cause síntomas de alergias, lo mejor es comenzar a tomarlo en cantidades muy pequeñas.

Comience con uno o dos gránulos el primer día, y aumente la cantidad diariamente hasta llegar a la dosis requerida.

◆ *Si en algún momento tiene una reacción alérgica,* como sarpullidos, urticaria, silbidos al respirar o labios hinchados, disuelva entre ¼ y ½ cucharadita de bicarbonato de soda ("baking soda") en agua y bébalo junto con un antihistamínico, y luego busque atención médica inmediatamente. Claro, también deje de consumir polen de abeja.

◆ *Muchos atletas usan el polen de abeja para aumentar su fuerza,* resistencia, energía y velocidad. Se dice que el polen ayuda al cuerpo a recuperarse del ejercicio, normalizando más rápidamente la respiración y el ritmo cardiaco.

◆ *El polen de abeja puede aliviar la fatiga mental y mejorar el estado de alerta y la concentración,* ayudándole a mantenerse concentrado por largos periodos de tiempo. Se ha informado que el polen de abeja mejora las reacciones, tanto mentales como físicas, en los atletas.

■ Receta ■

Pollo con albahaca, limón y miel

½ taza de miel ("honey")

¼ taza de jugo de limón

4 mitades de pechuga de pollo
    deshuesadas y sin piel

¼ taza de hojas de albahaca ("basil"),
    picada finamente

1 cdta. de ajo en polvo
    ("garlic powder")

½ cdta. de sal

2 cdas. de cáscara de limón rallada
    ("lemon zest")

Mezcle todos los ingredientes (salvo el pollo) en una bolsa plástica. Agregue el pollo y deje marinar en el refrigerador por un mínimo de dos horas. Ase o hornee a 350°F (175°C) entre 35 y 45 minutos, o hasta que los jugos salgan claros al pinchar con un cuchillo. No cocine en exceso. Rinde 4 porciones.

Fuente: Sue Bee Honey, una marca registrada de la Sioux Honey Association

♦ *Se sabe que el polen de abeja ha ayudado a la fertilidad y también la vitalidad sexual.* Noel Johnson —corredor de maratones que vivió más de 90 años— aseguraba que el polen de abeja es una de las razones por las que escribió su autobiografía, *A Dud at 70… A Stud at 80!* (Bueno, como se puede imaginar, el título en inglés se refiere a la mejoría en su desempeño a los 80 años de edad).

♦ *"La piel comienza a verse más joven, es menos vulnerable a las arrugas, y más suave y sana con el uso del polen de abeja"*, según el dermatólogo Lars-Erik Essen, MD, de Halsingborg, Suecia, quien fue pionero en el uso de productos de abejas aplicados al tratamiento de enfermedades de la piel.

♦ *Los estudios demuestran que el consumo de alimentos disminuye entre un 15% y 20%* cuando se toma el polen de abeja diariamente con un vaso de agua (de 15 a 30 minutos antes de las comidas). Se dice que el polen de abeja ayuda a corregir el desequilibrio en el metabolismo que puede contribuir al aumento de peso. Se piensa que la lecitina que contiene el polen acelera la quema de calorías. También puede ayudar en el proceso digestivo y en la asimilación de los nutrientes.

♦ *El polen de abeja protege contra los efectos adversos de la radiación* y ayuda a fortalecer el sistema inmune. En nuestro ambiente, estamos expuestos a la radiación (toxinas radioactivas) y a agentes químicos contaminantes, los cuales se sabe que ejercen tensión acumulada sobre nuestros sistemas inmunes. Según las investigaciones del Dr. Schechter, se ha comprobado científicamente que varios nutrientes en el polen de abeja —entre ellos, las proteínas, grasas benéficas, vitaminas B, C, D y E, como también el betacaroteno, calcio, magnesio, selenio, los ácidos nucleicos, la lecitina y cisteína— fortalecen el sistema inmune, contrarrestan los efectos de la radiación y las toxinas químicas, y generan vitalidad y salud óptimas.

▶ En un estudio de investigación, el polen de abeja redujo los efectos secundarios habituales de las radioterapias de radio y de cobalto-60 en 25 mujeres que habían sido tratadas por cáncer. Las mujeres que tomaron el polen estuvieron considerablemente más sanas, sus sistemas inmunes reaccionaron más eficazmente y dijeron que se sentían mejor en general. La dosis de polen de abeja que se les recetó fue alrededor de dos cucharaditas, tres veces por día.

ADVERTENCIA: Esta dosis sólo debe tomarse bajo supervisión de un profesional de la salud.

Formas y dosis

El polen de abeja se puede conseguir en cápsulas blandas, pastillas y gránulos. Nosotras recomendamos los gránulos. Creemos que el cuerpo absorbe los gránulos más eficazmente y, además, son menos procesados.

Nos gusta tomar una cucharadita con agua antes de cada comida. Si necesitamos un estímulo adicional de energía, tomamos otra cucharadita durante el día.

▶ El Dr. Schechter informa que, por motivos de prevención, la dosis normal de polen de abeja en gránulos para un adulto es inicialmente de ⅛ a ½ cucharadita una vez por día. La dosis se aumenta gradualmente hasta llegar a una o dos cucharaditas, entre una y tres veces por día, según lo que dé los mejores resultados para el individuo.

ATENCIÓN: A los adultos que sufren de alergias, se les aconseja empezar con entre uno y tres gránulos diarios, y después ir aumentando gradualmente la dosis, normalmente durante un periodo de un mes o más.

■ Receta ■

Cazuela de legumbres y frijoles

1 lata de habichuelas cocidas
   ("baked beans")
1 lata de judías amarillas
   ("butter beans")
1 lata de habas blancas ("lima beans")
1 lata de frijoles rojos (habichuelas,
   "kidney beans")
1 cebolla pequeña, picada
½ libra (225 g) de tocino (panceta,
   "bacon"), cocido y picado
½ libra (225 g) de hamburguesa dorada
½ taza de azúcar morena
1 taza de miel ("honey")
1 taza de salsa "ketchup"
2 cdas. de "chili" en polvo
   ("chili powder")
1 cdta. de mostaza seca
   ("dry mustard")

Mezcle todos los ingredientes en una cacerola grande y haga hervir. Cocine a fuego lento alrededor de 30 minutos. También puede hornear la mezcla en un molde de 9" x 13" (23 x 33 cm) durante una hora a 350°F (175°C).

Fuente: Sue Bee Honey, una marca registrada de la Sioux Honey Association

▶ Si prefiere tomar el polen de abeja en cápsulas, la cantidad sugerida por motivos de prevención, es de dos cápsulas de 450 a 580 mg, tres o cuatro veces por día. La cantidad terapéutica de polen de abeja es, a corto plazo, alrededor de tres veces la cantidad preventiva y debe tomarse solamente bajo la supervisión de un profesional de la salud.

NOTA: Asegúrese de comprar el polen de abeja que provenga de Estados Unidos. El polen extranjero puede haber sido fumigado o cocido.

▶ No debe calentar el polen de abeja de ninguna manera. Es mejor mantenerlo en el refrigerador. Si, por razones económicas, compra mucha cantidad, puede mantener el que no use en el congelador. James Hagemeyer nos dijo que encontraron polen de abeja viable en las tumbas egipcias de 5.000 años de antigüedad. Si se puede mantener durante tanto tiempo en las tumbas, ¡debería durar al menos 1.000 años en su congelador!

Polen de abeja para animales

¿Ha notado que algunos perros parecen sufrir de los mismos problemas de salud que los seres humanos? Según Janet Lipa, criadora de perros "golden retriever" y propietaria de Golden Tails, una empresa de alimentos holísticos para animales en Bowmanville, estado de Nueva York (*vea* "Fuentes" en la página 329), vacunar de más a los perros, sobre todo a los de raza pura, puede ser la causa de problemas de salud de los animales. Estas inyecciones anuales pueden causar una acumulación de toxinas en el hígado, comprometiendo el sistema inmune y haciendo que el animal sea más susceptible a las enfermedades.

El polen de abeja puede ayudar a estimular el sistema inmune del animal y ayudar a su mascota a superar las alergias. Asegúrese de consultar con su veterinario antes de darle a su animal el polen de abeja o cualquier otro suplemento natural.

▶ Para un caballo de 1.000 libras (450 kilos), mezcle una cucharada colmada de polen de abeja con el alimento matutino y repita con el alimento de la tarde.

▶ Para otros animales, use ⅛ cucharadita por cada 15 libras (siete kilos) de peso. Mezcle el polen con la comida de la mañana y también con la de la tarde. Espere entre 30 y 60 días para ver los resultados.

No se demore, vuele como una abejita...

El colmenero (apicultor, "beekeeper") de su zona o su tienda de alimentos naturales deben vender polen de abeja o saber cómo obtenerlo. También incluimos mayor información al respecto en la sección "Fuentes" en la página 329.

ORGANIZACIONES
American Apitherapy Society
Esta asociación sin fines de lucro se dedica a promover el uso de productos provenientes de las abejas para llevar una vida sana, y a investigar los muchos beneficios restauradores de estos productos.

5535 Balboa Blvd., Suite 225
Encino, CA 91316
Teléfono: 818-501-0446
Fax: 818-995-9334
www.apitherapy.org

International Bee Research Association
Comuníquese con esta organización sin fines de lucro para averiguar más sobre la función esencial que desempeñan las abejas en nuestro medio ambiente y en nuestras vidas.

18 North Rd.
Cardiff, País de Gales
CF10 3DT Reino Unido
Teléfono: +44-0-29-2037-2409
Fax: +44-0-29-2066-5522
www.ibra.org.uk

The Honey Association

Esta organización ofrece abundante información sobre los usos y las características benéficas de la miel. La información está realzada con recetas, datos sobre las abejas, y aplicaciones para la belleza y la salud de este alimento nutritivo.

> c/o Grayling Group
> 1 Bedford Ave.
> Londres, Inglaterra
> WC1B 3AU Reino Unido
> Teléfono: +44-0-20-7255-1100
> Fax: +44-0-20-7255-5454
> *www.honeyassociation.com*

2. Semillas de lino ("flaxseed")

La gente ha consumido semillas de lino durante miles de años. En el sur de Mesopotamia, alrededor de los años 5.200 al 4.000 AC, los registros demuestran que se usaron sistemas de riego para cultivar el lino. Los babilonios cultivaron semillas de lino desde el año 3.000 AC y –por si no lo sabía– Hipócrates, el gran médico griego del mundo antiguo, usaba semillas de lino para aliviar las molestias intestinales. Tal vez les decía a sus pacientes: "Tome dos cucharadas de semillas de lino y llámeme por la mañana".

Stephan Cunnane, PhD, un renombrado especialista en nutrición y metabolismo del cerebro del Research Centre on Aging en Sherbrooke, Canadá, dijo: "Las semillas de lino serán el alimento nutracéutico del siglo XXI debido a sus múltiples beneficios para la salud". *Esto nos parece acertado…*

¿Por qué es tan bueno el lino?

El aceite de linaza ("flaxseed oil"), que proviene de las semillas de lino procesadas, contiene la mayor concentración de los esenciales ácidos

■ Receta ■

Mezcla para panqueques o barquillos ("waffles")

1½ taza de harina de trigo integral ("whole wheat flour"), molida gruesa tipo semolina

½ taza de semillas de lino ("flaxseed"), molidas

1½ taza de mezcla para panqueques o harina común

¼ cdta. de polvo de hornear ("baking powder") –½ cdta. si usa harina, en lugar de la mezcla

¼ cdta. de bicarbonato de soda ("baking soda") –½ cdta. si usa harina, en lugar de la mezcla

1 cda. de azúcar

¼ cdta. de sal

2 cdas. de aceite de oliva o de canola

1 huevo entero (ó 2 claras de huevo)

3 a 4 tazas (aprox.) de suero de leche ("buttermilk") para lograr la consistencia deseada

Mezcle todos los ingredientes. Vierta la mezcla para panqueques en una plancha o sartén eléctrica a 375°F (190°C) ó 400°F (200°C), o cocine los barquillos en una plancha para "waffles".

Fuente: Flax Institute of the United States

grasos omega-3 de todas las fuentes del mundo. Una deficiencia de omega-3 está directamente relacionada con más de 60 enfermedades, entre ellas la artritis, aterosclerosis, cáncer, diabetes, hipertensión (presión sanguínea alta), trastornos del sistema inmune, molestias menopáusicas y derrame cerebral (apoplejía, "stroke"). Por lo tanto, añadir omega-3 a su dieta diaria ayudará a evitar, mejorar o revertir esas afecciones.

Las semillas de lino contienen fitonutrientes llamados lignanos. Se ha informado que los lignanos tienen estas características: Un efecto similar al estrógeno sin los riegos relacionados con la terapia de estrógeno… poderosas capacidades antioxidantes… propiedades antivirales… antibacterianas… y fungicidas (antihongos).

Los estudios sugieren que los lignanos pueden ayudar a prevenir problemas de salud, entre ellos el cáncer de mama y de colon, y también pueden ayudar a disminuir el colesterol, regular el ciclo menstrual de la mujer y reducir o eliminar los síntomas de la menopausia.

Formas y dosis

Estamos seguras que agregar semillas de lino, en alguna forma, a su dieta diaria, sería una decisión acertada.

Para ayudarlo a decidir en qué forma(s) tomarlo, debe saber que…

► Las semillas de lino tienen cáscaras externas duras. Puede comerlas así si las remoja en agua durante toda la noche. O la forma más popular de comer semillas de lino es molerlas en un molinillo para especias o para café. Luego espolvoree una cucharada de semillas de lino molidas por encima de su cereal, o agréguelas a un batido de frutas o mézclelas en una porción de yogur desgrasado ("fat free") o requesón ("cottage cheese") sin grasa. Cuando hornee, puede reemplazar varias cucharadas de harina común por harina de lino molida.

► Para asegurarnos de obtener la dosis diaria de aceites omega-3 y lignanos, para nosotras es más conveniente tomar aceite de linaza. Nos aconsejaron comenzar con dos cucharadas por día –una por la mañana y otra por la tarde o por la noche. Después de uno o dos meses, puede estabilizar la dosis a una cucharada de aceite de linaza por cada 100 libras (45 kilos) de peso corporal.

Batido de lino divino

► También añadimos el aceite de linaza a los batidos de frutas –no cambia el sabor del batido, pero evita que contenga demasiado aire, lo cual es bueno– o mezclamos el aceite de linaza con yogur desgrasado ("fat free") y un diente de ajo picado finamente. ¡Es delicioso! También usamos aceite de linaza en un aderezo casero para ensaladas. Existen muchas recetas que piden aceite de linaza. Recomendamos el recetario de cocina en inglés, *The Flax Cookbook: Recipes and Strategies for Getting the Most from the Most Powerful Plant on the Planet*, de Elaine Magee (Marlowe & Company).

► Cuando empezamos a buscar el aceite de linaza, fuimos a la sección refrigerada de nuestra tienda de alimentos naturales y encontramos el aceite de linaza de marca Barlean. *Vea* "Alimentos naturales y más" en la lista de la sección "Fuentes" en la página 331. Tiene todas las características que buscábamos, incluso una muy importante: "rico en lignanos". (Normalmente, los lignanos –los importantes fitoestrógenos que pueden ayudar a prevenir el cáncer– no están presentes en cantidades apreciables en la mayoría de los aceites de linaza).

Debido a que el aceite de linaza tiene fecha de vencimiento –es un aceite que puede ponerse rancio y debe mantenerse refrigerado– verificamos la fecha de "elaboración" ("pressing date") y la de "mejor consumir antes de" ("best before date"), asegurándonos que las fechas no excedan cuatro meses.

Su vida en equilibrio

Para quienes quieran saber más sobre los ácidos grasos esenciales del organismo, Jade Beutler, RRT, RCP, presidente de Lignan Research LLC en San Diego, y practicante licenciado en el cuidado de la salud, compartió algunos datos con nosotras.

La salud, la vida y la longevidad dependen de manera importante de un equilibrio delicado de dos nutrientes *esenciales*. El desequilibrio de estos nutrientes vitales es posiblemente la causa principal de muertes e incapacidades hoy en día en Estados Unidos.

Estos ácidos grasos son los omega-3, que se encuentran en abundancia en el aceite de linaza, y los omega-6, que se encuentran en gran cantidad de aceites procesados, entre ellos, el de maíz ("corn"), alazor ("safflower") y girasol ("sunflower"). Ambos han sido denominados nutrientes esenciales por la Organización Mundial de la Salud, con oficina central en Ginebra, Suiza. Como nutrientes *esenciales*, debemos obtener estos ácidos grasos esenciales directamente de los alimentos que consumimos o a través de suplementos nutricionales. El organismo no puede producirlos a partir de otros nutrientes.

Según Artemis P. Simopoulos, MD, presidente del Center for Genetics, Nutrition and Health en Washington, DC: "En el curso de la historia de la humanidad, los ácidos grasos omega-3 y omega-6 se han consumido en una proporción casi perfecta. Es decir, en una concentración de más o menos del 50/50.

"Durante millones de años, el consumo equilibrado de estos dos ácidos grasos esenciales ha establecido un delicado sistema de equilibrio en el cuerpo, el cual está a cargo del control de miles de funciones metabólicas –entre ellas, las funciones del sistema inmune, la comunicación celular, la sensibilidad a la insulina y la respuesta inflamatoria a la producción de hormonas y esteroides. Es imposible que la salud óptima se logre si hay desequilibrio entre los ácidos grasos omega-3 y omega-6 en el tejido de la persona".

Los métodos modernos malsanos

Explica el Sr. Beutler: "En los últimos 100 años, a partir de la revolución industrial, se ha desarrollado el procesamiento de las semillas que abundan en los aceites omega-6".

Anteriormente estos aceites se consumían moderadamente en la dieta, pero ahora se consumen desproporcionadamente en forma de aceite vegetal y en los alimentos fritos y procesados que contienen estos aceites.

Eliminar los ácidos grasos omega-3 de la cadena de alimentos empeora el problema. Los fabricantes de alimentos se dieron cuenta rápidamente que los ácidos grasos omega-3 disminuían enormemente el tiempo de preservación de uno a dos años que era deseado. Por lo tanto, los ácidos grasos omega-3 se han eliminado de los alimentos o se han evitado completamente.

Los métodos modernos de cría de animales requieren el uso predominante de semillas y aceites ricos en omega-6 con el propósito de *engordar* al ganado para carnicería. Como resultado, las carnes animales que anteriormente proporcionaron una fuente concentrada de omega-3 ahora contienen casi nada de omega-3, y están repletas de omega-6.

■ Receta ■

Galletitas de semillas de lino

1 taza de suero de leche
    ("buttermilk")

½ taza de puré de manzanas
    ("applesauce")

½ taza de aceite de oliva o de canola

2 huevos enteros (ó 4 claras de huevo)

1 cdta. de extracto de vainilla

1 taza de azúcar morena
    ("brown sugar")

½ taza de azúcar granulada

½ cdta. de sal

1 cdta. de bicarbonato de soda
    ("baking soda")

1 cdta. de canela ("cinnamon")

1 taza de pasas de uva ("raisins")
    y trocitos de chocolate
    ("chocolate chips"), combinados

1½ taza de harina común

1 taza de semillas de lino ("flaxseed"),
    molidas

3 tazas de avena de cocción rápida
    ("quick Quaker oats")

Precaliente el horno a 350ºF (175ºC). Mezcle y bata todos los ingredientes húmedos con la azúcar, la sal, el bicarbonato de soda y la canela. Agregue las pasas y los trocitos de chocolate, luego añada la harina, las semillas de lino y la avena. Si fuera necesario, agregue gradualmente más leche o agua para lograr una masa "húmeda". Ponga por cucharaditas en una bandeja para hornear ("cookie sheet") y hornee entre 15 y 18 minutos.

Fuente: Flax Institute of the United States

Las conclusiones y las consecuencias

Las investigaciones de Beutler lo han llevado a concluir que "el consumo masivo de ácidos omega-6 a expensas de los ácidos omega-3 ha creado un cambio drástico en la biofisiología humana".

Además, investigadores japoneses, después de revisar más de 500 estudios, concluyeron: "Las pruebas indican que el aumento en el consumo del ácido linoleico (omega-6) y la relativa deficiencia de omega-3 es un factor principal de riesgo a sufrir cánceres de tipo "occidental", enfermedades cardiovasculares y cerebrovasculares, y también de hiperreactividad alérgica. También debemos considerar la posibilidad de que una deficiencia relativa de omega-3 pueda afectar los patrones de comportamiento de una parte significativa de las generaciones jóvenes en los países industrializados".

Cómo lograr el equilibrio

El Dr. Simopoulos cree que al cuerpo humano le llevará un millón de años adaptarse al cambio drástico en el consumo de ácidos grasos omega-3 a omega-6 que ha ocurrido en los últimos 100 años.

"La consecuencia es clara —afirma el Sr. Beutler—, y también lo es la solución. Para evitar una enfermedad degenerativa segura, debemos cambiar conscientemente el equilibrio entre los omega-3 y los omega-6 complementando nuestra dieta con ácidos grasos omega-3".

Como mencionamos antes –el aceite de linaza contiene la más alta concentración de los esenciales ácidos grasos omega-3 de todas las fuentes del planeta.

ORGANIZACIONES
AmeriFlax
Esta asociación promueve la vida sana a través de productos derivados de las semillas de lino. La página Web (en inglés) es un tesoro de información sobre las semillas de lino –describe los beneficios de las semillas de lino, provee recetas, nombra lugares donde se pueden comprar los productos, proporciona información nutricional y más.

3015 Highway 25
Mandan, ND 58554
Teléfono 701-663-9799
Fax: 701-663-6574
www.ameriflax.com

Flax Institute of the United States
La página Web (en inglés) de este instituto provee información para cómo obtener semillas de lino, recetas que utilizan este alimento nutritivo, información sobre la labor del instituto y mucho más.

Department of Plant Sciences
North Dakota State University
Box 5051
Fargo, North Dakota 58105
Teléfono: 701-231-7973
www.ndsu.nodak.edu/flaxinst/

Flax Council of Canada
Esta organización provee datos sobre las semillas de lino para los consumidores, como también información más especializada para los nutricionistas, dietistas, productores de alimentos, fabricantes y cultivadores de lino (en inglés).

465-167 Lombard Ave.
Winnipeg, Manitoba
Canadá, R3B 0T6
Teléfono: 204-982-2115
Fax: 204-942-1841
www.flaxcouncil.ca/spanish/index.php

3. Ajo

Sabemos tanto del ajo, que escribimos un libro. Sí, ¡en serio! Se titula *Garlic: Nature's Super Healer* (Prentice Hall). En el libro, describimos cómo se puede utilizar el poder sanador del ajo para tratar más de 90 enfermedades.

El ajo es un antibiótico natural con propiedades antivirales, antimicóticas, anticoagulantes y antisépticas. Puede actuar como expectorante y descongestionante, antioxidante, germicida, agente antiinflamatorio, diurético y sedante, y se cree que contiene sustancias químicas que previenen el cáncer. También se dice que es afrodisíaco, pero para ese propósito debe encontrar una pareja que ame el ajo.

ATENCIÓN: No consuma ajo ni tome suplementos de ajo si tiene úlceras o un problema hemorrágico, o si está tomando anticoagulantes.

¿A qué se debe el olor?

Cuando se manipula un diente de ajo de alguna manera (ya sea cortar, picar, aplastar, machacar o triturar), se lleva a cabo un proceso muy complejo que produce la alicina, la cual se descompone espontáneamente en un grupo de compuestos olorosos. Esto también es lo que proporciona gran parte del poder medicinal del ajo.

Ajo hervido, ajo perdido

No existe ningún problema en cocinar con ajo, pero cuando el ajo se calienta, pierde parte de su poder curativo. Los expertos en ajo están de acuerdo en que el ajo *crudo* brinda el mayor beneficio como antibiótico y medicina preventiva.

⚡ **ATENCIÓN:** Comer mucho ajo crudo puede causar dolores de cabeza, diarrea, gases, fiebre y en casos extremos, hemorragia gástrica. ¡El ajo es poderoso! No lo consuma en exceso.

Ajo con lino, al poder de dos

▶ La forma más deliciosa y calmante de comer ajo crudo es mezclar un diente de ajo picado finamente con un poco de yogur desgrasado de sabor natural ("plain, nonfat yogurt") o con requesón sin grasa ("fat-free cottage cheese"). ¡Sí, sí, no lo dude, sabe bien!

Después de leer la información sobre el lino ("flax"), quizá le gustaría agregar al yogur o requesón, una cucharada de aceite de linaza ("flaxseed oil") para obtener una merienda (refrigerio) extremadamente saludable.

■ Receta ■

Ajo asado

Pele la piel externa de una cabeza de ajo fresco, dejando intactos los dientes y la cabeza. Ponga la cabeza sobre un pedazo doble de papel de aluminio ("aluminum foil"). Ponga por encima una cucharadita de mantequilla y una ramita de romero ("rosemary") u orégano frescos (ó ¼ cucharadita de una de esas hierbas secas). Envuelva y cierra. Hornee a 375°F (190°C) entre 55 y 60 minutos. Presione los dientes de ajo para quitar la piel y descártela. Esparza el ajo sobre pan crujiente.

Fuente: The Gutsy Gourmet

Cómo comprar ajo

◆ Compre bulbos (cabezas) de ajo sueltos, y no empaquetados, para poder tocarlos y examinarlos.

◆ La cáscara muy finita del exterior debe estar firme e intacta.

◆ Tenga cuidado con brotes verdes, decoloración, moho, descomposición (verifique que no hayan partes blandas) o partes secas o marchitas. Cuando el ajo se pone viejo, se seca, su sabor se disipa y se pone amargo.

◆ Busque bulbos gorditos, sólidos y pesados por su tamaño.

◆ Un bulbo contiene entre ocho y 40 dientes. El promedio es alrededor de 15 dientes. Busque bulbos con dientes grandes, los cuales son más fáciles de pelar.

Anna Maria Clement, codirectora y jefa administradora de la salud del Hippocrates Health Institute en West Palm Beach, Florida, recomienda una variante. Sugiere agregar revolviendo una cucharada de semillas de lino molidas a un vaso de agua y dejarlo estar toda la noche. Por la mañana, el agua de semillas de lino tendrá una consistencia viscosa. Revuelva y bébala. Esto protegerá su estómago y así podrá comer uno o dos dientes de ajo crudos.

Cómo evitar el aliento a ajo

▶ Mientras más investigamos y escribimos acerca de los beneficios del ajo, ¡más ajo queremos comer! Y encontramos una manera de comerlo sin andar con aliento a ajo. Picamos finamente los dientes de ajo y lo tomamos con un poco de agua o jugo de naranja. Mientras no mastiquemos los pedacitos de ajo, el olor no afecta

■ Receta ■

Puré de batatas con ajo

5 libras (2¼ kilos) de batatas
   (boniatos, camotes, papas
   dulces, "sweet potatoes", "yams")
   –alrededor de 8– asadas
2 cabezas de ajo, asadas (*vea* la receta
   en la página anterior)
1 cdta. de aceite de oliva
1 taza de margarina de soja
   ("soy margarine")
1 taza de leche
3 tazas de caldo vegetariano de pollo
   ("vegetarian chicken broth")
   –que se puede comprar en las
   tiendas de alimentos naturales
Sal y pimienta a gusto

Corte las batatas en mitades, separe la pulpa de la piel y coloque en un bol. Extraiga presionando la pulpa del ajo asado, échela sobre las batatas y haga un puré con aceite de oliva. Agregue la margarina, la leche y suficiente caldo para lograr una consistencia liviana. Condimente con sal y pimienta, y sirva. Rinde 6 porciones.

Fuente: Garlic: Nature's Super Healer

■ Receta ■

Pasta con "zucchini" y ajo asado

1 libra (450 g) de fideos (pasta)
   "rotini" o en forma de tornillos
   o espirales, sin cocinar
8 dientes de ajo, pelados
½ cdta. de tomillo ("thyme") seco
½ cdta. de romero ("rosemary"),
   triturado
2 cdas. de aceite vegetal
3 calabacitas "zucchini" medianas,
   ralladas gruesas (alrededor
   de 5 ó 6 tazas)
Sal y pimienta molida a gusto

Precaliente el horno o el horno/tostador ("toaster oven") a 450°F (230°C). Ponga el ajo sobre un pedazo cuadrado de 12" (30 cm) de papel de aluminio colocado sobre la mesada. Espolvoree el tomillo y el romero por encima del ajo. Luego vierta el aceite sobre el ajo y las especias. Levante los bordes del papel de aluminio, haga un paquete y cierre. Hornee 20 minutos.

Mientras el ajo se asa, cocine la pasta, según las indicaciones del paquete. Dos minutos antes de que la pasta esté cocida, agregue las calabacitas "zucchini" al agua de la pasta. Cocine 2 minutos, luego escurra.

Cuando el ajo esté asado, abra el paquete de papel de aluminio, y haga puré del ajo y las especias con una cuchara. Agregue, revolviendo, la mezcla a la pasta con calabacitas, luego condimente con sal y pimienta a gusto. Rinde 4 porciones.

Fuente: Garlic: Nature's Super Healer

el aliento. Masticar una ramita fresca de perejil ("parsley") también ayuda.

También puede añadir un diente de ajo finamente picado a yogur o crema agria ("sour cream"). Es delicioso de esa forma y nadie sabrá que ha comido ajo crudo recientemente.

▶ Brian R. Clement, director del Hippocrates Health Institute, recomienda comer una manzana antes de comer ajo. Mastíquela completamente, permitiendo que la pectina de la manzana recorra toda su boca antes de tragarla. Después ingiera un diente de ajo crudo. No debería sentir ningún ardor, gracias a las enzimas y pectina de la manzana.

▶ El ajo picado finamente en puré de manzanas es una manera sabrosa de comer ajo crudo sin inconvenientes.

▶ Una forma rápida y fácil de pelar un diente de ajo es aplastarlo con un objeto sin filo –el costado de un cuchillo pesado, un rodillo de cocina o la base de una jarra.

▶ También puede espolvorear ajo crudo, finamente picado, por encima de una ensalada o preparar un aderezo con él.

Cómo guardar el ajo

Guarde las cabezas de ajo lejos de fuentes de calor como el horno o el sol. Un lugar frío, seco y oscuro es ideal, y en un recipiente abierto, una vasija de barro con huecos de ventilación o una bolsa de red que permita que el aire circule a su alrededor.

No congele ajos crudos. Su consistencia se desintegrará y emitirá un olor desagradable, distinto al del ajo.

Las preparaciones caseras que contienen ajo en aceite deben refrigerarse. Coloque la fecha en una etiqueta. ¡No las mantenga por más de dos semanas! El aceite rancio puede ser peligroso.

Suplementos de ajo

No debe elegir las marcas de los suplementos de ajo basándose en impresionantes campañas de publicidad, ya que las píldoras caras no son necesariamente mejores.

"Efectivamente, los consumidores de suplementos de ajo deben tener cuidado",

■ Receta ■

Sopa de ajo

3 tazas de caldo de vegetales
("vegetable broth")
1 cabeza de ajo, pelada
2 papas, cortadas en cubitos
1½ taza de zanahorias, picadas
½ taza de leche evaporada
("evaporated milk") enlatada,
más ½ taza de agua, combinadas
Pimienta molida y salsa picante a gusto

Cocine a fuego lento el caldo, el ajo, las papas y las zanahorias por 20 minutos. Haga puré en un procesador de alimentos cuando se haya enfriado. Condimente con la pimienta molida y la salsa picante, luego agregue suficiente cantidad de la mezcla de leche y agua para lograr la consistencia de sopa deseada. Caliente y sirva con crotones.

Fuente: Garlic: Nature's Super Healer

afirma Elizabeth Somer, MA, RD, una dietista y nutricionista reconocida a nivel nacional. "Algunos productos de ajo contienen 33 veces más de ciertos compuestos que otros productos de ajo. A menos que la etiqueta dé las cantidades específicas (por cápsula o tableta) de los ingredientes activos, como la alicina ('allicin'), S-alil-cisteína ('S-allyl-cysteine'), ajoeno ('ajoene'), dialiltiosulfinato ('dialyl sulfides') o al menos el contenido total de sulfuro (azufre, 'sulfur'), entonces se supone que el producto tiene 'grado de condimento' y no es mejor o peor que el aderezo de ajo en polvo –sólo más caro". Pensamos que es importante que la etiqueta diga "alicina" o "posibilidad de alicina" y que nombre uno o más de los otros ingredientes activos.

El difunto Varro E. Tyler, decano emérito y profesor de farmacognosia (medicamentos hechos con fuentes naturales) de la facultad de farmacología de la Universidad Purdue en West Lafayette, Indiana, nos dijo que los suplementos de ajo en cápsulas *con cubiertas protectoras* ("enteric coated") son recomendados para una máxima absorción de alicina. Un suplemento en cápsula con cubierta resiste los efectos de los ácidos gástricos y permite que las enzimas intestinales lo disuelvan, y así obtener todos los beneficios del suplemento. Verifique que la etiqueta diga "enteric coated", además de "alicina" ("allicin").

ORGANIZACIONES
The Garlic Seed Foundation
Esta es una asociación para personas a quienes les encanta el ajo –cultivarlo, comercializarlo y comprobar su durabilidad como cultivo. La fundación mantiene un sitio Web que provee las fechas y lugares de los festivales del ajo en todo el país, y publica un boletín para los fanáticos del ajo.

>c/o Rose Valley Farm
>Rose, Nueva York 14542-0149
>Teléfono: 315-587-9787
>*www.garlicseedfoundation.info*

Gilroy Garlic Festival Association, Inc.
Localizada en California, el estado líder del cultivo de ajo, esta asociación en la ciudad de Gilroy beneficia a instituciones de caridad locales con su festival anual del ajo.

>Box 2311
>7473 Monterey St.
>Gilroy, California 95020
>Teléfono: 408-842-1625
>*www.gilroygarlicfestival.com*

American Botanical Council
Esta distinguida organización internacional de investigación promueve el uso seguro y beneficioso de la medicina herbaria por medio de la educación. ¡Una gran fuente de información!

>6200 Manor Rd.
>Austin, Texas 78723
>Teléfono: 512-926-4900
>Fax: 512-926-2345
>*www.herbalgram.org*

Herb Research Foundation
Esta es la mejor fuente del mundo para obtener datos científicos fidedignos sobre el beneficio y la seguridad de las hierbas –incluido el ajo.

>4140 15th St.
>Boulder, Colorado 80304
>Teléfono: 303-449-2265
>Para dejar mensajes: 800-748-2617
>Fax: 303-449-7849
>*www.herbs.org*

Gourmet Garlic Gardens
Para la persona interesada en aprender más acerca del ajo, este sitio de Internet contiene artículos de todo tipo, desde consejos para cultivar el ajo hasta los efectos del ajo en el cuerpo humano. Además, ofrece enlaces en los que los consumidores pueden solicitar distintos tipos de ajo y otros productos relacionados con el ajo.

>12300 FM 1176
>Bangs, Texas 76823
>Teléfono: 325-348-3049
>*www.gourmetgarlicgardens.com*

LIBRO EN INGLÉS

Garlic: Nature's Super Healer, de Joan Wilen y Lydia Wilen. Prentice Hall.

4. Jengibre

¿Para qué son los amigos? Para compartir sus experiencias con usted y sus lectores –eso es, si tiene la suerte de tener como amigo a alguien como Paul Schulick, maestro herbario, fundador y presidente de NewChapter (*www. new-chapter.com*) en Brattleboro, Vermont, y un renombrado experto en jengibre, uno de nuestros Seis Superalimentos maravillosos. *Él nos contó esta historia…*

"Doctor —dice el paciente imaginario—, tengo varios problemas muy serios". El médico escucha atenta y compasivamente (recuerde, esta es una conversación imaginaria) mientras el paciente enumera sus afecciones.

"Doctor, creo que tengo parásitos que me provocan náuseas todo el tiempo. Además, en mi familia hay un historial de cáncer de colon y yo tengo un poco de sangre en mis excrementos. Y supongo que pudiera soportar todo eso, pero me siento afiebrado, y las articulaciones me duelen constantemente. Comencé este año midiendo 5' 7" (1,70 m), y creo que me estoy encogiendo. También tengo el colesterol alto y estaba tomando aspirinas para evitar los coágulos de sangre, pero me dañaron el estómago. ¡Creo que ahora tengo úlceras! Doctor, ¿Qué debo tomar? Y no me recete muchos medicamentos, porque mi memoria no es lo que era anteriormente".

El médico escucha al paciente y después le habla sobre el poder medicinal de una hierba que podría ser la respuesta a todos sus problemas. Le cuenta la historia de *Zingiber officinale,* comúnmente conocida como "jengibre" ("ginger"). Esta hierba común, que es en realidad una rizoma (raíz comestible), tiene propiedades sanadoras bien documentadas científicamente. El médico le dice al paciente

■ Receta ■

Galletitas de jengibre divinas

1 cdta. de bicarbonato de soda
("baking soda")
½ taza de agua hirviendo
1 taza de azúcar granulada
1 taza de mantequilla derretida
½ cdta. de sal
1 taza de melaza oscura
("dark molasses")
½ cdta. de jengibre ("ginger")
½ cdta. de clavos de olor ("cloves")
1 cdta. de canela ("cinnamon")
1 huevo
3 tazas de harina

Disuelva el bicarbonato de soda en el agua hirviendo. Mezcle todos los otros ingredientes. Forme un rollo delgado con la masa. Corte la masa con un cortador de galletitas ("cookie cutter"). Hornee a 325°F (165°C) hasta que estén un poco doradas. Vigílelas… estas galletitas se doran rápidamente.

Fuente: www.recipegoldmine.com

que escuche, pero que no se preocupe en memorizar las características. *Ellas son…*

◆ Antiparasitaria (contra esquistosomia de Manson, anisakis y dirofilaria immitis).

◆ Antibacteriana (contra estafilococo ["staph"], E. coli, salmonela y estreptococo ["strep"]) y antiviral.

◆ Antiemético (para aliviar las náuseas) más eficaz que el medicamento recetado metoclopramide.

¿Sabía usted que...?

El jengibre incrementa la potencia curativa de otras hierbas, por lo cual es valioso usarlo con té verde, equinácea ("echinacea"), ginseng y kava.

Recientemente, un extracto de jengibre llamado "Supercritical Extract" a salido a la venta, el cual le permite consumir una concentración poderosa y pura (hasta 250:1) de los compuestos sanadores.

Vea la página 301 para mayor información sobre las formas y dosis.

◆ Antimutagénico (prevención del cáncer) contra cánceres relacionados con COX-2 (como el de colon, páncreas, piel y esófago), leucemia y factores de crecimiento de tumores múltiples.

◆ Equilibra y regula las hormonas que causan inflamación y que son relacionadas con la artritis.

◆ Equilibra y regula la enzima 5-lipoxigenasa, que está relacionada con el cáncer de mama y de próstata, reabsorción ósea (osteoporosis) y afecciones inflamatorias. (Se han identificado 22 inhibidores 5-lipoxigenasa).

◆ Inhibe la coenzima COX-2 relacionada con la inflamación del cerebro y con la muerte neuronal de la enfermedad de Alzheimer. (Se conocen tres inhibidores COX-2 –melatonina, kaempferol y curcumina).

◆ Es un poderoso antioxidante que intensifica la potencia de otros antioxidantes. Contiene al menos 12 componentes antienvejecimiento que desactivan los destructivos radicales libres.

◆ Curador de heridas y antiulceroso. Contiene más componentes sanadores de heridas que cualquier otro producto botánico.

◆ Afrodisíaco.

◆ Antihistamínico.

◆ Poderosa enzima digestiva –el jengibre contiene 180 veces más potencia digestiva de proteínas que la papaya.

◆ Aumenta el desarrollo de bacterias benéficas en el intestino grueso, específicamente Lactobacillus plantarum, en un factor de cinco.

◆ Regula el tromboxano, la hormona que agrupa las plaquetas en la sangre y estimula la coagulación de la sangre, protegiendo de esta manera contra ataques al corazón y al cerebro (apoplejías y derrames cerebrales). En este aspecto es mejor que el ajo.

◆ Revierte la inflamación relacionada con la artritis reumatoidea más eficazmente que los medicamentos recetados, según investigaciones médicas internacionales.

◆ Aumenta la secreción de bilis para mejorar el metabolismo de las grasas.

◆ Disminuye el colesterol en suero ("serum cholesterol").

◆ Contiene 11 componentes sedantes, más que cualquier otra especia.

El paciente queda asombrado. "¿Quiere decirme que *un medicamento* puede hacer todo eso?"

El médico le contesta: "No, no estoy hablando de un medicamento. Recuerde, soy un médico raro que es receptivo al poder fitomedicinal de la curación botánica. Estoy hablando del 'jengibre', que definitivamente

■ Receta ■

Vinagreta con jengibre y cebolla

¼ taza de aceite de oliva extra virgen
("extra-virgin olive oil")

1 taza de puerros ("leeks") blancos,
cortados en tiritas finas

1 cebolla roja pequeña, picada finamente

12 cebollas verdes ("green onions")
frescas, cortadas en tajadas finas

1 cdta. de ajo fresco en aceite,
picado finamente

2 chalotes ("shallots") medianos,
pelados y picados finamente

1 taza de vinagre de vino tinto
("red wine vinegar")

1 taza de caldo de pollo ("chicken stock",
"chicken broth")

1 cdta. de jengibre ("ginger") fresco,
pelado y picado finamente

1 cdta. de jengibre cristalizado
("crystallized ginger"),
picado finamente

2 tazas de mayonesa

Sal "kosher" a gusto

Pizca de pimienta negra partida

Caliente el aceite de oliva en una sartén grande. Cuando el aceite esté caliente, saltee los puerros, la cebolla roja y las cebollas verdes, el ajo y los chalotes hasta que estén medio cocidos. Retire del fuego, luego agregue el vinagre. Vuelva a poner al fuego, lo que ayudará a desprender las piezas pegadas a la sartén. Agregue el caldo de pollo, el jengibre fresco y el cristalizado, y haga hervir la mezcla. Cocine hasta que el líquido se reduzca a la mitad. Retire del fuego y deje enfriar a temperatura ambiente por lo menos de 15 minutos.

En un bol grande combine la mezcla cocida y los ingredientes restantes. Pruebe. Si tiene demasiado vinagre, agregue un poco de azúcar. También puede añadir sal y pimienta a gusto.

Fuente: www.recipegoldmine.com

NO es un medicamento. Un medicamento tiene una molécula sintética, y el jengibre tiene por lo menos 477 componentes naturales que trabajan juntos para promover la curación segura y equilibrada".

Es posible que esta conversación nunca haya ocurrido en el consultorio de su médico, pero la gente habla mucho del jengibre. Esta popularidad se la merece desde hace mucho tiempo. Durante miles de años, el jengibre ha sido considerado por la medicina Ayur Veda como *"vishwabhesaj"*, la medicina universal. Se ha dicho que el legendario sabio y filósofo chino Confucio (551-479 AC) consideraba que una comida no estaba completa si no tenía jengibre... fue considerado el Alka-Seltzer del imperio romano... y fue tan valioso para los comerciantes árabes que a los compradores se les decía que el jengibre provenía del reino mítico de Xanadú, con el fin de ocultar su verdadero origen. Y además, su sabor vigorizante ha estimulado paladares y calmado estómagos durante miles de años. El jengibre de alta calidad sigue siendo un producto cotizado.

■ Receta ■

"Tofu" salteado con salsa de jengibre

Salsa de jengibre

6 cdas. de vinagre de arroz ("rice vinegar")

6 cdas. de azúcar granulada

¾ taza más 1 cda. de agua

2 cdas. de salsa de soja ("soy sauce")

1 cdta. de maicena (fécula de maíz, "cornstarch")

1 cda. de raíz de jengibre ("gingerroot"), picada finamente

En una cacerolita combine el vinagre, la azúcar, ¾ taza de agua y la salsa de soja. Haga hervir, reduzca el fuego a lento y cocine, revolviendo de vez en cuando, durante 5 minutos.

Mientras tanto, combine en un bol pequeño la maicena y 1 cucharada de agua y agregue a la salsa, revolviendo. Cocine, revolviendo, hasta que se espese y no tenga grumos. Retire la cacerolita del fuego, y agregue el jengibre, revolviendo. Rinde 1 taza de salsa.

"Tofu"

½ libra (225 g) de "tofu" firme

½ taza de harina sin blanquear ("unbleached flour")

2 cdas. de germen de trigo ("wheat germ"), tostado

½ cdta. de tomillo ("thyme")

¼ cdta. de eneldo ("dill weed")

¼ cdta. de ajo en polvo ("garlic powder")

¼ cdta. de paprika (pimienta húngara)

¼ cdta. de pimienta negra

1 huevo entero (ó 2 claras de huevo)

1 cda. de leche

3 gotas de salsa de pimentón rojo picante ("hot pepper sauce")

2 cdas. de aceite de alazor (cártamo, "safflower")

Mientras la salsa de jengibre se cocina a fuego lento, corte el "tofu" en cuadraditos de 1" (2 cm) con un grosor de aprox. ¼" (6 mm). Deje a un lado. En un bol mediano combine la harina, el germen de trigo y las especias.

En otro bol bata ligeramente el huevo. Agregue la leche y la salsa de pimentón. Caliente el aceite en una sartén grande. Sumerja uno por uno los trozos del "tofu" en la harina, luego en la mezcla de huevo y de nuevo en la harina. Saltee hasta que esté ligeramente dorado alrededor de 3 minutos por cada lado.

Sirva tibio, en una fuente para servir acompañado de tenedores pequeños o palillos (mondadientes) y un bol de la salsa de jengibre. Alrededor de la fuente distribuya hojas de lechuga rizada ("curly lettuce") o ramitas grandes de perejil ("parsley sprigs"). Rinde 4 a 6 porciones.

Fuente: www.recipegoldmine.com

Formas y dosis

Hay varias maneras de disfrutar los beneficios del jengibre. El jengibre fresco es delicioso, pero es importante usar jengibre orgánico, ya que el jengibre *convencional* (generalmente descrito como *cultivado químicamente* o "chemically grown") frecuentemente ha sido fumigado.

► El jengibre se puede comprar seco o molido, lo cual es una excelente forma de obtener los beneficios intestinales para digerir proteínas de esta hierba rica en fibra. También se pueden comprar extractos del jugo de jengibre fresco, para preparar té caliente o frío o gaseosas de jengibre "ginger ale".

Pero lo más importante, es que el jengibre orgánico debe formar parte de su vida diaria, ya que es simplemente uno de los mejores tónicos diarios (tal vez el mejor) que provienen del mundo botánico.

ORGANIZACIONES
American Botanical Council

Esta distinguida organización internacional de investigación promueve el uso seguro y beneficioso de la medicina herbaria por medio de la educación. ¡Una gran fuente de información!

> 6200 Manor Rd.
> Austin, Texas 78723
> Teléfono: 512-926-4900
> Fax: 512-926-2345
> *www.herbalgram.org*

Herb Research Foundation

Esta es la mejor fuente para obtener datos científicos fidedignos sobre el beneficio y la seguridad de las hierbas –incluido el jengibre.

> 4140 15th St.
> Boulder, Colorado 80304
> Teléfono: 303-449-2265
> Para dejar mensajes: 800-748-2617
> Fax: 303-449-7849
> *www.herbs.org*

The Ginger People

Este sitio de Internet fue creado por Royal Pacific, una innovadora empresa productora de jengibre, dedicada a la calidad y la conciencia ambiental. Aprenda todo acerca del jengibre y obtenga información relacionada, recetas, productos, consejos y más.

> 2700 Garden Rd., Suite G
> Monterey, California 93940
> Teléfono: 800-551-5284
> Fax: 831-645-1094
> *www.gingerpeople.com*

5. Nueces

Durante muchos años, nosotras no comimos nueces. Siempre nos gustaron las nueces, pero temíamos su contenido muy alto de grasas. Pero un día a mediados de los años 90, leímos un artículo que resaltaba las propiedades curativas de las nueces –grasa y todo. ¡Qué sorpresa tan maravillosa! El artículo informaba sobre los hallazgos de un equipo de investigación de la facultad de sanidad pública de la Universidad de Loma Linda en California.

Llamamos inmediatamente a la universidad y, por suerte, el Dr. Joan Sabaté, MD, DrPH, profesor y jefe del departamento de nutrición de la facultad, y director del equipo, estuvo dispuesto a compartir sus investigaciones.

Resultado de los estudios

Comenzando a mediados de los años 70, un equipo de epidemiólogos en Loma Linda siguió los hábitos alimenticios de más de 25.000 miembros de la Iglesia Adventista del Séptimo Día. Después de 10 años, los investigadores determinaron que había un alimento en común relacionado con la buena salud –las nueces.

El Dr. Sabaté nos dijo: "Los resultados no podían haber sido más contundentes. Aquellos que comieron nueces habitualmente –cinco o más veces por semana– tuvieron la mitad de posibilidades de sufrir un ataque al corazón o morir de enfermedades del corazón que las personas que las comieron muy pocas veces, o nunca. Comer nueces tan sólo entre una y cuatro veces por semana disminuyó el riesgo al corazón en un 25%". Además, afirmó que no importó si la persona fuese flaca o gorda, joven o mayor, activa o sedentaria.

El Dr. Sabaté condujo su propio estudio con dos grupos de personas. Ambos grupos siguieron una dieta típica para bajar el colesterol recomendada por la American Heart Association (*www.americanheart.com*) –el tipo de dieta que los médicos suelen recomendar.

Además de los alimentos que estaban permitidos en la dieta, un grupo comió entre dos y tres onzas (55 y 85 g) de nueces ("walnuts") todos los días y el otro grupo no comió nueces. Los niveles de colesterol bajaron en ambos grupos, pero en mayor cantidad en los comedores de nueces, cuyos niveles de colesterol disminuyeron 22 puntos en unas pocas semanas.

Se han realizado muchos estudios sobre los efectos de las nueces –un estudio de almendras ("almonds") en el Health Research and Studies Center en Los Altos, California... un estudio de nueces ("walnuts") en la Universidad de California en San Francisco... el estudio de enfermeras dirigido por la facultad de sanidad pública de la Universidad Harvard en Boston, Massachusetts, que siguió a 86.000 enfermeras... un estudio de la salud de 22.000 médicos en la Universidad Harvard... otro estudio con 31.000 personas vegetarianas... y otro con 40.000 mujeres posmenopáusicas.

Todos los resultados apuntan hacia la misma conclusión: ¡Las nueces son un Superalimento sanador!

Beneficios para la salud de las nueces

Todas las nueces contienen flavonoides, los cuales son potentes antioxidantes que ayudan a proteger al cuerpo contra el cáncer y las enfermedades del corazón.

Las nueces son una de las mejores fuentes de vitamina E. Además, contienen las vitaminas del complejo B –tiamina, niacina, ácido fólico y riboflavina. Muchas nueces son ricas en potasio, que se necesita para ayudar a regular

■ Receta ■

"Muffins" maravillosos de maíz, avellanas y salvado

1 taza de leche
½ taza de copitos de salvado ("bran flakes")
¼ taza (½ barra o "stick") de mantequilla
3 cdas. de azúcar morena ("brown sugar")
1 huevo, a temperatura ambiente
1 cdta. de aceite
1 taza de harina blanca
½ taza de harina de maíz ("cornmeal")
½ taza de avellanas ("hazelnuts"), asadas y picadas
2 cdtas. de polvo de hornear ("baking powder")
½ cdta. de sal

En un bol mediano combine la leche y los copitos de salvado, y deje reposar a temperatura ambiente 8 horas o toda la noche. Precaliente el horno a 400°F (200°C). Engrase 12 moldecitos para "muffins" de 2½" (7 cm). Bata la mantequilla con la azúcar en un bol grande. Agregue, revolviendo, el huevo y el aceite; mezcle bien. Incorpore la harina, la harina de maíz, las avellanas, el polvo de hornear, la sal y la mezcla de salvado hasta que los ingredientes secos estén apenas húmedos. Distribuya la preparación en los moldecitos para "muffins". Hornee alrededor de 20 ó 25 minutos o hasta que un palillo (mondadientes) salga limpio al ser insertado. Deje enfriar 7 minutos.

Rinde 12 "muffins".

Fuente: Oregon Hazelnut Industry

▪ Receta ▪

Cazuela de "macaroni" con nueces

1 cda. de sal

8 onzas (225 g) de fideos coditos
("elbow macaroni")

2 tazas –1 lata de 16 onzas (450 g)–
de tomates enlatados

½ cdta. de bicarbonato de soda bajo en
sodio ("low-sodium baking soda")

1 taza –1 lata de 8 onzas (225 g)– de salsa
de tomate ("tomato sauce")

1¼ taza de requesón bajo en grasa
("low-fat cottage cheese")

¼ taza de queso parmesano rallado

1 paquete de 10 onzas (280 g) de
espinaca picada congelada ("frozen
chopped spinach"), descongelada y
a la que se le haya sacado el líquido

1½ taza de guisantes (arvejas, chícharos,
"peas") congelados, descongelados

1 cdta. de albahaca ("basil") seca

½ cdta. de pimienta

¾ taza de nueces ("walnuts") tostadas*,
picadas

2 cdas. de perejil ("parsley"), picado

Sal a gusto

Precaliente el horno a 350°F (175°C). Haga hervir unos 6 cuartos de galón (6 litros) de agua con 1 cda. de sal. Agregue los fideos "macaroni" y cocine, revolviendo ocasionalmente, alrededor de 8 minutos o hasta que estén cocidos.

Mientras los fideos se cocinan, ponga los tomates y su jugo en un bol grande. Agregue el bicarbonato de soda y, con sus dedos o con un tenedor, parta los tomates en pedazos pequeños. Agregue, revolviendo, la salsa de tomate. Añada el requesón, el queso parmesano, la espinaca, los guisantes, la albahaca y la pimienta, y revuelva para combinar. Deje a un lado.

Cuando los fideos estén cocidos, escurra bien en un colador. Agregue a la mezcla de queso, mezcle bien revolviendo, luego vierta en una fuente para hornear de 2 cuartos de galón bien engrasada.

Cubra la fuente con papel de aluminio ("aluminum foil") y hornee la cazuela 20 minutos. Luego quite el papel de aluminio y hornee 10 minutos más. Agregue las nueces, revolviendo, y espolvoree con el perejil. Rinde 6 porciones.

*Tostar las nueces es opcional

Fuente: Walnut Marketing Board

---

la presión sanguínea y el ritmo cardiaco. Las nueces también son una buena fuente de minerales que combaten la fatiga y el estrés, como el hierro, magnesio y zinc. Las almendras y las pecanas ("pecans") son particularmente ricas en magnesio... los anacardos ("cashews") y las pecanas son ricas en zinc.

Las nueces están llenas de los antioxidantes selenio y cobre. Las nueces del Brasil (castañas de monte, "Brazil nuts") son particularmente ricas en selenio... los anacardos, las avellanas (conocidas en inglés como "filberts" y "hazelnuts") y las nueces ("walnuts") son ricas en cobre.

En los siglos XVI y XVII, se pensaba que ciertos alimentos ayudaban a sanar las partes del cuerpo a las que se parecían. Por lo tanto, nuestros ancestros creían que las nueces ayudaban a la cabeza y al cerebro. Tal vez tenían razón –resulta que muchos tipos de nueces

■ Receta ■

Tortitas de cangrejo

1 libra (450 g) de carne de cangrejo
   ("crabmeat"), seleccionada

2 claras de huevo

1 yema de huevo

¾ libra (350 g) de puré de papas
   (se puede usar instantáneo)

⅓ taza de cebolla roja o cebollín
   ("chives") picado

Pizca de sal

½ taza de nueces ("walnuts"), picadas

1 taza de pan rallado ("bread crumbs")

En un bol combine el cangrejo, las claras y la yema de huevo, el puré de papas, la cebolla o cebollín, la sal, ¼ taza de las nueces picadas y ½ taza del pan rallado. Forme 8 tortitas con la mezcla. Mezcle la ½ taza de pan rallado y las nueces picadas restantes. Recubra las tortitas de cangrejo con la mezcla de pan rallado. Cocine a fuego mediano en una sartén ligeramente untada con aceite.

Sirva acompañadas de gajos de limón o con condimento de tomate fresco ("tomato relish") hecho con pimientos (ajíes, "peppers") amarillos y verdes picados, cebolla roja y tomates sin semillas y cortados en cubitos, condimentado a gusto. También puede sustituir con "salsa mexicana" ya preparada.

Fuente: Walnut Marketing Board

contienen cobre, un mineral esencial para el mantenimiento del sistema nervioso y la actividad cerebral.

La mayoría de las nueces también contienen algo de calcio, pero las almendras contienen más que cualquier otra nuez. Las nueces del Brasil y las avellanas también contienen cantidades considerables de calcio.

Una onza (30 g) de nueces le provee la misma cantidad de fibra que dos rebanadas de pan integral. Las almendras contienen más fibra que cualquier otra nuez.

La proteína de las nueces está repleta del aminoácido *arginina*, que se sabe que protege las arterias y previene la formación de coágulos sanguíneos.

Las nueces contienen sustancias fitoquímicas (*fitoesteroles* que ayudan a disminuir el colesterol, y se piensa que protegen contra el cáncer de colon)... antioxidantes (que ayudan a proteger contra el cáncer y las enfermedades del corazón)... *saponinas* (que ayudan a disminuir el colesterol y también demuestran evidencia de tener propiedades anticancerígenas)... y fitato o ácido fítico (que se ha demostrado que protegen contra el cáncer de colon).

Aquí tiene otros datos interesantes sobre las nueces...

◆ El árbol alimenticio más viejo que se conoce es el nogal (el árbol de la nuez). Proviene del año 7.000 AC.

◆ La nuez con el mayor contenido de grasa (más del 70%) es la pecana ("pecan").

◆ La cáscara de los anacardos ("cashews") es gruesa, con una textura similar al cuero y contiene un aceite marrón negrizo que causa erupciones en la piel humana similares a las causadas por la hiedra venenosa.

◆ Las nueces del Brasil tienen la cáscara más dura de todas las nueces. Antes de romperla –o cualquier nuez de cáscara dura– póngala en el congelador por seis horas. El congelamiento profundo hace que la cáscara se quiebre más fácilmente.

♦ Los maníes (cacahuates, "peanuts") son, en realidad, legumbres (relacionados con los frijoles y guisantes), pero son similares a las nueces en cuanto a sus propiedades nutritivas.

♦ Las nueces con sus cáscaras se mantienen frescas el doble de tiempo que las nueces sin cáscara. Si se mantienen crudas, sin cáscara, en un lugar fresco y seco, las nueces pueden durar de seis meses a un año. ¿Pero por qué querría mantenerlas por tanto tiempo? ¡Cómalas ahora!

Dosis

Las nueces nos han ayudado a considerar las grasas de otra manera. Sabemos ahora que existen grasas buenas –las grasas no saturadas– que se encuentran en las semillas de lino, los pescados de agua fría, el aguacate y por supuesto, en las nueces.

El Dr. Sabaté nos dijo que comer una o dos onzas (entre 30 y 55 g) ya sea de almendras, anacardos, pistachos, nueces o maníes, cinco veces a la semana mantiene saludable al corazón.

Cómo comer nueces

▶ Asegúrese de que las nueces estén crudas, a excepción de los maníes. (La mayoría de las recetas que incluimos aquí piden nueces cocidas o asadas… estas meriendas y refrigerios deben consumirse con moderación). Son siempre preferibles las nueces cultivadas orgánicamente.

■ Receta ■

Pizza de cuatro quesos con pecanas

1 costra para pizza ("pizza crust") preparada de 12" (30 cm)

1 cda. de aceite de oliva

2 cebollas grandes, cortadas en rodajas

3 cdas. de queso de cabra ("goat cheese"), ablandado

3 cdas. de queso crema ("cream cheese"), ablandado

½ taza de queso "feta", desmenuzado

1 taza de queso "mozzarella", rallado

⅔ taza de pecanas ("pecans"), picadas en trozos gruesos

Perejil ("parsley") picado para decorar

Precaliente el horno a 450°F (230°C). Coloque la costra para pizza en una bandeja para hornear ("cookie sheet"). Caliente el aceite en una sartén. Agregue las cebollas y cocine a fuego lento hasta que estén acarameladas, alrededor de 20 minutos. Deje enfriar un poco. Mezcle el queso de cabra y el queso crema, y esparza sobre la costra. Luego distribuya las cebollas cocidas por encima del queso. Espolvoree los quesos "feta" y "mozzarella" por encima de las cebollas, y ponga las pecanas por encima. Hornee alrededor de 5 minutos o hasta que el queso se derrita.

Espolvoree el perejil por encima antes de servir. Corte en 6 cuñas. Rinde 2 a 3 porciones.

Fuente: National Pecan Shellers Association

■ Receta ■

Camarones con anacardos

1 libra (450 g) de camarones ("shrimp")
    medianos
1 cda., más 1 cdta., de maicena
    (fécula de maíz, "cornstarch")
¼ cdta. de azúcar granulada
¼ cdta. de bicarbonato de soda
¼ cdta. de sal
⅛ cdta. de pimienta
½ taza de aceite vegetal
½ taza de cebollas, picadas
¼ taza de pimientos dulces (ajíes,
    "peppers") rojos, picados
1 diente de ajo
1 taza de calabacita "zucchini",
    sin pelar y picada
3½ tazas de arroz cocido
¾ taza de anacardos ("cashews")
Pimientos dulces (ajíes, "peppers")
    rojos, cortados en anillos

Corte los camarones en mitades a lo largo. Combine la maicena, la azúcar, el bicarbonato de soda, la sal y la pimienta. Mezcle bien. Agregue los camarones y revuelva suavemente para recubrir. Deje reposar 15 minutos.

Caliente el aceite en una sartén grande a fuego mediano. Agregue los camarones. Cocine, revolviendo constantemente, de 3 a 5 minutos. Retire los camarones y deje a un lado. Escurra, dejando 2 cucharadas de líquido en la sartén. Saltee las cebollas, los pimientos rojos picados y el ajo hasta que estén tiernos. Añada la calabacita "zucchini" y saltee 2 minutos. Agregue, revolviendo, los camarones, el arroz y los anacardos. Cocine sobre fuego lento, revolviendo constantemente, hasta que esté bien caliente.

Ponga por cucharadas en una fuente para servir. Decore con los anillos de pimientos rojos.

Fuente: www.recipegoldmine.com

Evite los pistachos salados rojos (no entendemos cómo y cuándo *estos* surgieron).

Si quiere consumir mantequilla de maní ("peanut butter"), la mejor es la natural que puede comprar o moler usted mismo en las tiendas de alimentos naturales. Evite la mantequilla de maní en envases comerciales, la cual contiene aditivos y conservantes.

▶ Para lograr una salud óptima, sustituya las grasas saturadas insalubres con nueces. Disminuya el consumo de carnes, quesos y alimentos fritos. De poco a poco, mantenga el objetivo de seguir una dieta predominantemcntc vcgctariana.

▶ El difunto Gene Spiller, PhD, director del Health Research and Studies Center en Los Altos, California, creía que las nueces eran tan ricas en nutrientes que podían suprimir las ansias de comer. Es posible que después de comer unas cuantas nueces tenga menos ganas de comer otras cosas.

▶ Un representante y nutricionista de la empresa Weight Watchers (*www.weightwatchers. com*, en inglés) afirmó que el problema con las nueces es que una vez que se empiezan a comer es difícil dejar de comerlas… claro, algo bueno en exceso deja de ser bueno. Así que la conclusión es: "Don't go nuts over nuts!", o sea, ¡no se haga el loco con las nueces!

■ Receta ■

Ensalada de fruta tropical con jengibre y maní

2 cdas. de miel ("honey")

2 cdas. de jugo de naranja o de mandarina ("tangerine") concentrado

1 cdta. de jugo de lima (limón verde, "lime") o de limón fresco

5 tazas de fruta fresca mixta en trozos, como papaya (lechosa, fruta bomba), mango, pera asiática, piña (ananá, "pineapple"), kiwi y/o bananas (plátanos)

½ taza de maní (cacahuates, "peanuts") tostado en seco ("dry roasted")

2 cdas. de jengibre ("ginger") cristalizado, picado

En un bol pequeño revuelva bien la miel, el concentrado de jugo y el jugo de lima o limón. Combine las frutas en un bol de 1½ a 2 cuartos de galón. Revuelva suavemente con la mezcla de jugo, el maní y el jengibre. Sirva inmediatamente, o cubra y deje enfriar alrededor de una hora. Si se prepara con más de una hora de anticipación, agregue, revolviendo, el maní y el jengibre justo antes de servir.

Rinde 4 porciones de 1 taza.

Fuente: National Peanut Board

ORGANIZACIONES

Northern Nut Growers Association (NNGA)

La NNGA es una gran fuente de información sobre el cultivo de los árboles de nueces. Esta organización sin fines de lucro mantiene una biblioteca que contiene muchos artículos e informes de investigaciones sobre nueces y cómo cultivarlas. El sitio de Internet brinda enlaces a otras organizaciones dedicadas al cultivo de nueces, como también recetas y consejos de expertos sobre el cultivo de las nueces.

Box 550
648 Oak Hill School Rd.
Townsend, Delaware 19734
Teléfono: 302-659-1731
www.northernnutgrowers.org

Almond Board of California

Los árboles de almendras son los que más se cosechan en California. La ABC se dedica a ampliar el mercado de las almendras a través de las relaciones públicas, la publicidad y la investigación nutricional. También sigue y publica las estadísticas de la industria de las almendras en el libro informativo, *Almond Almanac.*

1150 Ninth St., Suite 1500
Modesto, California 95354
Teléfono: 209-549-8262
Línea de información dentro de
EE.UU.: 800-610-5388
Fax: 209-549-8267
www.almondboard.com

Walnut Marketing Board

Representa a los cultivadores de nueces de California y a las organizaciones relacionadas, promueve el consumo de nueces a través de la publicación de información y de recetas.

1540 River Park Dr., Suite 203
Sacramento, California 95815
Teléfono: 916-922-5888
Fax: 916-923-2548
www.walnut.org

National Pecan Shellers Association

Esta asociación comercial se dedica a informar a todas las personas sobre los beneficios nutricionales, los diferentes usos y el buen sabor de las pecanas.

1100 Johnson Ferry Rd., Suite 300
Atlanta, Georgia 30342
Teléfono: 404-252-3663
www.ilovepecans.org

National Peanut Board

Esta organización representa a todos los cultivadores de maní de Estados Unidos y a sus familias. Se dedica a estimular la producción de maní, promoviendo el buen sabor, los valores nutritivos y la versatilidad del maní cultivado en Estados Unidos.

2839 Paces Ferry Rd., Suite 210
Atlanta, GA 30339
Teléfono: 866-825-7946
678-424-5750
Fax: 678-424-5751
www.nationalpeanutboard.org/
espanol.php

■ Receta ■

Helado de maní (del año 1925)

1 pinta (450 g) de maní
(cacahuates, "peanuts")
2 tazas de azúcar
2 cuartos de galón (1,89 litro) de leche
1 pinta (450 g) de crema
2 cdtas. de vainilla

Ase, quite las cáscaras y machaque bien el maní con un rodillo (palo de amasar, "rolling pin"). Dore 1 taza de la azúcar y agregue a la leche. Luego añada la azúcar restante, la crema, la vainilla y, finalmente, el maní. Congele.

Fuente: George Washington Carver
(Tuskegee Institute National Historic Site)

6. Yogur

En Egipto se llama *"benraid"*. Los armenios lo llaman *"mayzoom"*. El nombre en persa es *"kast"*. En Turquía se conoce como *"yogurut"*, de donde proviene nuestra palabra "yogur".

Aunque la gente ha elaborado y consumido yogur durante más de 4.000 años, solo fue a principios del siglo XX que la investigación del científico ganador del premio Nobel, Ilya Mechnikov, despertó el interés de Europa en el yogur. Fue alrededor de 1940 que logró llegar a Estados Unidos. En los años 1950, la reputación del yogur como un alimento saludable y nutritivo, empezó a diseminarse por todo el país. En la actualidad, la producción de yogur es una gran industria.

Viva los cultivos vivos

Generalmente el yogur está elaborado con leche de vaca. Pero también puede prepararse con leche de cabra, oveja y búfalo o con leche de soja. Una vez que se pasteuriza la leche, muchos yogures comerciales se enriquecen con leche en polvo. Así que los anuncios de publicidad que afirman que el yogur contiene más proteínas y calcio que la leche común, dicen la verdad.

Para lograr la definición legal de yogur, se requiere que dos cultivos se agreguen a la mezcla. Estos cultivos descomponen la lactosa (la azúcar de la leche), produciendo el ácido láctico y dándole al yogur su característico sabor. Los cultivos vivos y activos son el factor principal por el cual el yogur es un Superalimento curativo.

Beneficios para la salud

Gracias a los cultivos vivos, el yogur es un alimento fácil de digerir, aún para aquellas personas que no toleran la lactosa. De hecho, el yogur ayuda a la digestión y como resultado, puede eliminar el mal aliento causado por el desequilibrio de los ácidos del estómago.

Como beneficio adicional, una dosis diaria de yogur puede eliminar completamente los problemas de gases.

▶ Además de ser una buena fuente de calcio, la lactosa del yogur ayuda a mejorar la absorción del calcio. Las personas con riesgo de osteoporosis deben considerar incluir una porción diaria en su dieta.

▶ El yogur contiene la vitamina B_{12}, riboflavina, potasio, magnesio y zinc. También es una maravillosa fuente de proteínas. De hecho, el Departamento de Agricultura de Estados Unidos (*www.usda.gov*, en inglés y en español) recomienda el yogur como un sustituto de la carne en los almuerzos escolares.

▶ Los estudios demuestran que comer una porción diaria de ocho onzas (225 g) con cultivos activos restaura y mantiene un ambiente bacteriano saludable que puede ayudar a evitar infecciones de la vejiga e infecciones vaginales causadas por hongos.

▶ Una porción diaria de yogur con cultivos vivos parece aumentar las sustancias químicas que refuerzan el sistema inmune, según los resultados de los experimentos realizados por George Halpern, MD, profesor emérito del departamento de medicina interna de la facultad de medicina de la Universidad de California en Davis. El Dr. Halpern enfatiza la necesidad de que el yogur contenga cultivos vivos ("live cultures") o activos ("active cultures").

Las bacterias benéficas

Los antibióticos no discriminan. Destruyen todas las bacterias –tanto las buenas como las malas– que se encuentran naturalmente en

■ Receta ■

Salsa para untar ("dip") de berenjena y yogur

3 berenjenas ("eggplants") grandes, enteras con la cáscara

1 cabeza de ajo grande, asada (*vea* la receta en la página 296)

1 taza de yogur cremoso de sabor natural ("plain thick yogurt")

2 cdas. de aceite de oliva

1 cebolla dulce mediana (roja, "vidalia" u otro tipo dulce), picada

½ taza de perejil ("parsley") italiano fresco, picado

1 cda. de albahaca ("basil") fresca, picada (opcional)

¼ cdta. de salsa "Tabasco" (opcional)

Sal y pimienta a gusto

En una parrilla (barbacoa) a gas o preferentemente a carbón, ase las berenjenas uniformemente por todos los lados hasta que estén blandas o que la cáscara esté quemada. Ponga a un lado y deje enfriar. Cuando se haya enfriado, quite la cáscara quemada y extraiga la pulpa de las berenjenas por cucharadas. Ponga en un bol grande.

Agregue el ajo, el yogur, el aceite oliva, la cebolla, el perejil, la albahaca, la salsa "Tabasco", y la sal y pimienta a gusto. Mezcle bien.

Sirva, caliente o fría, con pan armenio ("Armenian cracker bread"), como "dip" o como acompañamiento vegetal.

Fuente: The Gutsy Gourmet

nuestro sistema digestivo. Usted puede resti-
tuir las bacterias benéficas al consumir yogur
–asegúrese de que el envase diga *cultivos vivos*
o *activos con lactobacilos acidófilos* ("active
culture with L. acidophilus")–, o beber leche
con acidófilos o tomar suplementos de acidófilos, los cuales puede comprar en las tiendas
de alimentos naturales.

▶ Si toma suplementos, bebe leche o consume yogur (puede ser sin grasa, con tal que
contenga *L. acidophilus*), hágalo dos horas
después de tomar el antibiótico, asegurándose
también que sean dos horas *antes* de tomar
otra dosis del antibiótico. Permita esta cantidad de tiempo antes y después del antibiótico
para que los acidófilos no interfieran con los
efectos del medicamento.

Continúe el consumo de acidófilos durante al menos dos o tres semanas después de haber
dejado de tomar el antibiótico. Esto ayudará
a normalizar el equilibrio bacteriano en los
intestinos, permitiendo que el sistema digestivo
vuelva a funcionar adecuadamente.

▶ Después de un ataque de diarrea, el yogur
puede ayudar a restablecer el equilibrio
bacteriano. Los estudios demuestran que el
yogur puede acortar la duración de un ataque
de diarrea en los bebés y niños.

▶ Los estudios también indican que los
lactobacilos acidófilos del yogur ayudan a bajar
los niveles de colesterol al interferir con la
reabsorción del colesterol en el intestino.

▶ Todos los cultivos vivos de bacterias en el
yogur pueden reforzar el sistema inmune, matar
ciertas bacterias no deseadas e insalubres, y
aumentar la producción en la sangre de los
anticuerpos (los exterminadores naturales de los
organismos dañinos que causan enfermedades).

Lo bueno es que estas bacterias benéficas
se quedan en el organismo y continúan ayu-
dando por mucho tiempo después que el yogur
se haya ido.

El suero también es bueno

¿Sabe qué es el líquido que usted descarta antes
de meterle la cuchara al yogur? Ése es el suero
("whey"), y contiene vitaminas del complejo
B y minerales, y muy poco, o nada, de grasa.
Mezcle revolviendo el suero con el yogur para
que sea parte de su porción.

Qué buscar

Lo más importante, ya sea que desee un
yogur normal, bajo en grasas o desgrasado,
es verificar que la etiqueta del yogur diga que

■ Receta ■

Pavo al "curry"

2 tazas de pechugas de pavo
    (guajolote, "turkey") cocido,
    cortado en cubitos
¼ taza de pasas de uva ("raisins")
1½ tallo de apio ("celery"), picado
¼ taza de maní (cacahuates,
    "peanuts"), picado finamente
½ taza de yogur de sabor natural sin
    grasa ("plain nonfat yogurt")
2 cdas. de mayonesa "light"
½ cdta. de "curry" en polvo
Pimienta negra recién molida a gusto

Combine los ingredientes y sirva.
Rinde 4 porciones.

Fuente: National Yogurt Association

contiene cultivos vivos ("live cultures") o activos ("active cultures"). La mayoría de los fabricantes de yogur enumeran los cultivos vivos específicos. Busque y trate de encontrar al menos una, quizá dos o tres (mientras más, mejor) de estas bacterias benéficas...

- Lactobacilo acidófilo ("Lactobacillus acidophilus")
- Lactobacilo bulgárico ("Lactobacillus bulgaricus")
- Lactobacilo casei ("Lactobacillus casei")
- Lactobacilo reuteri ("Lactobacillus reuteri")
- Estreptococos termófilos ("Streptococcus thermophilus")
- Bífidobacterias ("Bifidobacteria")

▶ Si el envase de yogur contiene fruta, casi seguramente no contiene cultivos vivos o activos. Por lo tanto, compre yogur de sabor natural ("plain yogurt") y agregue bananas (plátanos), fresas (frutillas, "strawberries"), melocotones (duraznos, "peaches") o piña (ananá, "pineapple") –esta puede ser una de sus cinco porciones diarias de fruta fresca que disminuye el riesgo de cáncer. El yogur natural también sabe bien mezclado con un poco de miel.

▶ Verifique los otros ingredientes que están enumerados en la etiqueta. Es mejor que el yogur no contenga aditivos o edulcorantes ("sweeteners") artificiales.

▶ Antes de comprar yogur, verifique que la fecha de vencimiento no haya vencido o esté por vencer.

▶ Si el yogur lo entusiasma lo suficiente, quizá quiera prepararlo en casa (*vea* la receta en la página 315). Puede comprar el equipo para hacer yogur en algunas tiendas de alimentos

■ Receta ■

Barras de cereal y yogur

2 tazas de cereal para desayuno de copos de maíz ("corn flakes")

¾ taza más 2 cdas. de harina

¼ taza de azúcar morena empaquetada ("packed brown sugar")

½ cdta. de canela ("cinnamon") molida

½ taza de margarina

1 taza de yogur con sabor a vainilla bajo en grasa ("lowfat vanilla yogurt")

1 huevo, batido ligeramente

2 cdas. de harina

Precaliente el horno a 350°F (175°C). En un bol pequeño combine el cereal, la ¾ taza de harina, la azúcar y la canela. Incorpore la margarina hasta que se formen grumos gruesos. En un molde para hornear cuadrado de 8" (20 cm) engrasado, ponga la mitad de la mezcla presionando con la palma de la mano. Mezcle en otro bol pequeño el yogur, el huevo y las 2 cdas. de harina. Esparza sobre la mezcla de cereal en el molde, y espolvoree con la mezcla de cereal restante. Hornee 30 minutos o hasta que esté dorada. Deje enfriar en el molde sobre una rejilla de alambre. Corte en barras y guarde en un envase cerrado herméticamente. Rinde 16 porciones.

Fuente: Stonyfield Farm Yogurt

naturales. Necesitará usar un poco de yogur para producir más yogur. Esa es una forma de comprobar si el producto que compró en la tienda contiene cultivos vivos activos. Si los cultivos están vivos y bien, ayudarán a producir más yogur.

► Es una pena, pero desgraciadamente ninguno de los beneficios saludables del yogur se aplica al yogur congelado. El congelamiento tiende a destruir la parte buena.

Además, también contienen una cantidad de azúcar o aspartame y muchos otros ingredientes insalubres.

La última palabra en yogur

En varios idiomas antiguos del Medio Oriente, la palabra yogur fue sinónima de *vida*.

ORGANIZACIONES
National Yogurt Association

La NYA es la organización comercial que representa a los fabricantes de productos refrigerados y congelados de yogur que contienen cultivos vivos y activos. Los productos que cumplen con las normas de la NYA tienen un sello que dice "live and active cultures" (cultivos vivos y activos) en el costado del envase. Esto asegura que el producto ha cumplido con las normas de cultivos usados en la producción.

La NYA patrocina investigación científica relacionada con los beneficios saludables de consumir yogur, y es una fuente de información acerca de estos beneficios. La NYA también funciona como recurso para los medios de comunicación y para el público en general sobre temas relacionados con el yogur que contiene cultivos vivos y activos.

2000 Corporate Ridge, Suite 1000
McLean, Virginia 22102
Teléfono: 703-821-0770
www.aboutyogurt.com

The National Dairy Council (NDC)

El NDC, una división de Dairy Management Inc., se esfuerza por brindar información científica actualizada sobre los sorprendentes beneficios saludables de los productos lácteos.

También está involucrado en la investigación nutricional, la educación y la comunicación relacionadas con los productos lácteos.

10255 West Higgins Rd., Suite 900
Rosemont, Illinois 60018
Teléfono: 800-426-8271
          847-803-2000
Fax: 847-803-2077
www.nationaldairycouncil.org ■

■ Receta ■

Yogur casero

½ galón (1,89 litros) de leche entera ("whole milk") –también puede usar leche baja en grasa o descremada ("skim milk")

½ taza de cultivo para iniciar yogur ("yogurt starter") –que se puede comprar en tiendas especializadas y las de alimentos naturales– también puede utilizar el yogur natural que se vende en los supermercados

Caliente la leche hasta que rompa el hervor, luego deje a un lado para que se enfríe lo suficiente como para poder tocarla (alrededor de 120°F ó 50°C). Vierta la leche tibia en un bol de vidrio o de la marca Pyrex, y agregue el iniciador de yogur. Mezcle bien revolviendo lentamente. Cubra el bol completamente con toallas, por arriba y por abajo, para mantener una temperatura uniforme. Mantenga cubierto a temperatura ambiente hasta que el yogur se asiente, alrededor de 3 ó 4 horas. Refrigere 8 horas antes de servir. Sirve 6 a 8.

Se puede guardar en el refrigerador por una semana o aún más.

Fuente: The Gutsy Gourmet

Hechos y consejos asombrosos

Hechos y consejos asombrosos

Con actitud positiva, se vive más tiempo

Tener una perspectiva optimista puede prolongar su vida, según un estudio realizado en la renombrada Mayo Clinic de Rochester, Minnesota. Los investigadores siguieron pacientes durante más de 30 años y concluyeron que los participantes pesimistas corrían un 19% de riesgo mayor de muerte comparado con los más optimistas.

Es difícil tener mucha confianza en este estudio, ya que entran en juego muchas variables. Pero esperamos que se dé cuenta que ser optimista es una manera más feliz de vivir que ser pesimista –y ciertamente es más placentera para la gente que lo rodea.

El auge de la luna llena

Una investigación realizada en el centro médico de la Universidad de Illinois en Chicago, concluyó que algunos problemas de salud pueden ocurrir –y posiblemente empeorar– cuando hay luna llena. (¿Nos preguntamos si habrá hombres lobos leyendo esto?)

Que descanse, pero ¡no en la cama!

Seguramente todos sus conocidos –su madre, su pareja y su médico– en algún momento le han sugerido o insistido que descanse para recuperarse de una enfermedad ("bed rest" en inglés).

En un estudio realizado por investigadores de la Universidad de Michigan State, en East Lansing, se recomienda: "Descanse, pero no repose en la cama". La diferencia es importante.

Cuando *descansa*, baja el ritmo pero continúa moviéndose. *Reposar en la cama* implica quedarse inmóvil por un periodo largo. Esto puede causar fatiga muscular e incluso debilidad general. Los investigadores basaron sus hallazgos en la experiencia de unos 6.000 pacientes con 17 afecciones médicas.

Conclusión: Es bueno que las personas enfermas se levanten de la cama lo antes posible. Pero aún si no necesita estar acostado, es posible que necesite descanso. Por lo tanto es importante encontrar el equilibrio adecuado. Como seguramente su madre, su pareja o su médico le dirían: "¡No exagere!" y "¡No se exija demasiado!".

✎ **NOTA:** Uno de nuestros consejeros médicos exige equilibrio y nos advierte que, en algunos casos el consejo debería ser: "¡Ni tanto, ni tan poco!" y "¡No se exija demasiado poco!".

Honorarios médicos

En la antigua China, se les pagaba a los médicos cuando sus pacientes se mantenían en buena salud. Creyendo que su tarea era prevenir las enfermedades, los médicos les pagaban a sus pacientes que se enfermaban.

¡Realmente *aquellos* eran los buenos tiempos de antaño!

La fiebre: ¿amiga o enemiga?

Thomas Sydenham, un médico inglés del siglo XVII –uno de los fundadores principales de la epidemiología (el estudio de las epidemias)– dijo la célebre frase: "La fiebre es el motor que la naturaleza lleva a la batalla para eliminar sus enemigos".

Parece que los científicos investigadores están de acuerdo con el Dr. Sydenham cuando se trata de las fiebres de menos de 104°F (40°C).

Matthew J. Kluger, PhD, es vicepresidente para investigación y desarrollo económico de la Universidad George Mason en Fairfax, Virginia. El Dr. Kluger, uno de los principales investigadores del tratamiento de la fiebre, recomienda permitir que la fiebre siga su curso, lo cual, según él, puede efectivamente acortar la duración de la enfermedad. Y los investigadores de la facultad de medicina de la Universidad Yale en New Haven, Connecticut, demostraron que los pacientes con fiebre son menos contagiosos que los que tienen la misma infección pero que suprimieron la fiebre con medicamentos.

Ray C. Wunderlich, Jr., MD, PhD, director del Wunderlich Center for Nutritional Medicine en St. Petersburg, Florida, afirma: "Las madres de bebés que se calientan durante la noche saben que la fiebre alta paraliza el hogar y puede causar una tensión aguda. Asegúrese de que el bebé no esté excesivamente abrigado y arropado. Un baño tibio de 20 a 30 minutos puede ayudar a que el bebé se sienta mejor e incluso que tenga ganas de beber o comer algo".

Cómo refrescar la habitación de un enfermo

▶ Empape una mota (bolita) de algodón ("cotton ball") con aceite de eucaliptos (puede comprarlo en las tiendas de alimentos naturales), póngala en un plato pequeño y colóquelo sobre una superficie –que no esté cerca de una ventana abierta o de corrientes de aire– en la habitación del enfermo. Se afirma que el aceite de eucaliptos genera ozono. También es un fuerte antiséptico. El aceite tiene un aroma fuerte, así que verifique que la persona enferma esté de acuerdo con mantenerlo ahí.

Cómo leer la receta médica

Estos son algunos de los términos en latín que se usan comúnmente en las recetas médicas...

Término	Abreviación	Significado
Ante cibum	ac	antes de comer
bis in die	bid	dos veces al día
gutta	gt	gota
hora somni	hs	a la hora de dormir
oculus dexter	od	ojo derecho
oculus sinister	os	ojo izquierdo
per os	po	vía oral
post cibum	pc	después de comer
pro re nata	prn	cuantas veces como sea necesario
quaque 3 hora	q3h	cada 3 horas
quaque die	qd	cada día
quattuor in die	qid	4 veces al día
ter in die	tid	3 veces al día

Cómo tomar las pastillas... ¡en serio!

▶ Tome las pastillas de pie y permanezca parado por unos dos minutos después de tomarlas. Ingerirlas con al menos media taza de agua mientras esté parado, permite que las pastillas se muevan rápidamente por su recorrido, en lugar de quedarse en el esófago donde pueden desintegrarse y causar náuseas o acidez estomacal.

▶ Según Stephen H. Paul, PhD, profesor de economía farmacéutica y atención médica a domicilio en la facultad de farmacología de la Universidad Temple en Filadelfia, se debería tomar un multivitamínico y las vitaminas A, D y E solubles en grasa con la comida más importante del día. Es entonces que la mayor cantidad de grasa está presente en el estómago para asistir la absorción de vitaminas.

▶ Las vitaminas solubles en agua –la C y las del complejo B– se deben tomar con la comida o media hora antes de la comida. Las vitaminas ayudan a comenzar el proceso bioquímico que descompone los alimentos, y hace posible su uso para la energía y construcción de tejido.

▶ Si toma grandes dosis de vitamina C, tómelas en pequeñas cantidades durante el día. Su cuerpo la aprovechará mejor de esta forma, y le ayudará a evitar la irritación del tracto urinario.

ATENCIÓN: Nunca tome dosis muy grandes de ninguna vitamina, mineral o hierba, a menos que lo haga bajo la supervisión de un profesional de la salud.

Con los cinco sentidos

Los ojos normales pueden distinguir cerca de 8 millones de diferencias en colores.

Los oídos normales pueden discriminar entre más de 300.000 tonos.

La nariz normal puede reconocer 10.000 olores distintos.

Existen 1.300 terminaciones nerviosas por pulgada cuadrada en la punta de un dedo normal. Las partes del cuerpo más sensibles al tacto son los labios, la lengua y la punta de la nariz.

Esto abarca cuatro de nuestros cinco sentidos. Y para el quinto, bueno, pues, ¡sobre gustos es imposible estar de acuerdo!

Gotero de emergencia

▶ Si no tiene ningún gotero a mano cuando lo necesita *inmediatamente* para uno de sus orificios nasales, puede improvisar uno con una pajilla (popote, "straw"). Un pedazo de tres pulgadas (siete cm) de una pajilla plástica puede retener unas 15 gotas de líquido. Claro que debe tener una pajilla en *este instante*.

Botella de agua caliente y compresa de hielo caseras

▶ No descarte los envases plásticos vacíos de detergente para lavar ropa. La próxima vez que necesite una botella de agua caliente, llene uno de estos envases. Asegúrese de que esté bien tapado.

▶ ¿Recuerda el envase plástico bien cerrado que usó como botella de agua caliente? También puede llenarlo con hielo y agua fría para obtener una compresa de hielo.

▶ Puede preparar una compresa de hielo flexible con una toalla. Sumerja la toalla en agua fría, escúrrala y colóquela sobre papel de aluminio ("aluminum foil") en el congelador. Antes que se congele y se ponga rígida, sáquela y moldéela alrededor de la parte del cuerpo golpeada o herida.

Lo bueno del pescado con limón?

¿Sabía usted cómo empezó la costumbre de servir una tajada de limón con el pescado? No fue para atenuar o resaltar el sabor del pescado.

Hace mucho tiempo, se pensaba que el limón era más remedio que alimento. Si alguien se tragaba una espina de pescado, se creía que el jugo de limón era tan fuerte que disolvería la espina.

La buena salud, al estilo italiano

Es raro encontrar personas italianas mayores que padecen asma, tuberculosis, o problemas de vesícula biliar. Esto se debe al ajo y al aceite de oliva que consumen en dos de las tres comidas diarias. Buon appetito!

Conserve las vitaminas usando el microondas

Cuando prepara los alimentos en el microondas, se eliminan menos vitaminas durante la cocción. Para evitar que se quemen los alimentos añada agua –apenas un poco contribuirá a mantener tantos nutrientes de los alimentos como es posible. Además, cubra los alimentos en el microondas para reducir el tiempo de radiación y conservar la mayoría de los nutrientes.

Elija las verduras verde oscuro

Las ensaladas verdes oscuras son las mejores. Comparada con la lechuga "iceberg", la romana ("romaine lettuce") contiene el doble de ácido fólico, seis veces más vitamina C y ocho veces más betacaroteno. ¿Espinacas? Verde oscuras. ¿Berro ("watercress")? Verde oscuro. Berza ("collard greens"), hojas de mostaza ("mustard greens") –ambas son verde oscuras.

Ya que está en eso, quizá le convenga incluir el perejil ("parsley") como una verdura para ensaladas, y no sólo como un adorno. El perejil es rico en betacaroteno y vitamina C. También tiene buen sabor.

⚡ **ATENCIÓN:** Asegúrese de lavar a fondo las verduras crudas para disminuir el riesgo de enfermedades transmitidas a través de los alimentos. Use también uno de los enjuagues descritos a continuación para quitar los pesticidas.

Cuidado con los alimentos con moho

El moho no es bueno. Aunque sea poco probable que lo matara, puede enfermarlo. Si ve moho en cualquier alimento, no haga la "prueba del olor" para ver si se ha puesto malo. Incluso la inhalación de las esporas del moho puede provocar una reacción alérgica o respiratoria.

Descarte cualquier alimento suave o bebida que tenga aún una pequeña muestra de moho. Sin embargo, con ciertos alimentos duros, como el queso suizo, que tienen moho, puede cortar la parte con moho (vaya por lo seguro y descarte lo que esté a una pulgada –dos cm– alrededor de la parte con moho) y preservar el resto.

Cómo guardar las hierbas y especias

▶ Guarde las hierbas frescas o secas y las especias en un lugar seco y fresco. El refrigerador es ideal. Cuando se exponen al calor, como el de la cocina o el horno, muchas hierbas y especias pierden su potencia… y también se decoloran.

Cómo eliminar los pesticidas de las frutas y verduras

Los aerosoles y pesticidas dañinos se pueden quitar de los productos crudos al usar el método de Jay Kordich (también conocido como "The Juiceman").

▶ Llene el fregadero con agua fría, luego agregue cuatro cucharadas de sal y el jugo de medio limón recién exprimido. Esta es una versión diluida del ácido clorhídrico.

La mayoría de las frutas y verduras deben remojarse entre cinco y 10 minutos… las verduras, entre dos y tres minutos… las fresas (frutillas, "strawberries"), los arándanos azules ("blueberries") y otras bayas, entre uno y dos minutos. Después del remojo, enjuague a fondo con agua fría y disfrute.

▶ También puede remojar las frutas y verduras en el fregadero o palangana (cubeta, cuenco) con ¼ taza de vinagre blanco. Después, con un cepillo para verduras ("vegetable brush"), cepíllelas con agua fría. Déles un enjuague final y estarán listas para comer.

Sustitutos para salar y endulzar

▶ Cuando sustituya la azúcar por miel en una receta, use ½ taza de miel por cada taza de azúcar. La miel contiene alrededor de 65 calorías por cucharadita –la azúcar contiene 45 calorías por cucharadita. Ya que la miel es el doble de dulce que la azúcar, sólo necesita usar la mitad. Al final terminará ahorrando calorías si usa la miel.

ADVERTENCIA: Los diabéticos y las personas alérgicas a la miel no deben consumir miel.

▶ Si tiene prohibida la sal, un poco de jugo de limón puede brindarle el toque que la sal le da a la comida.

Cómo cocinar con cebollas sin llorar… bueno, casi, casi

En su búsqueda por una manera de evitar llorar al cocinar con cebollas, Joan se ha puesto anteojos (gafas) de sol, masticado pan blanco, dejado correr agua fría, congelado la cebolla primero, y cortado la raíz a lo último. *Nada le daba resultado hasta que…*

► Joan escuchó a Vanna White en el programa de televisión *"Wheel of Fortune"* agradecer al presentador Pat Sajak por su consejo –coloque un fósforo sin encender entre los labios, con la punta de sulfuro hacia fuera como si fuera un cigarrillo. Manténgalo ahí mientras pela, ralla, corta o pica cebollas y no tendrá que preocuparse de que su rímel se desemboque en un lago.

Este consejo es el mejor, pero, aún así, una cebolla realmente fuerte hace llorar a Joan.

Cómo eliminar de las manos el olor a ajo y a cebolla

► Este útil consejo funciona como por arte de magia. Agarre un cubierto (puede ser una cuchara, cuchillo o tenedor de metal), imagine que es una barra de jabón y lávese las manos con agua fría. El olor a ajo o a cebolla desaparecerá en unos pocos segundos.

► Esos olores penetrantes a ajo y a cebolla también se pueden eliminar al frotar las manos con una rodaja de tomate fresco.

Guárdelas en las medias

► Las cebollas y las papas se mantendrán mejor y por más tiempo si las guarda en una media (calza, calcetín) limpia en un sitio fresco. La media permite que el aire circule alrededor.

Repelentes naturales de insectos

► Las hormigas le huyen al ajo. Frote un diente de ajo pelado por la zona afectada y las hormigas se irán rápidamente. Los vampiros tampoco se acercarán.

► Prepare unas pomas (bolsitas aromáticas) con naranjas y especias (*vea* la "Guía de preparación" en la página 279). Ponga una bolsita en cada clóset (armario, ropero) y dígale adiós a las polillas.

► Para repeler moscas use té de tomillo ("thyme"). Llene un rociador para plantas ("plant mister") con una taza de té de tomillo y rocíe las puertas y ventanas para mantener alejadas a las moscas.

► Para mantener a los insectos lejos de las bolsas de granos y harina, coloque unas hojas de laurel en los recipientes.

Purificadores naturales de aire

Ahora puede obtener beneficios de los impuestos que ha pagado para financiar las investigaciones dirigidas por la agencia espacial NASA.

Los científicos de la agencia espacial NASA en Washington, DC, descubrieron que varias plantas comunes del hogar pueden reducir notablemente los niveles de las sustancias químicas tóxicas en los hogares y oficinas.

Si piensa que su casa y su oficina no están contaminadas, piénselo otra vez. Por ejemplo, están el benceno (que se encuentra en las tintas, aceites, pinturas, plásticos, gomas, detergentes, tintes y gasolina)… los formaldehídos (que se encuentran en la espuma aislante, tablas de aglomerados, maderas de contrachapado, en la mayoría de los limpiadores y papeles tratados con resinas, incluidos los pañuelos faciales y las toallas de papel)… y el tricloroetileno (TCE) que se emplea en los procesos de limpiado al seco, y se encuentra en tintas para impresión, pinturas, lacas, barnices y adhesivos. Solo por nombrar algunos…

Aquí tiene una solución atractiva: unas plantas de adorno para el hogar de bajo costo, resistentes, fáciles de conseguir y de cultivar.

- ◆ La malamadre, "spider plant" en inglés (*Chlorophytum comosum "Vittatum"*) –muy fácil de cultivar con luz brillante, indirecta o difusa. Asegúrese de que tenga buen drenaje.
- ◆ "Peace lily" (*Spathiphyllum species*) –muy fácil de cultivar en un sitio con poca luz. Pero puede ser tóxica para las mascotas.
- ◆ "Chinese evergreen" (*Aglaonema "Silver Queen"*) –muy fácil de cultivar en un sitio con poca luz. Elimine los retoños muy grandes para estimular nuevos crecimientos, y mantener la planta tupida. Puede ser tóxica para las mascotas.
- ◆ "Weeping fig" (*Ficus benjamina*) –muy fácil de cultivar, pero necesita un poco de atención especial. Es mejor con luz indirecta, brillante o difusa.
- ◆ Uña del diablo, "devil's claw" en inglés (*Epipremnum aureum*) –muy fácil de cultivar con luz brillante, indirecta o difusa. Puede ser tóxica para las mascotas.

Humedecer moderadamente la tierra es lo mejor para todas estas plantas.

La NASA (*www.nasa.gov*) recomienda colocar entre 15 y 18 plantas en un hogar de 1.800 pies cuadrados (167 metros cuadrados). En una habitación de tamaño normal o más pequeña, una planta debería ser suficiente, especialmente si se coloca donde circula el aire.

Después de colocar las plantas, es posible que usted, su familia y/o sus colegas de trabajo noten que las irritaciones de garganta,

los dolores de cabeza, los ojos irritados y la nariz tapada han desaparecido.

Cómo eliminar el olor de los frascos de alimentos

▶ Para volver a usar un frasco, quizá le convenga quitarle el olor que dejó su contenido original.

Para un frasco de tamaño mediano, ponga una cucharadita de mostaza seca en el frasco y llénelo de agua hasta el borde.

Déjelo estar entre cuatro y seis horas, y luego enjuague con agua caliente.

Elimine el olor a gasolina con sal

▶ Para eliminar el olor a gasolina de las manos, frótelas con sal.

Peluches sobre hielo

▶ Los Beanie Babies® y otros amados peluches hospedan los ácaros del polvo, los cuales pueden desencadenar reacciones alérgicas y ataques de asma. Para eliminar estos ácaros resistentes, simplemente ponga el peluche en una bolsa plástica y déjelo en el congelador durante 24 horas, una vez por semana.

Explíquele a su niño que su peluche se ha incorporado al elenco del programa *"Holiday on Ice"* y tiene que "actuar" cada domingo o cuando sea.

Empiece a la izquierda

▶ El *Talmud* (el libro de antiguos escritos hebreos) sugiere que una mujer que comienza a amamantar a su hijo debería comenzar por su lado izquierdo, por ser esta la fuente de todo entendimiento.

El difunto Lee Salk, PhD, que era experto en psicología de niños y familias, halló que el 83% de madres derechas y el 78% de madres zurdas, cargaban a sus bebés del lado izquierdo.

Cargar a un bebé en el lado izquierdo permite que el bebé escuche la voz de su madre por el oído izquierdo. El sonido que entra por el oído izquierdo va directo al lado derecho del cerebro, que procesa el tono, la melodía y la emoción.

Siéntese en el baño

Para quienes no pueden estar de pie mucho tiempo para ducharse, o encuentran muy difícil levantarse de la bañera (tina) una vez que se han acomodado, colocar en la bañera una silla de aluminio para la playa facilita el proceso. Deje correr el agua de la ducha y siéntese en la silla.

Además, asegúrese de poner una alfombra plástica antideslizante en el piso de la bañera. ■

Fuentes

Fuentes

PRODUCTOS HERBARIOS Y MÁS

Atlantic Spice Company
2 Shore Rd., Box 205
North Truro, MA 02652
Teléfono: 800-316-7965
Fax: 508-487-2550
www.atlanticspice.com

Blessed Herbs
109 Barre Plains Rd.
Oakham, MA 01068
Teléfono: 800-489-4372
Fax: 508-882-3755
www.blessedherbs.com

Flower Power Herbs and Roots, Inc.
406 East Ninth St.
New York, NY 10009
Teléfono: 212-982-6664
www.flowerpower.net

Great American Natural Products
4121 16th St. North
St. Petersburg, FL 33703
Teléfono: 800-323-4372 ó 727-521-4372
Fax: 727-522-6457
www.greatamerican.biz

Herbs by Dial
60 N. Main St.
Manti, UT 84642
Teléfono: 800-288-4618 ó 435-835-9476

Indiana Botanic Gardens
3401 West 37th Ave.
Hobart, IN 46342
Teléfono: 800-644-8327 ó 800-514-1068
Fax: 219-947-4148
www.botanicchoice.com

Mountain Top Herbs, Inc.
Box 970004
Orem, UT 84097
Teléfono: 877-944-3727

Nature's Apothecary/NOW Foods
395 South Glen Ellyn Rd.
Bloomingdale, IL 60108
Teléfono: 888-669-3663
www.nowfoods.com

NewChapter, Inc.
90 Technology Dr.
Brattleboro, VT 05301
Teléfono: 800-543-7279
Fax: 800-470-0247
www.new-chapter.com

Old Amish Herbal Remedies
4121 16th St. North
St. Petersburg, FL 33703
Teléfono: 727-521-4372

Penn Herb Co. Ltd.
10601 Decatur Rd., Suite 2
Philadelphia, PA 19154
Teléfono: 800-523-9971 ó 215-632-6100
Fax: 215-632-7945
www.pennherb.com

San Francisco Herb Company
250 14th St.
San Francisco, CA 94103
Teléfono: 800-227-4530 ó 415-861-7174
Fax: 415-861-4440
www.sfherb.com

GEMAS, PRODUCTOS "NEW AGE" Y REGALOS

Beyond the Rainbow
Box 110
Ruby, NY 12475
Teléfono: 845-336-4609
www.rainbowcrystal.com

Crystal Way
2335 Market St.
San Francisco, CA 94114
Teléfono: 415-861-6511
Fax: 415-861-4229
www.crystalway.com

Pacific Spirit
1334 Pacific Ave.
Forest Grove, OR 97116
Teléfono: 800-634-9057
Fax: 503-357-1669
www.mystictrader.com

VITAMINAS, SUPLEMENTOS NUTRICIONALES Y MÁS

Bionatures
16508 East Laser Dr., Suite 103
Fountain Hills, AZ 85268
Teléfono: 800-624-7114
Fax: 480-837-8420
www.bionatures.com

Freeda Vitamins
47-25 34th St., Third Floor
Long Island City, NY 11101
Teléfono: 800-777-3737 ó 718-433-4337
Fax: 718-433-4373
www.freedavitamins.com

NutriCology Inc.
2300 North Loop Rd.
Alameda, CA 94502
Teléfono: 800-545-9960
Fax: 800-688-7426
www.nutricology.com

Nutrition Coalition, Inc.
Box 3001
Fargo, ND 58108
Teléfono: 800-447-4793 ó 218-236-9783
Fax: 218-236-6753
www.willardswater.com

Puritan's Pride/Vitamins.com
1233 Montauk Hwy.
Box 9001
Oakdale, NY 11769
Teléfono: 800-645-1030
Fax: 800-719-5824
www.puritan.com ó *www.vitamins.com*

Superior Nutritionals Inc.
8813 Dr. Martin Luther King, Jr., St. North
St. Petersburg, FL 33702
Teléfono: 800-717-RUNN (7866)
Fax: 727-577-3166

TriMedica International, Inc.
1895 South Los Feliz Dr.
Tempe, AZ 85281
Teléfono: 800-800-8849 ó 480-998-1041
www.trimedica.com

The Vitamin Shoppe
2101 91st St.
North Bergen, NJ 07047
Teléfono: 888-223-1216
Fax: 800-852-7153
www.vitaminshoppe.com

ALIMENTOS NATURALES Y MÁS

Barlean's Organic Oils LLC
4936 Lake Terrell Rd.
Ferndale, WA 98248
Teléfono: 800-445-3529 ó 360-384-0485
www.barleans.com

Gold Mine Natural Food Co.
7805 Arjons Dr.
San Diego, CA 92126
Teléfono: 800-475-FOOD (3663)
Fax: 858-695-0811
www.goldminenaturalfood.com

Jaffe Bros. Natural Foods, Inc.
28560 Lilac Rd.
Valley Center, CA 92082
Teléfono: 760-749-1133
Fax: 760-749-1282
www.organicfruitsandnuts.com

PRODUCTOS DE ABEJA Y MÁS

C.C. Pollen Co.
3627 East Indian School Rd., Suite 209
Phoenix, AZ 85018
Teléfono: 800-875-0096 ó 602-957-0096

Fax: 602-381-3130
www.ccpollen.com

Montana Naturals
19994 Highway 93 North
Arlee, MT 59821
Teléfono: 800-872-7218
Fax: 406-726-3287
www.mtnaturals.com

ALIMENTOS Y PRODUCTOS PARA MASCOTAS

All the Best Pet Care
8050 Lake City Way
Seattle, WA 98115
Teléfono: 206-524-0199
www.allthebestpetcare.com

American Holistic Veterinary Medical Association
218 Old Emmorton Rd.
Bel Air, MD 21015
Teléfono: 410-569-0795
www.ahvma.org

Golden Tails
6515 Transit Rd., Suite 2
Bowmansville, NY 14026
Teléfono: 877-693-6986 ó 716-681-6986
www.goldentails.com

Halo Purely for Pets
3438 East Lake Rd., #14
Palm Harbor, FL 34685
Teléfono: 800-426-4256
Fax: 727-937-3955
www.halopets.com

Harbingers of a New Age
717 East Missoula Ave.
Troy, MT 59935
Teléfono: 406-295-4944
Fax: 406-295-7603
www.vegepet.com

PRODUCTOS RELACIONADOS CON LA SALUD

Gaiam–A Lifestyle Company
360 Interlocken Blvd.
Broomfield, CO 80021
Teléfono: 877-989-6321
www.gaiam.com

PRODUCTOS DE VIAJE RELACIONADOS CON LA SALUD Y MÁS

Magellan's (Essentials for the Traveler)
110 West Sola St.
Santa Barbara, CA 93101
Teléfono: 800-962-4943
Fax: 800-962-4940
www.magellans.com

APARATOS PARA LA SALUD AL POR MAYOR Y AL POR MENOR

Acme Equipment
1024 Concert Ave.
Spring Hill, FL 34609
Teléfono: 352-688-0157

AROMATERAPIA, ESENCIAS FLORALES Y MÁS

Aromaland
1326 Rufina Circle
Santa Fe, NM 87507
Teléfono: 800-933-5267
Fax: 505-438-7223
www.aromaland.com

Aroma Vera
5310 Beethoven St.
Los Angeles, CA 90066

Teléfono: 800-669-9514 ó 310-574-6920
Fax: 310-306-5873
www.aromavera.com

Flower Essence Services
Box 1769
Nevada City, CA 95959
Teléfono: 800-548-0075
Fax: 530-265-6467
www.fesflowers.com

SERVICIOS

World Research Foundation (WRF)
Por un cargo nominal, los cofundadores LaVerne y Steve Ross harán una búsqueda (que incluye 5.000 publicaciones médicas internacionales) y proporcionarán los más nuevos tratamientos holísticos y convencionales así como las técnicas de diagnóstico sobre casi cualquier afección. La biblioteca de la Fundación, con más de 10.000 libros, periódicos e informes de investigación, se encuentra disponible para el público sin cargo.

41 Bell Rock Plaza
Sedona, AZ 86351
Teléfono: 928-284-3300
Fax: 928-284-3530
www.wrf.org

US Consumer Product Safety Commission
Este organismo del gobierno, ubicado cerca de Washington, DC, posee una línea telefónica gratuita que funciona las 24 horas mediante la cual los consumidores pueden obtener información sobre la seguridad de productos y otra información sobre el organismo, así como denunciar productos que no sean seguros.

4330 East-West Hwy.
Bethesda, MD 20814
Teléfono de ayuda: 800-638-2772
Para sordos: 800-638-8270
Fax: 301-504-0124 ó 301-504-0025
www.cpsc.gov

American Board of Medical Specialties

ABMS es una organización compuesta por 24 consejos aprobados de especialidades médicas. Ofrece un número gratuito mediante el cual se puede confirmar que un "especialista" es exactamente eso. Simplemente se da el nombre del médico y ABMS verificará si el mismo está registrado en una lista de alguna especialidad y su año de certificación.

1007 Church St., Suite 404
Evanston, IL 60201
Teléfono para verificación:
866-ASK-ABMS (275-2267)
Teléfono: 847-491-9091
Fax: 847-328-3596
www.abms.org

Consumer Information Catalog (CIC)

El CIC es una lista de más de 200 publicaciones gratuitas o de bajo costo de Estados Unidos: incluye todo desde ahorrar dinero, mantenerse saludable y obtener beneficios del gobierno federal hasta comprar una casa y el manejo de reclamos de los consumidores. *Para obtener una copia gratuita del catálogo…*

◆ Llame gratis al 888-8-PUEBLO (888-878-3256), días hábiles de 9 a.m. a 8 p.m., hora del Este

◆ Envíe su nombre y dirección a: Consumer Information Catalog, Pueblo, CO 81009

◆ Vaya al sitio Web *www.pueblo.gsa.gov* para solicitar el catálogo. También puede leer, imprimir o bajar cualquier publicación del CIC en forma gratuita.

LIMITACIÓN DE RESPONSABILIDAD: Los números de teléfono, direcciones, sitios en Internet y otra información de contacto presentados en este libro son correctos en momento de la publicación, pero con frecuencia pueden cambiar. ■

Recursos de salud

Recursos de salud

ntes de empezar a buscar en Internet, hay algo que usted debe saber (y probablemente ya lo sabe): no siempre se puede confiar en la información que se obtiene en Internet.

Como hablamos de su salud, podría ser muy peligroso aceptar y usar malos consejos. Recomendamos que usted tome cualquier información que obtenga en Internet y se la muestre o comente a su profesional de la salud.

Y hay algo más que usted quizás ya sabe, y si no lo sabe, debería saberlo. Hay una organización llamada Health On the Net Foundation (HON), la cual está asociada al Hospital Universitario de Ginebra en Suiza. HON es como una agencia de protección del consumidor ("Better Business Bureau") para sitios sobre medicina en Internet. Su prestigioso organismo rector certifica sitios que deben acatar ocho principios para la protección de los usuarios. Por lo tanto, si HON le da a un sitio su sello de aprobación, usted lo verá en el sitio.

Health On the Net Foundation (HON)
Medical Informatics Service
University Hospital of Geneva

24, rue Micheli-du-Crest
1211 Ginebra 14, Suiza
Teléfono: +41 22 372 62 50
Fax: +41 22 372 88 85
www.hon.ch

HON no es la única organización que certifica sitios en Internet relacionados con la salud o la medicina. Existe también Internet Healthcare Coalition, cuyo cometido es el uso de un código de ética sobre la salud en Internet que permite a los consumidores sacar el máximo provecho en el mejoramiento de su salud.

Internet Healthcare Coalition
Box 286
Newtown, PA 18940
Teléfono: 215-504-4164
Fax: 215-504-5739
www.ihealthcoalition.org

En estos sitios de Internet usted hallará enlaces directos a recursos establecidos (y certificados, por supuesto) sobre la salud y la medicina. Aunque usted pueda confiar un poco más en la integridad de la información que encuentre en Internet, aún es importante verificar cualquier y todo consejo con su profesional de la salud.

Organizaciones, Asociaciones y Boletines informativos

Administration on Aging
Washington, DC 20201
Teléfono: 202-619-0724
www.aoa.gov

Alzheimer's Association
225 North Michigan Ave., Floor 17
Chicago, IL 60601
Teléfono: 800-272-3900
312-335-8700
www.alz.org

American Academy of Allergy, Asthma & Immunology
555 East Wells St.
Milwaukee, WI 53202
Teléfono: 800-822-2762
414-272-6071
www.aaaai.org

American Academy of Dermatology
Box 4014
Schaumburg, IL 60618
Teléfono: 866-503-7546
www.aad.org

American Academy of Medical Acupuncture
4929 Wilshire Blvd., Suite 428
Los Angeles, CA 90010
Teléfono: 323-937-5514
www.medicalacupuncture.org

American Academy of Neurology
1080 Montreal Ave.
Saint Paul, MN 55116
Teléfono: 800-879-1960
651-695-2791
www.aan.com

American Academy of Orthopaedic Surgeons
6300 North River Rd.
Rosemont, IL 60018
Teléfono: 800-346-AAOS (2267)
847-823-7186
Fax: 847-823-8125
www.aaos.org

American Academy of Otolaryngology
One Prince St.
Alexandria, VA 22314
Teléfono: 703-836-4444
www.entnet.org

American Association of Naturopathic Physicians
4435 Wisconsin Ave. NW
Suite 403
Washington, DC 20016
Teléfono: 866-538-2267
202-237-8150
Fax: 202-237-8152
www.naturopathic.org

American Association of Poison Control Centers
3201 New Mexico Ave. NW
Suite 330
Washington, DC 20016
Teléfono: 202-362-7217
Para emergencias: 800-222-1222
www.aapcc.org

American Board of Medical Specialties
1007 Church St., Suite 404
Evanston, IL 60201-5913
Teléfono: 847-491-9091
Verificación de Certificación:
866-ASK-ABMS (275-2267)
www.abms.org

American Botanical Council
6200 Manor Rd.
Austin, TX 78723

Teléfono: 512-926-4900
Fax: 512-926-2345
www.herbalgram.org

American Cancer Society
1599 Clifton Rd. NE
Atlanta, GA 30329
Teléfono: 800-ACS-2345 (227-2345)
www.cancer.org

American Chiropractic Association
1701 Clarendon Blvd.
Arlington, VA 22209
Teléfono: 800-986-4636
www.amerchiro.org

American Chronic Pain Association
Box 850
Rocklin, CA 95677
Teléfono: 800-533-3231
www.theacpa.org

American College of Obstetricians and Gynecologists
409 12th St. SW
Box 96920
Washington, DC 20090
Teléfono: 800-673-8444
202-638-5577
www.acog.org

American College of Rheumatology
1800 Century Place
Suite 250
Atlanta, GA 30345
Teléfono: 404-633-3777
www.rheumatology.org

American Council for Headache Education
19 Mantua Rd.
Mt. Royal, NJ 08061
Teléfono: 856-423-0258
www.achenet.org

American Council on Alcoholism
1000 E. Indian School Rd.
Phoenix, AZ 85014
Teléfono: 602-264-7403
Tel. para tratamiento de
alcoholismo: 800-527-5344
www.aca-usa.org

American Council on Exercise
4851 Paramount Dr.
San Diego, CA 92123
Teléfono: 800-825-3636
858-279-8227
www.acefitness.org

American Dental Association
211 E. Chicago Ave.
Chicago, IL 60611
Teléfono: 312-440-2500
www.ada.org

American Diabetes Association
National Call Center
1701 North Beauregard St.
Alexandria, VA 22311
Teléfono: 800-DIABETES (342-2383)
www.diabetes.org

American Dietetic Association
120 South Riverside Plaza
Suite 2000
Chicago, IL 60606
Teléfono: 800-877-1600
www.eatright.org

American Foundation for Urologic Disease
1000 Corporate Blvd., Suite 410
Linthicum, MD 21090
Teléfono: 866-746-4282
410-689-3700
www.afud.org

American Gastroenterological Association
4930 Del Ray Ave.
Bethesda, MD 20814

Teléfono: 301-654-2055
www.gastro.org

American Geriatrics Society
350 Fifth Ave., Suite 801
New York, NY 10118
Teléfono: 212-308-1414
www.americangeriatrics.org

American Heart Association
7272 Greenville Ave.
Dallas, TX 75231
Teléfono: 800-AHA-USA-1 (242-8721)
www.americanheart.org

American Holistic Medical Association
Box 2016
Edmonds, WA 98020
Teléfono: 425-967-0737
www.holisticmedicine.org

American Journal of Clinical Nutrition
9650 Rockville Pike
Bethesda, MD 20814
Teléfono: 301-634-7038
Fax: 301-634-7351
www.ajcn.org

American Liver Foundation
75 Maiden Lane, Suite 603
New York, NY 10038
Teléfono: 800-GO-LIVER (465-4837)
212-668-1000
www.liverfoundation.org

American Lung Association
61 Broadway, Sixth Floor
New York, NY 10006
Teléfono: 800-586-4872
212-315-8700
www.lungusa.org

American Lyme Disease Foundation, Inc.
Box 466
Lyme, CT 06371
www.aldf.com

American Macular Degeneration Foundation
Box 515
Northampton, MA 01061
Teléfono: 888-MACULAR (622-8527)
413-268-7660
www.macular.org

American Pain Foundation
201 North Charles St.
Suite 710
Baltimore, MD 21201
Teléfono: 888-615-PAIN (7246)
www.painfoundation.org

American Physical Therapy Association
1111 North Fairfax St.
Alexandria, VA 22314
Teléfono: 800-999-APTA (2782)
703-684-APTA (2782)
Para sordos: 703-683-6748
www.apta.org

American Psychological Association
750 First St. NE
Washington, DC 20002
Teléfono: 800-374-2721
202-336-5500
www.apa.org

American Red Cross
National Headquarters
2025 E St. NW
Washington, DC 20006
Teléfono: 202-303-4498
www.redcross.org

American Running Association
4405 East-West Hwy., Suite 405
Bethesda, MD 20814
Teléfono: 800-776-2732
301-913-9517
www.americanrunning.org

American Sleep Apnea Association
1424 K St. NW, Suite 302
Washington, DC 20005
Teléfono: 202-293-3650
www.sleepapnea.org

American Society for Nutrition
9650 Rockville Pike
Bethesda, MD 20814
Teléfono: 301-634-7050
Fax: 301-634-7892
www.nutrition.org

American Society of Hypertension
148 Madison Ave., Fifth Floor
New York, NY 10016
Teléfono: 212-696-9099
www.ash-us.org

American Society of Plastic Surgeons
444 East Algonquin Rd.
Arlington Heights, IL 60005
Teléfono: 888-4-PLASTIC (475-2784)
www.plasticsurgery.org

American Speech–Language–Hearing Association
10801 Rockville Pike
Rockville, MD 20852
Teléfono: 800-638-8255
www.asha.org

American Stroke Association
7272 Greenville Ave.
Dallas, TX 75231
Teléfono: 888-4-STROKE (478-7653)
www.strokeassociation.org

American Tinnitus Association
Box 5
Portland, OR 97207
Teléfono: 800-634-8978
503-248-9985

Fax: 503-248-0024
www.ata.org

Anxiety Disorders Association of America
8730 Georgia Ave., Suite 600
Silver Spring, MD 20910
Teléfono: 240-485-1001
www.adaa.org

Arthritis Foundation
Box 7669
Atlanta, GA 30357
Teléfono: 800-568-4045
www.arthritis.org

Asthma and Allergy Foundation of America
1233 20th St. NW, Suite 402
Washington, DC 20036
Teléfono: 800-7-ASTHMA (727-8462)
202-466-7643
Fax: 202-466-8940
www.aafa.org

Center for Science in the Public Interest
1875 Connecticut Ave. NW
Suite 300
Washington, DC 20009
Teléfono: 202-332-9110
Fax: 202-265-4954
www.cspinet.org

Children and Adults with Attention-Deficit/Hyperactivity Disorder
8181 Professional Place, Suite 150
Landover, MD 20785
Teléfono: 800-233-4050
301-306-7070
Fax: 301-306-7090
www.chadd.org

Colorectal Cancer Network (CCNetwork)
Box 182
Kensington, MD 20895
Teléfono: 301-879-1500
www.colorectal-cancer.net

Council for Responsible Nutrition
1828 L St. NW, Suite 900
Washington, DC 20036
Teléfono: 202-776-7929
www.crnusa.org

Crohn's & Colitis Foundation of America
386 Park Ave. South
17th Floor
New York, NY 10016
Teléfono: 800-932-2423
www.ccfa.org

Deafness Research Foundation
2801 M St. NW
Washington, DC 20007
Teléfono: 866-454-3924
           202-719-8008
Para sordos: 888-435-6104
www.drf.org

Endocrine Society
8401 Connecticut Ave.
Suite 900
Chevy Chase, MD 20815
Teléfono: 301-941-0200
www.endo-society.org

Food and Nutrition Information Center
National Agricultural Library
Room 105
10301 Baltimore Ave.
Beltsville, MD 20705
Teléfono: 301-504-5414
Para sordos: 301-504-6856
Fax: 301-504-6409
www.nal.usda.gov/fnic/

Glaucoma Research Foundation
251 Post St., Suite 600
San Francisco, CA 94108
Teléfono: 800-826-6693
           415-986-3162
Fax: 415-986-3763
www.glaucoma.org

Healthfinder
National Health Information Center
Box 1133
Washington, DC 20013
www.healthfinder.gov

Herb Research Foundation
4140 15th St.
Boulder, CO 80304
Teléfono: 303-449-2265
www.herbs.org

Hippocrates Health Institute
1443 Palmdale Court
West Palm Beach, FL 33411
Teléfono: 800-842-2125
           561-471-8876
Fax: 561-471-9464
www.hippocratesinst.org

International Chiropractors Association
1110 North Glebe Rd., Suite 1000
Arlington, VA 22201
Teléfono: 800-423-4690
           703-528-5000
Fax: 703-528-5023
www.chiropractic.org

International Food Information Council
1100 Connecticut Ave. NW
Suite 430
Washington, DC 20036
Teléfono: 202-296-6540
Fax: 202-296-6547
www.ific.org

Interstitial Cystitis Association
110 North Washington St., Suite 340
Rockville, MD 20850
Teléfono: 800-HELP-ICA (435-7422)
           301-610-5300
Fax: 301-610-5308
www.ichelp.com

Journal of the American Medical Association
515 North State St.
Chicago, IL 60610
Teléfono: 312-464-2403
Fax: 312-464-5831
www.jama.ama-assn.org

Kushi Institute
Box 7
Becket, MA 01223
Teléfono: 800-975-8744
413-623-5741, x101
Fax: 413-623-8827
www.kushiinstitute.org

The Lancet
Customer Services
Elsevier Ltd.
The Boulevard, Langford Lane
Kidlington, Oxford
OX5 1GB, United Kingdom
Teléfono: 800-462-6198
+1-407-345-4082
Fax sin cargo: 800-327-9021
www.thelancet.com

Leukemia & Lymphoma Society
1311 Mamaroneck Ave.
White Plains, NY 10605
Teléfono: 800-955-4572
914-949-5213
www.leukemia-lymphoma.org

Melanoma International Foundation
250 Mapleflower Rd.
Glenmoore, PA 19343
Teléfono: 866-INFO-NMF (463-
6663) 610-942-3432
www.melanomainternational.org

Merck Manual of Medical Information
Merck & Co., Inc.
One Merck Drive
Box 100
Whitehouse Station, NJ 08889

Teléfono: 908-423-1000
www.merck.com

National Cancer Institute
6116 Executive Blvd.
Bethesda, MD 20892
Teléfono: 800-4-CANCER (422-6237)
Para sordos: 800-332-8615
www.cancer.gov

National Capital Poison Center
3201 New Mexico Ave. NW
Suite 310
Washington, DC 20016
Teléfono: 202-362-3867
Para emergencias: 800-222-1222
www.poison.org

**National Center for Complementary
and Alternative Medicine**
NCCAM Clearinghouse
Box 7923
Gaithersburg, MD 20898
Teléfono: 888-644-6226
301-519-3153
Para sordos: 866-464-3615
Fax: 866-464-3616
www.nccam.nih.gov

National Center for Homeopathy
801 North Fairfax St.
Suite 306
Alexandria, VA 22314
Teléfono: 703-548-7790
Fax: 703-548-7792
www.homeopathic.org

National Eye Institute
2020 Vision Place
Bethesda, MD 20892
Teléfono: 301-496-5248
www.nei.nih.gov

National Headache Foundation
820 North Orleans, Suite 217
Chicago, IL 60610

Teléfono: 888-NHF-5552 (643-5552)
www.headaches.org

National Heart, Lung and Blood Institute

Building 31, Room 5A52
31 Center Dr., MSC 2486
Bethesda, MD 20892
Teléfono: 301-592-8573
Para sordos: 240-629-3255
Fax: 240-629-3246
www.nhlbi.nih.gov

National Institute for Occupational Safety and Health

200 Independence Ave. SW
Room 715H
Washington, DC 20201
Teléfono: 800-35-NIOSH (356-4674)
513-533-8326
www.cdc.gov/niosh/homepage.html

National Institute of Allergy and Infectious Diseases

6610 Rockledge Dr.
MSC 6612
Bethesda, MD 20892
Teléfono: 301-496-5717
www3.niaid.nih.gov

National Institute of Arthritis and Musculoskeletal and Skin Diseases

One AMS Circle
Bethesda, MD 20892
Teléfono: 877-22-NIAMS (226-4267)
301-495-4484
Para sordos: 301-565-2966
www.niams.nih.gov

National Institute of Dental and Craniofacial Research

National Institutes of Health
Bethesda, MD 20892-2190
Teléfono: 301-496-4261
www.nidcr.nih.gov

National Institute of Diabetes and Digestive and Kidney Diseases

Building 31, Room 9A06
31 Center Dr., MSC 2560
Bethesda, MD 20892-2560
Teléfono: 301-496-3583
www.niddk.nih.gov

National Institutes of Health (NIH)

9000 Rockville Pike
Bethesda, MD 20892
Teléfono: 301-496-4000
www.nih.gov
(otros números sin cargo de NIH se encuentran en el sitio Web, *www.nih.gov/health/infoline.htm*)

National Institute of Mental Health

6001 Executive Blvd.
MSC 9663, Room 8184
Bethesda, MD 20892
Teléfono: 866-615-NIMH (6464)
301-443-4513
Para sordos: 301-443-8431
www.nimh.nih.gov

National Institute of Neurological Disorders and Stroke

Box 5801
Bethesda, MD 20824
Teléfono: 800-352-9424
301-496-5751
Para sordos: 301-468-5981
www.ninds.nih.gov

National Institute on Aging

Building 31, Room 5C27
31 Center Dr., MSC 2292
Bethesda, MD 20892
Teléfono: 301-496-1752
www.nia.nih.gov

National Institute on Alcohol Abuse and Alcoholism

5635 Fishers Ln., MSC 9304
Bethesda, MD 20892

Teléfono: 301-443-0796
www.niaaa.nih.gov

National Kidney Foundation
30 East 33rd St.
New York, NY 10016
Teléfono: 800-622-9010
212-889-2210
www.kidney.org

National Multiple Sclerosis Society
733 Third Ave.
New York, NY 10017
Teléfono: 800-FIGHT-MS (344-4867)
www.nmss.org

National Osteoporosis Foundation
1232 22nd St. NW
Washington, DC 20037
Teléfono: 202-223-2226
www.nof.org

National Prostate Cancer Coalition
1154 15th St. NW
Washington, DC 20005
Teléfono: 888-245-9455
202-463-9455
www.4npcc.org

National Psoriasis Foundation
6600 SW 92nd Ave.
Suite 300
Portland, OR 97223
Teléfono: 800-723-9166
503-244-7404
www.psoriasis.org

National Safety Council
1121 Spring Lake Dr.
Itasca, IL 60143
Teléfono: 630-285-1121
www.nsc.org

National Sleep Foundation
1522 K St. NW, Suite 500
Washington, DC 20005

Teléfono: 202-347-3471
www.sleepfoundation.org

National Spinal Cord Injury Association
6701 Democracy Blvd.
Suite 300-9
Bethesda, MD 20817
Teléfono: 800-962-9629
www.spinalcord.org

National Stroke Association
9707 East Easter Ln.
Centennial, CO 80112
Teléfono: 800-STROKES (787-6537)
303-649-1328
www.stroke.org

National Women's Health Information Center
8550 Arlington Blvd.
Suite 300
Fairfax, VA 22031
Teléfono: 800-994-WOMAN (9662)
www.4women.gov

New England Journal of Medicine
10 Shattuck St.
Boston, MA 02115
Teléfono: 800-843-6356
617-734-9800
Fax: 617-739-9864
http://content.nejm.org

Parkinson's Disease Foundation
1359 Broadway, Suite 1509
New York, NY 10018
Teléfono: 800-457-6676
www.pdf.org

Practical Gastroenterology
c/o Shugar Publishing, Inc.
99B Main St.
Westhampton Beach, NY 11978
Teléfono: 631-288-4404
Fax: 631-288-4435
www.practicalgastro.com

School of Natural Healing (y casa editorial Christopher Publications)
> Box 412
> Springville, UT 84663
> Teléfono: 800-372-8255
> > 801-489-4254
> Fax: 801-489-8341
> *http://schoolofnaturalhealing.com/ snh_cc.htm*

SeekWellness.com
> 26 South Main St.
> PMB #162
> Concord, NH 03301
> Teléfono: 603-397-0103
> *www.wellweb.com*

Skin Cancer Foundation
> 149 Madison Ave.
> Suite 901
> New York, NY 10016
> Teléfono: 800-SKIN-490 (754-6490)
> *www.skincancer.org*

Susan G. Komen Breast Cancer Foundation
> 5005 LBJ Freeway
> Suite 250
> Dallas, TX 75244
> Teléfono: 972-855-1600
> Nro. de ayuda sin cargo (Helpline):
> 800-IM-AWARE (462-9273)
> *www.komen.org*

US Centers for Disease Control and Prevention (CDC)
> 1600 Clifton Rd.
> Atlanta, GA 30333
> Teléfono: 404-639-3311
> Para sordos: 404-639-3312
> Preguntas del público: 800-311-3435
> *www.cdc.gov*

US Department of Agriculture
> 1400 Independence Ave. SW
> Washington, DC 20250
> Teléfono: 877-677-2369
> > 202-720-5711
> *www.usda.gov*

US Department of Health and Human Services
> 200 Independence Ave. SW
> Washington, DC 20201
> Teléfono: 877-696-6775
> > 202-619-0257
> *www.hhs.gov*

US Food and Drug Administration
> 5600 Fishers Ln.
> Rockville, MD 20857
> Teléfono: 888-INFO-FDA (463-6332)
> *www.fda.gov*

US National Library of Medicine
> 8600 Rockville Pike
> Bethesda, MD 20894
> Teléfono: 888-FIND-NLM (346-3656) 301-594-5983
> *www.nlm.nih.gov*

US Soyfoods Directory
> c/o Stevens & Associates, Inc.
> 4816 North Pennsylvania St.
> Indianapolis, IN 46205
> Teléfono: 317-926-6272
> *www.soyfoods.com*

Weight-control Information Network (WIN)
> One WIN Way
> Bethesda, MD 20892
> Teléfono: 877-946-4627
> Fax: 202-828-1028
> *http://win.niddk.nih.gov/index.htm*

Wunderlich Center for Nutritional Medicine
> 8821 Dr. Martin Luther King, Jr., St. North
> St. Petersburg, FL 33702
> Teléfono: 727-822-3612
> Fax: 727-578-1370
> *www.wunderlichcenter.com*

Recursos sólo en Internet

www.acupuncture.com
Información y recursos sobre medicina alternativa. Posee un directorio de proveedores, proporciona respuestas a preguntas frecuentes y permite que usted se comunique con sus expertos para hacerles preguntas más específicas.

www.altmedicine.com
Alternative Health News Online proporciona enlaces a excelentes fuentes de información en Internet sobre temas alternativos de salud. Además, ofrece un resumen de nueva información.

www.health-library.com/index.html
Enlaces a una amplia variedad de sitios sobre salud, estado físico, nutrición y sexualidad, con una sección sobre medicina alternativa.

www.kidshealth.org
KidsHealth es el mayor sitio en Internet que proporciona información sobre salud aprobada por médicos acerca de niños desde antes del nacimiento hasta la adolescencia. El sitio fue creado por expertos en medicina pediátrica de la Nemours Foundation.

www.mealsforyou.com
Miles de recetas, planes de comidas e información nutricional. Busque recetas por nombre, ingrediente o contenido nutricional.

www.medlineplus.gov
Información sobre salud seleccionada por la US National Library of Medicine y los National Institutes of Health (NIH) de una base de datos de más de 4.000 publicaciones sobre medicina.

www.medweb.emory.edu
MedWeb es un directorio de sitios en Internet relacionados con la salud, mantenido por la Universidad Emory.

www.mothernature.com
Además de su área principal comercial, este sitio proporciona una abundancia de información sobre salud, una enciclopedia sobre temas de salud natural, consejos de expertos y un archivo de artículos sobre una variedad de temas.

www.pain.com
Este sitio proporciona amplios recursos sobre estudios acerca del dolor, enlaces a otros sitios sobre el control del dolor y más.

www.pitt.edu/~cbw/altm.html
El sitio principal sobre Medicina Alternativa es un punto de partida hacia fuentes de información sobre terapias no comprobadas, poco convencionales, poco ortodoxas y alternativas complementarias, innovadoras o integradoras.

www.webmd.com
Este sitio incluye información exhaustiva sobre una variedad de enfermedades y afecciones, así como sobre hierbas y medicina alternativa. ■

Índices

Índice de Recetas

Desayuno
El asombroso remedio de las pasas
    remojadas en ginebra, 10
Barras de cereal y yogur, 314
Cereal de avena ("oatmeal")
    con banana y pecanas, 19
Mezcla para panqueques o
    barquillos ("waffles"), 291
"Muffins" maravillosos de maíz,
    avellanas y salvado, 305

Bebidas
Batido de papaya, 102
La bebida Guggle-Muggle de Ed Koch
    (solo para adultos), 179
Poción de amor, 194

Aperitivos
Almendras tostadas con canela, 113
Ensalada de colores, 201
"Salsa" de manzana y canela
    con "chips" de tortilla, 66
Tortitas de cangrejo, 307

Ensaladas
Ensalada de fruta tropical con
    jengibre y maní, 310
Ensalada de frutas con yogur
    y semillas de girasol, 140
Ensalada orgánica con hierbas, 148
Ensalada de papaya con judías, 7

Sopas
Sopa de ajo, 298
Sopa de pollo del Dr. Ziment, 173
Sopa de pollo de Lillian Wilen, 172
Sopa de pollo con quingombó
    ("okra"), 74
Sopa fría checa de arándanos, 141
Sopa sabrosa de vegetales y lentejas,
    256
Sopa de zanahorias, 232

Platos principales
Camarones con anacardos, 309
Cazuela de legumbres y frijoles, 289
Cazuela de "macaroni" con nueces,
    306
Pasta con "zucchini" y ajo asado, 297
Pavo al "curry", 313
Pizza de cuatro quesos con pecanas,
    308
Pollo al ajillo, 244
Pollo con albahaca, limón y miel,
    288
Salmón escalfado con champán, 138
"Tofu" salteado con salsa de jengibre,
    303

Platos de acompañamiento
Ajo asado, 296
Berenjena a la mexicana con semillas
    de hinojo, 77

Berenjena vigorizante, 245
Bróculi oriental, 177
Ensalada "coleslaw" de bróculi, 165
Ensalada "coleslaw", 253
Ensalada de maní, 57
Pepinos en crema agria, 97
Puré de batatas con ajo, 297
Remolachas en salsa de naranja, 135
"Sauerkraut", 253
Tupinambo dulce encurtido, 16
Verduras al ajillo, 186
Zanahorias con perejil y limón, 144

Salsas
Salsa esmeralda, 69
Salsa para untar ("dip") de berenjena
    y yogur, 312
Vinagreta con jengibre y cebolla,
    302

Postres
Bolitas de albaricoque, 35
Frituras de banana africanas, 44
Galletitas de jengibre divinas, 300
Galletitas de semillas de lino, 294
Helado de maní (del año 1925),
    311
Semillas de calabaza ("pumpkin")
    dulces y picantes, 188
Tarta de bayas, 208
Yogur casero, 315

Índice

A

Aceite de coco para diabetes, 49
Aceite de eucalipto
    como repelente de mosquitos, 116
    para artritis, 12
    para dolor de espalda, 68
Aceite de hígado de bacalao
    para artritis, 8
    para furúnculos, 154
    para seborrea, 191
Aceite de linaza. *Vea* Semillas de lino
Aceite de maíz
    fuente de grasas poliinsaturadas, 20
    para caspa, 28
    para quitar cera del oído, 132
Aceite de maní ("peanut oil")
    para artritis, 8
    para evitar arrugas, 157
    para ojeras, 120
Aceite de oliva
    en exfoliador casero, 265
    estreñimiento y, 73
    para acné, 149
    para amigdalitis, 184
    para arrugas, 156
    para bajar colesterol, 20
    para callos, 160
    para ciática, 69
    para cicatrices, 156
    para congelación, 39
    para dentición, 237
    para dolor de oídos, 129
    para indigestión, 104
    para infección de oídos, 131

    para irritantes de ojos, 139
    para manos ásperas, 109
    para otitis de piscina, 131
    para pérdida de audición, 133
    para picaduras de medusas y aguamalas, 115
    para piel sobreexpuesta al sol, 171
    para problemas de cabello, 26, 27, 30
    para quemadura de garganta, 168
    para tos, 217
    para úlceras, 222
    para uñas frágiles, 110
    para verrugas, 224
Aceite de ricino ("castor oil")
    para aftas, 60
    para arrugas, 157
    para clavos y callos, 160
    para dolor de oídos/infección de oídos, 130-131
    para manchas marrones, 120
    para manos ásperas, 109
    para ojos irritados, 139
    para pecas, 155
    para piel sobreexpuesta al sol, 171
    para tinitus, 133
    para verrugas plantares, 225
Aceites de esencias cítricas como estimulantes del ánimo, 44
Acidez estomacal, 101, 102, 105-108
Ácido ascórbico para hemorroides, 92
Ácido fólico, 305
Ácido láctico en yogur, 311
Ácidos grasos esenciales, 293-294

Ácidos grasos monoinsaturados, 20, 73
Acné, 149-150
    cicatrices de, 151
    en niños, 230
Acupresión
    para ataque al corazón, 39
    para calambres en las piernas, 124
    para controlar el apetito, 78
    para depresión, 45
    para diarrea, 51
    para dolor de cabeza, 62
    para dolor de muelas, 53
    para estreñimiento, 73
    para hipo, 99
    para insomnio, 211
    para tensión y ansiedad, 214
    para tos, 220
    para vista cansada, 134
    punto hoku, 55
Acupuntura
    ojos y, 145
    para resfriados y gripe, 175
Afrodisíacos, 196, 295, 301
Aftas, 60
Agrandamiento de próstata, 241-243
Agua
    control de peso y, 79, 83
    para hipo, 99
    para retortijones de estómago, 108
Aguacates ("avocados")
    colesterol y, 18
    para piel seca, 264
    para rodillas y codos resecos, 154
Aguaturma. *Vea* Tupinambo

Ajo, 295-299. *Vea también* Ajo, remedios con
  aliento a, 14, 17, 59
  olor en manos, 324
  suplementos, 6, 298-299
Ajo, remedios con
  colesterol y, 18
  como fortificador de la sangre, 6
  como repelente de mosquitos, 116
  para acné, 150
  para alivio premenstrual, 254
  para amigdalitis, 184
  para artritis, 8
  para asma, 14, 15
  para ateroesclerosis, 17-18
  para ciática, 68, 69
  para cistitis, 250
  para depresión, 43
  para diabetes, 49
  para diarrea, 51
  para dolor de cabeza, 64
  para dolor de muelas, 54
  para estreñimiento, 74
  para fiebre, 180
  para furúnculos, 153
  para gota, 90
  para gripe, 178
  para herpes labial, 93
  para hiedra venenosa, 192
  para impotencia, 243
  para indigestión, 103
  para insomnio, 211
  para náuseas matutinas, 254
  para pérdida de audición, 133
  para pie de atleta, 163
  para piorrea, 56
  para presión arterial alta, 96
  para problemas de cabello, 26-27
  para problemas de corazón, 42
  para psoriasis, 187
  para quemaduras, 167
  para resfriados y gripe, 174
  para ronquera y laringitis, 182
  para sinusitis, 202
  para somnolencia, 87
  para tensión en cuello, 122
  para tinitus, 133
  para tiña ("ringworm"), 190
  para tos, 218
  para uñas, 110
  para verrugas, 225
  para verrugas plantares ("plantar warts"), 225

Ajonjolí ("sesame"), remedios con aceite y semillas de
  para artritis, 12
  para caspa, 28
  para dolor de oídos, 129
  para csguinces, 71
  para estrías, 156
  para irregularidades menstruales, 254
  para problemas de cabello, 27, 31
Albahaca ("basil")
  en alivio de dolor, 11
  para indigestión, 103
  para regular menstruación, 252
Albaricoque (damasco, "apricot")
  para anemia, 5
  para asma, 15
  para dejar de fumar, 37
  para estreñimiento, 72
Alcoholismo, 21
Alergias. *Vea también* Asma; Fiebre del heno
  a miel, 4
  a picaduras de abeja, 4
  alivio de, 3
  panal de abejas, 4
  polen de abeja para, 287
  prevención de, 3
  resaca y, 22
Alergias a alimentos e indigestión, 101
Alergias a medicamentos, 3
Algarroba ("carob")
  como sustituto de cafeína, 214
  para indigestión de bebé, 235
Alicina ("allicin"), 174
Aliento a café, 59
Almejas ("clams") para problemas sexuales, 195
Almendras ("almonds"). *Vea también* Nueces
  alergia a, 4
  para acidez estomacal, 107
  para dolor de cabeza, 61
  para hemorroides, 91, 92
  para prevenir intoxicación, 25
  para piel muerta, 151
  para problemas de memoria, 112
Almohada de lúpulos ("hop pillow")
  para insomnio, 209
  para tensión y ansiedad, 215

Almohadilla de calor ("heating pad")
  para dolor de cabeza, 61
  para tinitus, 133
Áloe vera
  como repelente de mosquitos, 116
  para artritis, 13
  para culebrilla, 94, 95
  para dolor de cabeza, 62
  para quemaduras de sol, 170
  para verrugas, 225
Alopecia, 26
Amamantar, 255-256
  cólicos y, 235, 236
Amarillo
  contribución de, al estrés, 214
  para indigestión, 103
  para problemas de memoria, 114
Amatista ("amathyst")
  para evitar intoxicación, 25
  para problemas de memoria, 113
Ámbar ("amber")
  para asma, 13
  para dolor de garganta, 182
  para sangrado nasal, 185
Amígdalas, extirpación de, 184
Amigdalitis, 184
  en niños, 237
Amoníaco para picaduras de insectos, 115
Anacardos ("cashews"), 306, 307, 309
Anemia, 5-6
Anemia por deficiencia de hierro, 5
Animales
  mordeduras de, 114
  polen de abeja para, 290
Anís, remedios con
  para acidez estomacal, 102
  para dolor de garganta, 183
  para gases, 105
  para halitosis, 59
  para pesadillas, 212
  para tos, 220
Ansiedad. *Vea* Tensión y ansiedad
Antibióticos y yogur, 312-313
Anticoagulantes y ajo, 68
Apetito, falta de, en niños, 236
Apio ("celery")/jugo de apio
  como afrodisíaco, 196
  como diurético, 205
  como sedante, 45
  para artritis, 8
  para ciática, 68
  para depresión, 43

Apnea del sueño, 212-213

Arándanos agrios ("cranberries")/jugo de arándanos agrios
    para asma, 16
    para cistitis, 250
    para hemorroides, 91
    para nicturia, 204
    para problemas urinarios, 203, 205

Arándanos azules ("blueberries")
    para visión nocturna, 142

Arañas, picaduras de, 117

Arginina
    en nueces ("nuts"), 307
    para herpes, 93

Arritmia (palpitaciones del corazón), 40

Arroz
    para diarrea, 51

Arroz moreno ("brown rice")
    para acné, 150

Arrugas, 156-158
    prevención de, 288

Arrugas de ojos, 158

Arruruz ("arrowroot") para indigestión, 103

Artritis
    remedios naturales para, 6-8
    tratamientos tópicos para, 8-9

Asma, 13-16. *Vea también* Alergias; Fiebre del heno
    té de corteza de cerezo ("wild cherry-bark tea") para, 14

Asparagina para agrandamiento de próstata, 242

Aspirina
    para ataque al corazón, 39
    para problemas de cabello, 31

Astillas, 156
    en niños, 236

Ataque al corazón, 39

Ateroesclerosis
    colesterol y, 17
    remedios naturales para, 17

Atletas, polen de abeja para, 287

Autohipnosis, sugestiones de, para estreñimiento, 74

Avellanas ("filberts"), 306

Avellanas ("hazelnuts"), 306, 307

Ayur Veda, Medicina, 302

Azafrán ("saffron"), té de, como estimulante de ánimo, 44

Azúcar para hipo, 99, 100

Azul
    atrae mosquitos, 116
    como calmante, 45
    efecto de, en la incidencia de suicidios, 113

B

Bananas (plátanos), remedios con
    alergias y, 3
    en prevención de arrugas, 157
    para amigdalitis, 184
    para calambres en las piernas, 123
    para cortaduras, 155
    para depresión, 43
    para diarrea, 51
    para hiedra venenosa, 192
    para moretones, 119
    para sacar astillas, 156

Banchá, hojas de, para orzuelos, 143

Baño de arena para artritis, 12

Baño de hierbas, 278

Baño "sitz" para dolor de próstata, 242

Barbas de maíz ("corn silk")/té de barbas de maíz
    como diurético, 205
    para artritis, 11
    para cistitis, 250
    para evitar mojar la cama, 230
    para problemas urinarios, 203
    para próstata agrandada, 242

Bardana ("burdock")/té de bardana
    para orzuelos, 143
    para síndrome del túnel carpiano, 201

Batatas (boniatos, camotes, papas dulces), 80, 85, 136

Baya del saúco ("elderberry")
    para ciática, 69
    para insomnio, 209

Bebidas con gas para náuseas y vómito, 125

Bebidas alcohólicas, 21-25
    calcio y, 254
    congelación y, 38
    control de peso y, 83
    desfase horario y, 46
    depresión y ansiedad, y, 43
    deshidratación y, 46
    flujo menstrual excesivo y, 252
    gota y, 90
    problemas de próstata y, 242
    ronquidos y, 213

Bellotas ("acorns") para fertilidad, 194

Ben Wa, bolas, para problemas sexuales, 194

Berenjena ("eggplant")
    para impotencia, 245
    para piel grasosa, 263

Berro ("watercress"), remedios con
    como antialérgeno, 3
    como diurético, 205
    hierro, contenido de, en, 5
    para ciática, 69
    para visión nocturna, 142

Bicarbonato de soda ("baking soda")
    como limpiador de manos, 109
    para aliento a ajo, 59
    para cabello verde, 31
    para clavos y callos, 160
    para culebrilla, 95
    para náuseas y vómito, 125
    para picaduras de insectos, 114
    para piorrea, 56
    para quitar fijador de cabello, 34
    para urticaria, 189

Bioflavonoides
    para ateroesclerosis, 17
    para fiebre del heno, 4
    para picaduras de araña, 117
    para sangrado nasal, 186

Bistec para ojos morados, 120

Blanqueador de dientes, 58

Bolas chinas para síndrome del túnel carpiano, 200

Boniatos. *Vea* Batatas

Bostezos, 271

Botón de oro (hidraste, "goldenseal")
    para encías sanas, 55
    para presión arterial alta, 96
    para resfriados y gripe, 176

Bróculi (brécol, "broccoli"), remedios con
    para problemas del corazón, 41
    para resfriados y gripe, 177

Bromelaína
    para esguinces, 70
    para síndrome del túnel carpiano, 201

Brusco (retama, "butcher's broom")
    para flebitis, 166
    para várices, 164

Bursitis, 6

C

X Cabello, problemas de
amarillo, 33
canas, cómo evitar, 32
caspa, 28
colorante natural de, 31
crespo, 29
detener pérdida de, 26
estimulación de crecimiento, 26
fijadores, 33
revitalizadores para, 30
seco, 29
tinte verdoso en piscina, 31
Cacahuates ("peanuts"). *Vea* Maní
Café. *Vea también* Cafeína
eliminación de la dieta para
problemas de la próstata, 242
para artritis, 11
Cafeína. *Vea también* Café
calcio y, 254
depresión y, 43
Calabacines ("squash") como
fortificadores de la sangre, 5
Calabacita italiana "zucchini" para
indigestión, 103
Calabaza "pumpkin"
como fortificador de sangre, 5
para furúnculos, 153
para impotencia, 196
para picazón rectal, 190
para problemas urinarios, 203
para quemaduras, 167
Calambres, 121
Calambres en las piernas, 123-124
Calcio
necesidad de, 273
para alivio premenstrual, 254
para calambres en las piernas, 123
tics nerviosos y, 46
Cálculos renales. *Vea* Piedras en el
riñón
Caléndula para problemas de cabello,
29
Callos, 159-161
Calorías quemadas por hora, 82
Calvicie, 26
Caminar
para diabetes, 48
para hemorroides, 91
para perder peso, 81
para problemas de corazón, 41
para problemas de memoria, 113
várices y, 164

Camotes. *Vea* Batatas
Cáncer, tratamiento de, y polen de
abeja, 289
Canela ("cinnamon"), remedios con
para diarrea, 50, 233
para evitar mojar la cama, 230
para flujo menstrual excesivo, 252
para halitosis, 58
para náuseas y vómito, 125
para resfriado, 174, 175
para tos, 218
Cangrejo para hiedra venenosa, 193
Capsaicina para síndrome del túnel
carpiano, 201
Caqui ("persimmon"), remedios con
para estreñimiento, 74
para resaca, 23
Cara, relajador de, 266
Carbón activado ("activated
charcoal")
para diarrea, 50
para flatulencia, 104
Cardamomo ("cardamom"), semillas
de, para indigestión, 102
"Carob". *Vea* Algarroba
Carotenoides y dejar de fumar, 36
Caspa, 28
Castaño de indias ("horse chestnut"),
remedios con
para flebitis, 166
para várices, 164
Cataplasmas ("poultices"), 280
con sal gruesa kosher, 9, 181
de ajo, 153
de cebolla, 65, 117, 118, 202, 203,
214
de col (repollo, "cabbage"), 156
de consuelda ("comfrey"), 71, 166
de maicena, 119
de manzana, 136, 170
de manzanilla ("chamomile"),
130
de melaza negra ("blackstrap
molasses"), 225
de miel, 153
de papa, 62, 121, 139
de rábano picante ("horseradish"),
8-9, 53, 68
de sal, 117
de "sauerkraut" (chucrut,
col agria), 168
de vinagre, 160
de yogur, 137

de zanahoria, 152, 182
para artritis, 9
para astillas, 156
para ciática, 68
para clavos y callos, 160
para conjuntivitis, 136, 137
para dolor de cabeza, 62, 65
para dolor de cabeza por sinusitis,
202
para dolor de garganta, 181, 182
para dolor de muelas, 53
para dolor de oídos, 130
para esguinces y torceduras, 71
para flebitis, 166
para furúnculos, 153
para llagas, 152, 153
para mordedura de serpiente, 117
para moretones, 118, 119
para ojos inflamados, 139
para ojos morados, 120, 121
para quemaduras, 168
para quemaduras de sol, 170
para sinusitis, 202
para tensión, 214
para verrugas, 225
Cataratas, 135
ceguera por la nieve y, 144
Cebada/agua de cebada ("barley"),
277
para diarrea, 50, 233
para tos, 218
para úlceras, 222
Cebada perlada ("pearl barley"), 222,
277
Cebada mondada ("Scotch barley"),
277
Cebolla, aliento a, 59
Cebolla, remedios con, 279
como diurético, 203, 205
como estimulante de ánimo, 45
cómo manipular sin lágrimas, 323
hierro, contenido de, en, 5
para acné, 150
para agrandamiento de próstata,
242
para asma, 16
para audición, 134
para clavos y callos, 160
para desmayos, 48
para diarrea, 50
para disentería, 52
para dolor de cabeza por sinusitis,
202

para dolor de muelas, 54
para dolor de oídos, 130
para estreñimiento, 74
para estrés, 45
para fiebre, 180
para flatulencia, 105, 106
para granitos, 150
para hipo, 99
para insomnio, 208, 211
para irritantes de ojos, 139
para manchas marrones, 119
para migrañas, 65
para mordedura de serpiente, 117
para moretones, 118
para náuseas y vómito, 126
para nerviosismo, 214
para olor a, en manos, 324
para pérdida de cabello, 27
para picaduras de insectos, 115
para picazón, 188
para laringitis, 182
para pie de atleta, 162
para problemas del corazón, 42
para problemas urinarios, 203
para prurito, 188
para quemaduras, 167
para resfriados y gripe, 178
para retortijones de estómago, 108
para sacar astillas, 156
para tensión y ansiedad, 45, 214
para tinitus, 133
para tos, 218, 221
para verrugas, 224
Cebollín ("chives")
    hierro, contenido de, en, 5
    para problemas de cabello, 28
Ceguera por la nieve, 143-144
Cejas, cómo depilar, 266
Celulitis, cómo eliminar, 82
Cepillo de dientes
    cómo limpiar, 57
    cuándo tirar a la basura, 57
Cera y pesticidas, cómo quitar, de
    frutas y verduras, 81
Cerezas ("cherries")/jugo de cerezas
    para artritis, 7
    para gota, 90
Champán para exfoliación, 265
Chía, semillas de
    como propulsor de energía, 89
    para tensión y ansiedad, 215
Chicle, cómo quitar del cabello, 33
Chihuahuas, perros, y asma, 13

Chocolate
    ansias de comer, 214
    para tratamiento facial, 262
Ciática, 68-69
Cicatrices, 151, 155
    miel y nuez moscada para, 151
Cigarrillo, 34-38. *Vea también* Tabaco
Cimifuga negra ("black cohosh")
    para menopausia, 257
Ciruelas ("plums") para mareos
    causados por movimiento, 127
Ciruelas secas ("prunes"), remedios
    con
        para calmar estrés, 45
        para estreñimiento, 72, 75
        para problemas de memoria,
        112
Cistitis, 250
Clavos y callos, 159-161
Clavos de olor ("cloves"), remedios
    con
        para canas, 33
        para cortaduras con papel, 155
        para dejar de fumar, 36
        para dolor de muelas, 54
        para aliento a ajo, 59
        para náuseas y vómito, 125
        para problemas de memoria,
        112
        para tos, 218, 220
Coágulos de sangre, mecedora para
    prevenir, 124
Cobre, 5, 306
Codo de tenista, 71
Codos resecos, 154
Coenzima Q-10 (CoQ-10) para
    piorrea, 56
Col (repollo, "cabbage"), remedios
    con
        para consumo de alcohol, 21
        para migrañas, 65
        para palpitaciones del corazón,
        40
        para úlceras, 223
Cola de caballo ("horsetail") para
    ojos inflamados, 140
Colesterol
    alto, 17-20
    nueces ("nuts") para bajar, 305
    yogur para bajar, 313
Cólicos en niños, 235
Colina para problemas de memoria,
    112

Color como estimulante de ánimo,
    44, 45. *Vea también* Amarillo; Azul
Compresa de agua caliente para
    flatulencia, 105
Computadoras, síndrome del túnel
    carpiano y uso de, 198
Confucio, 302
Congelación, 38-39
Congelados, vegetales, para ojos
    morados, 120
Conjuntivitis, 136
Consuelda ("comfrey"), remedios con
    para esguinces, 71
    para flebitis, 166
    para gota, 90
    para uñas encarnadas, 163
Control de la vejiga en la mujer, 249
Copos de avena ("oats")/cereal de
    avena ("oatmeal")
        colesterol y, 20
        como estimulante, 197
        como limpiador de manos, 109
        en prevención de arrugas, 157
        para acidez estomacal, 107
        para acné, 149
        para hiedra venenosa, 193
        para indigestión, 101, 104, 105
        para prurito, 188-189
        para sacar astillas, 156
        para tos, 219
Corazón, ayudantes del, 40-42
Corazón, palpitaciones del, 40
Corazón y sexo, 246
Corredores, calambres en las piernas
    de, 124
Cortaduras y raspaduras, 155
Cortaduras con papel, 155
Corteza de cerezo ("wild cherry-bark
    tea"), té de, para asma, 14
Corteza de magnolia ("magnolia-
    bark"), té de, para dejar de fumar,
    36
Corteza de sauce ("willow bark")
    para síndrome del túnel carpiano,
    200
Corteza de viburno ("cramp bark")
    para calambres en las piernas, 123
Cortisona
    terapia de ajo como sustituto de,
    14
    yuca como sustituto de, 11
Crema agria ("sour cream") para
    quemaduras de sol, 170

Crema de afeitar para limpiar espejo, 267

Crema nocturna, enriquecida, 266

Crema tártara ("tartar cream")
para dolor de garganta, 180
para urticaria, 189

Cromo y colesterol, 20

Crup en niños, 232

Culebrilla ("shingles"), 94-95

Cúrcuma ("turmeric") para evitar acidez estomacal, 107

D

Daikon
para dolor de cabeza, 62
para indigestión, 101
para moretones, 119

Damiana para impotencia, 244

Daño retinal causado por ceguera por nieve, 144

Dátiles ("dates") para estreñimiento, 74

Dedos de pie entumecidos (dormidos), 163

Dedos de pie torcidos hacia dentro ("pigeon toes"), 163

Dentición en niños, 237

Depilación de cejas sin dolor, 266

Depresión y estrés, 43-44

Dermatitis, 3

Desfase horario ("jet lag"), 46-47

Desintoxicación del hígado, 36

Desmaquilladores para distintos tipos de piel, 263-265

Desmayos, 47-48

Diabetes, 48-49
aceite de coco para, 49

Diamantes para insomnio, 209

Diarrea, 49-52
macarrones de coco para, 51
en niños, 233
yogur para, 51, 313

Diente de león ("dandelion"), remedios con
para clavos, 161
para pecas, 155
para verrugas, 224

Dientes, extracción de, 55

Dientes, problemas de, 52-60

Dieta contra el desfase horario ("jet lag"), 47

Disentería, 52

Diuréticos, 203-205
pérdida de potasio y, 123

Dolor de cabeza, 61-67
cáscara de limón para aliviar, 63
por resaca, 22
por sinusitis, 202

Dolor de espalda, 67-69

Dolor de garganta, 180-183

Dolor de muelas, 52-54

Dolor de oídos, 129-131

Dormir
con síndrome del túnel carpiano, 199
problemas de, 207-213

Duchas frías para estimular deseo sexual, 196

E

Eccema, 3, 186

Ejercicios
audición y, 134
Kegel, 195, 249
para adelgazar, 76, 81, 83
para estreñimiento, 75
para evitar síndrome del túnel carpiano, 199-200

Ejercicios aeróbicos para la audición, 134

Ejercito de EE.UU., investigación de, sobre alergias, 4

Embarazo, 254-255

Encías, problemas de, 55-56

Encías sangrantes, 55, 56

Enfermedad de Crohn, 52

Enfisema, 70

Enjuague bucal casero, 59, 60

Ensalada para perder peso, 80

Equinácea para resfriados y gripe, 176

Escarola ("escarole") para estreñimiento, 74

Esguinces y torceduras, 70-72

Esmalte de uñas ("fingernail polish") para herpes labial, 94

Espárragos ("asparagus")
como diurético, 205
para piedras en el riñón, 206

Especias, cómo guardar, 323

Espejo, crema de afeitar para limpiar, 267

Espinaca ("spinach")
para anemia, 5
para estreñimiento, 74

Espino blanco ("hawthorn")
para problemas del corazón, 41
para venas sanas, 166

Espirulina para control de peso, 77

Estimulantes del ánimo, 43-44

Estómago, malestar de, 101

Estreñimiento, 72-74
ciruelas secas ("prunes") para, 72
durante embarazo, 255

Estreptococos en la garganta ("strep throat"), 183

Estrés. *Vea* Depresión y estrés

Estrías, 156

Eufrasia ("eyebright")
para problemas de memoria, 113
para problemas de ojos, 136, 142, 146

Exfoliante casero, cómo preparar, 265

Eyaculación precoz, 246

F

Fatiga, 87-89

Fenogreco ("fenugreek")/té de fenogreco
colesterol y, 18
para fiebre del heno, 4
para furúnculos, 154
para indigestión, 102
para problemas sexuales, 195

Fertilidad, polen de abeja para, 288

Fiebre, 320
aliviadores de, 180
en niños, 233

Fiebre del heno, 3-4. *Vea también* Alergias; Asma

Fiestas, perder peso durante, 84

Fijadores de cabello, cómo quitar, 34

Fijadores de cabello caseros, 33

Fitoquímicas, sustancias, 307

Flatulencia, 104-106

Flavonoides, 305

Flebitis, 165-166

Flúor para evitar deterioro de dientes, 57

Frambuesas ("raspberries")/té de frambuesas
para calambres en las piernas, 124
para control de peso, 76
para culebrilla, 95
para diarrea, 50, 233
para presión arterial alta, 97
para trabajo de parto y parto, 255

Fresas (frutillas, "strawberries"), remedios con
en tonificante para piel, 263

para acné, 150
para calmar nervios, 45
para dolor de cabeza, 64
para gota, 90
para hiedra venenosa, 192
para limpiar dientes y encías, 56
para piedras en el riñón, 207
para resaca, 23
Frijoles (habas, habichuelas, "beans").
Vea también Frijoles negros,
Frijoles rojos, Garbanzos
para controlar azúcar en sangre, 20
remojo de, para prevenir gases, 106
Frijoles negros
para dolor de espalda, 68
para ronquera y laringitis, 183
Frijoles rojos (habichuelas coloradas, "kidney beans") para tos, 220
Furúnculos ("boils"), 153-154

G
Garbanzos para manchas marrones, 119
Gas, 104-106
Gaseosas, apetito y, 84
Gemóloga, terapia
amatista, 25, 113
ámbar ("amber"), 13, 182, 185
diamantes para insomnio, 209
jade para problemas renales, 206
topacio para resfriados, 178
turquesa, color, para problemas sexuales, 198
Geranios ("geraniums")/aceite de geranios
como repelente de mosquitos, 116
para culebrilla, 95
para heridas, 152
Germen de trigo ("wheat germ")/aceite de germen de trigo
para cabello crespo y seco, 29
para callos, 160
para corazón sano, 42
para estreñimiento, 73
para manos agrietadas, 109
para mordeduras/picaduras de animales, 114
para picazón rectal, 190
para uñas que se quiebran, 110

Ginebra para dolor menstrual, 253
Ginseng como afrodisíaco, 196
Glaucoma, 142
Glutamina para resaca, 24
Gomasio
para acidez estomacal, 107
para dolor de cabeza, 62
para mareos de mar, 128
Gota, 6, 90
"Grapefruit". *Vea* Toronja
Gripe. *Vea* Resfriados y gripe

H
Halitosis (mal aliento), 58-59 101
Hamamelis (olmo escocés, "witch hazel"), remedios con
para culebrilla, 95
para dolor de cabeza, 61
para hemorroides, 91
para ojos morados, 121
para ojos quemados por sol, 170
para várices, 165
Harina de maíz ("cornmeal")
en lavado de cabello en seco, 30
para manos ásperas, 109
para retortijones de estómago, 108
Hemorragia nasal. *Vea* Sangrado nasal
Hemorrágicos, problemas, y ajo, 68
Hemorroides, 91-92
Heridas, 152. *Vea también* Mordeduras y picaduras
Herpes, 92
Herpes genital, 92
Herpes labial (llagas en la boca, "cold sores"), 93-94
Herpes zóster. *Vea* Culebrilla
Hidraste. *Vea* Botón de oro ("goldenseal")
Hidratante ("moisturizers")
para manos ásperas, 109
para pecas, 155
para piel sobreexpuesta al sol, 171
Hiedra venenosa, 191-193
Hielo
para desmayos, 48
para dolor de oídos, 130
para esguinces, 70
para extracción de muelas, 55
para mordeduras y picaduras, 115
para moretones, 118
para náuseas, 126
para picaduras de araña, 117

Hierba de trigo ("wheat grass") para olor corporal, 147
Hierbas, cómo guardar, 323
Hierro, fuentes de, 5
cebada ("barley"), 277
ciruelas "umeboshi", 127
jugo de uvas, 5
semillas de girasol, 141
Higos ("figs"), remedios con
como propulsores de energía, 88
para dolor de muelas, 54
para estreñimiento, 72
para furúnculos, 154
para ojeras, 120
para verrugas, 224
Hilo negro como remedio para tos en niños, 232
Hilo dental ("dental floss") y mal aliento, 58
Hinojo ("fennel")/aceite de hinojo, remedios con
para adelgazar, 76, 81
para cólicos, 235
para problemas de ojos, 140, 142, 146
para problemas sexuales, 196
para producción de leche al amamantar, 255
para tos bronquial, 220
Hipérico (corazoncillo, hierba de San Juan, "St. John's wort") para culebrilla, 94
Hipertensión, 95-97
Hipnosis, auto-, para estreñimiento, 74
Hipo, 98-100
Hojas de laurel ("bay leaves")
para cólicos, 235
para flatulencia, 105
Hombre, salud del, 241-246
problemas sexuales en, 193-198, 243-246
remedios curativos para próstata, 241-243
Homeopático, lavado de ojos, 137
Huevos/claras de huevo
para asma, 14
para furúnculos, 153
para neuralgia, 128
para verrugas, 225
Humectantes ("moisturizers")
para piel tipo mixta, 265

I

Impotencia, 243-245
Incontinencia, 195, 205
Índice de masa del cuerpo (BMI, "Body Mass Index"), 85, 86
Indigestión, 101-104
    acidez estomacal e, 107
    en niños, 234-236
    gas/flatulencia e, 104-106
    mal aliento e, 58
    retortijones de estómago e, 101
Infarto coronario. *Vea* Ataque al corazón
Infección de oídos, 130-131
Inhibidores de Cox-2, 301
Insectos, repelentes naturales de, 324
Insomnio, 207-212
    cebolla para, 208, 211-212
Intoxicación, prevención de, 21, 24
Irritación al afeitarse, 190
Irritantes de ojos, 138-139
    en niños, 231

J

Jade para problemas renales, 206
Jarabe de cola para náuseas y vómito, 126
Jengibre ("ginger"), 300-304
Jengibre/té de jengibre/raíz de jengibre, remedios con
    para artritis, 12
    para canas, 33
    para caspa, 28
    para circulación sanguínea, 42
    para diarrea, 50
    para dolor de oídos, 129
    para esguinces, 71
    para flatulencia, 106
    para indigestión, 101
    para insomnio, 209
    para mareos causados por movimiento, 127
    para músculos doloridos, 121
    para náuseas y vómito, 125
    para problemas de memoria, 112
    para regular menstruación, 252
    para resaca, 22
    para resfriados y gripe, 177
    para síndrome del túnel carpiano, 201
    para tos, 219

"Jerusalem artichoke". *Vea* Tupinambo
"Jet lag". *Vea* Desfase horario
Judías aduki para problemas de riñones (renales), 206
Jugos vegetales
    depresión y, 43
    para artritis, 13
    para asma, 14
    para próstata agrandada, 242

K

Kegel ejercicios, 195, 249
Kelp para acelerar el metabolismo, 83
Kiwi, para bajar colesterol, 18
Kosher, sal gruesa
    en exfoliador casero, 265
    en lavado de cabello en seco, 30
    para artritis, 9
    para dolor de garganta, 181
    para dolor de oídos, 130

L

Labios agrietados, 266
Labios, prevención de líneas de, 158
Lactobacilos acidófilos, 60, 312, 313, 314
Lactosa en yogur, digestibilidad de, 311-312
Lactucarium en lechuga, para conciliar sueño, 210
Lágrimas artificiales, 138, 146
Lanolina en lana de oveja, 110
Laringitis, 182
Latigazo ("whiplash"), 122
Lavado de cabello en seco, 30
Lavanda (espliego, "lavender"), aceite de, para llagas que supuran, 152
Laxativos. *Vea* Estreñimiento
Leche. *Vea también* Leche de cabra; Leche de coco; Suero de leche
    cólicos y, 235
    diarrea y, 49-50
    para furúnculos, 153, 154
    para hiedra venenosa, 193
    para irritantes de ojos, 139
    para piel grasosa, 263
    para piel seca, 264
    para quemaduras de sol, 169, 170, 171
    úlceras y, 222
Leche de cabra
    para conjuntivitis, 137
    para insomnio, 209

Leche de coco, 277
    para próstata agrandada, 241
Lechuga, 322
    para insomnio, 209
    para pesadillas, 212
Lecitina, 288
    colesterol, para bajar, 19
    para acné, 150
    para adelgazar, 78
    para agrandamiento de próstata, 242
    para flebitis, 166
    para gripe, 178
    para hemorroides, 91
    para seborrea, 191
    para úlceras, 223
Legumbres, 308
Lengua
    quemaduras en, 168
    raspador de, 59
Lentejas para amamantar, 255
Lentes de contacto, quitar, antes de lavado de ojos, 147
Lesiones, 153
Levadura de cerveza ("brewer's yeast")
    colesterol y, 20
    para acné, 150
    para arrugas, 157
    para cataratas, 135
    para clavos, 161
    para eccema, 187
    para estreñimiento, 73
    para madre que amamanta, 255
Licor de anís para flatulencia, 105
Lignanos, 292
Lima ("lime")/jugo de lima
    para artritis, 11
    para indigestión, 103
Limón/jugo de limón, remedios con
    como fijador de cabello, 33
    como fortificador de sangre, 5
    como lavado de ojos, 147
    en exfoliador casero, 265
    en tonificante para piel, 263
    para acidez estomacal, 107
    para aliento a ajo o cebolla, 59
    para caspa, 28
    para clavos y callos, 160, 161
    para congestión de senos nasales, 202
    para cortaduras con papel, 155
    para cuello rígido, 122

para dolor de cabeza, 63
para dolor de garganta, 181
para estreñimiento, 72
para furúnculos, 153, 154
para heridas, 152
para hipo, 100
para irritantes de ojos, 139
para manchas de uñas, 111
para manos ásperas, 109, 110
para mareos causados por
    movimiento, 126, 127
para pecas, 155
para picaduras de insectos, 115,
    116
para picaduras de mosquito, 116
para picazón, 188
para piedras en el riñón, 207
para pies doloridos, 159
para puntos negros, 151
para resfriados y gripe, 175
para rodillas y codos resecos, 154
para tos, 217, 218, 221
para uñeros, 111
para verrugas, 224
para vesícula biliar irritada, 226
Linaza. *Vea* Semillas de lino
Lisina
    para culebrilla, 94
    para herpes, 93
Llagas, 92, 93, 152, 153
    aftas, 60
Llagas en la boca (úlceras en los
    labios, "fever blisters"), 93
Llagas que supuran, 152
Lodo (barro, fango, "mud")
    para hiedra venenosa, 192
    para picaduras de insectos, 115
Lucir maravillosa, cómo, 266

M

Macarrones de coco para diarrea, 51
Magnesio, 288, 306, 312
    calambres en las piernas y, 123
    para asma, 15
    tics nerviosos y, 46
Maicena (fécula de maíz,
    "cornstarch")
        en lavado de cabello en seco,
            30
        para irritación al afeitarse, 190
        para moretones, 119
        para picazón genital, 189
        para urticaria, 189

Mal aliento. *Vea* Halitosis
Maíz (choclo, elote, "corn") para
    aftas, 60
Manchas causadas por
    envejecimiento, 119
Manchas marrones, 119
Mandarina ("tangerine"), jugo de,
    para eructos, 106
Maní (cacahuates, "peanuts")/aceite
    de maní, 308-309
        para evitar deterioro de
            dientes, 57
        para ojeras, 120
Manicura, protección de, 267
Manos, problemas de, 109-111. *Vea
    también* Uñas
Manos agrietadas, 109
Mantequilla de maní ("peanut butter")
    para evitar intoxicación, 25
Mantequilla de manzana ("apple
    butter") para quemaduras, 168
Manzana/jugo de manzana, remedios
    con
        colesterol y, 18
        para aliento a café, 59
        para conjuntivitis, 136
        para diarrea, 51
        para dolor de cabeza, 66
        para estreñimiento, 72, 73
        para indigestión, 235
        para ojos inflamados, 139
        para ojos quemados por sol,
            170
        para presión arterial alta, 96
        para resfriados y gripe, 177
        para ronquera y laringitis, 183
Manzanilla ("chamomile"), remedios
    con
        como estimulante de ánimo, 44
        para alivio premenstrual, 254
        para dolor de garganta, 182
        para dolor de muelas, 53
        para dolor de oídos, 130
        para indigestión, 103, 236
        para insomnio, 209, 211
        para mareos causados por
            movimiento, 126
        para náuseas y vómito, 125
        para niños sin apetito, 236
        para palpitaciones del corazón,
            40
        para piel grasosa, 263

para problemas de ojos, 136,
    140, 142, 146
para problemas de cabello, 29,
    32
para síndrome del túnel
    carpiano, 200
para verrugas, 224
Mareos causados por movimiento,
    126-127
Mareos de mar, 128
Marrubio ("horehound") para control
    de peso, 77
Masajes
    para agrandamiento de próstata,
        241, 242
    para artritis, 12
    para gases, 106
    para indigestión, 102
    para regular menstruación, 252
Máscara de belleza, 262
    para piel grasosa, 263
    para piel seca, 264
    para piel tipo mixta, 265
Máscara de belleza casera, cómo
    preparar, 262
Mayonesa para problemas de cabello,
    29
Mecedora, valor terapéutico de, 124
Mejorana ("marjoram")/té de
    mejorana
        para colon irritable, 102
        para dejar de fumar, 36
        para mareos de mar, 128
Melanina en piel de infantes, 169
Melaza negra ("blackstrap molasses")
    para aftas, 60
    para canas, 32
    para estreñimiento, 75
    para evitar deterioro de dientes, 57
    para moretones, 119
    para verrugas, 225
Melocotón (durazno, "peach")
    como fortificadores de sangre, 6
    para náuseas de bebé, 236
Memoria, problemas de, 111-114
Menopausia, 256-257
    semillas de lino para, 292
Menstruación, 252-254
Menta ("mint")/té de menta,
    para acidez estomacal, 107
    para dolor de cabeza, 62
    para impotencia, 243

Menta piperita ("peppermint")/té de
menta piperita
para alivio premenstrual, 254
para amamantar, 255
para ataque al corazón, 39
para calmar estrés, 45
para diarrea, 50
para flatulencia, 105
para indigestión, 101, 103
para mareos causados por
movimiento, 126
para palpitaciones del corazón,
40
para ronquera y laringitis, 182
para tos, 221
para vesícula biliar irritada,
226
Meriendas saludables, 80-81
Metabolismo, aceleración de, 83-84
Miedo escénico, 216
Miel
como estimulante de ánimo, 44
en máscara de belleza, 262, 265
en restauración de cabello, 27
mal aliento y, 58
para acidez estomacal, 107
para acné, 150, 151
para anemia, 5
para arrugas, 157
para artritis, 9
para asma, 15, 16
para boca seca, 217
para calambres en las piernas, 123
para calmar estrés, 45
para cortaduras, 155
para diarrea, 50, 51
para dolor de cabeza, 64
para dolor de garganta, 181
para dolor de muelas, 54
para enfisema, 70
para estimular deseo sexual, 251
para estreñimiento, 72
para fatiga, 87
para fiebre, 180
para furúnculos, 154
para halitosis, 58
para herpes labial, 93
para indigestión, 102
para insomnio, 211
para llagas que supuran, 153
para manos ásperas, 109
para miedo escénico, 217

para migrañas, 65
para picaduras de insectos, 115
para pie de atleta, 162
para piel sobreexpuesta al sol, 171
para prevención de fiebre del
heno, 4
para problemas de corazón, 40
para problemas de memoria, 113
para quemaduras, 168
para resaca, 21, 22
para resfriados y gripe, 175-176
para ronquera y laringitis, 182,
183
para sinusitis, 202
para tos, 217, 218, 219, 221
Migrañas, 64-65
Milenrama (aquilea, "yarrow"), té de
para flujo menstrual excesivo, 253
para náuseas y vómito, 125
para piel grasosa, 263
para problemas de cabello, 29
para varicela ("chicken pox"), 231
Mirra ("myrrh")
para halitosis, 59
para problemas de encías, 55
Mofeta, spray de 118
Moho, 323
Mojar la cama, 204-205
en niños, 230-231
Moras. *Vea* Zarzamoras
Mordeduras y picaduras, 114-118
Mordeduras de serpiente, 116-117
Moretones y decoloraciones de la
piel, 118-121
Mujer, salud de la, 249-257
ataque al corazón, riesgo de, 41
cistitis, 250
control de la vejiga, 249
embarazo, 254-256
intoxicación, 25
menopausia, 256-257
menstruación, 252-254
síndrome del túnel carpiano, 199
vaginitis, 251
Músculos doloridos
calambres en las piernas, 121-124
cuello rígido, 122
tensión en el cuello, 121-122

N

Nabo ("turnip"), remedios con
para moretones, 119
para olor corporal, 147

para pies doloridos, 159
para tos, 219
Nabo ("turnip"), hojas de, y
medicamentos anticoagulantes,
186
Nabo sueco ("rutabaga") para tos,
218
Naranja/jugo de naranja, remedios
con
para esguinces, 71
para indigestión, 103
para músculos doloridos, 121
para resfriados y gripe, 176
Naranja con especias, poma de, 279
Náuseas y vómito, 125-128
Náuseas matutinas, 254, 255
Nébeda (hierba gatera, "catnip") para
esguinces, 71
Neuralgia, 128
Niacina. *Vea* Vitamina B_3
Niños, salud de, 229-237
acné, 230
amigdalitis, 237
apetito, falta de, 236
astillas, 236
cólicos, 235-236
crup, 232
dentición, 237
diarrea, 233
fiebre, 233
indigestión, 234-236
irritantes de ojos, 231
mojar la cama, 230-231
nariz, objetos en la, 233
piojos, 234
resfriados y gripe, 231
sarpullidos, 236
tos, 232
trastorno de déficit de atención e
hiperactividad (ADHD), 230
varicela ("chicken pox"), 231
Norepinefrina, 43
Nueces ("nuts"), 304-311
Nuez ("walnuts"), 305, 306
para herpes labial, 93
Nuez del Brasil (castaña del Brasil,
"Brazil nut"), 306-307
Nuez moscada ("nutmeg")
para acné, 149
para cicatrices de acné, 151
para insomnio, 208, 211
para neutralizar alcohol, 21

Nutrientes, absorción de, 321
Ñames, 80

O

Objeto extraño en nariz de niños, 233
Oídos
    cera en, 132
    infecciones en, 130-131
    insecto en, 132
Ojeras, 120
Ojos
    cataratas, 135-136
    ceguera por la nieve, 143-144
    conjuntivitis, 136
    espasmos de, 142
    fortalecedores de, 144-145
    glaucoma, 142
    hinchados, 140
    inflamados, 139-140
    irritantes de, 138-139, 231
    morados, 120-121
    orzuelos, 142-143
    quemados por sol, 170-171
    rojos, 121, 134, 136, 146
    secos, 137
    visión nocturna, 142
    vista cansada, 141
Olfato, uso de, para perder peso, 84
Olmo norteamericano ("slippery elm") para agrandamiento de próstata, 242
Olmo escocés. *Vea* Hamamelis
Olor corporal, 147-148
Omega-3, ácidos grasos
    colesterol y, 18
    hipertensión y, 95
    lágrimas artificiales ("artificial tears") y, 138
    para problemas de corazón, 41-42
    semillas de lino y, 291-295
    trastorno de déficit de atención e hiperactividad (ADHD) y, 230
Omega-6, ácidos grasos, y semillas de lino, 293-294
Optimismo, 7, 319
Orégano
    depresión y, 43
    para estómago nervioso, 102
Orzuelos, 142-143
Osteoporosis, 312
Otitis de piscina, 131

P

Palpitaciones del corazón, 40
Panal de abejas para controlar alergias y fiebre del heno, 4
Papada, cómo prevenir, 266
Papas, remedios con, 280
    para acidez estomacal, 107
    para artritis, 9
    para asma, 15
    para ciática, 68
    para congelación, 39
    para conjuntivitis, 136
    para dolor de cabeza, 62
    para eccema, 186-187
    para indigestión, 102
    para ojeras, 120
    para ojos inflamados, 139
    para ojos morados, 121
    para pecas, 155
    para picaduras de insectos, 115
    para presión arterial alta, 96
    para quemaduras, 167
    para quemaduras en los pies, 169
    para quemaduras de sol, 170
    para tos, 221
    para verrugas, 224
    para vista cansada, 141
Papas dulces. *Vea* Batatas
Papaya, remedios con
    en máscara de belleza, 262
    para acidez estomacal, 107
    para clavos, 161
    para hemorroides, 92
    para indigestión, 103
    para llagas que supuran, 152
    para ojos inflamados, 139
    para ojos morados, 120
    para piel muerta, 151
    para piel tipo mixta, 265
    para síndrome del túnel carpiano, 201
Pasas de uva ("raisins")
    en control de anemia, 5
    para estreñimiento, 75
    para migrañas, 65
    para ronquera y laringitis, 182
    remojadas en ginebra para artritis, 10-11
Pasión, frutas de, para problemas sexuales, 197
Pasta de dientes
    casera para encías, 56

para picaduras de insectos, 115
para uñas manchadas, 111
Pastillas y píldoras, secretos para tomarlas, 321
Pecanas ("pecans"), 306, 307, 311
Pecas, 155
Pepino ("cucumber"), remedios con
    para acné, 150
    para menopausia, 257
    para ojos inflamados, 140
    para presión arterial alta, 96
    para problemas con bebidas alcohólicas, 21
Pérdida de audición, 133-134
Perejil ("parsley")/agua de perejil
    betacaroteno y vitamina C en, 322
    como diurético, 96
    como repelente de mosquitos, 116
    para agrandamiento de próstata, 242
    para aliento a ajo, 59, 297
    para artritis, 8
    para ciática, 69
    para dientes flojos, 52
    para moretones, 119
    para orzuelos, 143
    para pecas, 155
    para problemas de cabello, 29
    para problemas urinarios, 203
    para resfriados y gripe, 177
    para retortijones de estómago, 108
    para sinusitis, 202
Pesadillas, 212
Peso, control de
    acelerar metabolismo para, 83-84
    agua o gaseosas y, 84
    calorías quemadas por hora, 82
    celulitis, 82-83
    consejos para, 75
    hierbas para, 76-77
    Índice de masa del cuerpo (BMI), 85, 86
    mostaza para, 83
    olfato, uso de, para, 84
    refrigerios (meriendas) saludables, 80-81
    remedios adelgazantes, 78-80
    retos de los días festivos y, 84
    salsa picante, 83
    vitamina C para, 83
    yoga para, 82

Pesticidas, cómo quitar, de frutas y verduras, 81, 323

Pezones doloridos y/o agrietados, 255-256

Picaduras de arañas, 117

Picaduras de abejas, alergias a, 4

Picaduras de garrapatas ("tics"), 117-118

Picaduras de insectos, 114-115

Picaduras de mosquitos, 115-116

Picazón genital, 189

Picazón rectal, 189-190

Pie de atleta, 162

Piedras en el riñón, 206-207, 254

Piel, cuidado de, 261-267. *Vea también* Piel, problemas de
    cómo quitar pintura de la piel, 267
    para piel sobreexpuesta al sol, 171
    polen de abeja para, 288

Piel, decoloración de, 118-119

Piel, problemas de, 149-158
    acné, 149-150
    arrugas, 156-158
    astillas, 156
    cicatrices, 151, 155-156
    cortaduras y raspaduras, 155
    estrías, 156
    furúnculos, 153-154
    heridas y llagas, 152-153
    pecas, 155
    piel muerta y poros agrandados, 151
    puntos negros, 151
    rodillas y codos resecos, 154

Piel grasosa, 263-264

Piel seca, 264

Piel tipo mixta, 264-265

Piernas, problemas de, 164-166

Pies, problemas de, 158-163
    fríos, 161-162
    sudorosos, 163

Pimienta de cayena ("cayenne pepper"), remedios con
    como propulsor de energía, 88
    para acelerar metabolismo, 83
    para artritis, 12
    para cabello, restauración de, 27
    para diarrea, 50
    para dolor de garganta, 181

para dolor de muelas, 54

para esguinces, 71

para fatiga, 87

para fiebre, 180

para flujo menstrual excesivo, 252

para heridas, 152

para indigestión, 103

para mareos causados por movimiento, 126

para pies doloridos, 159

para pies fríos, 161

para presión arterial alta, 96

para problemas de corazón, 42

para resaca, 22

para sangrado nasal, 185

para síndrome del túnel carpiano, 201

para tensión y ansiedad, 214

para tos, 218

Pimienta de Jamaica ("allspice") para indigestión, 106

Piña (ananá, "pineapple"), remedios con
    en máscara de belleza casera, 262
    en preparación para tratamiento dental, 55
    para clavos y callos, 160
    para dolor de garganta, 180
    para hipo, 99
    para ojos morados, 120
    para verruga genital, 224

Piojos en niños, 234

Piojos en pestañas, 234

Piorrea, 55-56

Pistachos, 308

Placa dental, eliminador de, 58

Polen, 3, 4, 286

Polen de abeja, 286-291
    para fatiga, 87
    para menopausia, 256-257
    para próstata agrandada, 241

Pomas, 279

Pomelo. *Vea* Toronja

Potasio, 51, 80, 305
    calambres en las piernas y, 123

Premenstrual, alivio, 254

Presera ("cleavers") para control de peso, 76

Presión arterial alta. *Vea* Hipertensión

Presión arterial baja, 97-98

Presión diastólica, 41, 95, 96

Presión en los oídos, 131

Presión sanguínea. *Vea* Hipertensión; Presión arterial baja

Presión sistólica, 41, 95, 96

Prevención de caries, 57-58

Problemas de riñón (renales), 206-207

Problemas sexuales, 193-198

Productos lácteos y asma, 14

Propulsores de energía, 88-89

Próstata, cáncer de, y zinc, 148

Protector solar en infantes, 169

Prurito, 187-189

Psoriasis, 187

Puerro ("leek"), remedios con
    como diurético, 205
    hierro, contenido de, en, 5
    para esguinces, 71-72
    para hemorroides, 91

Q

Quemaduras, 167-169

Quemaduras con ácidos, 168

Quemaduras por cuerda, 168

Quemaduras de garganta, 168

Quemaduras en la lengua, 168

Quemaduras en los pies, 168

Quemaduras de sol, 169-171

Quemaduras con sustancias químicas, 168

Químicos, productos, como irritantes de ojos, 138-139

Quingombó ("okra"), para estreñimiento, 75

Quinina para calambres en las piernas, 123

R

Rábano ("radish"), remedios con
    contenido de hierro en, 5
    para indigestión, 103
    para ronquera y laringitis, 183

Rábano negro ("black radish") para problemas de vesícula biliar, 226

Rábano picante ("horseradish"), remedios con
    como diurético, 205
    para acné, 149
    para artritis, 8
    para asma, 16
    para ciática, 68
    para dolor de cabeza por sinusitis, 202

para dolor de garganta, 181
para dolor de muelas, 53
para pecas, 155
para picaduras de insectos, 115
para sinusitis, 202
para tos, 218
Raspaduras, 155
Recetas médicas, cómo leer, 320-321
Reflexología, 30, 122, 129
Refrigerios saludables, 80-81
Regaliz ("licorice")
como antialérgeno, 3-4
para asma, 14
para falta de deseo sexual, 251
para menopausia, 257
para tos, 219
Régimen de limón/miel/agua, como
fortificador de sangre, 5
Reírse para perder peso, 80
Remolacha (betabel, "beet"),
remedios con
para caspa, 28
para ciática, 68
para diarrea, 51
para estreñimiento, 73
para presión arterial baja, 98
para resaca, 23
para tos, 218
Reposar en cama, desventajas de, 319
Resaca, 22-24
Resfriados y gripe, 172-184
en niños, 231-232
Respiración profunda y presión
arterial baja, 98
Retortijones de estómago, 101, 108
Reumatismo, 6
Riboflavina. *Vea* Vitamina B$_2$
Rodillas resecas, 154
Romero ("rosemary"), remedios con
para calmar dolor, 11
para dolor de cabeza, 61
para eliminar celulitis, 82
para problemas de cabello, 27, 29
para vista cansada, 141
Ron para prurito, 189
Ronquera, 182-183
Ronquidos, 212-213
Rosa, pétalos de,
como fortalecedor de ojos, 144
para artritis, 9
para corazón sano, 42
Rutina
para ateroesclerosis, 17

S
Sacachicle, 33
Sal de Higuera ("Epsom salt")
para calambres en las piernas, 121
para calmar estrés, 45
para culebrilla, 95
para extracción de muela, 55
para pies doloridos, 159
Sal marina para psoriasis, 187
Sal. *Vea también* Sal de Higuera;
Kosher, sal gruesa
hinchazón de ojos y, 140
para controlar mordeduras de
serpiente, 117
para ojos morados, 120
para picaduras de insectos, 115
Saliva, acidez estomacal y, 107
Salvado ("bran")
para dolor de muelas, 53
para dolor de oídos, 130
para estreñimiento, 74
para indigestión, 104, 105
Salvia ("sage")/té de salvia
para amigdalitis, 184
para calmar estrés, 45
para congelación, 39
para dolor, 11
para dolor de garganta, 181
para dolor de muelas, 53
para indigestión, 101
para insomnio, 209
para olor corporal, 147
para problemas de cabello, 29, 31
para problemas de memoria, 112
para resfriados, 175
Sándalo ("sandalwood"), aceite de,
para problemas sexuales, 197
Sandía, remedios con
como diurético, 205
para presión arterial alta, 97
para sarpullido por calor, 190
para sarpullido en niños, 236
Sangrado nasal, 185-186
Saponinas, 11, 219, 307
Sarpullido, 186-193
en niños, 236
Sarpullido causado por calor, 190
Sarpullido causado por pañal, 236
Sarro, eliminador de, 58
"Sauerkraut" (chucrut, col agria)
cómo preparar, 281-282
para aftas, 60

para ciática, 69
para diarrea, 51
para estreñimiento, 73
para fortificar la sangre, 5
para gripe, 179
para quemaduras, 168
para resaca, 24
para úlceras, 223
Seborrea, 191
Secador de pelo para migrañas, 65
Selenio, 306
Semillas de hinojo. *Vea* Hinojo
Semillas de alcaravea ("caraway
seeds"), remedios con
para acidez estomacal, 102
para cólicos, 235
para dolor de oídos, 130
para gases, 105
Semillas de cilantro (coriandro,
"coriander") para problemas
sexuales, 197
Semillas de eneldo ("dill seeds") para
gases, 105
Semillas de girasol ("sunflower
seeds"), remedios con
como fortalecedor de ojos,
144, 145
para asma, 15
para bajar colesterol, 20
para dejar de fumar, 37
para estreñimiento, 73
para impedir deterioro de
dientes, 57
para problemas de memoria,
113
para resfriados y gripe, 175
para tos, 219
para vista cansada, 141
Semillas de lino ("flaxseed")/aceite de
linaza, 291-295
colesterol y, 19
medicamentos para diluir la
sangre y, 138
para celulitis, 82
para estreñimiento, 73
para insomnio, 209
para irregularidad menstrual,
254
para perder peso, 79
para psoriasis, 187
para síntomas de menopausia,
292

Semillas de mostaza ("mustard seeds"), remedios con
    para flatulencia, 105
    para indigestión, 104
    para problemas de memoria, 113
Serotonina en bananas para depresión, 43
Siestas, 272
Silva, método, para insomnio, 208
Síndrome del túnel carpiano (CTS), 198-201
Sinusitis, 202
Sistema inmune, y confesiones, 272
Solanáceas, 6, 9
Sonambulismo, 212
Sopa de pollo
    para estreñimiento, 75
    para resaca, 24
    para resfriados, 172-174
Sopa para perder peso, 79-80
Suavizante de heces, 75
Sueño, apnea del, 212-213
Suero de leche ("buttermilk"). *Vea también* Productos lácteos
    en prevención de arrugas, 158
    para acné, 150
    para diarrea, 51
    para pecas, 155
    para picazón genital, 189
    para poros agrandados, 151
Suero de yogur ("whey"), 313
Superalimentos
    ajo, 295-299
    jengibre ("ginger"), 300-304
    nueces ("nuts"), 304-311
    polen de abeja ("bee pollen"), 286-291
    semillas de lino (linaza, "flaxseed"), 292-295
    yogur, 311-315
Sustitutos para endulzar, 323
Sustitutos de sal, 323

T

Tabaco. *Vea también* Cigarrillo
    para hemorroides, 92
    para heridas, 152
    para mordedura de serpiente, 117
    para picadura de insectos, 115-116
Talones agrietados, 163
Té. *Vea* tipos específicos de té

Té común, bolsitas de
    para clavos y callos, 160
    para extracción de muela, 55
    para ojos inflamados, 139
    para orzuelos, 143
    para quemaduras de sol, 170
Té de hierbas, 279
Telarañas para heridas, 152
Tensión, dolor de cabeza por, 61
Tensión arterial. *Vea* Hipertensión; Presión arterial baja
Tensión en el cuello, 121-122
Tensión y ansiedad, 214-217
Testículos, tocar, 193
Testosterona, 195
Tiamina. *Vea* Vitamina B_1
Tics nerviosos, 46
Tinitus, 132-133
Tiña ("ringworm"), 190-191
Tipo de piel, cómo identificar, 261
Tiramina para asma, 14
Tiritas (curitas), cómo quitar sin dolor, 267
Tiza
    para clavos, 161
    para hiedra venenosa, 192
    para verrugas, 225
Tobillos débiles, 166
"Tofu" para hiedra venenosa, 193
Tomate/jugo de tomate
    para limpiar manos, 110
    para quemaduras en pies, 168
    para sacar astillas, 156
    para spray de mofeta, 118
Tomillo ("thyme"), remedios con
    para flujo menstrual excesivo, 252
    para pesadillas, 212
    para prurito, 188
Topacio para resfriados, 178
Toronja (pomelo, "grapefruit")/jugo de toronja, remedios con
    como propulsora de energía, 89
    para calambres, 121
    para estreñimiento, 73
    para fiebre del heno, 4
    para indigestión, 103
    para insomnio, 208
    para otitis de piscina, 131
    para rodillas y codos resecos, 154
    reacción con medicamentos, 208

Tos, 217-221
    en niños, 232
Tos bronquial, 220
Tos con flema, 221
Tos de fumador, 220-221
Tos nerviosa, 221
Tos nocturna, 220
Tos seca, 221
Trastorno de déficit de atención e hiperactividad (ADHD), 230
Tratamiento dental, cómo prepararse para, 55
Traumatismo cervical (latigazo, "whiplash"), 122
Trébol rojo ("red clover"), té de, para dejar de fumar, 36
Triptófano para insomnio, 211
Tupinambo (aguaturma, "Jerusalem artichoke")
    en producción de insulina, 49
    para asma, 15
Turquesa para estimular deseo sexual, 198

U

Úlceras, 222-223
    ajo y, 6
Úlceras en los labios (llagas en la boca, "fever blisters"), 93
Uña de diablo ("devil's claw"), 325
    para síndrome del túnel carpiano, 201
Uñas, 110-111
    protección para manicura, 267
    pulidor de uñas, 27
Uñas encarnadas, 162-163
Uñas manchadas, 110-111
Uñas con nicotina, 111
Uñeros, 111
Úrico, ácido
    cómo neutralizar, 8
    gota y, 90
Urinarios, problemas, 202-207
Urticaria, 187-189
Uvas/jugo de uvas
    como fuentes de hierro, 5
    como propulsoras de energía, 88
    para anemia, 5
    para artritis, 11
    para calmar estrés, 45
    para fiebre, 180
    para llagas, 153

V

Vaginitis, 251-252
Valeriana ("valerian"), raíz de, 215
Valium, 215
Varicela ("chicken pox")
 en niños, 231
 virus que causa, y relación a
  culebrilla, 94
Várices, 164-165
 mecedora para prevenir, 124
Vaselina ("petroleum jelly") para piel
 tipo mixta, 265
Venas varicosas. *Vea* Várices
Verrugas, 224-225
Verrugas genitales, 224
Verrugas plantares ("plantar warts"),
 225
Vesícula biliar, problemas de, 226
Vinagre/vinagre blanco. *Vea también*
 Vinagre de sidra de manzana
  como base para el esmalte de
   uñas, 267
  para asma, 14
  para clavos y callos, 160
  para dolor de cabeza, 63
  para dolor de garganta, 181
  para dolor de muelas, 54
  para granitos, 150
  para hiedra venenosa, 192
  para manchas marrones, 119
  para otitis de piscina, 131
  para picaduras de insectos,
   115-116
  para pie de atleta, 162
  para sangrado nasal, 185
  para tos, 219
  para urticaria, 189
  para vómito, 125
Vinagre de sidra de manzana ("apple
 cider vinegar")
  como revitalizador de la piel,
   262
  para acidez estomacal, 107
  para adelgazar, 78
  para artritis, 9
  para asma, 15
  para calambres en las piernas,
   123
  para culebrilla, 95
  para dolor de cabeza, 64
  para dolor de garganta, 180
  para esguinces, 71
  para fatiga, 87

 para herpes labial, 93
 para hipo, 99
 para indigestión, 102
 para limpiar manos, 109
 para picazón rectal, 189
 para pies doloridos, 159
 para poros agrandados, 151
 para problemas de cabello, 27,
  28, 29
 para problemas de memoria,
  112
 para problemas renales, 206
 para prurito, 188
 para resfriados y gripe, 175
 para ronquera y laringitis, 183
 para tos, 218, 220
 para várices, 164
Vinagre de vino para clavos y callos,
 160
Vino blanco para indigestión, 103
Vino tinto para problemas del
 corazón, 42
Visión nocturna, 142
Visualización, 273
 para asma, 14-15
 para dolor de cabeza, 63
 para fatiga, 88
 para tensión y ansiedad, 216
Vitalidad sexual, polen de abeja para,
 288
Vitamina A, 6, 321
 piedras en el riñón y, 207
 problemas sexuales del hombre y,
  195
Vitamina B_1 (tiamina), 6, 7, 20, 24
 cebada ("barley") como fuente de,
  277
 como repelente de mosquitos, 116
 en preparación para tratamiento
  dental, 54
 para ciática, 68
Vitamina B_2 (riboflavina), 6, 20, 24,
 305, 312
  deficiencia de, como causa de
   cataratas, 135-36
  para glaucoma, 142
  para ojos rojos, 134
Vitamina B_3 (niacina), 20, 305
Vitamina B_6
 en "sauerkraut", 281
 para calambres en las piernas, 124
 para dedos de pie entumecidos,
  163

 para síndrome del túnel carpiano,
  198
 tics nerviosos y, 46
Vitamina B_{12}, 312
Vitaminas del complejo B, 6. *Vea*
 también vitaminas B específicas
  cuándo tomar, 321
  para anemia, 5
  para cataratas, 135
  para glaucoma, 142
  para dedos de pie
   entumecidos, 163
  para problemas de uñas, 110
  para resaca, 23, 24
Vitamina C, 6, 321
 colesterol y, 18
 en crema nocturna, 266
 fumar y, 36
 para acelerar metabolismo, 83
 para ateroesclerosis, 17
 para dolor de cabeza, 62
 para encías sangrantes, 56
 para evitar el sangrado nasal, 186
 para fiebre del heno, 4
 para hemorroides, 92
 para moretones, 118
 para ojos morados, 120
 para ojos quemados por sol, 170
 para picaduras de araña, 117
 para piorrea, 56
 para prevenir cataratas, 136
 para prurito, 188
 para sarpullido por calor, 190
 para tos, 221
 para várices, 164
 rutina y, 17
Vitamina D, 321
Vitamina E, 305, 321
 en crema nocturna, 266
 para calambres en las piernas,
  123-124
 para corazón sano, 42
 para irritación al afeitarse, 190
 para manchas marrones, 120
 para quemaduras, 167
 para verrugas, 225
Vitamina K
 medicamentos anticoagulantes y,
  41
 para evitar el sangrado nasal, 186
Vitaminas, retención de, en
 microondas, 322
Vómito. *Vea* Náuseas y vómito

Y

Yerba mate
    para control de peso, 77
    para migrañas, 65
    para problemas de memoria, 112
"Ylang-ylang", aceite de, para
    problemas sexuales, 197
Yoga
    ejercicio "el león", 266
    para decelerar aumento de peso
        de mediana edad, 82
    para gases, 106
    para hemorroides, 92
    para potencia sexual, 196
    para relajación, 215
Yogur, 311-315
    congelado, 315
    en tonificante para piel, 263
    para aftas, 60
    para diarrea, 51

    para diarrea en niños, 313
    para disentería, 52
    para hiedra venenosa, 192
    para piel grasosa, 263
Yogur de leche de cabra para
    conjuntivitis, 137

Z

Zanahoria/jugo de zanahoria,
    colesterol y, 18, 20
    como fortificador de la sangre, 6
    para acidez estomacal, 107
    para ansias de comer, 81
    para dejar de fumar, 36
    para diarrea en niños, 233
    para dolor de garganta, 182
    para llagas que supuran, 152
    para piel seca, 264
    para problemas de los ojos, 142,
        145, 146

    para problemas de memoria, 112
    para problemas urinarios, 203
    para prurito, 188
    para resaca, 23
    para verrugas, 224
Zarzamora ("blackberry"), brandy
    de/jugo de/vino de, para diarrea,
    50, 51, 233
Zarzaparrilla ("sarsaparilla")/raíz de
    zarzaparrilla
        para menopausia, 257
        para problemas sexuales, 194
        para psoriasis, 187
Zinc, 306, 312
    para olor corporal, 148
    para resfriados y gripe, 176
    para resfriados en niños, 231
Zinc, sulfato de, para problemas de
    uñas, 110